W9-BZW-114

EL VALS DEL DIABLO

JONATHAN KELLERMAN

EL VALS DEL DIABLO

Traducción de María Antonia Menini

grijalbo

grijalbo mondadori

Título original
DEVIL'S WALTZ
Traducido de la edición de Bantam Books, a division Bantam Doubleday Dell Publishing Group Inc., Nueva York, 1993
Cubierta: SDD, Serveis de Disseny, S.A.

Primera edición
ISBN: 84-253-2617-6 (tela)
ISBN: 84-253-2701-6 (rústica)
Depósito legal: B. 473-1995
Impreso en Novagrafik, S. L., Puigcerdà, 127, Barcelona

A mi hijo Jesse,
un caballero y todo un erudito

Mi especial gratitud a Reuben Eagle,
Allan Marder, Yuki Novick,
Michael Samet, Dennis Payne,
y el doctor en medicina Harry Weisman.

Resuenan las antiguas formas de la repugnante enfermedad;
resuena la mezquina codicia del oro.

Lord Alfred TENNYSON

1

Era un lugar mítico y temible a la vez, el reino de los milagros y de fracasos de la peor especie.

Me había pasado un cuarto de vida allí, aprendiendo a enfrentarme con su ritmo, su locura y su almidonado blancor. Cinco años de ausencia me habían convertido en un forastero, por lo que, al entrar en el vestíbulo, experimenté un nudo de inquietud en el estómago.

Puertas de cristal, suelos de granito negro, altos y cóncavos muros de mármol italiano en los que figuraban grabados los nombres de los benefactores difuntos.

El reluciente escenario de un incierto recorrido sin guía.

Fuera imperaba la primavera, pero allí el tiempo tenía un significado distinto.

Unos internos del servicio de cirugía (santo cielo, qué jóvenes los contrataban) caminaban arrastrando los pies con sus zapatillas sanitarias de suela de papel, agotados por los turnos dobles. Mis zapatos tenían la suela de cuero y resonaban sobre el granito.

Suelos tan resbaladizos como el hielo. Yo acababa de iniciar mi período de interno cuando los instalaron. Recordaba las protestas y las reclamaciones contra el carácter absurdo de unos suelos de piedra abrillantada en un lugar en el que los niños corrían, caminaban, cojeaban y se desplazaban en silla de ruedas. Pero a un filántropo le había gustado el aspecto. En la época en que solían abundar los filántropos.

Aquella mañana no se veía mucho granito, pues todo el vestíbulo estaba ocupado por una marea humana, casi toda ella de color y pobremente vestida, haciendo cola delante de las ventanillas de cristal, a la espera de los favores de los impasibles empleados. Los empleados evitaban mirar a la gente y adoraban el papeleo. La cola no se movía.

Los niños de pecho lloraban y mamaban; las mujeres parecían a punto de desmayarse y los hombres mascullaban maldiciones y miraban al suelo. Los desconocidos se empujaban unos a otros y buscaban refugio en los comentarios humorísticos. Algunos niños más crecidos, los que todavía conservaban la apariencia de niños, se agitaban y forcejeaban contra los fatigados brazos de los mayores, escapándose durante unos breves segundos de libertad antes de ser apresados y repescados. Otros, pálidos, demacrados, encorvados, calvos y pintados con colores artificiales, permanecían de pie en muda y conmovedora obediencia. Ásperas palabras en lenguas extranjeras resonaban por encima del monótono murmullo del sistema de altavoces. Una leve sonrisa o una frase burlona animaban de vez en cuando el común abatimiento, aunque enseguida se apagaban cual la fugaz chispa de un pedernal mojado.

Mientras me acercaba, lo percibí.

Alcohol para frotar, bitters de antibióticos, pegajoso licor de desesperanza y aflicción.

Eau d'Hôpital. Ciertas cosas no cambiaban jamás. Pero yo sí; me notaba las manos frías.

Me abrí paso entre la gente. Al llegar a los ascensores, un corpulento individuo enfundado en un uniforme azul marino de guardia de seguridad apareció como por arte de ensalmo y me bloqueó el paso. Cabello rubio entrecano y un afeitado tan impecable que la piel parecía haber sido lijada con arena.

—¿En qué puedo servirle, señor?

—Soy el doctor Delaware. Estoy citado con la doctora Eves.

—Permítame algún documento de identificación, señor.

Sorprendido, rebusqué en mi bolsillo y saqué una tarjeta de solapa de cinco años de antigüedad. El tipo la tomó y la examinó detenidamente como si fuera la clave de algo. Levantó la vista para mirarme y después volvió a estudiar la fotografía en blanco y negro tomada diez años atrás. Sostenía un *walkie-talkie* en la mano y llevaba una pistola enfundada en el cinto.

—Veo que las medidas de vigilancia se han reforzado desde la última vez que estuve aquí.

—Esta tarjeta está caducada —dijo—. ¿Sigue usted en plantilla, señor?

—Sí.

Frunció el ceño y se guardó la tarjeta en el bolsillo.

—¿Ocurre algo? —pregunté.

—Tiene que hacerse otra tarjeta, señor. Diríjase a la sección de Seguridad, pasada la capilla, y allí le sacarán una fotografía y se la harán enseguida.

Rozó con el dedo la tarjeta que llevaba prendida en la solapa. Fotografía en color y número del carnet de identidad de diez dígitos.

—¿Cuánto tardaré?

—Depende, señor —contestó con la mirada perdida en la lejanía, como si repentinamente se hubiera hartado de mí.

—¿De qué?

—De las personas que tenga delante. De si sus papeles están en regla o no.

—Mire, estoy citado con la doctora Eves para dentro de un par de minutos. Ya me haré la tarjeta cuando salga.

—Me temo que no será posible, señor —dijo, mirando todavía en la distancia mientras cruzaba los brazos sobre el pecho—. Son las normas.

—¿Es una medida reciente?

—El verano pasado se cursó una circular al personal médico.

—Pues yo no la recibí.

La debí de arrojar al cubo de la basura sin abrir, como casi toda la correspondencia hospitalaria que me enviaban.

El tipo no contestó.

—Tengo mucha prisa —dije—. ¿Y si pido una tarjeta de visitante para salir momentáneamente del apuro?

—Las tarjetas de visitante son para los visitantes, señor.

—Es que yo he venido a visitar a la doctora Eves.

El tipo volvió a mirarme, frunciendo el ceño con expresión más sombría. Estudió el estampado de mi corbata y se tocó la pistola que llevaba al cinto.

—Las tarjetas para visitantes se entregan en el Registro —dijo, señalando con el pulgar una de las largas colas.

Tras lo cual, cruzó de nuevo los brazos sobre el pecho.

Le miré con una sonrisa.

—No hay manera, ¿eh?

—No, señor.

—¿Me ha dicho que al otro lado de la capilla?

—Al otro lado de la capilla, girando a la derecha.

—¿Ha habido problemas de delincuencia? —pregunté.

—Yo no hago las normas. Simplemente me encargo de que se cumplan.

Esperó un momento antes de apartarse a un lado y me miró con los ojos entornados mientras yo me alejaba. Doblé la esquina medio esperando que me siguiera, pero el pasillo estaba vacío y silencioso.

La puerta que ostentaba la placa de SERVICIO DE SEGURIDAD se encontraba unos veinte pasos más abajo. Un letrero colgaba del tirador: VOLVEMOS A, y un reloj impreso con unas manecillas movibles que señalaban las nueve y media. Mi reloj marcaba las nueve y diez. Llamé con los nudillos de todos modos. No hubo respuesta. Volví la cabeza. No había ningún guardia de seguridad a la vista. Recordando los ascensores reservados al personal que había pasada la sección de Medicina Nuclear, bajé por el pasillo.

La sección de Medicina Nuclear se había convertido ahora en

FONDOS COMUNITARIOS. Otra puerta cerrada. El ascensor seguía en su sitio, pero faltaban los pulsadores; ahora funcionaba con llave. Estaba buscando la escalera más próxima cuando aparecieron dos camilleros, empujando una camilla vacía. Ambos eran jóvenes, altos y negros, y lucían unos peinados geométricamente esculpidos. Estaban comentando muy en serio el último partido de los Raiders. Uno de ellos sacó una llave, la insertó en la ranura y la hizo girar. Las puertas del ascensor se abrieron y mostraron unas paredes acolchadas con guata. En el suelo había varias envolturas de comida-basura y un trozo de gasa sucia. Los camilleros empujaron la camilla hacia interior y yo les seguí.

La sección de Pediatría General ocupaba el extremo este del cuarto piso y estaba separada de la Sala de Neonatología por una puerta basculante de madera. Yo sabía que la clínica del servicio ambulatorio sólo llevaba quince minutos abierta, pero la pequeña sala de espera ya estaba llena a rebosar de gente. Estornudos y accesos de tos, miradas empañadas e hiperactividad. Unas amorosas manos maternales sujetaban niños, volantes y mágicas tarjetas de plástico de la Seguridad Social. A la derecha de la ventanilla de recepción había una puerta de doble hoja con una placa que decía LOS PACIENTES PRESÉNTENSE PRIMERO EN EL REGISTRO, por encima de una traducción al español de la misma frase.

Empujé la puerta y avancé por un largo y blanco pasillo en cuyas paredes figuraban distintos carteles sobre la seguridad y la alimentación, boletines sanitarios del condado e invitaciones bilingües a cuidar, vacunar y abstenerse del consumo de alcohol y estupefacientes. Aproximadamente una docena de salas de exploración estaban ocupadas y sus casillas aparecían llenas a rebosar de historias clínicas. Por debajo de las puertas se filtraban maullidos de gato y palabras de consuelo. Al otro lado estaban los archivos, los armarios de suministros y un frigorífico con una cruz roja pintada. Una secretaria estaba dándole al teclado de un ordenador, las enfermeras iban y venían entre los armarios y las salas de exploración y los residentes hablaban sujetando los teléfonos entre la barbilla y el hombro mientras seguían las rápidas zancadas de los médicos.

La pared giraba a la derecha a un pasillo más corto donde había varios despachos de médicos. La puerta abierta de Stephanie Eves era la tercera de un grupo de siete.

La estancia medía tres metros por cuatro y sus paredes de color beige aparecían animadas por estantes modulares llenos de libros y revistas, un par de pósters de Miró y una empañada ventana que daba al este. Más allá del brillo de las capotas de los automóviles, las cimas de las colinas de Hollywood parecían disolverse en una especie de caldo de vallas anunciadoras y neblina.

El escritorio, un típico modelo hospitalario de imitación nogal y metal cromado, estaba pegado a una pared, mientras que una silla metálica de tapicería de color anaranjado y apariencia muy incómoda competía por el espacio con un estrecho sofá de imitación cuero en color marrón. Entre las sillas, una barata mesita auxiliar ostentaba una cafetera y un raquítico filodendro en una maceta de cerámica azul.

Stephanie se hallaba sentada junto al escritorio con una larga bata sobre un vestido en tonos vino y gris, rellenando el volante de ingreso de un paciente. Un montón de historias clínicas le llegaba a la altura de la barbilla y le ocultaba el brazo con el cual estaba escribiendo. En el momento en que yo entré en la estancia, levantó los ojos, posó la pluma, sonrió y se levantó.

—Alex.

Se había convertido en una mujer muy guapa. El vulgar cabello castaño que antes llevaba largo hasta los hombros, lacio y sujeto con un prendedor, era ahora más corto y tenía las puntas rizadas. Unas lentes de contacto habían sustituido las gafas de abuelita que solía llevar, mostrando unos ojos ámbar en los que yo jamás me había fijado. Aunque nunca había estado gorda, ahora era una chica delgada. Su estructura ósea parecía más fuerte y mejor esculpida. El paso del tiempo no la había perdonado tras superar la barrera de los treinta y cinco años; una fina red de arruguitas se extendía desde los ángulos exteriores de sus ojos y la expresión de su boca se había endurecido levemente. Pero con el maquillaje todo se disimulaba muy bien.

—Cuánto me alegro de verte —dijo, tomando mi mano.

—Y yo a ti también, Steph.

Nos dimos un pequeño abrazo.

—¿Te puedo ofrecer alguna cosa? —preguntó, señalando la cafetera mientras unas pulseras de oro rojo tintineaban en su muñeca. La otra muñeca ostentaba un reloj también de oro. Ninguna sortija—. ¿Café solo o auténtico *café au lait*? Este cacharro calienta estupendamente la leche.

Dije no, gracias, y estudié el aparatito. Pequeño, achaparrado, color negro mate combinado con acero brillante, logotipo de una marca alemana. El recipiente era pequeño, para dos tazas. A su lado había una jarrita de cobre.

—Bonita, ¿verdad? —dijo—. Me la regaló un amigo. Tengo que hacer algo para darle un poco de estilo a este lugar.

Sonrió. Jamás le había interesado el estilo. Le devolví la sonrisa y me acomodé en el sofá. En una mesita había un libro encuadernado en cuero. Lo tomé. Los poemas completos de Byron. Etiqueta de una librería llamada Browsers..., en Los Feliz, justo al otro lado de Hollywood. Polvorienta y siempre llena de gente, un poco especializada en poesía. Mucha basura y algunos tesoros. Yo solía visitarla durante la pausa del almuerzo en mi época de interno.

—Es una especie de escritor —me explicó Stephanie—. Estoy intentando ampliar mis intereses.

Dejé el libro. Ella se acomodó en el sillón de su escritorio y lo giró de cara a mí, cruzando las piernas. Medias gris pálido y unos zapatos de ante a juego con el vestido.

—Estás estupenda —le dije.

Otra sonrisa de aparente indiferencia, pero inequívocamente satisfecha, como si esperara el cumplido, pero se alegrara de todos modos de oírlo.

—Tú también, Alex. Gracias por venir tan deprisa.

—Has despertado mi curiosidad.

—¿De veras?

—Pues claro. Con todos estos datos tan intrigantes...

Se medio volvió hacia el escritorio, sacó una historia clínica del montón y la dejó sobre sus rodillas sin abrirla.

—Desde luego, no cabe duda de que es todo un desafío.

De repente, se levantó, se acercó a la puerta, la cerró y volvió a sentarse.

—Bueno pues —dijo—, ¿qué tal te ha sentado el regreso?

—Por poco me detienen al entrar.

Le comenté mi encuentro con el guardia de seguridad.

—Menudo fascista —dijo alegremente mientras mi memoria se reactivaba: los comités de quejas que ella presidía. Rechazo de la bata blanca en favor de los pantalones vaqueros, las sandalias y las blusas de algodón desteñido. «Stephanie, no doctora. Los títulos son sistemas discriminatorios que utilizan las minorías que ostentan el poder...»

—Sí, ha sido una cosa un poco paramilitar —dije, mientras ella contemplaba la historia clínica que sostenía sobre las rodillas.

—Intriga y misterio —comentó—. Lo que no sabemos es el quién y el cómo... ni si alguien lo hace. Lo malo es que esto no es una novela de Agatha Christie, Alex. Es un lío de la vida real. No sé si me podrás echar una mano, pero no sé muy bien qué otra cosa podría hacer.

Se escucharon unas voces desde el pasillo, seguidas de unos berridos, una reprimenda y unos pasos apresurados. Después, el grito de terror de un niño traspasó el tabique de yeso.

—Esto parece un parque zoológico —dijo Stephanie—. Salgamos de aquí.

2

Al fondo de la clínica del servicio ambulatorio había una puerta que daba a una escalera. Descendimos hasta el primer sótano. Stephanie bajó los peldaños corriendo.

La cafetería estaba casi vacía..., una mesa de superficie color anaranjado ocupada por un interno que estaba leyendo, la sección de deportes de un periódico, otras dos compartidas por parejas de aspecto cansado que daban la impresión de haber dormido con la ropa puesta. Padres que se habían quedado a pasar la noche con sus hijos. Un derecho por el cual nosotros habíamos luchado.

Ceniceros vacíos y platos sucios en algunas mesas. Un empleado con el cabello recogido en una redecilla circulaba muy despacio, llenando saleros.

En la pared este se abría la puerta del comedor de los médicos: relucientes paneles de madera de teca y una placa de latón con las letras elegantemente grabadas. Habría sido la obra de un filántropo con aficiones náuticas. Stephanie pasó de largo y me acompañó a un reservado situado al fondo de la sala principal.

—¿Seguro que no te apetece un café?

Recordando el aguachirle del hospital, contesté:

—Ya he agotado mi cupo de cafeína.

—Te entiendo.

Se alisó el cabello con la mano y nos sentamos.

—Bueno pues —dijo—. Tenemos a una niña de veintiún meses de raza blanca que nació al término de un período completo de embarazo en parto normal: tuvo una puntuación de 9 en el test Apgar postparto. El único dato significativo en su historial es el hecho de que, poco antes de que ella naciera, un hermano suyo murió a causa del síndrome de muerte súbita infantil a la edad de un año.

—¿Tiene otros hermanos? —pregunté sacando un cuaderno de apuntes y una pluma.

—No, sólo Cassie. Que estuvo muy bien hasta los tres meses, en que su madre explicó que había ido una noche a ver cómo estaba y observó que no respiraba.

—¿La había ido a ver por temor al síndrome de muerte súbita?

—Exactamente. Al ver que no podía despertar a la niña, le administró un fármaco de Reanimación Cardiopulmonar y logró que volviera a respirar. Y entonces la llevó a Urgencias. En el momento del ingreso, la niña estaba bien y la exploración no reveló ninguna anomalía. Ordené su ingreso para someterla a control e hice los análisis habituales. Nada. Una vez dada de alta, facilitamos a la familia un monitor del sueño y un dispositivo de alarma. A lo largo de los meses siguientes, la alarma se disparó unas cuantas veces, pero no ocurría nada..., la niña respiraba bien. Los gráficos muestran unos trazos que podrían ser breves accesos de apnea, pero también hay muchos indicios de movimiento... de la niña que se agitaba en la cama. Pensé que, a lo mejor, estaba un poco nerviosa porque esas alarmas no son muy seguras, y atribuí el primer episodio a algún extraño fallo. De todos modos, pedí que los neumólogos le echaran un vistazo, dados los antecedentes de su hermano. Resultado negativo. Entonces decidimos vigilarla estrechamente durante el período de más alto riesgo de muerte en la cuna.

—¿Un año?

Stephanie asintió con la cabeza.

—Preferí jugar sobre seguro y lo amplié hasta quince meses. Empecé con controles ambulatorios semanales y los fui alargando hasta que, a los nueve meses, ya casi estaba pensando en dejar el siguiente control para el año. Sin embargo, a los dos días del control de los nueve meses, volvieron a Urgencias en mitad de la noche a causa de problemas respiratorios..., la niña se había despertado jadeando y con una tos de tipo diftérico. Su madre le administró el fármaco de RCP y nos la vuelven a traer.

—¿No te parece que el RCP es un poco fuerte para la difteria? ¿Llegó la niña a perder el conocimiento?

—No, jamás perdió el conocimiento, pero jadeaba mucho. Puede que la madre exagerara un poco, pero, tras haber perdido a su primer hijo, ¿quién se lo hubiera podido reprochar? Cuando yo llegué a Urgencias, la niña estaba estupendamente bien, sin fiebre ni la menor señal de sufrimiento. Pero no me extrañó. El aire fresco nocturno alivia la difteria. Le hice una radiografía y análisis de sangre y todo estaba normal. Le receté anticongestivos, dieta líquida y descanso y estaba a punto de enviarla a casa cuando la madre me pidió que la ingresara. Tenía el convencimiento de que a su hija le ocurría algo grave. Yo estaba casi segura de que no, pero, puesto que hacía poco tiempo habíamos tenido algunos casos respiratorios tremendos, ordené su ingreso y mandé que se le hicieran análisis sanguíneos diarios. Los recuentos eran normales y, al cabo de un par de días de pinchazos, la niña empezó a ponerse un poco histérica cada vez que veía una bata blanca. Le di el alta y decidí efectuar un control semanal ambulatorio, en cuyo transcurso la niña no quería ni verme. En cuanto yo entraba en la sala de exploración, se ponía a gritar.

—Ahí está la gracia de ser médico —dije.

Stephanie esbozó una triste sonrisa y miró a los camareros.

—Van a cerrar. ¿De veras no te apetece nada?

—No, gracias.

—Pues, si no te importa, yo todavía no he desayunado.

—Faltaría más.

Se dirigió rápidamente al mostrador metálico y regresó con medio pomelo en un platito y una taza de café. Tomó un sorbo e hizo una mueca.

—Me parece que le hace falta un poco de leche caliente —le dije.

Se secó la boca con una servilleta.

—Eso no tiene arreglo.

—Menos mal que no cuesta nada.

—¿Y eso quién lo ha dicho?

—¿Cómo? ¿Los médicos ya no pueden tomar gratuitamente café?

—Eso ya pertenece al pasado, Alex.

—Otra tradición que desaparece —dije—. ¿La antigua excusa del presupuesto?

—¿Qué, si no? El café y el té cuestan ahora nueve centavos. No sé cuántas tazas se necesitarán para equilibrar los libros.

Mientras ella se comía el pomelo, yo jugueteé con mi pluma diciendo:

—Recuerdo lo mucho que luchasteis para que los internos y los residentes tuvieran la alimentación gratuita.

Stephanie sacudió la cabeza.

—Es curioso que antes nos parecieran importantes todas estas cosas.

—¿Los problemas económicos son más graves que de costumbre?

—Me temo que sí. —Frunció el ceño, posó la cuchara y apartó el pomelo a un lado—. Bueno pues, volvamos al caso. ¿Dónde estaba?

—La niña se pone a gritar cuando te ve.

—Ah, sí. Las cosas vuelven a normalizarse, empiezo a alargar los controles y les cito para dos meses más adelante. Tres días más tarde, otra vez a Urgencias a las dos de la madrugada. Otro acceso de tos diftérica. Pero esta vez la madre dice que la niña ha perdido el conocimiento... y que incluso ha adquirido una coloración cianótica. Más Reanimación Cardiorrespiratoria.

—A los tres días de dar por finalizados los controles —dije, tomando nota—. La otra vez fue a los dos días.

—Curioso, ¿verdad? Bueno pues, la someto a un examen urgente. La tensión de la niña es ligeramente alta y la respiración un poco acelerada. Pero hay suficiente oxígeno. No se registraba jadeo, pero pensé que podía ser un ataque agudo de asma o alguna especie de reacción de ansiedad.

—¿Temor ante el hecho de encontrarse de nuevo en el hospital?

—O eso, o la influencia de la angustia de la madre.

—¿Te pareció que la madre estaba muy angustiada?

—Pues no mucho, pero ya sabes las vibraciones que se transmiten entre madres e hijos. Por otra parte, yo no podía excluir un origen físico. Cuando un bebé pierde el conocimiento, hay que tomárselo muy en serio.

—Por supuesto —dije—, pero también pudo ser un berrinche llevado hasta las últimas consecuencias. Hay niños que aprenden enseguida a contener la respiración y desmayarse.

—Ya lo sé, pero eso ocurrió en mitad de la noche, Alex, no después de una lucha de poderes. La ingreso otra vez, pido que se hagan otros análisis de alergia y un examen completo de las funciones pulmonares... y no se observa asma. Empiezo a pensar en otras posibilidades más insólitas: problemas de membrana, algo cerebral de tipo idiopático, un trastorno enzimático. Se pasa una semana aquí en un carrusel de consultas de todas las especialidades de la casa, hurgamos en todas partes y lo examinamos todo. La pobrecilla se muere de miedo en cuanto se abre la puerta de su habitación, pero nadie puede sentar un diagnóstico y, durante su permanencia aquí, no se registra ninguna dificultad respiratoria, lo cual refuerza mi teoría de la ansiedad. Le doy el alta y concierto una cita en mi despacho donde simplemente intento jugar con ella; pero la niña sigue sin querer saber nada de mí. Le planteo a la madre la posibilidad de la ansiedad, pero ella no la acepta.

—¿Cómo reaccionó?

—No con enfado..., no es su estilo. Me dijo simplemente que no acertaba a imaginarlo, siendo la niña tan pequeña. Yo le expliqué que las fobias se pueden producir a cualquier edad, pero no logré convencerla. No insistí y la envié a casa, dándole a la madre un poco de tiempo para que lo pensara en la esperanza de que, en cuanto hubiera transcurrido un año y el riesgo del síndrome disminuyera, los temores de la madre desaparecieran y la niña empezara también a relajarse. Cuatro días más tarde, regresan a Urgencias. Síntomas de difteria y jadeos. La madre nos suplica entre lágrimas que la ingresemos. Ordené el ingreso de la niña, pero no pedí ningún tipo de análisis sino tan sólo observación. La niña parecía encontrarse perfectamente bien... ni siquiera un estornudo. Me aparté con la madre y le planteé con más contundencia la posibilidad de un origen psicológico, pero no conseguí convencerla.

—¿Le hiciste algún comentario sobre la muerte del primer hijo?

Stephanie sacudió la cabeza.

—No. Lo pensé, pero no me pareció oportuno en aquellos momentos, Alex. Hubiera sobrecargado en exceso a la señora. Pensé que ella me tenía una cierta estima..., yo estaba de guardia cuando trajeron a su primer hijo ya muerto. Me encargué de todo lo necesario..., yo misma lo llevé al depósito de cadáveres, Alex.

Cerró los ojos, los volvió a abrir, pero no los centró directamente en mí.

—Qué terrible —dije.

—Sí... y fue una pura casualidad. Eran pacientes privados de Rita, pero ella se encontraba fuera de la ciudad y yo estaba de guardia. No los conocía de nada, pero participé también en la consulta sobre las causas de la muerte. Intenté asesorarlos y ponerlos en contacto con grupos de ayuda mutua de personas que han sufrido desgracias, pero no les interesó. Cuando regresaron un año y medio más tarde y solicitaron que yo atendiera a su hija, me llevé una sorpresa.

—¿Por qué?

—Pensé que me asociarían con la tragedia y me considerarían una especie de mensajera de la muerte. Pero, al ver que no, supuse que los debía de haber tratado bien.

—No me cabe la menor duda de que sí.

Stephanie se encogió de hombros.

—¿Cómo reaccionó Rita ante el hecho de que tú la sustituyeras? —pregunté.

—¿Qué querías que hiciera? Ella no estaba cuando la necesitaron. Tenía problemas personales por aquel entonces. Su marido..., ya sabes con quién se casó, ¿verdad?

—Otto Kohler.

—El famoso director de orquesta... así lo llamaba ella: «Mi marido, el famoso director de orquesta».

—Murió hace poco, ¿no es cierto?

—Hace unos meses. Llevaba algún tiempo enfermo y había sufrido una serie de ataques. Desde entonces, Rita se ha estado ausentando cada vez con mayor frecuencia y los demás hemos tenido que encargarnos del trabajo acumulado. Se dedica más bien a asistir a convenciones y a presentar trabajos antiguos. Piensa incluso retirarse. —Sonrisa un tanto turbada—. Puede que me presente candidata al puesto, Alex. ¿Tú me ves a mí como jefa de departamento?

—Pues claro.

—¿De veras?

—Seguro, Steph. ¿Por qué no?

—No sé. Es un cargo... inherentemente autoritario.

—Hasta cierto punto —dije—. Pero supongo que el cargo se puede adaptar a distintas modalidades de mando.

—Bueno, no estoy segura de ser una buena jefa. No me gusta decirle a la gente lo que tiene que hacer... Pero en fin, ya basta de eso. Me estoy desviando del tema. Hubo otros dos episodios de pérdida del conocimiento antes de que yo volviera a plantear la posibilidad de un origen psicológico.

—Otros dos —dije, estudiando mis apuntes—. Tengo anotados un total de cinco.

—Exactamente.

—¿Qué edad tenía entonces la niña?

—Menos de un año. Y era una veterana del hospital. Otros dos ingresos y todo nuevamente negativo. Hablo en serio con la mamá y le recomiendo encarecidamente una consulta con el psicólogo. A lo cual ella reaccionó diciendo... espera, te voy a facilitar la cita exacta. —Abrió la carpeta y leyó en tono pausado—: «Ya sé que es lo más lógico, doctora Eves, pero es que yo sé positivamente que Cassie está enferma. Si usted la hubiera visto... tendida allí, cianótica...». Fin de la cita.

—¿Utilizó esta palabra? ¿Cianótica?

—Sí. Tiene algunos conocimientos médicos. Estudió técnicas respiratorias.

—Y sus dos hijos dejan de respirar. Curioso.

—Sí. —Sonrisa más bien amarga—. En un primer momento, no me percaté de lo curioso que era todo esto. Estaba totalmente inmersa en el rompecabezas..., tratando de sentar un diagnóstico, temiendo que pudiera producirse otra crisis y preguntándome si yo podría hacer algo al respecto. Para mi sorpresa, pasó algún tiempo sin que ocurriera nada. Pasó un mes, pasaron dos y tres sin que tuviera la menor noticia de ellos. Me alegré de que la niña estuviera bien, pero también me pregunté si habrían buscado otro médico. Les llamé y hablé con la madre. Todo iba bien. Entonces me di cuenta de que, en medio de todos aquellos percances, la niña no se había sometido al examen previsto para el término del plazo de un año. Concierto la cita y lo encuentro todo perfecto, exceptuando una cierta lentitud oral y verbal.

—¿De que tipo?

—No un retraso ni nada de todo eso. Apenas emitía sonidos... en realidad, no la oí en absoluto y la madre me dijo que en casa también se mostraba muy apagada. Intenté efectuar una prueba de Bailey, pero no fue posible porque la niña no colaboró. Calculé un desfase de unos dos meses, pero tu ya sabes que a estas edades cualquier cosa puede desequilibrar la balanza, lo cual no tendría nada de extraño dada la tensión a que ha estado sometida la criatura. Pero, como una estúpida, se lo comento a la madre y le provoco una nueva preocupación. Entonces las envío a Otorrinolaringología y allí comprueban que los oídos y la estructura laríngea son enteramente normales, por lo que coinciden con mi valoración de un posible retraso debido a un trauma médico. Le hago a la madre unas sugerencias para el estímulo del lenguaje y me paso otros dos meses sin ver a la niña.

—Ahora la niña tiene catorce meses —digo yo, tomando nota.

—Cuatro días más tarde, vuelven a Urgencias. Pero esta vez no por problemas respiratorios. Esta vez tiene fiebre... cuarenta grados. Arrebolada, seca y con respiración muy rápida. Si he de serte sincera Alex, te diré que casi me alegré de que tuviera fiebre... por lo menos, me podría enfrentar con algo de tipo orgánico. El recuento leucocitario era normal, nada de tipo viral o bacteriano. Pedí un análisis toxicológico. Nada. No obstante, las pruebas de laboratorio no siempre son fiables..., los índices de error son del diez al veinte por ciento. La fiebre era auténtica..., yo misma le puse el termómetro. La bañamos, le administramos Tylenol hasta bajarle la fiebre a treinta y ocho, la ingresamos con un diagnóstico de fiebre de origen desconocido, instauramos dieta líquida y la sometimos a un auténtico infierno: punción lumbar para excluir la posibilidad de meningitis a pesar de tener los oídos normales y el cuello blando, pues nos pareció que debía de sufrir una fuerte cefalea aunque no nos lo pudiera expresar. Análisis sanguíneos dos veces al día... se puso histérica y tuvimos que sujetarla. Aun así, consiguió sacarse la aguja un par de veces. —Stephanie apartó un poco más el pomelo. Tenía la frente empapada en sudor. Secándosela con la servilleta, añadió—: Es la primera vez que lo cuento todo desde el principio.

—¿No habéis celebrado ninguna consulta sobre el caso?

—No, hacemos muy pocas últimamente. Rita no está casi nunca.

—¿Y cómo reaccionó la madre a todo esto? —pregunté.

—Lloró un poco, pero se mantuvo bastante serena en general. Me encargué de que ella no tuviera que sujetar en ningún momento a la niña..., para preservar la integridad del vínculo madre-hija. Como ves, no me he olvidado de tus conferencias, Alex. Como ya puedes suponer, todos nos sentíamos unos nazis. —Volvió a secarse la frente—. Sea como fuere, los análisis sanguíneos seguían siendo normales, pero yo no quise darle el alta hasta que transcurrieran cuatro días seguidos sin fiebre. —Lanzando un suspiro, Stephanie se alisó el cabello y pasó las páginas de la carpeta—. El siguiente acceso febril: la niña tiene quince meses y la madre afirma que ha alcanzado los cuarenta y dos grados de fiebre.

—Peligroso.

—Te puedes imaginar. En Urgencias, el médico de guardia le mide cuarenta y un grados, la baña y consigue bajarle la fiebre a treinta y nueve. La madre nos informa de otros síntomas: náuseas, vómitos y diarrea. Y heces negras.

—¿Hemorragia interna?

—Eso parece. Todo el mundo se pone en estado de alerta. El pañal que llevaba mostraba indicios de diarrea, pero no de sangre. La exploración revela que la niña tiene la zona rectal un poco enrojecida y una leve irritación en los bordes externos del esfínter. Pero yo no palpo ninguna distensión intestinal..., tiene el vientre blando y puede que un poco sensible al tacto, pero eso no se puede establecer fácilmente porque las exploraciones le causan pavor.

—Recto irritado —dije yo—. ¿Alguna escoriación?

—No, no, nada de todo eso. Una leve irritación provocada por la diarrea. Se tenía que excluir la posibilidad de una obstrucción o una apendicitis. Llamo a un cirujano, Joe Leibowitz..., ya sabes lo meticuloso que es. Examinó a la niña, dijo que no había nada que justificara una intervención, pero nos aconsejó que la ingresáramos y la sometiéramos a control. Volvemos a pincharla —ya te puedes figurar el espectáculo—, hacemos un análisis exhaustivo y esta vez el recuento leucocitario es un poco alto, pero no rebasa los límites normales y no justifica la elevación de la fiebre. Al día siguiente, la fiebre le había bajado a treinta y ocho y, al otro, a treinta y siete y no parecía que le doliera la tripa. Joe dijo que no era apendicitis y que la pasáramos a gastroenterología. Tony Franks la examina por si hubiera algún síntoma de síndrome de intestino irritable, enfermedad de Crohn o algún problema hepático. Todo negativo. Otro análisis toxicológico completo, y un exhaustivo estudio dietético. Vuelvo a enviarla a Alergia e Inmunología por si hubiera alguna extraña hipersensibilidad a algo.

—¿Le administrasteis la fórmula habitual de leche con azúcar y agua?

—No. Había sido criada al pecho, pero ya se alimentaba totalmente con dieta sólida. Al cabo de una semana, estaba estupendamente bien. Menos mal que no le abrimos la tripa.

—Quince meses —dije—. Ya había superado el período de alto riesgo de síndrome de muerte súbita. El sistema respiratorio se calma, pero empiezan los problemas abdominales.

Stephanie me dirigió una prolongada mirada inquisitiva.

—¿Quieres aventurar un diagnóstico?

—¿Ya no hay más?

—Bueno, hubo otras dos crisis grastrointestinales. A los dieciséis meses, cuatro días después de haber sido examinada por Tony Franks en la clínica de gastroenterología, y un mes y medio más tarde, inmediatamente después de haber acudido por última vez a su consulta.

—¿Los mismos síntomas?

—Sí, pero, en ambas ocasiones, la madre llevaba unos pañales con manchas de sangre. Los examinamos en busca de todos los posibles agentes patógenos..., estoy hablando de tifus, cólera y hasta enfermedades tropicales que jamás se han visto en este continente. Buscamos incluso la presencia de alguna toxina ambiental... plomo, metales pesados, lo que tú quieras. Pero sólo pudimos descubrir una sangre muy sana.

—¿Realizan los padres algún tipo de trabajo que pueda exponer a la niña a algún extraño agente contaminante?

—No. Ella es ama de casa con dedicación completa y el padre es profesor universitario.

—¿Biología?

—Sociología. Pero, antes de que pasemos a la estructura familiar, te quiero hablar de otras cosas. Otro tipo de crisis. Ocurrió hace seis semanas. En cuanto se acaban los problemas gástricos, empiezan las dificultades en otro sistema. ¿A que no adivinas en cuál?

Reflexioné un instante.

—¿El neurológico?

—Exacto. —Stephanie se inclinó hacia adelante y me rozó el brazo—. Me alegro de haberte llamado.

—¿Ataques?

—En mitad de la noche. Síntomas epilépticos según los padres, incluso con emisión de espumarajos por la boca. En el electroencefalograma no se observó ninguna actividad anormal de las ondas y la niña conservaba todos los reflejos, pero, aun así, le hicimos una tomografía cerebral y otra de la médula espinal y la sometimos a toda una serie de videojuegos de neurorradiología por si tuviera algún tipo de tumor cerebral. Eso es lo que más miedo me daba, Alex, porque, al pensarlo, me di cuenta de que un tumor hubiera podido ser la causa de todo lo que había estado ocurriendo desde el principio. Un tumor que, a medida que se desarrollaba, hubiera afectado a distintos centros cerebrales y provocado distintos síntomas. Hubiera tenido gracia, ¿no te parece? —dijo, sacudiendo la cabeza—. Yo hablando de enfermedades psicosomáticas mientras en su cerebro se desarrollaba un astrocitoma o algo por el estilo. Gracias a Dios, todas las tomografías resultaron negativas.

—¿Tenía pinta de haber sufrido un ataque cuando tú la viste en Urgencias?

—Pues sí, porque estaba apática y adormilada, pero eso también pudo ser el resultado de haberla arrastrado al hospital en mitad de la noche. Aun así, temí haber pasado por alto alguna anomalía de tipo orgánico y pedí a Neurología que prosiguieran el estudio del caso. Lo hicieron durante un mes, no encontraron nada y dieron por concluido el estudio. Dos semanas más tarde, hace dos días, se produjo otro ataque. Y ahora es cuando realmente necesito tu ayuda, Alex. En estos momentos se encuentran en la Quinta Oeste. Y eso es todo lo que hay. ¿Puedes aventurar alguna hipótesis?

Eché un vistazo a mis notas.

Dolencias recurrentes y no explicadas. Hospitalizaciones múltiples.

Afectación de distintos sistemas orgánicos.

Discrepancias entre los síntomas y los análisis de laboratorio.

Niña aterrorizada por los tratamientos o las manipulaciones.

Madre con conocimientos sanitarios.

Madre simpática.

Madre simpática que podría ser un monstruo capaz de escribir el guión, montar la coreografía y dirigir un gran guiñol involuntariamente protagonizado por su propia hija.

Un diagnóstico muy poco frecuente, pero los hechos encajaban. Veinte años atrás, nadie había oído hablar de él.

—Síndrome de Münchhausen por sustitución —contesté, posando mi cuaderno de notas sobre la mesa—. Parece un caso de manual.

Stephanie entornó los ojos.

—Sí, es cierto. Si se contempla el panorama en conjunto. Pero, cuando te encuentras metido en el fregado, ya no es tan fácil..., ni siquiera ahora puedo estar segura.

—¿Piensas todavía en alguna causa de tipo orgánico?

—No tengo más remedio que pensar en ella hasta que no se demuestre lo contrario. Hubo otro caso..., el año pasado en el Hospital del Condado. Veinticinco ingresos consecutivos por unas extrañas y recurrentes infecciones durante un período de seis meses. Era también una niña con una madre muy solícita cuya aparente serenidad llamaba la atención del personal sanitario. La niña estaba cada vez peor y ya se disponían a denunciar el caso a las autoridades cuando resultó que se encontraban ante un extraño caso de inmunodeficiencia... Hay tres casos documentados en la literatura y se tuvieron que hacer pruebas especiales en el Instituto Nacional de Salud. En cuanto me enteré, solicité las mismas pruebas para Cassie. Todo negativo, pero eso no significa que no exista algún otro factor que se me haya escapado. Constantemente se descubren cosas..., apenas consigo estar al día sobre lo que se publica. —Removió el café con la cucharilla—. A lo mejor, me resisto... porque me duele no haber identificado antes el síndrome de Münchhausen. Y por eso te he llamado... necesito un consejo, Alex. Dime qué camino tengo que seguir.

Reflexioné un instante.

Síndrome de Münchhausen.

También llamado *pseudología fantástica*.

O falsa alteración morbosa.

Una forma especialmente grotesca de mentira patológica cuyo nombre deriva del barón de Münchhausen, personaje histórico del siglo XVIII, célebre por sus fanfarronadas.

El síndrome de Münchhausen es una hipocondría llevada hasta

las últimas consecuencias. Los pacientes se inventan enfermedades, se mutilan y envenenan o se limitan a mentir. Juegan con los médicos y las enfermeras... y con todo el sistema sanitario.

Los pacientes adultos de Münchhausen consiguen ser repetidamente hospitalizados, recibir medicación innecesaria e incluso ser intervenidos quirúrgicamente.

Es un desconcertante comportamiento masoquista digno de compasión, un trastorno mental que todavía no se ha logrado definir con claridad.

Pero el caso que nos ocupaba estaba más allá de la compasión, pues se trataba de una modalidad todavía más perniciosa: *Münchhausen por sustitución*.

Unos progenitores —invariablemente las madres— se inventan enfermedades en sus propios hijos. Y utilizan a sus hijos —y especialmente a sus hijas— como crisol de un horrible brebaje de mentiras, dolor y enfermedad.

—Hay muchas cosas que encajan, Steph —dije—. Ya desde un principio. La apnea y la pérdida del conocimiento se podrían deber a la asfixia... los movimientos registrados por el monitor podrían significar que la niña estaba forcejeando.

—Es verdad —dijo Stephanie, haciendo una mueca—. En mis lecturas encontré un caso en Inglaterra en el que los movimientos registrados se debían a que el niño estaba siendo asfixiado.

—Y además, como la mamá tiene conocimientos de técnica respiratoria, cabe la posibilidad de que inicialmente eligiera el sistema respiratorio. ¿A que podrían deberse los trastornos intestinales? ¿Tal vez a una intoxicación?

—Probablemente, pero los análisis toxicológicos no revelaron nada.

—A lo mejor, eligió algo de breve efecto.

—O una sustancia irritante inerte que activó mecánicamente los intestinos sin dejar huella.

—¿Y los ataques?

—Se podría decir lo mismo, supongo. No lo sé, Alex. La verdad es que no tengo ni idea. —Stephanie volvió a comprimirme el brazo—. No dispongo de ninguna prueba. ¿Y si me equivocara? Tengo que ser objetiva y darle un margen de confianza a la madre de Cassie..., a lo mejor soy injusta con ella. A ver si tú consigues introducirte en su mente.

—No te puedo prometer ningún milagro, Steph.

—Lo sé. Pero cualquier cosa que hicieras me sería útil. La situación podría llegar a ser grave.

—¿Le dijiste a la madre que lo consultarías conmigo?

Stephanie asintió con la cabeza.

—¿Se muestra ahora más favorable a la consulta psicológica?

—Yo no diría favorable, pero la ha aceptado. Me parece que la he convencido porque ya no insisto en decirle que los problemas de Cassie podrían deberse a la tensión. Creo que los ataques son auténticamente orgánicos. De todos modos, insistí en la necesidad de ayudar a Cassie a superar el trauma de la hospitalización. Le dije que la epilepsia podría obligarnos a ingresar repetidamente a Cassie y que tendríamos que ayudarla a adaptarse. Y le expliqué que tú eras un experto en traumas médicos y que, a lo mejor, podrías ayudar a Cassie a relajarse por medio de la hipnosis. ¿Te parece bien?

Asentí con la cabeza.

—Entre tanto —dijo—, podrías analizar a la madre. Y tratar de establecer si es una psicópata.

—Si es un caso de síndrome de Münchhausen por sustitución, puede que no sea una psicópata.

—¿Pues qué entonces? ¿Qué clase de chiflada es capaz de hacerle eso a su propia hija?

—Nadie lo sabe realmente —contesté—. Hace algún tiempo que no leo nada referido a este tema, pero, en general, se solía pensar en algún tipo de trastorno confuso de la personalidad. Lo malo es que los casos documentados son muy pocos y no existe, en realidad, una buena base de datos.

—No se ha producido ningún progreso últimamente, Alex. He examinado toda clase de fuentes en la facultad de Medicina y no hay prácticamente nada.

—Me gustaría echar un vistazo a los artículos.

—Los leí allí, no los pedí prestados —dijo Stephanie—, pero creo que anoté las referencias en alguna parte. Y me parece recordar eso que has dicho tú del confuso trastorno de la personalidad..., aunque no sé exactamente lo que significa.

—Significa que apenas sabemos nada y por eso buscamos a tientas. Una parte del problema deriva del hecho de que los psicólogos y psiquiatras dependemos de la información que nos facilitan los pacientes. En un caso de Münchhausen forzosamente tenemos que fiarnos de un embustero habitual. Pero, en cuanto se analizan las historias que cuentan, todo coincide bastante: experiencias iniciales con una grave enfermedad o trauma físico, familias que acentuaban la importancia de la salud y la enfermedad, malos tratos infantiles y, a veces, incluso incesto. Todo lo cual conduce a una ausencia de amor propio, a problemas en las relaciones con los demás y a una necesidad patológica de atención. La enfermedad se convierte en el escenario en el que ponen de manifiesto esta necesidad..., por eso muchos de ellos eligen profesiones relacionadas con la sanidad. Sin embargo, muchas personas con esos mismos antecedentes no se convierten en

Münchhausen. Y eso se puede aplicar tanto a los Münchhausen que se maltratan a sí mismos como a los que atormentan a sus hijos por sustitución. Es más, algunos datos apuntan en el sentido de que los padres que padecen el síndrome de Münchhausen por sustitución empiezan maltratándose a sí mismos y, en determinado momento, pasan a utilizar a sus hijos. Nadie sabe por qué ni cuándo ocurre tal cosa.

—Curioso —dijo Stephanie, sacudiendo la cabeza—. Es como un baile. Tengo la sensación de estar bailando a su alrededor, pero de que es ella la que me dirige a mí.

—El vals del diablo —dije.

Stephanie se estremeció.

—Ya sé que no estamos hablando de datos científicos concretos, Alex, pero, si pudieras echarle un vistazo y decirme si, a tu juicio, es ella la que lo hace...

—Por supuesto que sí. Aunque me extraña un poco que no te pusieras en contacto con el Departamento de Psiquiatría del hospital.

—Nunca me ha gustado el Departamento de Psiquiatría que tenemos aquí —contestó—. Demasiado freudiano. Hardesty quería tender a todo el mundo en el sofá. De todos modos, ahora no sería posible. El Departamento de Psiquiatría ya no existe.

—¿Qué quieres decir?

—Los despidieron a todos.

—¿A todo el Departamento? ¿Cuándo?

—Hace unos meses. ¿Acaso no lees las circulares?

—No mucho.

—Ya se ve. Bueno pues, el Departamento de Psiquiatría ha desaparecido. El contrato de Hardesty se ha rescindido y, como él nunca había pedido subvenciones, no se disponía de ninguna ayuda económica. El consejo de administración decidió no correr con los gastos.

—¿Y qué pasó con la plaza de Hardesty? ¿Y los demás..., Greiler y Pantissa no tenían también plaza fija?

—Probablemente sí. Pero resulta que la plaza depende de la facultad de Medicina, no del hospital. Por consiguiente, conservan sus puestos. Los sueldos ya son otra cuestión. Ha sido toda una revelación para los que pensábamos que teníamos el puesto asegurado. Aunque también es cierto que nadie salió en defensa de Hardesty. Todo el mundo pensó que él y sus chicos eran árboles caídos.

—O sea que el Departamento de Psiquiatría ya no existe —dije yo—. Y se acabaron los cafés gratuitos. ¿Hay algo más?

—Muchas cosas. ¿Te afecta en algo el hecho de que no haya Departamento de Psiquiatría? Me refiero a tu situación en la plantilla.

—No, yo dependo del Departamento de Pediatría. Y concretamente de la sección de Oncología aunque hace años que no atiendo a ningún enfermo de cáncer.

—Muy bien —dijo Stephanie—. Eso quiere decir que no tendremos problemas de procedimiento. ¿Alguna otra pregunta antes de que nos levantemos?

—Sólo un par de observaciones. Si fuera un caso de Münchhausen por sustitución, el tiempo apremia un poco... por regla general, la situación se agrava progresivamente y algunos niños acaban muriendo, Steph.

—Lo sé —dijo Stephanie, comprimiéndose las sienes con las puntas de los dedos—. Sé que, a lo mejor, tendré que enfrentarme con la madre. Por eso tengo que estar segura.

—La otra observación se refiere al primer hijo... el niño. Supongo que estarás pensando en un caso de posible homicidio.

—Pues sí. Lo he estado pensando mucho. Cuando mis sospechas sobre la madre empezaron a tomar cuerpo, saqué la historia clínica del niño y la examiné con lupa. Pero no vi nada extraño. Las notas de Rita estaban muy claras..., era un niño que gozaba de perfecta salud antes de morir y, tal como suele ocurrir en esos casos, la autopsia no llegó a ninguna conclusión definitiva.

—Veo que estás haciendo todo lo que puedes.

—Lo intento, pero me desespero.

—¿Y el padre? —pregunté—. No hemos hablado de él.

—En realidad, no le conozco demasiado. Está claro que la madre es la que se encarga de todo y casi siempre he hablado con ella. En cuanto empecé a pensar en un posible caso de Münchhausen por sustitución, me pareció importante concentrarme en ella, porque eso siempre lo hacen las madres, ¿verdad?

—Sí —contesté—, pero, en algunos casos, el padre es un cómplice pasivo. ¿Has observado algún indicio de que sospeche algo?

—Si tiene alguna sospecha, no me lo ha dicho. No me parece un tipo especialmente pasivo... más bien simpático. Y ella también, por supuesto. Los dos son muy simpáticos, Alex. Ésa es una de las razones que me lo hacen todo tan difícil.

—Típico del síndrome de Münchhausen. Seguramente las enfermeras están encantadas con ellos.

Stephanie asintió con la cabeza.

—¿Y cuál es la otra? —pregunté.

—¿La otra qué?

—La otra razón que te lo hace tan difícil.

Cerró los ojos, se los frotó y tardó un buen rato en contestar.

—La otra razón, aunque pueda sonar tremendamente fría y política —dijo— es la posición de esta gente. Social y política. El nombre completo de la niña es Cassie Brooks Jones... ¿te suena eso de algo?

—No —contesté—. Jones no es precisamente un apellido que llame la atención.

—Jones, de Charles L., junior. El célebre financiero. El principal gestor de los recursos económicos del hospital.

—No le conozco.

—Claro... no lees las circulares. Bueno pues, hace ocho meses fue nombrado presidente del consejo de administración. Y se organizó un gran revuelo.

—¿Por la cuestión del presupuesto?

—¿Por qué si no? La genealogía es la siguiente: el único hijo de Charles junior es Charles III... como los reyes. Le llaman Chip... y es el padre de Cassie. La mama se llama Cindy. El niño que murió era Chad... Charles IV.

—Todos empiezan por C —dije—. Les debe de gustar el orden.

—No sé. Pero lo más significativo es que Cassie es la única nieta de Charles junior. ¿No te parece curioso, Alex? Tengo entre manos un posible caso de Münchhausen por sustitución que nos podría estallar a todos en la cara y la paciente es la única nieta del tipo que nos ha quitado el privilegio del café gratuito.

3

Mientras nos levantábamos de la mesa, Stephanie añadió:

—Si no te importa, podríamos subir por la escalera.

—¿Aeróbic matinal? Muy bien.

—Cuando pasas de los treinta y cinco —dijo, alisándose el vestido y abrochándose la bata blanca—, el metabolismo basal se va a hacer puñetas. Tienes que trabajar duro para no convertirte en una bola. Además, los ascensores van tan despacio que cualquiera diría que les han dado Valium.

Nos dirigimos hacia la entrada principal de la cafetería. Ahora las mesas ya estaban todas vacías. Un trabajador del servicio de limpieza vestido con uniforme marrón estaba fregando el suelo y tuvimos que caminar con mucho cuidado para no resbalar.

—El ascensor que sube hasta tu despacho funciona con llave —dije—. ¿A qué vienen tantas medidas de seguridad?

—Oficialmente nos han dicho que es para prevenir la delincuencia —contestó—. Para que la locura de la calle no penetre hasta aquí. Lo cual es hasta cierto punto comprensible..., ha habido algunos problemas, sobre todo durante el turno de noche. Pero, ¿recuerdas tú alguna época en que Hollywood Este no haya sido peligroso de noche?

Llegamos a la puerta. Otro empleado del servicio de limpieza la estaba cerrando y, al vernos, nos miró con recelo y la abrió.

—Reducción del horario..., otro recorte presupuestario —dijo Stephanie.

En el pasillo reinaba un barullo tremendo. Los médicos pasaban en grupo, conversando animadamente entre sí. Las familias intentaban abrirse paso transportando en sillas de ruedas a los pequeños veteranos de las torturas científicas.

Un silencioso grupo se había congregado delante de las puertas de los ascensores, esperando la llegada de alguno de los tres ascensores que se habían detenido simultáneamente en el tercer piso. Esperando, siempre esperando...

Stephanie avanzó hábilmente, saludando los rostros conocidos sin detenerse. Yo la seguí de cerca, evitando chocar con los soportes metálicos de las bolsas de suero.

Cuando llegamos a la escalera del sótano, pregunté:

—¿Qué clase de problemas delictivos ha habido?

—Los de siempre, pero con mayor frecuencia que antes —contestó Stephanie, empezando a subir—. Robos de vehículos, actos de vandalismo, tirones de bolsos. Algunos atracos en Sunset. Y hace un par de meses, dos enfermeras atacadas en el aparcamiento de la acera de enfrente.

—¿Ataques sexuales? —pregunté, subiendo los peldaños de dos en dos para seguir el ritmo de Stephanie.

—Eso no quedó suficientemente aclarado. Ninguna de ellas quiso hablar. Eran trabajadoras eventuales del turno de noche y no pertenecían a la plantilla. Tengo entendido que les propinaron una fuerte paliza y les robaron los bolsos. La policía nos envió a un oficial que nos soltó el habitual rollo sobre las medidas de seguridad personal y acabó confesando que, en el fondo, poco se podía hacer para garantizar la seguridad a menos que el hospital se convirtiera en un campamento armado. Las mujeres de la plantilla protestaron mucho y la administración prometió aumentar la frecuencia de las patrullas de seguridad.

—¿Y se ha hecho algo?

—Creo que sí..., se ven más uniformes en los aparcamientos y, desde entonces, no se han producido nuevos ataques. Pero la protección vino acompañada de toda una serie de medidas que nadie había pedido. *Robocops* en el campus, nuevas tarjetas de identificación, frecuentes controles como el que tú has tenido que soportar. Personalmente creo que les hicimos un favor a los de administración..., les dimos una excusa para ejercer más control. Y, en cuanto lo tienen, nunca lo sueltan.

—¿Los residentes se quieren vengar?

Stephanie se detuvo y me miró, esbozando una tímida sonrisa.

—¿Te acuerdas de eso?

—Con toda claridad.

—Yo entonces era una bocazas, ¿verdad?

—El fuego de la juventud —dije—. Pero se lo tenían bien merecido... te hablaban por encima del hombro delante de todo el mundo y te ridiculizaban con el título de «Señora doctora».

—Sí, tenían un morro que se lo pisaban, desde luego. Seguían unos horarios de banqueros, almorzaban por todo lo alto y se pasaban las horas muertas en la cafetería, enviándonos memorandos sobre el incremento de la productividad y el recorte de los gastos. —Unos peldaños más arriba, Stephanie volvió a detenerse—. Los residentes..., no puedo creer que yo dijera eso —añadió con las mejillas arreboladas—. Era insoportable, ¿verdad?

—Estabas inspirada, Steph.

—Más bien exaltada. Eran unos tiempos muy locos, Alex. Totalmente locos.

—Por supuesto. Pero no desprecies nuestros logros: igual salario para el personal femenino, autorización de permanencia nocturna de los padres en las habitaciones y creación de salas de recreo.

—Sin olvidar el café gratuito para el personal de la casa. Aun así, Alex —añadió Stephanie unos peldaños más arriba—, me parece que muchas de las cosas que nos obsesionaban no eran lo más importante. Nos centrábamos en las personas, pero el problema era el sistema. Un grupo de estudiantes residentes se va, llega otro y surgen los mismos problemas de siempre. A veces me pregunto si no me habré quedado demasiado tiempo aquí. Tú te has mantenido apartado todos estos años y estás mejor que nunca.

—Tú también —dije, pensado en lo que ella me acababa de decir acerca de su intención de presentarse candidata al cargo de jefa del departamento.

—¿Yo? —dijo sonriendo—. Bueno, te agradezco el cumplido, pero, en mi caso, no se debe a la satisfacción personal, sino a que llevo una vida muy sana.

En la quinta planta estaban hospitalizados los niños de uno a once años que no precisaban de atenciones de alta tecnología. Las cien camas de la sala este ocupaban dos tercios del espacio.

El tercio restante estaba reservado a una unidad de veinte camas privadas del ala oeste, separada del resto de la sala por una puerta de madera de teca en la cual una placa de latón decía UNIDAD ESPECIAL HANNAH CHAPELL. La *Sala de Chappy*. De la cual estaban excluidos los plebeyos y los alumnos en período de prácticas, mantenida gracias a las donaciones, los seguros privados y los cheques personales; allí no se veía ni un solo volante del Seguro Social Sanitario.

El hecho de que fuera una sala privada significaba hilo musical saliendo de unos micrófonos ocultos en el techo, suelos alfombrados en lugar de linóleo, un paciente por habitación en lugar de tres o más, y televisión casi constantemente encendida, aunque los aparatos fueran unas antiguallas en blanco y negro.

Aquella mañana casi todas las veinte habitaciones estaban vacías. Un trío de enfermeras diplomadas se encontraba de pie detrás del mostrador de la sala de enfermeras. A escasa distancia, una administrativa de la unidad se estaba limando las uñas.

—Buenos días, doctora Eves —dijo una de las enfermeras, dirigiéndose a Stephanie mientras me lanzaba una mirada no enteramente amistosa.

Me pregunté por qué y le sonreí de todos modos. La enfermera apartó el rostro. Cincuenta y tantos años, bajita, un poco rechoncha, tez áspera, mandíbulas pronunciadas y cabello rubio con mechas. Uniforme azul claro con ribetes blancos y cofia almidonada sobre el cabello; llevaba mucho tiempo sin ver cofias.

Las otras dos enfermeras, filipinas de veintitantos años, se miraron entre sí y se retiraron de mutuo y tácito acuerdo.

—Buenos días, Vicki. ¿Cómo está nuestra niña?

—Hasta ahora, muy bien. —Inclinándose hacia adelante, la enfermera rubia sacó una historia clínica de la casilla 505 W y se la entregó a Stephanie. Tenía las uñas cortas y comidas. Volvió a mirarme. Mi reconocido encanto seguía sin hacerle efecto.

—Le presento al doctor Alex Delaware —dijo Stephanie, pasando las páginas de la historia—, nuestro asesor psicológico. Doctor Delaware, Vicki Bottomley, la enfermera encargada del cuidado de Cassie.

—Ya me dijo Cindy que iba usted a venir —dijo la enfermera como si ello fuera una mala noticia.

Stephanie siguió estudiando la historia.

—Encantado —dije.

—Y yo encantada de conocerle a usted.

El tono desafiante de su voz indujo a Stephanie a levantar la vista.

—¿Todo bien, Vicki?

—De maravilla —contestó la enfermera, con una sonrisa tan jovial como un puñetazo en pleno rostro—. Todo marcha estupendamente bien. No ha vomitado ni el desayuno, ni los líquidos ni la medicación...

—¿Qué medicación?

—Simplemente Tylenol. Hace una hora. Cindy dijo que a la niña le dolía la cabeza...

—¿Tylenol Uno?

—Sí, doctora Eves, la especialidad líquida infantil, una cucharadita de té... aquí está todo anotado —añadió la enfermera, señalando la historia.

—Sí, ya veo —dijo Stephanie, leyendo—. Bueno, por hoy vale, Vicki, pero la próxima vez no le administre ningún tipo de medicación, ni siquiera de libre dispensa, sin mi aprobación. Aparte de la comida y la bebida, yo tengo que autorizar absolutamente todo lo que entre por la boca de la niña. ¿De acuerdo?

—Sí —dijo sonriendo—. No se preocupe, es que yo pensé...

—Tranquila, Vicki —dijo Stephanie, alargando la mano para darle a la enfermera una palmada en el hombro—. Estoy segura de que hubiera autorizado el Tylenol. Lo que ocurre es que, con la historia de esta niña, tenemos que vigilar cuidadosamente las reacciones a los medicamentos.

—Sí, doctora Eves. ¿Alguna otra cosa?

Stephanie leyó un poco más y después cerró el historial y lo devolvió.

—De momento, no, a menos que me quiera usted facilitar alguna información.

Bottomley sacudió la cabeza.

—Muy bien pues, ahora voy para allá a presentar al doctor Delaware. ¿Me tiene que decir alguna otra cosa sobre Cassie?

Bottomley se quitó una horquilla del rubio cabello y se la colocó un poco más atrás para sujetar la cofia. Tenía unos grandes y bellos ojos azules de largas pestañas que iluminaban la tensa y áspera tez de su rostro.

—¿Como qué? —preguntó.

—Cualquier cosa que al doctor Delaware le pueda interesar para ayudar a Cassie y a sus padres con más eficacia, Vicki.

Bottomley miró a Stephanie un instante y después se volvió hacia mí con expresión enfurecida.

—No les pasa nada. Son personas completamente normales.

—Tengo entendido que Cassie se pone muy nerviosa con los tratamientos médicos —dije yo.

Bottomley puso los brazos en jarras.

—¿Y usted no se pondría nervioso si tuviera que pasar por lo que ella está pasando?

—Vicki... —dijo Stephanie.

—Claro —dije yo sonriendo—. Es una reacción muy normal, pero, a veces, se puede aliviar una ansiedad de todo punto normal por medio del tratamiento conductista.

Bottomley soltó una tensa risita.

—Puede ser. Buena suerte.

Stephanie fue a decir algo, pero yo le rocé el brazo diciendo:

—¿Vamos ya?

—Sí —contestó Stephanie. Dirigiéndose a la enfermera Bottomley, añadió—: Recuerde, nada sin autorización, excepto la comida y la bebida.

Bottomley reprimió una sonrisa.

—Sí, doctora. Y ahora, con su permiso, quisiera dejar la planta unos minutos.

—¿Ya es la hora de la pausa? —pregunto Stephanie, consultando su reloj de pulsera.

—No. Sólo quería bajar a la tienda de regalos para comprarle a Cassie un Conejito Amoroso... ya sabe, estos conejitos de felpa que salen en la tele. Está loca por ellos y aprovecharé ahora que están ustedes aquí. No creo que pase nada por unos minutos.

Stephanie me miró y Bottomley siguió su mirada con visible satisfacción, soltó otra risita y se retiró presurosa. La cofia almidonada surcó el desierto pasillo cual una cometa impulsada por un viento de cola.

Stephanie me tomó del brazo y me apartó del mostrador.

—Perdona, Alex. Nunca la había visto comportarse de esta manera.

—¿Ya había sido la enfermera de Cassie otras veces?

—Varias veces... casi desde el principio. Ella y Cindy se han hecho muy amigas y Cassie parece que también le tiene simpatía. Siempre que ingresa Cassie, sus padres preguntan por ella.

—Se la ve un poco dominante.

—Tiene una cierta tendencia a intervenir en los casos, pero eso a mí siempre me ha parecido una cualidad. Las familias la quieren mucho..., es una de las enfermeras más entregadas a su trabajo que yo he conocido jamás. Tal y como están ahora las cosas, la entrega personal no suele abundar demasiado.

—¿Su entrega llega hasta el extremo de visitar los domicilios particulares de los pacientes?

—Que yo sepa, no. La casa sólo la visitamos al principio yo y uno de los residentes para instalar el monitor del sueño. —Stephanie se cubrió la boca con los dedos—. ¿No estarás insinuando que ella ha tenido algo que ver con...?

—Yo no insinúo nada —dije sin estar muy seguro, pues la actitud de Bottomley me había dado que pensar—. Una simple idea.

—Vaya pues... menuda idea. ¿Una enfermera aquejada del síndrome de Münchhausen? Los antecedentes médicos encajan.

—Se han dado casos de médicos y enfermeras que quieren llamar la atención y que, curiosamente, son muy dominantes —dije—. Pero, si los problemas de Cassie siempre han empezado en casa y se han resuelto en el hospital, eso la descarta, a no ser que Vicki sea una visitante asidua del hogar de los Jones.

—No lo es, por lo menos, que yo sepa. No, por supuesto que no..., si lo fuera, yo me habría enterado.

Stephanie parecía insegura y abatida. Me di cuenta de que el caso se estaba cobrando en ella un fuerte tributo.

—Me gustaría saber por qué se ha mostrado tan hostil contigo —dije—. No por razones personales sino para entender mejor la dinámica de esta familia. Si Vicki y la madre son muy amigas y a Vicki yo no le gusto, eso podría perjudicar mi participación.

—Tienes razón... pero la verdad es que no sé lo que le ocurre.

—No le habrás comentado tus sospechas sobre Cindy, ¿verdad?

—No. Tú eres, en realidad, la primera persona a quien se las comento. Por eso le he prohibido la administración de medicamentos sin mi autorización, alegando que podría producirse una reacción. A Cindy también le he pedido que no le traiga comida de casa por el mismo motivo. Vicki y las enfermeras de los demás turnos tienen que anotar todo lo que come Cassie. —Stephanie frunció el ceño—. Claro que, si Vicki se extralimita, cabe la posibilidad de que no siga las instrucciones. ¿Quieres que la traslade a otra sala? La Asociación de Enfermeros me crearía problemas, pero creo que los podría resolver sin dificultad.

—Por mí no lo hagas. Dejemos las cosas tal como están de momento.

Entramos en la sala de las enfermeras. Stephanie tomó de nuevo la historia de Cassie y la volvió a estudiar.

—Todo está bien a primera vista —dijo—. Pero, de todos modos, hablaré con ella.

—Déjame echar un vistazo —dije.

Me pasó la historia. Vi su pulcra escritura y sus detalladas notas. En ellas se incluía la estructura familiar que previamente me había comentado.

—¿No tiene abuelos por parte de madre?

Stephanie sacudió la cabeza.

—Cindy perdió a sus padres cuando era muy joven. Chip perdió también a su madre cuando era un adolescente. El viejo Chuck es el único abuelo que le queda a la niña.

—¿Y suele venir muy a menudo a visitarla?

—De vez en cuando. Es un hombre muy ocupado.

Seguí leyendo.

—Cindy tiene sólo veintiséis años..., puede que Vicki represente un poco la figura de la madre.

—Quizá —dijo Stephanie—. Cualquier cosa que sea, procuraré controlarla.

—Bueno, Steph, tampoco te pases. No quiero que Vicki y Cindy me vean como una persona que le hace la vida imposible a todo el mundo. Dame la oportunidad de conocer a Vicki. A lo mejor, podría convertirse en nuestra aliada.

—De acuerdo —dijo Stephanie—. Eso de las relaciones humanas es lo tuyo. Pero dime algo si se pusiera pesada. No quiero que nada obstaculice la resolución del problema.

La habitación estaba inundada de Conejitos Amorosos... En la repisa de la ventana, la mesita de noche, la bandeja de la cama y el televisor. Fuimos recibidos por un multicolor grupo de simpáticas figuras de dientes salientes.

Las barandillas de la cama se habían bajado y en ella dormía una preciosa niña..., un minúsculo bulto que apenas levantaba las mantas.

Su carita en forma de corazón aparecía vuelta hacia un lado y su boquita de rosa estaba entreabierta. Piel lechosa, mejillas mofletudas, nariz muy chiquita. Su lacio cabello negro le llegaba hasta los hombros y el flequillo húmedo de sudor se le pegaba a la frente. Por encima de la vuelta de la manta se veía un cuello de encaje. Una mano estaba escondida mientras que la otra, cerrada en puño y llena de hoyuelos, sujetaba la tela. El pulgar era del tamaño de una pepita de lima.

El sofá-cama que había junto a la ventana se había convertido en una cama individual con una colcha de bordes ajustables perfectamente alisada. Una floreada bolsa de fin de semana se encontraba en el suelo al lado de una bandeja de comida vacía.

Una joven, sentada con las piernas cruzadas en el borde del colchón, estaba leyendo un ejemplar de una guía de TV. En cuanto nos vio, dejó la revista y se levantó.

Metro sesenta y dos, sólida figura, cintura un poco baja. El mismo cabello oscuro que su hija, con crencha en medio, peinado hacia atrás y recogido en una larga trenza que le llegaba casi hasta la cintura. El mismo óvalo facial de Cassie, aunque un poco más alargado y menos perfecto. Nariz recta y labios carnosos naturalmente oscuros. Grandes ojos castaños. Inyectados en sangre.

Cara lavada y sin maquillaje. Una chica de veintiséis años que hubiera podido pasar fácilmente por una estudiante universitaria.

Desde la cama se oyó un suave murmullo. Un suspiro de Cassie. Todos miramos a la niña. Sus párpados se movieron, pero no se abrieron. Unas finas venitas color espliego resultaban visibles bajo la piel. Se dio la vuelta y apartó el rostro de nosotros.

Me recordó una muñeca de porcelana.

A nuestro alrededor, los Conejitos Amorosos sonreían con expresión siniestra.

Cindy Jones miró a su hija, alargó la mano y le apartó el cabello de los ojos.

Volviéndose hacia nosotros, se alisó rápidamente la ropa como si buscara algún botón desabrochado. Su atuendo era muy sencillo..., una blusa de algodón con unos pantalones vaqueros desteñidos y unas sandalias de tacón medio. Reloj Swatch de plástico de color rosa. No era la sofisticada nuera de personaje importante que yo esperaba.

—Bueno —dijo Stephanie—, parece que alguien está durmiendo muy bien. ¿Usted ha conseguido dormir, Cindy?

—Un poco.

Voz suave y delicada. No necesitaba hablar en susurros.

—Nuestros colchones son muy mullidos, ¿verdad?

—Estoy muy bien, doctora Eves. —La joven sonrió con expresión cansada—. Y Cassie ha dormido estupendamente. Se ha despertado una vez sobre las cinco y la he tenido que mimar un poco. Le he cantado un rato y, al final, se ha vuelto a dormir hacia las siete. Supongo que es por eso por lo que todavía está durmiendo.

—Vicki me ha dicho que le dolía la cabeza.

—Sí, cuando se despertó. Vicki le dio Tylenol en líquido y parece que le hizo efecto.

—Hizo bien en administrarle Tylenol, Cindy, pero en el futuro todos los medicamentos, incluso los de libre dispensa, tendrán que ser aprobados por mí. Para ir sobre seguro.

Los ojos castaños se abrieron enormemente.

—Sí, claro. Disculpe.

Stephanie esbozó una sonrisa.

—No se preocupe. Es que quiero tener mucho cuidado, Cindy. Le presento al doctor Delaware, el psicólogo de quien le hablé.

—Encantada, doctor Delaware.

—Encantado, señora Jones.

—Llámeme Cindy.

Me tendió una fina mano y sonrió tímidamente. Simpática. Comprendí que mi trabajo no iba a ser fácil.

—Tal como ya le dije —añadió Stephanie—, el doctor Delaware es un especialista en el tratamiento de la ansiedad infantil. Si hay alguien que pueda ayudar a Cassie a superar todo esto, es él. Le gustaría hablar con usted ahora mismo, si le parece bien.

—Claro, me parece muy bien.

Cindy se acarició la trenza con expresión preocupada.

—Estupendo —comentó Stephanie—. Si no necesita nada de mí, me voy.

—En este momento no se me ocurre nada, doctora Eves. Sólo quería preguntarle si... han encontrado algo.

—Todavía no, Cindy. El electroencefalograma de ayer era totalmente normal. Pero, tal como ya le dije, en los niños de esta edad, esta prueba no siempre es concluyente. Las enfermeras no han observado ningún comportamiento que pudiera revelar la presencia de un ataque. ¿Usted ha notado algo?

—No... más bien no.

—¿Más bien no?

Stephanie se acercó a Cindy. Debía de medir un par de centímetros más que ésta, pero parecía más corpulenta.

Cindy Jones se mordió el labio superior y después lo volvió a soltar.

—Nada... seguramente no tiene importancia.

—Bueno, Cindy, pero dígamelo de todos modos aunque usted no le atribuya importancia.

—Estoy segura de que no es nada, pero a veces me da la impresión de que está como desconectada... y no me escucha cuando le hablo.

Tiene la mirada perdida... como si acabara de sufrir un pequeño ataque de epilepsia. Estoy segura de que no es nada y de que veo cosas porque las busco.

—¿Cuándo lo empezó a observar?

—Ayer, poco después del ingreso.

—¿Y en casa no lo había observado jamás?

—Pues no. Pero, a lo mejor, ocurría y yo no me daba cuenta. O, a lo mejor, no es nada. Seguramente no es nada..., no sé.

El bonito rostro se contrajo en una mueca.

Stephanie le dio una palmada y Cindy pareció acercarse imperceptiblemente a ella como si el gesto la hubiera consolado.

Stephanie retrocedió, interrumpiendo el contacto.

—¿Con cuánta frecuencia han estado ocurriendo estos episodios de mirada perdida?

—Puede que un par de veces al día. Seguramente no es nada... será su manera de concentrarse. Siempre ha sabido concentrarse muy bien... Cuando juega en casa, se concentra estupendamente.

—Está bien que tenga una buena capacidad de atención.

Cindy asintió con la cabeza, pero no pareció tranquilizarse.

Stephanie se sacó un cuaderno del bolsillo, arrancó una hoja y se la entregó.

—Vamos a hacer una cosa. La próxima vez que vea esa mirada, anote la hora exacta y llame a Vicki o a la que esté de guardia en aquel momento y que ella le eche un vistazo, ¿de acuerdo?

—De acuerdo. Pero no dura mucho, doctora Eves. Tan sólo unos segundos.

—Haga lo que pueda —dijo Stephanie—. Ahora la dejo con el doctor Delaware para que ustedes se vayan conociendo.

Contemplando con dulzura a la niña dormida, nos dirigió una sonrisa y se retiró.

En cuanto se cerró la puerta, Cindy estudió el sofá-cama.

—Lo voy a doblar para que tenga usted donde sentarse.

También tenía unas delicadas venas color espliego bajo la piel. Pulsando en las sienes.

—Yo la ayudaré —dije.

Mis palabras parecieron pillarla por sorpresa.

—No, no se preocupe.

Inclinándose, tomó el colchón y lo levantó. Yo hice lo mismo por el otro lado y, entre los dos, convertimos la cama en un sofá.

Después, ella alisó los almohadones y se apartó, diciendo:

—Por favor.

Me acomodé, sintiéndome el cliente de una casa de geishas.

Cindy se acercó al sillón verde y apartó los Conejitos Amorosos. Dejándolos sobre la mesita de noche, colocó el sillón delante del sofá y se sentó con los pies apoyados en el suelo y una mano sobre cada muslo.

Alargando la mano, tomé uno de los conejitos de felpa de la repisa de la ventana y lo acaricié. A través del cristal, las copas de los árboles del Griffith Park semejaban unas nubes de color verdinegro.

—Muy graciosos —dije—. ¿Son regalos?

—Algunos, sí. Otros los hemos traído de casa. Queremos que Cassie se sienta como en casa.

—Los hospitales, aún a pesar nuestro, se convierten en un segundo hogar, ¿no es cierto?

Me miró con los ojos castaños inundados de lágrimas. Una expresión turbada se dibujó en su rostro.

¿Vergüenza? ¿Remordimiento?

Levantó rápidamente las manos para cubrirse la cara y lloró en silencio.

Tomé un pañuelo de celulosa de una caja que había en la mesita de noche y esperé.

4

Finalmente, Cindy apartó las manos del rostro, bañado de lágrimas.

—Perdón.

—No hay por qué —dije—. Pocas cosas hay más dolorosas que tener un hijo enfermo.

Asintió con la cabeza.

—Lo peor es no saber..., verla sufrir y no saber... si alguien puede descubrir qué le ocurre.

—Los otros síntomas se han resuelto. Puede que con éstos también suceda lo mismo.

Pasándose la trenza sobre uno de los hombros, acarició el extremo.

—Lo espero con toda mi alma, pero...

Sonreí sin decir nada.

—Lo demás —dijo— era más... típico. Más normal por así decirlo.

—Enfermedades infantiles normales —dije.

—Sí, difteria... diarrea. Otros niños las padecen. Puede que no con la misma gravedad, pero las padecen. Son cosas que se comprenden. En cambio, los ataques... no son normales.

—A veces los niños sufren ataques después de un episodio de fiebre —dije—. Les ocurre un par de veces y después jamás vuelve a ocurrir.

—Sí, ya lo sé. Me lo comentó la doctora Eves. Pero, cuando sufrió el ataque, Cassie no registraba ninguna subida térmica. Las otras veces, cuando tuvo los problemas gastrointestinales, la fiebre le subió hasta cuarenta y dos grados. —Cindy se tiró de la trenza—. Cuando los superó y ya parecía que todo iba bien, empezaron los ataques... y fue algo tremendo. Oí un ruido procedente de su habitación... una especie de golpe. Fui a ver y me la encontré temblando con tal intensidad que incluso movía la cuna.

Sus labios se estremecieron y entonces los rozó con una mano para calmarse mientras con la otra arrugaba el pañuelo de celulosa que yo le había entregado.

—Es terrible —dije.

—Aterrador —aseveró ella, mirándome a los ojos—. Pero lo peor de todo fue verla sufrir sin poder hacer nada. La impotencia... eso es lo peor. Sabía que era mejor no tomarla en brazos, pero... ¿Tiene usted hijos?

—No.

Desvió los ojos como si yo hubiera dejado súbitamente de interesarle. Lanzando un suspiro, se levantó y se acercó a la cama sin soltar el pañuelo arrugado. Se inclinó, subió un poco más la manta alrededor del cuello de su hija y besó a la niña en la mejilla. La respiración de Cassie se aceleró un segundo y volvió a normalizarse. Cindy permaneció de pie junto a la cama, observándola dormir.

—Es preciosa —dije.

—Es mi tesoro.

Extendió el brazo, acarició la frente de Cassie, lo apartó y, tras contemplar unos segundos más a su hija, regresó al sillón.

—En cuanto al sufrimiento —dije—, no hay ninguna prueba de que los ataques sean dolorosos.

—Eso es lo que me dice la doctora Eves —dijo Cindy en tono dubitativo—. Confío en que así sea... pero hubiera tenido usted que verla después... estaba exhausta.

Volvió la cabeza y miró a través de la ventana. Esperé un poco y después pregunté:

—Aparte el dolor de cabeza, ¿qué tal está hoy la niña?

—Bien. Durante el poco rato que ha permanecido despierta.

—¿Y la cabeza le empezó a doler a las cinco de la madrugada?

—Sí. Eso la despertó.

—¿Vicki ya estaba entonces de guardia?

Cindy asintió con la cabeza.

—Hizo un doble... Vino anoche para el turno de once a siete y se quedó para el de siete a tres.

—Trabaja mucho.

—Pues sí. Es una gran ayuda para mí. Hemos tenido suerte con ella.

—¿Ha ido alguna vez a verles a su casa?

Cindy pareció sorprenderse de mi pregunta.

—Sólo un par de veces... no para ayudar... simplemente para visitarnos. Le regaló a Cassie su primer Conejito Amoroso y ahora Cassie se ha enamorado de ellos.

La expresión de extrañeza aún no se había borrado de su rostro. Sin pararme a pensar en su significado, pregunté:

—¿Cómo le dio a entender Cassie que le dolía la cabeza?

—Señalándosela con la mano y llorando. No me lo dijo con palabras, si es eso lo que usted quiere decir. Sólo pronuncia unas pocas. *Gua-gua* para designar a un perro, *ba-ba* para decir botella, y, aun así, a veces todavía señala el objeto. La doctora Eves dice que lleva un poco de retraso en el desarrollo del lenguaje.

—No tiene nada de extraño que los niños hospitalizados registren un cierto retraso. Pero no es una situación permanente.

—Procuro hacer ejercicio con ella en casa..., le hablo todo lo que puedo y le leo cosas cuando me lo permite.

—Muy bien.

—A veces le gusta y otras veces se pone muy nerviosa... sobre todo, si ha pasado una mala noche.

—¿Pasa malas noches muy a menudo?

—No muchas, pero son muy duras para ella.

—¿Qué le ocurre?

—Se despierta como si estuviera sufriendo una pesadilla, llora y se agita. A veces la sostengo en brazos y vuelve a quedarse dormida. Pero otras, permanece mucho rato despierta... y lloriquea. A la mañana siguiente, suele estar muy nerviosa.

—¿Nerviosa en qué sentido?

—Tiene dificultades para concentrarse. Otras veces, en cambio, se puede concentrar en algo durante mucho rato... una hora o más. Entonces aprovecho para leerle algo y hablar con ella para que haga ejercicio. ¿Tiene usted alguna otra sugerencia?

—Me parece que lo que usted hace es lo más adecuado —contesté.

—En ocasiones tengo la sensación de que no habla porque no le hace falta. Creo adivinar lo que quiere y se lo doy antes de que me lo pida.

—¿Eso es lo que le ocurrió con el dolor de cabeza?

—Exacto. Se despertó llorando y agitándose; entonces lo primero que yo hice fue tocarle la frente para ver si la tenía caliente. Fría como un pepino. Lo cual no me sorprendió... no era un llanto de miedo, sino de dolor. Ahora ya sé distinguirlos. Empecé a preguntarle qué le dolía y, finalmente, se tocó la cabeza. Sé que eso no parece muy científico, pero una acaba captando lo que le ocurre a un niño... casi como si tuviera un radar. —Mirada hacia la cama—. Si la tomografía que le hicieron aquella tarde no hubiera sido normal, me hubiera asustado muchísimo.

—¿A causa del dolor de cabeza?

—Cuando llevas algún tiempo aquí, ves cosas y empiezas a pensar que puede ocurrir lo peor. Me asusto cuando llora por la noche..., nunca sé lo que va a pasar.

Volvió a echarse a llorar y se enjugó las lágrimas con el pañuelo arrugado. Le di otro.

—Le ruego que me perdone, doctor Delaware. No puedo soportar verla sufrir.

—Es natural —dije—. Y lo más triste es que las cosas que se hacen para ayudarla, los análisis y las pruebas, son las que más dolor le producen.

Cindy respiró hondo y asintió con la cabeza.

—Por eso la doctora Eves me ha dicho que hable con usted —dije—. Existen ciertas técnicas psicológicas que pueden ayudar a los niños a superar la ansiedad que les producen las pruebas, e incluso a reducir la intensidad del dolor.

—Técnicas —dijo, utilizando un tono muy parecido al que había empleado Vicki Bottomley, aunque sin el sarcasmo de ésta—. Sería estupendo..., le agradecería mucho que pudiera ayudar a mi hija. Verla pasar por este martirio... es algo terrible.

Recordé lo que Stephanie me había dicho acerca de la serenidad de Cindy durante las pruebas que le hacían a su hija.

Como si leyera mis pensamientos, añadió:

—Cada vez que alguien abre esa puerta y entra con una jeringuilla en la mano, se me hiela la sangre, pero sonrío a pesar de todo. Mis sonrisas son para Cassie. Procuro no disgustarme delante de ella, pero sé que ella lo intuye.

—El radar.

—Estamos tan unidas..., que ella es mi único radar. Lo adivina todo con sólo mirarme. Aunque yo no pueda ayudarla, ¿qué otra cosa podría hacer? Me es imposible dejarla sola con ellos.

—La doctora Eves cree que lo está usted haciendo muy bien.

Vi algo en sus ojos castaños. ¿Una momentánea dureza tal vez? Después, una sonrisa cansada.

—La doctora Eves es fabulosa. Nosotros... ella fue la que... Ha sido maravillosa con Cassie. Sé que todas estas enfermedades la están afectando muchísimo. Cada vez que la llaman desde la sala de Urgencias, lamento que tenga que volver a pasar por todo este suplicio.

—Es su obligación —dije.

Me miró como si le hubiera propinado un puñetazo.

—Estoy segura de que, en su caso, se trata de algo más que de una obligación.

—Sí, en efecto.

Me di cuenta de que todavía sostenía el Conejito Amoroso en la mano. Y lo estaba estrujando. Alborotándole el pelo del vientre, lo volví a dejar en la repisa. Cindy me miró, acariciándose la trenza.

—No quería ser tan brusca —dijo—, pero lo que me acaba de decir... eso de que la doctora Eves cumple con su obligación... me ha hecho pensar en mi obligación. Como madre. Me parece que no la estoy cumpliendo muy bien, ¿no cree? Nadie te prepara para eso —añadió, apartando los ojos.

—Cindy —dije, inclinándome hacia adelante—, está usted pasando por unos momentos muy duros. Eso no es normal.

Una sonrisa entreabrió fugazmente sus labios. Una triste sonrisa propia de una representación pictórica de la Virgen.

¿Una Virgen-monstruo?

Stephanie me había pedido que lo examinara todo sin ningún prejuicio, pero yo estaba utilizando sus sospechas como punto de partida.

¿Culpable hasta que se demostrara su inocencia?

Milo lo hubiera llamado «pensamiento limitado». Decidí concentrarme en lo que realmente había observado.

De momento, no había visto nada que resultara visiblemente patológico. No había observado ningún signo de desequilibrio emocional, simulación histriónica o búsqueda patológica de atención. Y, sin embargo, no sabía muy bien si, a su reposada manera, ella había conseguido atraer sutilmente mi atención hacia su persona. Había empezado hablándome de Cassie, pero había terminado refiriéndose a sus fallos como madre.

Pero, ¿y si yo le hubiera arrancado la confesión, utilizando miradas, pausas y frases de psiquiatra para ganarme su confianza?

Pensé en su aspecto..., la trenza que le servía de consolador rosario, la ausencia de maquillaje y el sencillo atuendo a pesar de su categoría social.

Todo ello se podía considerar un espectáculo al revés. En una estancia llena de personajes de la alta sociedad, hubiera llamado la atención.

Otras cosas habían quedado atrapadas en mi tamiz analítico mientras intentaba trazar su perfil de Münchhausen por sustitución.

La soltura con la cual empleaba la jerga hospitalaria: «Subida térmica»... «hacer un doble».

«Cianótico.»

¿Vestigios de sus conocimientos sobre las técnicas respiratorias? ¿O demostración de su interés por las cuestiones médicas?

También cabía la posibilidad que todo ello fuera el simple resultado de las muchas horas pasadas en aquel lugar. Durante los años que yo había trabajado en las salas hospitalarias, había conocido a fontaneros, amas de casa, camioneros y contables..., padres de niños enfermos crónicos que dormían, comían y vivían en el hospital y acababan hablando como los residentes de primer año.

Ninguno de ellos había envenenado a su hijo.

Cindy se acarició la trenza y volvió a mirarme.

Esbocé una tranquilizadora sonrisa, recordando lo que ella me había comentado sobre la comunicación casi telepática que había logrado establecer con su hija.

¿Confusos límites del ego?

¿Un patológico exceso de identificación que acaba derivando en malos tratos infantiles?

Sin embargo, ¿existía acaso alguna madre que no alegara —a menudo con razón— mantener un estrecho vínculo con sus hijos? ¿Por qué sospechar en aquella madre la existencia de algo más que un nexo normal? Porque sus hijos no habían llevado unas vidas felices y saludables.

Cindy no apartaba los ojos de mí. Comprendí que no podría seguir sopesando todos los matices sin despertar su recelo.

Contemplé a la niña dormida en la cama y me pareció tan bonita como una muñeca de porcelana.

¿Sería acaso la muñeca vudú de su madre?

—Está usted haciendo todo lo que está en su mano —dije—. No se puede pedir más.

Confié en que mis palabras resultaran más sinceras que mis sentimientos. Antes de que Cindy pudiera contestar, Cassie abrió los ojos, bostezó, se frotó los párpados y se incorporó medio dormida en la cama. Ahora había sacado ambas manos de debajo de la manta. La que antes mantenía escondida estaba hinchada y mostraba las huellas de los pinchazos de las agujas y unas amarillentas manchas de desinfectante.

Cindy corrió a abrazarla.

—Buenos días, mi niña —dijo con melodiosa voz, besando la mejilla de su hija.

Cassie la miró y apoyó la cabeza en su vientre. Cindy le acarició el cabello y la estrechó contra sí. Bostezando de nuevo, Cassie miró a su alrededor hasta que sus ojos se posaron en los Conejitos Amorosos de la mesita de noche.

Señalando con un dedo los animales de felpa, empezó a emitir apremiantes gemidos.

—Eh, eh.

Cindy extendió un brazo y tomó un conejito de color de rosa.

—Aquí lo tienes, nenita. Éste es el Conejito Lindo y te está diciendo: «Buenos días, señorita Cassie Jones ¿Has dormido bien?».

Hablaba despacio y con el suave y cadencioso tono que suelen utilizar los animadores de los espectáculos infantiles.

Cassie tomó el muñeco, lo estrechó contra su pecho, cerró los ojos, se balanceó hacia adelante y hacia atrás y, por un instante, pensé que se volvería a quedar dormida. Pero enseguida los volvió a abrir. Grandes y castaños como los de su madre. Su mirada recorrió una vez más la estancia, se desplazó hacia el lugar donde yo me encontraba y allí se detuvo.

Establecimos contacto visual.

Esbocé una sonrisa.

Y la niña se puso a gritar.

5

Cindy abrazó a la niña y la acunó amorosamente diciendo:

—Tranquila que es nuestro amigo.

Cassie arrojó el Conejito Amoroso al suelo y se echó hacia atrás sin soltar a su madre. Yo le devolví el muñeco a Cindy, tomé un conejito amarillo que había en un estante y me senté.

Después, empecé a jugar con el animal, moviéndole los brazos y diciéndole tonterías. Cassie siguió llorando y Cindy le dijo en voz baja unas palabras de consuelo que yo no pude oír. Seguí jugando con el conejito. Pasado un minuto, el volumen de llanto de Cassie empezó a bajar.

—¿Lo ves, cariño? —dijo Cindy—. Al doctor Delaware también le gustan los conejitos.

Cassie tragó saliva, emitió un jadeo y soltó un gemido.

—No, no te va a hacer daño, cariño. Es nuestro amigo.

Contemplé los dientes del muñeco y le sacudí una pata. Un corazón blanco en su vientre decía en letras amarillas *Conejito Bobo* al lado de la marca R. Una etiqueta cerca de la entrepierna decía MADE IN TAIWAN.

Cassie hizo una pausa para recuperar el resuello.

—No pasa nada, cariño —dijo Cindy—, no pasa nada.

Gimoteo y resuello desde la cama.

—¿Quieres que te cuente una historia muy bonita? Érase una vez una princesa que se llamaba Cassandra y vivía en un gran castillo y soñaba con unas maravillosas nubes de caramelo y crema batida...

Cassie levantó la vista y se acercó la magullada mano a los labios.

Yo deposité el conejito amarillo en el suelo, abrí la cartera de documentos y saqué un cuaderno de apuntes y un lápiz. Cindy dejó de hablar por un instante y después reanudó su relato. Cassie, transportada a otro mundo, parecía más tranquila.

Empecé a dibujar. Un conejito. O eso esperaba yo por lo menos.

Transcurridos unos minutos, quedó perfectamente claro que los de Disney no tendrían nada que temer de mí, pero pensé que el producto final lograría parecerse bastante a un conejito. Le añadí un sombrero y una corbata de pajarita, rebusqué en la cartera y saqué una caja de marcadores de distintos colores que guardaba junto con otras herramientas de mi oficio.

Empecé a aplicar color y los marcadores chirriaron sobre el papel. Se oyó un movimiento desde la cama. Cindy volvió a interrumpir la narración del cuento.

—Oh, mira, cariño, el doctor Delaware está dibujando. ¿Qué está usted dibujando, doctor Delaware?

Antes de que yo pudiera contestar, la palabra «doctor» provocó un nuevo diluvio de lágrimas.

Una vez más, los consuelos maternales consiguieron enjugarlas.

Sostuve en alto mi obra maestra.

—Oh, mira, cariño, es un conejito. Y lleva un sombrero. Y una corbata de pajarita... qué bobada, ¿verdad?

Silencio.

—Bueno pues, a mí me parece una bobada. ¿Tú crees que es un Conejito Amoroso, Cass?

Silencio.

—¿Crees que el doctor Delaware ha dibujado un Conejito Amoroso?

Lloriqueo.

—Vamos, Cass, no tienes por qué tener miedo. El doctor Delaware no te va a hacer daño. Es uno de esos doctores que nunca pinchan.

Más gemidos. Cindy tardó un buen rato en calmar a la niña. Al final, pudo reanudar el relato de su historia. De la princesa Cassandra montada en un blanco corcel...

Yo empecé a dibujar un compañero del señor Conejo con Sombrero. La misma cara de roedor, pero con orejitas cortas y un vestidito a topos: la señora Ardilla. Añadí una amorfa bellota, arranqué la página del cuaderno, me incliné hacia adelante y la deposité encima de la cama, cerca de los pies de Cassie.

Mientras yo me reclinaba en mi asiento, la niña movió la cabeza, mirando a su alrededor.

—Oh, mira lo que ha hecho... es un perro. Ah, no, es una marmotita de la pradera, Cass... fíjate qué vestido lleva. Qué gracioso, ¿verdad? Es un vestido a topos, Cass. Qué divertido... ¡una marmotita de la pradera con un vestido a topos!

Cálida risa femenina seguida, al final, por una risita infantil.

—Qué cosa tan tonta. No sé si es que piensa ir a una fiesta con este vestido... o, a lo mejor, quiere ir de compras o algo así, ¿no te parece? Quiere salir de paseo con su amigo el señor Conejo, el que lleva ese sombrero tan ridículo... los dos parecen unos tontainas vestidos de esta manera. A lo mejor, irán a Juguetes «R» para comprarse unos muñecos... ¿te imaginas, Cass? Sí, sería muy divertido. Desde luego, este doctor Delaware hace unos dibujos muy tontos... ¡cualquiera sabe lo que va a hacer ahora!

Sonreí y levanté el lápiz del papel. Una cosa sencillita: un hipopótamo... una simple bañera con patas...

—¿Cómo se llama el conejo que usted ha dibujado, doctor Delaware.

—Benito.

—El Conejito Benito... ¡qué cosa tan tonta!

Esbocé una sonrisa, procurando disimular mis denodados esfuerzos artísticos. La bañera me estaba saliendo excesivamente amenazadora... el problema era la sonrisa... demasiado agresiva... parecía más bien un rinoceronte con el cuerpo cortado... ¿qué hubiera dicho Freud al respecto?

Rápidamente llevé a cabo una operación de cirugía plástica en la boca del bicho.

—El Conejito Benito con Sombrero... ¿lo has oído, Cass?

Chillona risita infantil.

—¿Y qué me dice de la marmotita de la pradera, doctor Delaware? ¿Cómo se llama?

—Priscilla... —contesté sin dejar de trabajar en mi obra.

Al final, había conseguido dibujar un hipopótamo bastante aceptable, pero algo raro le ocurría... su sonrisa resultaba un tanto hipócrita... la untuosa sonrisa de un pregonero de feria... Quizás una marmota de la pradera hubiera sido más fácil...

—¡Priscilla, la marmota de la pradera! ¿Te imaginas?

—¡*Pilla*!

—¡Sí, Priscilla!

—¡*Pilla*!

—¡Muy bien, Cass! ¡Estupendo! Pris-cil-la. A ver si lo sabes decir.

Silencio.

—Pris-cil-la... Pris-cil-la. Lo acabas de decir. Mira, fíjate en mis labios, Cass.

Silencio.

—Bueno pues, no lo digas si no quieres. Volvamos a la princesa Cassandra Rayo de Plata que, montada en *Copo de Nieve*, cabalga hacia el País de la Luz...

Al final, había conseguido terminar el hipopótamo. Lleno de tiznaduras y de abrasiones provocadas por la goma de borrar, pero, por lo menos, no parecía que lo hubieran envuelto en un trozo de papel. Lo coloqué encima de la colcha.

—Oh, mira, Cass. Ya sabemos lo que es eso, ¿verdad? Un hipopótamo... y lleva un...

—Un yoyó —dije.

—¡Un yoyó! Un hipopótamo con un yoyó... qué tontería más tonta.

¿Sabes lo que yo creo, Cass? Creo que el doctor Delaware hace muchas tonterías cuando quiere, por muy doctor que sea. ¿A ti qué te parece?

Miré a la niña. Nuestros ojos se cruzaron una vez más y los suyos parpadearon. La boquita de rosa empezó a hacer pucheros y el labio inferior se curvó levemente. Costaba imaginar que hubiera alguien capaz de hacerle daño.

—¿Te gustaría que dibujara algo más? —le pregunté.

La niña miró a su madre y le agarró la manga.

—Pues claro —dijo Cindy—. Vamos a ver qué otras tonterías nos dibuja el doctor Delaware, ¿te parece?

Minúsculo asentimiento con la cabeza por parte de Cassie. Después, la niña hundió el rostro en la blusa de su madre.

Vuelta a la mesa de dibujo.

Un galgo sarnoso, un pato bizco y, más tarde, cuando la niña ya estaba empezando a tolerar mi presencia, un caballo renco.

Poco a poco, fui acercando la silla a la cama y empecé a conversar con Cindy acerca de mis juegos, juguetes y comidas preferidas. Cuando me pareció que Cassie ya me había aceptado, me pegué a la cama y le enseñé a Cindy un juego basado en el dibujo, en el cual ambos nos turnábamos en la tarea de convertir unos garabatos en los más diversos objetos, una técnica psicoanalítica infantil encaminada a establecer un vínculo de amistad y simpatía con el que poder penetrar de manera gradual en el subconsciente.

Utilizando a Cindy como intermediaria mientras la estudiaba.

Y la investigaba.

Hice un garabato de contornos angulosos y le entregué el papel. Ella y Cassie estaban sentadas muy juntas. Parecían un póster de la Semana Nacional de la Amistad. Cindy convirtió el garabato en una casa y me devolvió el papel diciendo:

—No es muy bueno, pero...

Los labios de Cassie se curvaron levemente hacia arriba. Y después hacia abajo. A continuación, la niña cerró los ojos y hundió el rostro en la blusa de su madre, acercó la mano a su pecho y se lo comprimió. Cindy le bajó delicadamente la mano y la colocó sobre sus propias rodillas. Vi las señales de los pinchazos en la piel de Cassie. Unos puntos negros semejantes a mordeduras de serpiente.

Cindy emitió unos murmullos tranquilizadores. Cassie restregó la nariz contra la blusa, cambió de posición y agarró un trozo de tela.

Volvía a quedarse dormida. Cindy le besó la coronilla de la cabeza.

A mí me habían enseñado a curar y a creer en unas relaciones terapéuticas abiertas y sinceras. El hecho de encontrarme en aquella habitación me hacía sentir un estafador.

Después pensé en las altas temperaturas, las diarreas sanguinolentas y las fuertes convulsiones capaces de provocar el movimiento de una cuna y, recordando a un niño muerto en la cuna, todos mis recelos desaparecieron y se desmigajaron como un trozo de pan seco.

A las 10,45 ya llevaba más de media hora en la habitación, observando a Cassie en brazos de su madre. La niña parecía sentirse un poco más a gusto conmigo e incluso me había sonreído un par de veces. Hora de marcharme y cantar victoria.

Me levanté y Cassie empezó a agitarse.

Cindy olfateó el aire y arrugó la nariz, diciendo:

—Ay ay ay.

Colocó suavemente a la niña boca arriba y le cambió el pañal.

Tras la aplicación de los polvos de talco, unas palmadas y un nuevo pañal, Cassie no pareció tranquilizarse.

—¡Ah!, ¡Ah!, ¡Ah! —dijo, señalando el suelo.

—¿Quieres bajar?

Enérgico movimiento afirmativo con la cabeza.

—¡Ah!

Cassie se puso de rodillas y trató de levantarse sobre el mullido colchón. Cindy la sostuvo por las axilas, la levantó y la dejó en el suelo.

—¿Quieres caminar un poco? Pues vamos a ponerte las zapatillas.

Ambas se acercaron al armario. Los pantalones del pijama de la niña le estaban demasiado largos y rozaban el suelo. De pie se la veía todavía más menuda. Pero fuerte. Caminaba con paso firme y poseía un buen sentido del equilibrio.

Tomé mi cartera.

Arrodillándose, Cindy calzó los pies de Cassie con unas peludas zapatillas de color de rosa en forma de conejito. Los roedores tenían unos ojos claros de plástico con unas pupilas formadas por unas cuentas negras móviles y cada vez que Cassie se movía, sus pies emitían un chirrido.

La niña trató de saltar, pero apenas se levantó del suelo.

—Buen salto, Cass —le dijo Cindy.

Se abrió la puerta y entró un hombre.

Rondaba los cuarenta años, medía aproximadamente un metro ochenta y cuatro y estaba muy delgado. Tenía un espeso y ondulado cabello castaño oscuro peinado hacia atrás y lo bastante largo en la nuca como para rizarse por encima del cuello de la camisa. Su mofletudo rostro contrastaba con la delgadez de la figura y quedaba acentuado por una poblada barba oscura jaspeada con alguna que otra hebra gris. Sus facciones eran suaves y agradables. Un pendiente de oro le traspasaba el lóbulo de la oreja izquierda. Llevaba unas prendas sueltas, pero de muy buen corte: una camisa a rayas blancas y azules bajo una deportiva chaqueta de tweed gris; unos holgados pantalones de pana negra y unos zapatos negros que parecían recién estrenados.

Sostenía una taza de café en una mano.

—¡Es papá! —dijo Cindy.

Cassie abrió los brazos.

El hombre dejó la taza diciendo:

—Buenos días, señoras.

Después besó a Cindy en la mejilla y levantó en brazos a Cassie.

La chiquilla lanzó un grito de júbilo mientras él la levantaba y después la volvía a bajar con un rápido movimiento descendente.

—¿Cómo está mi niña? —dijo, comprimiéndola contra su barba. Después hundió la nariz en su cabello y ella se rió—. ¿Cómo está la gran señora de los pañales?

Cassie extendió ambas manos y le tiró del cabello.

—¡Ay!

Risita. Nuevo tirón.

¡Doble ay!

Risotada infantil.

—¡Aaay!

Ambos se pasaron un rato jugando hasta que, al final, él se apartó y dijo:

—Uf, esto es demasiado para mí. ¡Se acabó!

—Te presento al doctor Delaware, cariño —dijo Cindy—. El psicólogo. Doctor, el papá de Cassie.

El hombre se volvió hacia mí y me tendió la mano sin soltar a Cassie.

—Soy Chip Jones. Encantado de conocerle.

Su apretón de manos era fuerte. Cassie seguía tirando y alborotándole el cabello, pero él no parecía molestarse.

—Yo seguí un curso de psicología —dijo sonriendo—. Pero lo he olvidado casi todo. ¿Qué tal va eso? —preguntó, dirigiéndose a su mujer.

—Más o menos como siempre.

El hombre frunció el ceño y consultó su reloj de pulsera. Otro Swatch.

—¿Tienes prisa? —le preguntó Cindy.

—Por desgracia, sí. Sólo he venido para veros un momento.

Tomó la taza de café y se la ofreció a su mujer.

—No, gracias —dijo ésta.

—¿Seguro?

—Sí, ahora no me apetece.

—¿Te duele el estómago?

—Me siento un poco mareada —contestó Cindy, acercándose la mano al vientre—. ¿Cuánto rato te podrás quedar?

—Muy poco —contestó el marido—. Tengo una clase a las doce y varias reuniones a lo largo del día... Seguramente he sido un tonto viniendo en coche desde tan lejos, pero es que os echaba mucho de menos a las dos.

Cindy esbozó una sonrisa.

Chip le dio un beso y después besó a Cassie.

—Papá no se puede quedar, Cass —dijo Cindy—. Qué tonto es, ¿verdad?

Chip le dio a Cassie un suave pellizco en la barbilla mientras ella seguía jugueteando con su barba.

—Intentaré venir a última hora de la tarde. Y me quedaré todo el rato que haga falta.

—Estupendo —dijo Cindy.

—*Pa-pi.*

—Pa-pi —repitió Chip—. Pa-pi te quiere mucho. Eres un encanto. —Dirigiéndose a Cindy, añadió—: No ha sido una buena idea venir para un par de minutos. Ahora os voy a echar de menos de verdad.

—Nosotras también te echamos de menos a ti, papá.

—Estaba por la zona —dijo Chip—. Por así decirlo..., a este lado de la colina por lo menos.

—¿En la universidad?

—Sí, en la biblioteca. —Volviéndose hacia mí, añadió—: Doy clase en el nuevo colegio universitario de West Valley y allí no tienen demasiadas obras de consulta. Por consiguiente, cuando tengo que hacer alguna investigación en serio, me acerco a la universidad.

—Allí estudié yo —dije.

—Ah, ¿sí? Pues yo estudié en el este. —Chip cosquilleó la barriguita de Cassie—. ¿Has podido dormir, Cin?

—Lo suficiente.

—¿Seguro?

—Sí.

—¿Quieres una infusión de hierbas? Creo que tengo un poco de manzanilla en el coche.

—No, gracias, cariño. El doctor Delaware va a utilizar unas técnicas especiales para ayudar a Cassie a superar el dolor.

Chip me miró, acariciando el brazo de Cassie.

—Eso sería estupendo. Créame que lo hemos pasado muy mal.

Tenía unos ojos de color azul pizarra con los párpados ligeramente caídos.

—Lo sé —dije.

Chip y Cindy se miraron el uno al otro y después me miraron a mí.

—Bueno —dije yo—, ahora me tengo que ir. Volveré mañana por la mañana.

Me incliné para decirle adiós a Cassie. La niña parpadeó y apartó el rostro.

Chip se rió.

—Menuda coqueta. Debe de ser algo innato, ¿verdad?

—Sus técnicas —dijo Cindy—. ¿Cuándo podremos hablar de ellas?

—Pronto —contesté—. Primero tengo que ganarme la confianza de Cassie. Creo que hoy lo hemos hecho bastante bien.

—Desde luego. Ha sido estupendo. ¿Verdad, mi vida?

—¿A las diez le parece bien?

—Me parece muy bien —contesto Cindy—. No tenemos que ir a ningún sitio.

—¿La doctora Eves no te ha dicho cuándo la piensa dar de alta? —le preguntó Chip a su mujer.

—Todavía no. La quiere tener un poco más en observación.

Chip lanzó un suspiro.

—Muy bien pues. —Mientras yo me encaminaba hacia la puerta. Chip añadió—: Yo también tengo que salir a escape, doctor. Si se espera un momento, me iré con usted.

—De acuerdo.

Chip tomó la mano de su mujer.

Cerré la puerta, me dirigí a la sala de las enfermeras y rodeé el mostrador. Vicki Bottomley ya había regresado de la tienda de regalos y estaba sentada en la silla de la administrativa de la sección leyendo *RN*. No había nadie más. En un extremo del mostrador vi una caja envuelta con el papel de la tienda de regalos del Western Pediatric junto a un tubo enrollado de catéter y un montón de impresos de una compañía de seguros.

La enfermera no levantó la vista cuando yo saqué la historia de Cassie del estante y empecé a hojearla. Pasé por alto los datos médicos y me detuve en la historia psicosocial que había redactado Stephanie. Busqué los datos biográficos de Chip porque me llamaba la atención la diferencia de edad entre él y su mujer.

Charles L. Jones III. Edad: 38 años. Nivel educativo: licenciatura universitaria. Profesión: docencia universitaria.

Intuyendo que alguien me estaba observando, levanté los ojos y vi que Vicki inclinaba de nuevo la cabeza sobre su revista.

—Bien —le dije—, ¿qué tal van las cosas en la tienda de regalos?

La enfermera bajó la revista.

—¿Necesita algo de mí?

—Cualquier cosa que me pudiera ayudar a eliminar la ansiedad de Cassie.

Vicki entornó sus bellos ojos azules.

—La doctora Eves ya me lo ha dicho. Estaba usted delante.

—Pensé que, a lo mejor, se le había ocurrido alguna cosa.

—Pues no se me ha ocurrido nada —dijo—. Yo no sé nada..., soy simplemente la enfermera.

—La enfermera suele saber más que nadie.

—Pues eso dígaselo al comité de fijación de sueldos —replicó Vicki, levantando de nuevo la revista para taparse la cara.

Estaba a punto de hacer un comentario cuando oí que alguien me llamaba por mi nombre. Chip Jones se estaba acercando a mí.

—Gracias por esperarme.

El sonido de su voz indujo a Vicki a interrumpir su lectura.

—Hola, doctor Jones —dijo la enfermera, arreglándose la cofia mientras una dulce sonrisa le iluminaba el rostro, miel sobre pan rancio.

Chip se inclinó sobre el mostrador y sacudió la cabeza sonriendo.

—Usted siempre me atribuye unos méritos que no tengo, Vicki. —Dirigiéndose a mí, Chip explicó—: No soy más que un simple licenciado... ni siquiera he presentado la tesis, Vicki..., pero la generosa señorita Bottomley me quiere doctorar antes de que yo me lo haya ganado.

Vicki consiguió esbozar otra sonrisa a pesar de su cara de asco.

—¿Qué importa que uno tenga o no tenga un doctorado?

—Bueno —dijo Chip—, puede que le importe a alguien como el doctor Delaware que se lo ha ganado a pulso.

—De eso no me cabe la menor duda.

Chip se percató del ácido tono de su voz y la miró inquisitivamente. Vicki se ruborizó y apartó el rostro. Chip vio el paquete de regalo.

—¿Otra vez, Vicki?

—Es sólo un detalle.

—Es muy amable de su parte, Vicki, pero no tiene que hacerlo.

—Tengo este gusto, doctor Jones. Cassie es un ángel.

—Muy cierto, Vicki —dijo Chip con una sonrisa—. ¿Otro conejito?

—Es que a ella le encantan, doctor Jones.

—Llámame simplemente «señor», Vicki... pero, si tanto insiste en usar un título, ¿qué tal *Herr Professor*? Suena muy clásico, ¿no le parece, doctor Delaware?

—Sin duda.

—Estoy hablando sin ton ni son porque este lugar me altera un poco los nervios. Gracias de nuevo, Vicki. Es usted un verdadero encanto.

Bottomley se puso colorada como un tomate.

—Ya estoy listo si usted lo está, doctor —dijo Chip, volviéndose hacia mí.

Cruzamos la puerta de teca y salimos al ajetreo de la Quinta Este. Un niño lloraba sentado en una silla de ruedas que alguien empujaba hacia alguna parte; estaba conectado a una bolsa de suero y tenía la cabeza vendada. Chip lo miró frunciendo el ceño, pero no hizo ningún comentario.

Mientras nos dirigíamos a los ascensores, sacudió la cabeza y dijo:

—Esta Vicki es una pelota de lo más descarado que he visto. Pero me ha parecido que estaba un poco molesta con usted, ¿verdad?

—Por lo visto, no le caigo bien.

—¿Por qué?

—No lo sé.

—¿Ha tenido usted anteriormente alguna discusión con ella?

—No. Ni siquiera la conocía.

—Pues lo siento —dijo Chip— porque cuida muy bien de Cassie y a Cindy le gusta mucho. Creo que le recuerda a una tía suya que la educó y que también era enfermera y tenía un carácter tremendo.

Tras habernos cruzado con un grupo de ruidosos estudiantes de medicina, Chip añadió:

—Será seguramente una cuestión territorial..., me refiero a la reacción de Vicki. A lo mejor, teme perder influencia, ¿no le parece?

—Tal vez.

—Observo que estas cosas son muy frecuentes aquí. Dominio sobre los pacientes. Como si éstos fueran simples objetos.

—¿Lo ha experimentado usted personalmente?

—Ya lo creo. Además, nuestra situación contribuye a aumentar la tensión. La gente cree que nos tiene que besar los pies porque tenemos en cierto modo línea directa con la estructura de poder. Supongo que ya sabrá usted quién es mi padre.

Asentí con la cabeza.

—Me desagrada muchísimo que me dispensen un trato de favor. Y temo que eso se traduzca en unos cuidados inadecuados para Cassie.

—¿En qué sentido?

—Pues no sé, no me refiero a nada en concreto... pero no me gusta ser una excepción. No quiero que nadie descuide alguna cosa importante por el hecho de atendernos a nosotros o que modifique su conducta por temor a ofender a nuestra familia. Con eso no quiero decir que la doctora Eves no sea estupenda..., la respeto profundamente. Me refiero más bien a todo el sistema..., a lo que advierto cuando estoy aquí. A lo mejor, exagero un poco —añadió—. Será por la frustración que siento. Cassie se ha pasado casi toda la vida enferma por una cosa o por otra y nadie sabe todavía lo que le ocurre y además... Lo que quiero decir es que este hospital es una estructura muy rígida y, cuando se modifican las normas en un lugar tan rígidamente estructurado, hay peligro de que se produzcan fisuras. Eso es lo que a mí me interesa: las organizaciones formales. Y permítame decirle que esta organización en particular es algo tremendo.

Ya habíamos llegado a los ascensores. Chip pulsó el botón diciendo:

—Espero que pueda usted ayudar a Cassie a superar las inyecciones... han sido una pesadilla para ella. Y también para Cindy. Es una madre estupenda, pero, con todo lo que está ocurriendo, las dudas son inevitables.

—¿Se echa la culpa de algo?

—A veces. Sin ninguna justificación. Yo intento convencerla, pero... —Sacudió la cabeza y juntó las manos. Los nudillos se le habían quedado blancos. Levantó una mano, y se rozó el pendiente—. La tensión es increíble.

—También debe de ser muy duro para usted —dije.

—No ha tenido ninguna gracia, se lo aseguro. Pero el peso de la situación lo soporta casi exclusivamente Cindy. Le diré con toda franqueza que el nuestro es un matrimonio tradicional en el que yo trabajo y Cindy se encarga de todo lo de la casa. Fue por mutua elección..., lo que Cindy quería realmente. Yo participo un poco en las tareas domésticas, probablemente no tanto como debería, pero Cindy es la que se encarga de la niña. Y en eso bien sabe Dios que es mucho mejor que yo. Por consiguiente, cuando ocurre algo, ella asume toda la responsabilidad. —Chip se rascó la barba—. En fin, todo esto parece una autodefensa un poco pedante, ¿verdad? No cabe duda de que para mí también ha sido muy duro. Eso de ver a alguien a quién tú quieres... supongo que estará usted al corriente de lo de Chad... nuestro primer hijo.

Asentí en silencio con la cabeza.

—Con eso tocamos fondo, doctor Delaware. No podría... —Cerró los ojos y volvió a sacudir la cabeza. Enérgicamente, como si tratara de librarse de unas sabandijas mentales—. Sólo le diré que es algo que no le desearía ni a mi peor enemigo. —Pulsó con impaciencia el botón del ascensor y consultó su reloj—. Cindy y yo estábamos empezando a recuperarnos y a disfrutar de Cassie cuando, de pronto, se nos viene todo esto encima... Parece increíble. —Llegó el ascensor. Salieron dos voluntarias y un médico y entramos nosotros. Chip pulsó el botón de la planta baja y apoyó la espalda contra la pared del fondo—. Uno nunca sabe lo que la vida le va a deparar —dijo—. Yo siempre he sido muy terco. Probablemente en exceso..., un detestable individualista. Seguramente porque me hicieron tragar mucho conformismo a muy temprana edad. Pero ahora he acabado comprendiendo que soy bastante conservador y me voy deslizando hacia los valores más elementales: vive tu vida de acuerdo con las normas y ya verás cómo, al final, todo se arregla. Una actitud irremediablemente ingenua, por supuesto. Pero uno acaba pensando de una determinada manera y, como se encuentra a gusto, lo sigue haciendo. Es una definición de la fe tan buena como cualquier otra, supongo. Pero yo estoy perdiendo rápidamente la mía.

El ascensor se detuvo en la cuarta planta. Entró una mujer hispana de unos cincuenta y tantos años con un niño de unos diez. El niño era bajito y rechoncho, y llevaba gafas. Su rostro achatado mostraba las inconfundibles facciones del síndrome de Down. Chip les dirigió una sonrisa. El niño no se dio cuenta y la mujer le miró con aire cansado. Nadie dijo nada. Ambos bajaron en la tercera planta.

Cuando se cerró la puerta, Chip se la quedó mirando fijamente. Mientras reanudábamos nuestro descenso, añadió:

—Fíjese en esta pobre mujer..., ha tenido este hijo y ahora se verá obligada a cuidar de él toda la vida. Una cosa así le cambia a uno toda la visión del mundo. Es lo que me ha ocurrido a mí con respecto a los hijos. Los finales felices ya no se pueden dar por descontados. —Se volvió a mirarme con toda la dureza de sus ojos color pizarra—. Espero que pueda usted ayudar a Cassandra. Si tiene que pasar por toda esta mierda, por lo menos que no sufra.

El ascensor llegó a la planta baja. En cuanto se abrió la puerta, Chip salió y desapareció.

Cuando regresé a la clínica de Pediatría General, Stephanie se encontraba en una de las salas de exploración. Esperé fuera hasta que salió unos minutos más tarde, seguida de una voluminosa negra y una niña de unos cinco años. La niña lucía un vestido rojo a topos y tenía una piel negra como el carbón y unos bellos rasgos africanos. Una de sus manos asía fuertemente la de Stephanie mientras en la otra sostenía un pirulí. Una lágrima le surcaba la mejilla, laca sobre ébano. Un parche redondo de esparadrapo de color rosa le cubría el pliegue de uno de sus brazos

—Te has portado muy bien, Tonya —le estaba diciendo Stephanie. Al verme, me dijo en voz baja, antes de centrar de nuevo su atención en la niña—: En mi despacho.

Me dirigí a su despacho. El libro de Byron ya estaba de nuevo en el estante donde su dorado lomo destacaba entre los demás textos.

Hojeé un ejemplar reciente de la publicación *Pediatrics*. Poco después, entró Stephanie, cerró la puerta y se hundió en el sillón de su escritorio.

—Bueno, ¿qué tal ha ido?

—Bien, exceptuando la constante hostilidad de la señorita Bottomley.

—¿Pone obstáculos?

—No, lo mismo de antes. —Le comenté la escena entre la enfermera y Chip—. Se empeña en halagarle, pero yo creo que le ha salido el tiro por la culata. Él la considera una descarada lameculos, pero cree que cuida muy bien de Cassie. Seguramente su análisis de la situación es correcto: busca la atención de los pacientes importantes.

—Conque busca la atención, ¿eh? Eso coincide un poco con la sintomatología de Münchhausen.

—Sí. Y además, los ha visitado en su casa. Pero sólo un par de veces, hace algún tiempo. Por consiguiente, no parece probable que ella fuera la causante de lo que ocurrió. De todos modos, habrá que vigilarla.

—Yo ya he empezado a hacerlo, Alex. He preguntado por ahí. En la sección de enfermería la tienen por una enfermera excepcional. Sus clasificaciones son siempre las mejores y jamás se recibe ninguna queja. Que yo sepa, nunca se ha registrado entre sus pacientes ningún tipo insólito de dolencia, pero mi oferta sigue en pie..., si te causa problemas, la traslado.

—Veré si puedo arreglarlo. Cindy y Chip la aprecian mucho.

—A pesar de que es una lameculos.

—A pesar de eso. Por cierto, él opina lo mismo sobre todo el hospital. No le gusta que le dispensen un trato especial.

—¿De qué tipo?

—No ha mencionado nada en concreto y ha tenido mucho empeño en puntualizar que tú le gustas. Le preocupa que se pueda pasar por alto alguna cosa precisamente por ser él hijo de quien es. Se le ve muy cansado. Los dos lo están.

—Creo que lo estamos todos —dijo Stephanie—. ¿Cual es tu valoración inicial de la mamá?

—No es lo que yo esperaba... ni él tampoco. Parecen unos clientes habituales de un restaurante de comida vegetariana más que los socios de un *country club*. Ambos son muy distintos el uno del otro. Ella es muy, ¿cómo diría?... elemental. Muy poco sofisticada para ser la nuera de un magnate. Y, aunque Chip haya crecido en un ambiente de riqueza, no parece en absoluto el hijo de un gran empresario.

—¿Lo dices por el pendiente?

—Por el pendiente, por la profesión que ejerce y por su comportamiento en general. Me ha comentado que de niño le enseñaron a ser un conformista y que él se rebeló contra esto. A lo mejor, su boda con Cindy fue un acto de rebeldía. Hay una diferencia de doce años entre ambos. ¿Fue ella alumna suya?

—Podría ser. No lo sé. ¿Tiene importancia desde el punto de vista del Münchhausen?

—Pues, en realidad, no. Estoy simplemente tanteando cosas. Desde el punto de vista del perfil de Münchhausen, es demasiado pronto para poder decir algo sobre ella. Utiliza mucha jerga especializada en su lenguaje y está muy identificada con Cassie..., cree que existe entre ella y su hija un vínculo casi telepático. El parecido entre ambas es muy acusado... Cassie es casi una reproducción suya en miniatura. Supongo que eso contribuye a reforzar la identificación.

—¿Quieres decir que, si Cindy se odiara a sí misma, podría proyectar el odio en Cassie?

—Podría ser —contesté—. Pero aún no estoy en condiciones de interpretar nada. ¿Se parecía Chad a ella?

—Le vi muerto, Alex. —Stephanie se cubrió el rostro con las manos, se frotó los ojos y levantó la vista—. Sólo recuerdo que era un niño muy guapo. Tenía la piel grisácea como esas estatuas de angelito que se ponen en los jardines. Si quieres que te diga la verdad, apenas le miré.

Tomó una tacita de café como si estuviera a punto de tirarla al suelo.

—Qué mal lo pasé cuando lo llevé al depósito de cadáveres. El ascensor del personal estaba detenido. Y yo allí, sosteniendo en mis brazos aquel fardo. Esperando. La gente pasaba por mi lado, conversando como si nada... y yo sentía deseos de ponerme a gritar. Al final, me dirigí a los ascensores públicos y bajé con un montón de personas. Pacientes, padres. Procuré no mirarlos para que no adivinaran lo que sostenía en brazos.

Permanecimos sentados un rato en silencio.

—Café express —dijo ella al final, inclinándose hacia la maquinita negra para ponerla en marcha. Se encendió una lucecita roja—. Ya está cargada y lista para su uso. Dejemos que la cafeína disipe nuestras preocupaciones. Ah, te voy a enseñar las referencias.

Tomó un papel que tenía encima del escritorio y me lo alargó. Era una lista de diez artículos.

—Gracias.

—¿Has observado alguna otra cosa en Cindy? —me preguntó.

—Hasta ahora no he visto ninguna *belle indifférence* o dramática búsqueda de atención. Me ha parecido una chica más bien apocada. Chip me ha dicho que la educó una tía suya que era enfermera, puede que de ahí le venga el interés por las cuestiones relacionadas con la salud, aparte de sus conocimientos sobre las técnicas respiratorias.

Pero eso en sí mismo no es nada. Su manera de cuidar a la niña parece buena..., incluso ejemplar.

—¿Y qué te han parecido sus relaciones con el marido? ¿Has observado alguna tensión?

—No. ¿Tú sí?

Stephanie sacudió la cabeza sonriendo.

—Pero yo pensaba que los especialistas teníais vuestros trucos.

—Esta mañana no llevaba mi maletín. Hablando en serio, me ha parecido que se llevan muy bien.

—Una familia feliz —dijo Stephanie—. ¿Habías visto alguna vez un caso semejante?

—Jamás —contesté—. Los Münchhausen evitan a los psiquiatras y los psicólogos como si fueran la peste porque son la demostración palpable de que nadie se toma en serio sus enfermedades. Lo más parecido que he tratado son los padres-saltamontes que están convencidos de que a sus hijos les ocurre algo y van de especialista en especialista a pesar de que nadie puede descubrir ningún síntoma. Cuando ejercía, otros médicos me solían enviar pacientes con los que ya no podían hacer nada. Pero nunca los traté durante largos períodos de tiempo. En caso de que se presentaran, solían mostrarse bastante hostiles y casi siempre abandonaban el tratamiento enseguida.

—Padres-saltamontes —repitió Stephanie— Jamás pensé que pudieran ser mini-Münchhausen.

—Podría ser lo mismo, pero en menor grado. Obsesión por la salud y búsqueda de la atención de figuras que ejercen autoridad y a las cuales tratan de confundir, bailando sin cesar a su alrededor.

—El vals —dijo Stephanie—. ¿Y qué me dices de Cassie? ¿Cómo se comporta?

—Exactamente tal y como tú me habías dicho... Se asustó mucho al verme, pero después se fue calmando poco a poco.

—Entonces lo estás haciendo mucho mejor que yo.

—Es que yo no la pincho con agujas, Steph.

Me miró con una amarga sonrisa.

—A lo mejor me equivoqué de especialidad. ¿Me puedes decir alguna otra cosa sobre ella?

—No se observa ninguna patología importante, tan sólo un leve retraso en el lenguaje. Si su lenguaje no mejorara en los próximos seis meses, la sometería a toda una serie de pruebas psicológicas, incluida una prueba neuropsíquica.

Stephanie empezó a ordenar los montones de papeles que tenía sobre el escritorio.

—Seis meses —dijo—. Si para entonces todavía está viva.

6

En la sala de espera hacía mucho calor debido a la impaciencia y la aglomeración de personas. Varias madres miraron esperanzadas a Stephanie cuando ésta me acompañó a la salida.

—Hasta pronto —me dijo Stephanie con una sonrisa, saliendo conmigo al pasillo.

Un grupo de hombres —tres en bata blanca y uno en traje de calle de franela gris— se estaban acercando en dirección contraria. La bata blanca que encabezaba la marcha nos vio y llamó a Stephanie:

—¡Doctora Eves!

—Lo que faltaba —dijo Stephanie por lo bajo, haciendo una mueca antes de detenerse.

Los Batas Blancas tenían unos cincuenta y tantos años y ofrecían el bien alimentado y bien afeitado aspecto de los médicos que ejercen su profesión no sólo en un hospital sino en sus consultorios privados. El Traje de Calle era más joven —unos treinta y tantos años— y corpulento. Metro ochenta y dos, unos ciento quince kilos de peso y anchos hombros bien recubiertos de grasa bajo una poderosa cabeza semejante a una columna. Llevaba el descolorido cabello muy corto y tenía unas facciones algo fofas, exceptuando la nariz que se le había roto y le habían escayolado defectuosamente. El fino bigotito no conseguía conferir la menor profundidad a su rostro. Parecía un ex estafador metido a empresario. Caminaba un poco rezagado y estaba demasiado lejos como para que yo pudiera leer la tarjeta que llevaba en la solapa.

El médico que encabezaba la marcha también estaba algo grueso y era muy alto. Tenía una boca muy ancha, unos labios muy finos y un cabello rizado entrecano que llevaba un poco largo y con patillas. La prominente barbilla confería a su rostro la ilusión de un movimiento hacia adelante. Tenía unos vivos ojos castaños y una sonrosada piel recién salida de la sauna. Los dos médicos que lo flanqueaban eran de estatura media, tenían el cabello gris y llevaban gafas. Uno de ellos ostentaba peluquín.

—¿Qué tal van las cosas en las trincheras, doctora Eves? —preguntó el Barbilla con una profunda voz gangosa.

—Como suelen ir en las trincheras —contestó Stephanie.

El Barbilla se volvió hacia mí e hizo unos cuantos ejercicios gimnásticos con las cejas.

—Le presento al doctor Delaware, miembro de la plantilla del hospital —dijo Stephanie.

El tipo me tendió la mano.

—Encantado. Soy George Plumb.

—Encantado de conocerle, doctor Plumb.

Apretón de manos de llave inglesa.

—Delaware —dijo Plumb—. ¿A qué departamento pertenece usted, doctor?

—Soy psicólogo.

—Ah.

Los dos médicos del cabello gris me miraron sin moverse ni decir nada. El Traje de Calle parecía estar contando los orificios del aislamiento acústico del techo.

—Está en pediatría —explicó Stephanie—. Actúa como asesor en el caso de Cassie Jones..., ayudando a la familia a superar la tensión.

Plumb volvió a mirarla.

—Ah, muy bien —dijo, rozándole ligeramente el brazo.

Ella lo soportó un instante y después se apartó.

—Usted y yo tenemos que hablar, Stephanie —dijo Plumb, sonriendo de nuevo—. Le diré a mi chica que llame a la suya y concertaremos una cita.

—Yo no tengo ninguna chica, George. Los cinco compartimos una secretaria.

Los gemelos grises la miraron como si estuviera flotando en el interior de un frasco. El Traje estaba en otra parte.

Plumb seguía sonriendo.

—Ya, los constantes cambios de nomenclatura. Bueno pues, mi chica llamará a su secretaria. Que le vaya bien, Stephanie.

Dicho lo cual, Plumb se retiró con su séquito, se detuvo varios metros más allá y sus ojos recorrieron de arriba abajo una pared como si la estuvieran midiendo.

—¿Qué es lo que pretendéis desmantelar ahora, chicos? —preguntó Stephanie por lo bajo.

Plumb reanudó la marcha y el grupo desapareció, doblando una esquina.

—¿Qué es todo eso? —pregunté.

—Todo eso es el doctor Plumb, nuestro nuevo administrador y gerente. El representante de papá Jones..., el señor Ejecutor de las Órdenes.

—¿Un médico administrador?

Stephanie se echó a reír.

—¿Lo dices por la bata blanca? No, no es médico. Tiene un estúpido doctorado en no sé qué... —Stephanie se detuvo con el rostro arrebolado a causa de la vergüenza—. Perdona.

—No te preocupes —dije riéndome.

—Te pido perdón con toda sinceridad, Alex. Tú sabes lo que yo opino de los psicólogos...

—Te he dicho que no te preocupes.

Le rodeé los hombros con mi brazo y ella me rodeó la cintura con el suyo.

—Se me va la cabeza —dijo—. Me estoy desmoronando en serio.

—¿En qué está especializado Plumb?

—En dirección o gestión de empresas, algo por el estilo. Utiliza constantemente el título, lleva bata blanca e insiste en que lo llamen «doctor». Casi todos sus lacayos tienen doctorados..., como aquéllos dos de allí, Roberts y Novach, sus principales esbirros. A todos les encanta entrar en el comedor de los médicos y ocupar una mesa. Se presentan sin ningún motivo aparente en las reuniones médicas y durante las visitas de las salas, se pasean por allí, lo miran y examinan todo y van tomando notas. Tal como ha hecho Plumb cuando se ha detenido para examinar la pared. No me extrañaría nada que dentro de poco se presentaran los carpinteros y subdividieran tres despachos en seis y convirtieran los espacios clínicos en despachos. Y ahora dice que quiere hablar conmigo... Ya estoy temblando.

—¿Sois vulnerables aquí?

—Todos lo somos, pero el Departamento de Pediatría General está por debajo de todo. Aquí no disponemos de tecnología avanzada ni hacemos cosas espectaculares de esas que saltan a los titulares de los periódicos. Hacemos sobre todo visitas ambulatorias y, por consiguiente, nuestros niveles de ingresos son los más bajos del hospital. Desde que desapareció el Departamento de Psiquiatría —dijo Stephanie sonriendo.

—Me parece que la tecnología tampoco está enteramente a salvo —dije—. Esta mañana, cuando estaba buscando un ascensor, pasé por delante de lo que antes era el Departamento de Medicina Nuclear y me di cuenta que lo habían convertido en algo que se llama Servicios Comunitarios.

—Otro de los golpes de Plumb..., pero no te preocupes por los nucleares... están bien. Los han trasladado al segundo piso y disponen del mismo espacio que antes, aunque los pacientes tienen dificultades para localizarlos. Otros departamentos han tenido serios problemas... Nefrología, Reumatología y tus compañeros de Oncología. Los han instalado en unas caravanas en la acera de enfrente.

—¿En unas caravanas?

—Como los indios winnebagos.

—Son unos departamentos muy importantes, Steph. ¿Cómo es posible que lo acepten?

—Porque no tienen más remedio, Alex. Firmaron la cesión de sus derechos. Los hubieran tenido que trasladar a la vieja Torre Luterana de Hollywood... El Western Pediatric la compró hace un par de años cuando los luteranos tuvieron que vender algunas propiedades para hacer frente a sus problemas presupuestarios. El consejo de administración prometió construir unas instalaciones fantásticas para todos los que se trasladaran allí. Las obras se hubieran tenido que iniciar el año pasado. Los departamentos que se mostraron conformes fueron trasladados a las caravanas y sus alas se cedieron a otros. Pero entonces descubrieron, mejor dicho, Plumb descubrió, que, a pesar de que tenían dinero suficiente para la compra de la torre y para las obras de remodelación, no se habían asignado los fondos necesarios para el mantenimiento y todo lo demás. Una nimiedad de trece millones de dólares. Intenta tú reunir esta cantidad tal y como están ahora las cosas... Los héroes ya no abundan demasiado porque este hospital está considerado un centro benéfico y nadie quiere mojarse.

—Caravanas —dije—. Meléndez-Lynch.

—Meléndez-Lynch se largó el año pasado.

—No me digas. Pero si Raoul vivía aquí.

—Pues ya no. Se fue a Miami. Un hospital le ofreció un puesto de jefe de servicio y lo aceptó. Me han dicho que ha triplicado el sueldo y que tiene la mitad de quebraderos de cabeza que tenía aquí.

—Ha pasado mucho tiempo —dije—. Raoul tenía muchas becas de investigación. ¿Cómo es posible que se lo hayan dejado escapar?

—A esa gente la investigación le importa un comino, Alex. No quieren sufragar los gastos indirectos. Ahora todo ha cambiado —contestó Stephanie, apartando el brazo de mi cintura mientras reanudábamos nuestro camino.

—¿Quién es el otro? —pregunté—. El señor Traje Gris.

—Ah, ése es Huenengarth —contestó Stephanie con aire abatido—. Presley Huenengarth. El jefe de Seguridad.

—Parece un matón —dije yo—. ¿Acaso arrea una paliza a los que no quieren pagar las facturas?

—Pues mira, no estaría nada mal —contestó Stephanie riéndose—. La deudas del hospital ascienden a más del ochenta por ciento. No, no creo que haga gran cosa, aparte de seguir a Plumb dondequiera que éste vaya, y mantenerse al acecho. A algunos miembros del personal les parece un tipo siniestro.

—¿Por qué?

Stephanie tardó un momento en contestar.

—Por su comportamiento, supongo.

—¿Tú has tenido alguna mala experiencia con él?

—¿Yo? No. ¿Por qué?

—Te veo un poco nerviosa cuando hablas de él.

—No —dijo—. No es nada de tipo personal..., es por su forma de actuar con la gente. Se presenta sin más cuando menos lo esperas. Aparece por las esquinas. Sales de la habitación de un paciente y te lo encuentras allí.

—Parece un tipo simpático.

—*Très*. Pero, ¿qué puede hacer una chica? ¿Llamar al Servicio de Seguridad?

Bajé solo a la planta baja, encontré el despacho del Servicio de Seguridad abierto, soporté el interrogatorio de diez minutos al que me sometió un guardia uniformado y, al final, me gané el derecho a disponer de una tarjeta de identificación a todo color.

En la fotografía salí con cara de criminal. Me prendí la tarjeta a la solapa y bajé al segundo sótano para dirigirme a la biblioteca del hospital, donde pensaba examinar las referencias de Stephanie.

La puerta estaba cerrada. Un memorando sin fecha fijado a la puerta con cinta adhesiva decía que el nuevo horario de la biblioteca era de tres a cinco de la tarde, de lunes a miércoles.

Me dirigí a la contigua sala de lectura. Abierta, pero vacía. Entré en otro mundo: lustrosos revestimientos de madera, mullidos sofás, sillones de orejas y alfombras persas un poco gastadas, pero de excelente calidad, sobre un reluciente parquet de madera de roble con dibujo de espiga.

Hollywood parecía encontrarse a muchos planetas de distancia.

Toda la estancia, un antiguo estudio de una mansión de estilo inglés, había sido donada años atrás —antes de que yo empezara a trabajar allí como interno—, transportada a través del Atlántico y reconstruida gracias a la colaboración económica de un macenas anglófilo, el cual pensaba que los médicos tenían que relajarse en un ambiente altamente refinado. Un mecenas que jamás en su vida había hablado con un médico del Western Pediatric.

Crucé la estancia y giré el tirador de la puerta que daba acceso a la biblioteca. Abierta.

La estancia sin ventanas estaba más oscura que el carbón. Encendí las luces. Casi todas las estanterías estaban vacías; en algunas había unas cuantas publicaciones colocadas sin orden ni concierto. En el suelo vi varios montones de libros. La pared del fondo ni siquiera tenía estantes.

El ordenador que yo utilizaba para buscar los archivos de los pacientes no se veía por ninguna parte. Lo mismo cabía decir del fichero de roble con sus etiquetas de pergamino escritas a mano. El único mobiliario era una mesa metálica de color gris sobre la cual alguien había fijado una hoja de papel con cinta adhesiva. Un memorando interno del hospital, fechado tres meses atrás.

A: Personal de Plantilla
DE: G. H. Plumb, doctor en Ciencias Empresariales, Gerente General.
TEMA: Reforma de la biblioteca

Atendiendo a las repetidas peticiones del Personal Médico y tras la decisión favorable del Comité de Investigación, la Asamblea General del Consejo de Administración y el Subcomité de Finanzas de la Junta Directiva, el fichero de referencias de la Biblioteca de Medicina será transformado en un sistema totalmente informatizado en el que se utilizarán los programas estándar de búsqueda de datos bibliográficos Orion y Melvyl. El contrato para dicha conversión ha salido a concurso público y, tras un cuidadoso estudio y cálculo de los costes/beneficios, ha sido concedido a BIO-DAT Inc., de Pittsburgh, Pensilvania, empresa especializada en sistemas de investigación médica y científica e integración de terminales para el seguimiento de la atención sanitaria. Los responsables de BIO-DAT nos han informado de que todo el proceso llevará aproximadamente tres semanas, en cuanto dispongan de todos los datos pertinentes. Por esta razón, los actuales archivos y ficheros de la biblioteca serán trasladados a la central de BIO-DAT en Pittsburgh mientras dure el proceso de conversión y devueltos a Los Ángeles para su almacenamiento y consulta en cuanto terminen los trabajos de conversión. Se ruega colaboración y comprensión durante el período que dure el proceso.

Las tres semanas se habían convertido en tres meses.

Pasé el dedo por la superficie metálica de la mesa y me quedó toda la yema ennegrecida por el polvo.

Apagué la luz y me marché.

Sunset Boulevard era una bullabesa de rabia y miseria mezclada con un poco de esperanza de inmigrantes y aliñada con una pizca de actividades delictivas.

Pasé por delante de los clubes del sexo, las cuevas de la nueva música, los gigantescos carteles del mundo del espectáculo y las *boutiques* para anoréxicas del Strip, crucé Doheny y me adentré en el santuario del dólar de Beverly Hills. Pasando por delante de mi habitual salida de Beverly Glen, me dirigí a un lugar en el que siempre se puede hacer una buena investigación. El lugar donde Chip Jones había hecho la suya.

La Biblioteca Biomédica estaba llena de personas que investigaban por pura curiosidad y de otras que lo hacían por obligación. Sentada delante de uno de los monitores, vi a una persona a quien yo conocía.

Cara de pilluelo, ojos tremendamente vivos, pendientes colgantes y una doble perforación en el lóbulo auricular derecho. La corta melenita leonada había crecido ahora hasta los hombros. Un ribete blanco adornaba el cuello azul marino del jersey.

¿Cuándo la había visto por última vez? Unos tres años atrás. Debía de tener veinte años.

Me pregunté si ya habría conseguido el doctorado.

Estaba tecleando con gran rapidez. Al acercarme, vi que el texto estaba en alemán. La palabra *neuropéptido* salía a cada momento.

—Hola, Jennifer.

Ella se volvió.

—¡Alex!

Una sonrisa de oreja a oreja. Después me dio un beso en la mejilla y se levantó del taburete.

—¿Ya eres la doctora Leavitt? —le pregunté.

—En junio —contestó—. Estoy terminando la tesis.

—Felicidades. ¿Neuroanatomía?

—Neuroquímica..., una cosa mucho más práctica, ¿no te parece?

—¿Todavía no has abandonado tu proyecto de matricularte en medicina?

—Lo haré en otoño. En Stanford.

—¿Psiquiatría?

—No lo sé —contestó—. A lo mejor, algo un poco más... concreto. No te ofendas. Lo pensaré bien y veré que es lo que más me atrae.

—Bueno, para ti no hay prisa... ¿cuántos años tienes, doce?

—¡Veinte! Cumplo veintiuno el mes que viene.

—Una auténtica vieja desdentada.

—¿Acaso tú no eras así de joven cuando terminaste?

—No tanto. Yo ya tenía barba.

Jennifer volvió a reírse.

—Me alegro de verte. ¿Has tenido alguna noticia de Jamey?

—Recibí una postal suya en Navidad. Desde New Hampshire. Ha alquilado una granja y se dedica a escribir poesía.

—¿Está... bien?

—Está mejor. En la postal no había remitente y su nombre no figura en la guía. Llamé a la psiquiatra que lo había tratado en Carmel y me dijo que la medicación le había ido muy bien. Por lo visto, tiene alguien que le cuida. Una de las enfermeras que lo atendía allí.

—Pues me alegro —dijo Jennifer—. Pobre chico. Lo tenía todo en contra.

—Buena manera de expresarlo. ¿Has mantenido algún otro contacto con los demás componentes del grupo?

El grupo. *Proyecto 160*. Como el CI. Cursos acelerados de asignaturas para chicos superdotados. Un importante experimento; uno de los componentes acabó convertido en asesino en serie. Yo había participado y recorrido con entusiasmo el camino del odio y la corrupción...

—... está en la facultad de Derecho de Harvard y colabora con un juez. Felicia estudia matemáticas en Columbia y David dejó sus estudios de medicina en la Universidad de Chicago al cabo de seis meses y se ha convertido en comerciante. Una pena. Siempre fue un chico muy de los ochenta. Sea como fuere, el proyecto ha muerto..., la doctora Flowers no renovó la beca.

—¿Problemas de salud?

—En parte, sí. Pero es que, además, la publicidad en torno al caso de Jamey resultó nefasta. Supongo que se fue a las Hawai para librarse de la tensión provocada por el escándalo que se armó.

Por segunda vez en un día me estaba adentrando de nuevo en el pasado y me daba cuenta de los muchos cabos sueltos que había dejado.

—Y bien —dijo Jennifer—, ¿qué te trae por aquí?

—He venido a buscar material para un caso.

—¿Es interesante?

—Un síndrome de Münchhausen por sustitución. ¿Sabes lo que es eso?

—He oído hablar del síndrome de Münchhausen..., personas que se maltratan físicamente a sí mismas para simular enfermedades, ¿verdad? Pero, ¿qué es eso de la sustitución?

—Personas que simulan enfermedades en sus hijos.

—Qué cosa tan tremenda. ¿Qué clase de enfermedades?

—Casi todas. Los síntomas más comunes son problemas respiratorios, hemorragias, fiebres, infecciones y pseudoataques.

—Por sustitución —repitió Jennifer—. La palabra resulta un poco... fría, parece una cosa de tipo comercial. ¿De veras estás trabajando con una familia así?

—Estoy estudiando a una familia para intentar establecer si es eso lo que ocurre. Todavía estamos en la fase del diagnóstico diferencial. Tengo unas referencias preliminares y quería echar un vistazo a la literatura.

—Tendrás que ir a los archivos de fichas. ¿O acaso ya te has familiarizado con el ordenador?

—Prefiero el ordenador. Siempre y cuando hable en inglés.

—¿Ya tienes una cuenta de REI?

—No. ¿Qué es eso?

—«Recuperación e Impresión». Un nuevo sistema. Todas las publicaciones que existen en los archivos..., se pueden examinar textos enteros. Puedes recuperar e imprimir artículos enteros. Siempre y cuando estés dispuesto a pagar. Mi presidente me ha conseguido una tarjeta provisional de lectora y una cuenta para mí sola, pero a cambio espera que yo publique mis resultados y los firme con su nombre. Por desgracia, las publicaciones extranjeras aún no constan en los archivos del sistema informático y, por consiguiente, las tengo que buscar por el método antiguo. —Jennifer señaló la pantalla—. La lengua principal. ¿No te gustan estas palabras de sesenta letras y estos *Umlauts*? La gramática es para volverse loco, pero mi madre me ayuda en los pasajes más difíciles.

Recordé a su madre. Gorda y simpática, aromas de azúcar y masa de harina. Unos números azules en la suave y blanca piel de su brazo.

—Pide una REI —me dijo Jennifer—. Es divertidísimo.

—No sé si a mí me la darían. Mis actividades profesionales las desarrollo en la otra punta de la ciudad.

—Yo creo que sí. Enséñales tu tarjeta universitaria y paga la cuota. Tardan aproximadamente una semana en procesarlo.

—Pues, en tal caso, lo haré más adelante. No puedo esperar tanto.

—No, claro. Mira, en mi cuenta me queda todavía mucho tiempo disponible. Mi presidente quiere que lo gaste todo para que, de esta manera, el año que viene pueda solicitar mayor asignación presupuestaria para servicios informáticos. Si quieres que te busque algo, déjame terminar lo que estoy haciendo y encontraremos todo lo que quieras saber sobre esas personas que martirizan a sus hijos por sustitución.

Subimos a la sala de REI ubicada en el último piso del edificio. El sistema de búsqueda no se diferenciaba en nada de los terminales que acabábamos de dejar: unos ordenadores dispuestos en varias hileras de compartimientos. Encontramos uno vacío y Jennifer buscó referencias sobre Münchhausen por sustitución. La pantalla se llenó inmediatamente. La lista incluía todos los artículos que me había facilitado Stephanie y algunos más.

—Veo que el primero corresponde al año 1977 —dijo Jennifer—. *Lancet*. Meadow, R. «El síndrome de Münchhausen por sustitución: el *hinterland* de los malos tratos infantiles».

—Ése fue el artículo inicial —dije yo—. Meadow es el pediatra británico que identificó el síndrome y lo bautizó.

—Eso de *hinterland*... suena muy siniestro. Aquí hay una lista de temas relacionados: síndrome de Münchhausen, malos tratos infantiles, incesto, reacciones disociativas.

—Sácame primero las reacciones disociativas.

Nos pasamos una hora revisando centenares de referencias y destilando otros doce artículos que parecían interesantes. Al terminar, Jennifer archivó el documento y tecleó un código.

—Eso nos conecta con el sistema de impresión —me explicó.

Las impresoras se encontraban detrás de los paneles azules que cubrían dos paredes de una sala contigua. Cada una de ellas tenía una pequeña pantalla, una ranura para tarjetas, un teclado y una bandeja de tela metálica bajo una ranura horizontal de unos treinta centímetros de anchura que me recordaba la boca de George Plumb. Dos de las terminales estaban libres. Una de ellas decía: NO FUNCIONA.

Jennifer activó la pantalla operativa, insertó una tarjeta de plástico en la ranura y tecleó a continuación el código alfanumérico, seguido de las letras de identificación del primero y el último de los artículos que habíamos recuperado en pantalla. Segundos después, la bandeja empezó a llenarse de hojas de papel.

—Cotejo automático. Qué chulo, ¿verdad?

—Melvyl y Orion —dije yo—. Ésos son los programas básicos, ¿no es cierto?

—Neanderthal. Son sólo un punto superior a las fichas de cartulina.

—Si un hospital quisiera informatizar sus archivos y dispusiera de un presupuesto muy menguado, ¿se podría permitir el lujo de ir mucho más allá que eso?

—Pues claro. Muchísimo más. Hay toneladas de nuevos programas de *software*. Hasta un médico particular podría ir mucho más allá.

—¿Has oído hablar alguna vez de una empresa llamada BIO-DAT?

—No, creo que no, pero eso no significa nada... yo no soy una experta en informática. Para mí no es más que una herramienta. ¿Por qué? ¿A qué se dedican?

—Están informatizando la biblioteca del Western Pediatric Hospital. Y convirtiendo las fichas de referencia a los sistemas Melvyl y Orion. Tendrían que haberlo hecho en tres semanas, pero ya llevan tres meses.

—¿Es muy grande la biblioteca?

—No, más bien pequeña.

—Si lo único que hacen es examinar y buscar, con un escáner de impresión lo podrían hacer en un par de días.

—¿Y si no tienen un escáner?

—Pues entonces significa que viven en la Edad de Piedra. Lo cual quiere decir que tendrían que hacer las transferencias a mano, mecanografiando cada una de las referencias. Pero, ¿por qué contratar a una empresa tan primitiva, habiendo...? Ah, ya está listo. —Un abultado montón de hojas llenaba la bandeja—. Ya has visto lo rápido que es este chisme —dijo Jennifer—. El día menos pensado lo podrán programar todo.

Le di las gracias, le expresé mis mejores deseos y regresé a casa, dejando el voluminoso fajo de documentos en el asiento de atrás. Tras ponerme en contacto con mi centralita, repasar la correspondencia y dar de comer a los peces (los koi que habían sobrevivido a la infancia se encontraban en perfecto estado), me terminé medio bocadillo de rosbif que me había sobrado de la cena de la víspera, me bebí una cerveza y me puse a trabajar.

Las personas que martirizan a sus hijos...

Tres horas más tarde, me sentía una basura. La fría prosa de las publicaciones médicas no había conseguido suavizar el horror.

El vals del diablo...

Intoxicaciones por medio de sal, azúcar, alcohol, estupefacientes, expectorantes, laxantes, eméticos e incluso heces y pus para crear «niños bacteriológicamente destrozados».

Niños, incluso de meses, sometidos a una sobrecogedora lista de torturas que evocaban los «experimentos» nazis. Casos y más casos de niños en los que se había provocado una aterradora variedad de falsas dolencias... Por lo visto, se podían simular prácticamente todas las enfermedades.

Los culpables solían ser las madres.

Y las víctimas casi siempre las hijas.

Perfil criminal: madre modelo, a menudo bella y encantadora, con antecedentes profesionales en el campo de la medicina o la sanidad. Insólita serenidad en presencia de la desgracia..., ausencia de afecto disfrazada de entereza. Actitud solícita y protectora... Un especialista advertía incluso a los médicos en contra de las madres «exageradamente cariñosas».

A saber qué habría querido decir.

Recordé cómo se habían secado de golpe las lágrimas de Cindy Jones en cuanto Cassie se había despertado. Cómo la había acariciado y consolado y le había contado cuentos de hadas.

¿Cuidados solícitos o perversidad?

Había otra cosa que también coincidía.

Otro artículo del doctor Roy Meadow, el pionero de la investigación. Un descubrimiento hecho en 1984 tras examinar los antecedentes de treinta y dos niños aquejados de falsa epilepsia:

Siete hermanos muertos y enterrados.

Todos ellos a causa de muerte súbita en la cuna.

7

Estuve leyendo hasta las siete y después trabajé en la revisión de las galeradas de una monografía cuya publicación me había sido aceptada: la adaptación emocional de una escuela cuyos alumnos habían sido atacados por un francotirador el año anterior. La directora de la escuela se había hecho amiga mía y después, algo más que eso. Más tarde había regresado a Texas para cuidar de su padre enfermo. El padre había muerto, pero ella no había regresado.

Cabos sueltos...

Llamé a Robin a su estudio. Me dijo que estaba hundida hasta los codos en un proyecto muy complicado: la construcción de cuatro guitarras iguales en forma de cazabombardero Stealth para un conjunto de *heavy metal* que no tenía dinero ni autocontrol. No me extrañó la tensión de su voz.

—¿Te llamo en mal momento?

—No, no, es bueno hablar con alguien que no esté bebido.

Unos gritos en segundo plano.

—¿Son los chicos?

—Lo son. Me paso el rato echándolos, pero ellos vuelven. Son como una plaga. Piensas que están ocupados en otra cosa, en destrozar la suite del hotel donde se hospedan, por ejemplo, pero... perdona un momento. ¡Lucas, deja eso! Algún día puede que necesites los dedos para algo. Perdona, Alex. Es que este chico estaba jugando con la sierra circular. —Su voz se suavizó—. Oye, te tengo que dejar. ¿Qué tal el viernes por la noche? ¿Te iría bien?

—Muy bien. ¿En tu casa o en la mía?

—Es que no sé muy bien cuándo voy a estar lista, Alex. Será mejor que te pase a recoger yo. Te prometo que no será más tarde de las nueve. ¿De acuerdo?

—De acuerdo.

Mientras nos despedíamos, pensé que se había vuelto muy independiente.

Saqué mi vieja guitarra Martin y me pasé un rato rasgueándola. Después regresé a mi estudio y releí un par de veces los artículos sobre el Münchhausen en la esperanza de descubrir alguna cosa que se me pudiera haber pasado por alto. Pero no descubrí nada; sólo podía pensar en la mofletuda carita de Cassie Jones convertida en una grisácea máscara sepulcral.

Me pregunté incluso si sería una cuestión científica..., si todos los conocimientos médicos del mundo serían capaces de llevarme adonde yo quería llegar.

Puede que fuera el momento de buscar a otro tipo de especialista.

Marqué un número de Hollywood Oeste. Una malhumorada voz femenina dijo: «Ha llamado usted a Investigaciones Azul. Nuestras oficinas están cerradas. Si desea dejar un mensaje no urgente, hágalo después de la primera señal. En caso urgente, espere dos señales».

Tras oír la segunda señal, dije:

—Soy Alex, Milo. Llámame a casa.

Tras lo cual, volví a tomar la guitarra.

Ya había tocado diez compases de *Windy and Warm* cuando sonó el teléfono.

Una voz muy lejana me preguntó:

—¿A qué viene tanta urgencia, tío?

—¿Investigaciones Azul? —pregunté.

—Como el color del uniforme de la policía.

—Ya.

—¿Demasiado abstracto? —preguntó Milo—. ¿Te parece que tiene connotaciones porno?

—No, me parece bien..., muy típico de Los Ángeles. ¿Quién es la voz del contestador?

—La hermana de Rick.

—¿La dentista?

—Sí. Suena bien, ¿verdad?

—Fantástica. Parece Peggy Lee.

—Te sube la fiebre cuando te perfora las muelas.

—¿Desde cuándo te has pasado al ejercicio privado de la profesión?

—Verás..., es la atracción del dólar. En realidad, no es más que un poco de pluriempleo. Como de día me aburro como una ostra con las cosas que hago en el Departamento, tengo derecho a ganarme un buen dinero en las horas libres.

—¿Aún no les has cobrado cariño a los ordenadores?

—Verás, yo les quiero a ellos, pero ellos no me quieren a mí. Ahora andan diciendo por ahí que esos aparatos provocan malas vibraciones... en serio. Dicen que el campo electromagnético va destruyendo poco a poco el cuerpo de los usuarios.

Un ruido de interferencias acompañó la última parte de la frase.
—¿Desde dónde me llamas?
—Desde el teléfono del coche. Estoy terminando un trabajo.
—¿El coche de Rick?
—No, el mío. Y el teléfono también es mío. Estamos en una nueva era, doctor..., la era de las comunicaciones rápidas y de la decadencia todavía más rápida. En fin, cuéntame qué te pasa.
—Quería pedirte consejo..., a propósito de un caso en el que estoy trabajando...
—No digas más...
—Yo...
—Hablo en serio, Alex. No Digas Más. Los teléfonos móviles y los asuntos privados no hacen buenas migas. Cualquiera puede escuchar. Espérame.
Cortó la comunicación y, veinte minutos más tarde, sonó el timbre de mi puerta.
—Estaba a dos pasos —me dijo Milo, entrando en la cocina—. Wilshire cerca de Barrington, una vigilancia de amante paranoico.
En la mano izquierda sostenía un cuaderno de notas del Departamento de Policía de Los Ángeles y un teléfono móvil negro del tamaño de una pastilla de jabón. Iba vestido para un trabajo de operación encubierta: chaqueta azul marino, camisa del mismo color, pantalones grises de sarga y botas marrones. Puede que hubiera adelgazado unos tres kilos desde la última vez que le había visto, pero, aun así, debía de pesar por lo menos ciento quince kilos irregularmente repartidos sobre una superficie de ciento noventa centímetros: largas y delgadas piernas, vientre prominente, mejillas caídas sobre el cuello por efecto de la gravedad.
Se había cortado el cabello muy corto por detrás y a los lados y más largo en la parte superior. Los mechones negros que le caían sobre la frente mostraban algunas hebras grises. Las patillas le llegaban hasta los lóbulos de las orejas, casi dos centímetros y medio más largas de lo que autorizaba el reglamento... Pero ése era el menor de los problemas que el Departamento tenía con él.
Milo no seguía nunca la moda. Siempre había tenido la misma pinta desde que yo le conocía. Ahora los pijos de Melrose la estaban adoptando, pero yo dudaba mucho que él se hubiera dado cuenta.
Su mofletuda cara picada de viruelas mostraba la palidez propia de los turnos de noche. Pero sus sorprendentes ojos verdes parecían más claros que de costumbre.
—Te veo nervioso —me dijo.
Abriendo el frigorífico, pasó por alto las botellas de Grolsch, sacó una botella entera de zumo de pomelo y la abrió con un rápido movimiento de dos gruesos dedos.

Le alargué un vaso. Lo llenó, lo apuró, lo volvió a llenar y bebió.

—La vitamina C, la libre empresa, un atrevido nombre comercial... Corres demasiado para mí, Milo.

Milo posó el vaso sobre la mesa y se humedeció los labios con la lengua.

—En realidad, Azul es un ingenioso invento de Rick. Pensó que el proyecto era muy arriesgado y le pareció que el nombre tendría gancho. Reconozco que pasar al sector privado no fue una transición muy fácil. Pero me alegro de haberlo hecho, porque me gano mejor el pan. Me preocupa la seguridad económica de mi vejez.

—¿Cuánto cobras?

—De cincuenta a ochenta dólares la hora, depende. No gano tanto como un psiquiatra, pero no puedo quejarme. Si el municipio quiere desperdiciar lo que me ha enseñado y que me pase todo el día sentado delante de una pantalla, allá ellos. De noche, hago prácticas de detective.

—¿Tienes casos interesantes?

—No, más que nada vigilancias de mierda para tranquilizar a los paranoicos. Pero, por lo menos, salgo a la calle.

Se echó más zumo en el vaso y bebió.

—No sé cuánto tiempo podré seguir aguantando..., me refiero al trabajo diurno.

Se frotó el rostro como si se lo lavara sin agua. De pronto, le vi cansado y sin el menor asomo de entusiasmo empresarial.

Pensé en todo lo que le había ocurrido el año anterior. Le había roto la mandíbula de un puñetazo a un superior que había puesto en peligro su vida. Y lo había hecho en directo, delante de las cámaras de la televisión. El Departamento de Policía había decidido resolver el asunto en privado porque el hecho de hacerlo en público hubiera resultado mucho más embarazoso. No se había formulado ninguna acusación contra él, pero lo habían suspendido de empleo y sueldo durante seis meses y después le habían adscrito a la división de Robos/Homicidios de Los Ángeles Oeste, degradándolo a la categoría de investigador de segunda, pues, seis meses más tarde, habían descubierto que no quedaba ningún puesto de investigador vacante ni en Los Ángeles Oeste ni en ninguna otra división debido a unos «imprevistos» recortes presupuestarios.

Entonces lo habían enviado, con carácter «provisional», a la sección de procesamiento de datos de Parker Center bajo la tutela de un instructor civil descaradamente afeminado y allí había aprendido el manejo de los ordenadores. Había sido un recordatorio no demasiado sutil del Departamento en el sentido de que estaban dispuestos a correr un tupido velo sobre la agresión contra su superior, pero no a olvidar o perdonar lo que él hacía en la cama.

—¿Sigues empeñado en presentar una denuncia?

—No lo sé. Rick quiere que luche a muerte. Dice que el hecho de que no cumplieran lo acordado demuestra que nunca me darán una oportunidad. Pero yo sé que, si presento una denuncia, mis días en el Departamento estarán contados. Aunque gane. —Se quitó la chaqueta y la dejó encima del mostrador—. Bueno, dejémonos de lamentaciones y tonterías. ¿En qué puedo ayudarte?

Le expuse el caso de Casssie Jones y le solté una miniconferencia sobre el síndrome de Münchhausen. Bebió sin hacer ningún comentario. Me dio la impresión de que estaba distraído.

—¿Habías oído hablar de eso alguna vez?

—No. ¿Por qué?

—La mayoría de la gente reacciona con más vehemencia.

—Es que todavía lo estoy asimilando... En realidad, me recuerda algo que ocurrió hace unos cuantos años. Un tipo ingresó en la sala de Urgencias del Cedars. Úlcera sangrante. Rick lo atendió y le preguntó si estaba viviendo alguna situación de tensión. El tipo le contestó que le había estado dando a la botella porque era culpable de un asesinato y no había expiado su delito. Por lo visto, había estado con una prostituta, se había vuelto loco y la había destripado. Una cosa terrible..., de auténtico psicópata. Rick asintió con la cabeza sin decir nada. Pero después salió inmediatamente y llamó al servicio de Seguridad... y después a mí. El asesinato había tenido lugar en Westwood. Yo me encontraba en aquellos momentos con Del Hardy en un vehículo, trabajando en el asunto de unos robos que habían tenido lugar en Pico-Robertson, y los dos nos dirigimos disparados hacia allá, le leímos sus derechos y escuchamos lo que tenía que decir.

»El tío se mostró encantado de vernos y nos vomitó los detalles como si nosotros fuéramos su salvación. Nombres, direcciones, fechas y arma. Se declaró inocente de otros asesinatos y no tenía antecedentes penales. Un tipo normal y corriente que incluso era propietario de su propio negocio..., limpieza de alfombras, si no recuerdo mal. Lo detuvimos, le hicimos repetir su confesión en una cinta y creímos encontrarnos ante la solución ideal de un caso. Nos dispusimos a comprobar los hechos y no encontramos nada. Ningún crimen y ninguna evidencia física de asesinato en aquella fecha y aquel lugar; ninguna prostituta había vivido jamás en aquella dirección ni cerca de ella. No había en ningún lugar de Los Ángeles ninguna prostituta que coincidiera con el nombre y la descripción que él nos había facilitado. Buscamos entre las víctimas no identificadas, pero ninguna de las muertas anónimas del depósito de cadáveres coincidía con la descripción, y en los archivos de la división de Represión del Vicio no constaba ningún apodo que coincidiera con el que presuntamente utilizaba la chica. Incluso hicimos averiguaciones en otras ciudades y nos pusimos en contacto con el FBI, pensando que, a lo mejor, se había desorientado y, en su perturbación mental, se había confundido de lugar. Pero él insistía en que todo había sucedido tal y como él nos lo había contado y persistía en su empeño de recibir un castigo.

»Transcurrieron tres días, y nada. Al final, le asignamos un abogado de oficio en contra de su voluntad y éste nos exigió que hiciéramos una denuncia concreta contra su cliente o lo soltáramos. El teniente quería que espabiláramos o lo dejáramos correr. Seguimos investigando, y nada.

»Llegados a este punto, empezamos a sospechar que el tipo nos había tomado el pelo. Lo negó todo. Y estuvo muy convincente..., le hubiera podido dar lecciones de interpretación a De Niro. Lo repetimos todo y nos volvimos medio locos sin conseguir encontrar nada. Al final, llegamos a la conclusión de que todo era falso y le echamos una bronca al tío, poniéndonos en plan de policías duros. El tipo reaccionó con enfado. Pero con un enfado un poco sospechoso. Como si supiera que lo habíamos descubierto y se indignara más de la cuenta para ponernos a la defensiva.

Milo sacudió la cabeza, canturreando la banda sonora de *En los límites de la realidad*.

—¿Que ocurrió? —pregunté.

—¿Qué podía ocurrir? Lo soltamos y jamás volvimos a saber nada del muy hijo de puta. Hubiéramos podido denunciarle por falsedad en la declaración, pero eso hubiera significado un montón de papeleo y de pérdida de tiempo ante los tribunales y total, ¿para qué? ¿Para que le echaran un sermón y le impusieran una sanción económica por una primera falta calificada de delito de menor cuantía? No, gracias. Ya estábamos hasta la coronilla, Alex. En mi vida había visto a Del tan furioso. Había sido una semana muy dura, llena de crímenes auténticos y con muy pocas soluciones. Y ese hijo de la gran puta va y nos saca de quicio con sus idioteces.

El recuerdo de la cólera le arreboló el rostro.

—Personas que confiesan mentiras —dijo—. Que buscan llamar la atención y vuelven tarumba a cuantos les rodean. ¿No te parece un poco parecido a lo de los Münchhausen?

—Bastante parecido —contesté—. Jamás se me había ocurrido pensarlo.

—¿Lo ves? Soy una auténtica fuente de inspiración. Sigue con tu caso.

Le conté el resto.

—Bueno pues, ¿qué es lo que quieres? —preguntó—. ¿Que compruebe los antecedentes de la madre? ¿De ambos progenitores? ¿De la enfermera?

—En realidad, no era eso lo que yo pensaba.

—Ah, ¿no? Pues entonces, ¿qué?

—La verdad es que no lo sé, Milo. Creo que quería sobre todo un consejo.

Milo se apoyó las manos sobre el vientre, inclinó la cabeza y volvió a levantarla.

—El honorable Buda está de guardia. El honorable Buda aconseja lo siguiente: dispara contra todos los chicos malos. Ya se encargará alguna otra divinidad de clasificarlos.

—Convendría saber quiénes son los chicos malos.

—Exactamente. Por eso te he sugerido la comprobación de los antecedentes. Por lo menos, los del principal sospechoso.

—Tendría que ser la madre.

—Pues se la investiga a ella primero. Mientras voy pulsando teclas, puedo pedir adicionalmente toda la información que me dé la gana. Será más divertido que toda la mierda que me obligan a hacer como castigo.

—¿Y qué buscarás?

—Antecedentes penales. Es un banco de datos de la policía. ¿Tu amiga la doctora estará al corriente de lo que yo hago?

—¿Por qué?

—Me gusta saber cuáles son mis parámetros cuando curioseo. Lo que vamos a hacer está técnicamente prohibido.

—Mejor que la dejemos al margen... ¿Por qué ponerla en peligro?

—Muy bien.

—Desde el punto de vista penal —dije—, los Münchhausen son, por regla general, unos ciudadanos ejemplares..., como el limpiador de alfombras. Ya sabemos lo de la muerte del primer hijo. Se diagnosticó como síndrome de muerte súbita infantil.

Milo reflexionó en silencio.

—Tiene que haber un informe del forense, pero, si nadie sospechó nada, no habrá nada más. Veré si puedo conseguir los papeles. Puede que tú mismo lo pudieras hacer... echar un discreto vistazo a los archivos del hospital.

—No sé si podré. El hospital ha cambiado mucho ahora.

—¿En qué sentido?

—Hay mucha más seguridad..., y se les ha ido un poco la mano.

—Bueno, no se les puede reprochar —dijo Milo—. Aquella zona se ha vuelto francamente peligrosa.

Se levantó, se acercó al frigorífico, sacó una naranja y empezó a mondarla sobre el fregadero. Frunció el ceño.

—¿Que pasa? —pregunté.

—Estoy tratando de planear la estrategia. Me parece que la única manera de resolver algo de este tipo sería pillando al chico malo con las manos en la masa. ¿La niña se pone enferma en casa?

Asentí con la cabeza.

—La única manera de hacerlo sería vigilando electrónicamente la vivienda. Dispositivos ocultos de sonido e imagen. Grabando a la persona en el momento en que está envenenando al niño.

—Los juegos del coronel —dije yo.

—Sí, justo la clase de cosas que más le gustan a ese cerdo... Se ha ido, ¿sabes?

—¿Adónde?

—A Washington. ¿Adónde si no? Una nueva actividad. Una de esas empresas cuya denominación no revela nada acerca de las actividades que desarrolla. Me apuesto lo que sea a que vive del Gobierno. No hace mucho tiempo recibí una nota y una tarjeta de visita, felicitándome por haber entrado en la era de la informática y regalándome un *software* para que pudiera hacer con más facilidad la declaración de la renta.

—¿Sabía lo que estabas haciendo?

—Por lo visto, sí. Bueno pues, volvamos a la envenenadora de niños. Habría que instalar dispositivos de vigilancia pero, sin una orden judicial, cualquier cosa que se descubriera no sería aceptada como prueba. Sin embargo, para obtener una orden judicial se necesitan pruebas y tú aquí sólo tienes sospechas. Por no hablar de la influencia del abuelo. Habría que caminar con pies de plomo. —Terminó de mondar la naranja, la dejó, se lavó las manos y empezó a separar los gajos—. Podría ser algo muy doloroso... por favor, no me digas que la niña es un encanto.

—La niña es adorable.

—Muchas gracias.

—Hubo en Inglaterra un par de casos que se mencionaban en una publicación de pediatría —dije—. Grabaron en vídeo a las madres pegando a sus hijos, y eso que sólo tenían sospechas.

—¿Lo grabaron en casa?

—En el hospital.

—Es muy distinto. Que yo sepa, la legislación inglesa también es distinta... Déjame pensarlo, Alex. Procura buscar algo imaginativo que podamos hacer. Yo mientras tanto empezaré a jugar con los archivos locales por si alguno de los progenitores se hubiera portado mal en el pasado y pudiéramos basarnos en algo para solicitar una orden judicial. El viejo Charlie ha sido un maestro excelente..., tendrías que ver cómo manejo las bases de datos.

—No vayas a cometer ninguna imprudencia —le dije.

—No te preocupes. Las búsquedas preliminares son lo mismo que hace cualquier oficial cuando detiene a alguien por una infracción de tráfico. En caso de que profundice un poco más, tendré cuidado. ¿Han vivido los padres en algún otro lugar, aparte de Los Ángeles?

—No lo sé —contesté—. La verdad es que sé muy poco de ellos y será mejor que empiece a aprender.

—Muy bien, tú cava tu trinchera y yo cavaré la mía. —Milo se inclinó sobre el mostrador y empezó a pensar en voz alta—: Son gente de la clase alta, lo cual podría significar que estudiaron en escuelas privadas. Y eso va a ser más difícil.

—La madre podría haber estudiado en una escuela pública. No creo que pertenezca a una familia adinerada.

—¿Una arribista social?

—No, algo más sencillo. Él es profesor universitario. Puede que ella fuera una de sus alumnas.

—Muy bien —dijo Milo, abriendo su cuaderno de apuntes—. ¿Qué más? A lo mejor, él cumplió el servicio militar y tiene grado de oficial... otro hueso muy duro de roer. Charlie ha conseguido introducirse en los archivos militares, pero no ha encontrado nada especialmente llamativo, prebendas de la Administración de Veteranos, referencias recíprocas, cosas de ese tipo.

—Pero, ¿qué es lo que hacéis, jugar con los bancos de datos confidenciales?

—Él es el que juega, yo más bien miro. ¿Dónde enseña el padre?

—En el colegio universitario de West Valley. Sociología.

—¿Y la mamá? ¿Trabaja en algo?

—No, se dedica a ser madre en régimen de plena dedicación.

—Eso quiere decir que se toma muy en serio su misión. Bueno, dame un apellido con el que pueda empezar a trabajar.

—Jones.

Me miró fijamente.

Asentí con la cabeza.

Soltó una carcajada casi tan sonora como la de un borracho.

8

A la mañana siguiente, llegué al hospital a las 9,45. El aparcamiento de los médicos ya estaba casi lleno y tuve que subir al nivel superior para encontrar sitio. Un guardia uniformado estaba apoyado contra un pilar de hormigón, fumando un cigarrillo, medio oculto entre las sombras. Me miró cuando bajé del Seville y me siguió mirando hasta que me prendí la nueva tarjeta en la solapa.

La sala de los pacientes privados estaba tan tranquila como la víspera. Había una sola enfermera al otro lado del mostrador y la administrativa de la sección estaba leyendo la revista *McCall's*.

Leí la historia de Cassie. Stephanie ya había efectuado la visita matinal, había anotado ausencia de síntomas, pero había decidido mantener a la niña en el hospital por lo menos un día más. Me dirigí a la 505 W, llamé con los nudillos y entré.

Cindy Jones y Vicki Bottomley estaban sentadas en el sofá-cama. Una baraja de naipes descansaba sobre las rodillas de Vicki. Ambas levantaron la vista.

Cindy me miró con una sonrisa.

—Buenos días.

—Buenos días —contesté.

—Me voy —dijo Vicki, levantándose.

La cama de Cassie se había colocado en posición recta y la niña estaba jugando con una casa Fisher-Price. Otros juguetes, incluida una colección completa de Conejitos Amorosos, se hallaban diseminados sobre la colcha. En una bandeja del desayuno había una escudilla con restos de gachas de avena y una taza de plástico con un líquido rojo. En la pantalla del televisor se veían unos dibujos animados, pero sin sonido. Cassie se hallaba entretenida con la casa, disponiendo los muebles y las figuras de plástico. Un soporte de suero ocupaba un rincón.

Deposité un nuevo dibujo sobre la cama. La niña lo miró un instante y después reanudó su juego.

Vicki le entregó rápidamente la baraja de cartas a Cindy y tomó un momento su mano entre las suyas. Evitando mirarme, se acercó a la cama y alborotó el cabello de Cassie, diciendo:

—Hasta luego, cariño.

Cassie levantó un momento los ojos. Vicki volvió a alborotarle el cabello y se retiró.

Cindy se levantó. La blusa a cuadros de la víspera había sido sustituida por otra de color rosa. Los mismos pantalones vaqueros y las mismas sandalias.

—Vamos a ver qué es lo que te ha dibujado hoy el doctor Delaware.

Tomó el dibujo y entonces la niña alargó la mano y se lo arrebató.

Cindy le rodeó los hombros con su brazo.

—¡Un elefante! ¡El doctor Delaware te ha dibujado un gracioso elefante azul!

Cassie se acercó un poco más el papel.

—E-fa.

—Muy bien, Cass, estupendo. ¿Lo ha oído usted, doctor Delaware? Ha dicho «Elefante».

—Magnífico —dije, asintiendo con la cabeza.

—No se cómo se lo hizo usted, doctor Delaware, pero desde ayer, la niña está hablando mucho más. Cassie, ¿puedes decir otra vez «elefante»?

Cassie apretó los labios y arrugó el papel.

—Vaya por Dios —exclamó Cindy, acunando a su hija y acariciándole la mejilla.

Ambos observamos en silencio los esfuerzos de Cassie por alisar la hoja.

—¡E-fa! —repitió la niña cuando, al final, logró su propósito.

Inmediatamente volvió a arrugar el papel hasta convertirlo en una apretada pelota del tamaño de un puño y lo miró con expresión perpleja.

—Lo siento, doctor Delaware —dijo Cindy—, me parece que su elefante no lo está haciendo muy bien.

—Pero Cassie, sí.

Cindy asintió sonriendo.

Cassie hizo otro intento de alisar el papel. Esta vez, sus dedos del tamaño de un dedal no estuvieron a la altura de las circunstancias y Cindy le echó una mano.

—Dame, cariño... Pues sí, se encuentra perfectamente bien.

—¿Algún problema con los tratamientos?

—No le han administrado ninguno desde ayer por la mañana. Hemos estado aquí sentadas... es...

—¿Ocurre algo? —pregunté.

Cindy se pasó la trenza por encima del hombro y acarició el extremo.

—La gente pensará que estoy loca.

—¿Por qué lo dice?

—Pues no sé. He dicho una estupidez... perdone.

—¿Qué ocurre, Cindy?

Cindy apartó el rostro y siguió jugueteando con la trenza. Después volvió a sentarse, tomó la baraja de naipes y se la pasó de una mano a la otra.

—Es que... —Hablaba tan bajito que tuve que acercarme un poco más—. Yo... cada vez que la traigo aquí, mejora. Después me la llevo a casa, pensando que todo irá bien y, al poco tiempo...

—Vuelve a ponerse enferma.

Asintió, manteniendo la cabeza inclinada.

Cassie le musitó algo a una figurita de plástico.

—Muy bien, nena —dijo Cindy, pero la chiquilla no pareció oírla.

—Se vuelve a poner enferma y usted sufre una decepción.

Cassie dejó la figurita, tomó otra y empezó a sacudirla.

—Y, de repente, mejora otra vez... tal como ahora ha ocurrido. A eso me refería al decir... que estaba loca. A veces creo que estoy loca.

Sacudió la cabeza y regresó junto a la cama de Cassie. Tomó entre sus dedos uno de los bucles de la niña, lo soltó y, contemplando la casa de juguete, dijo:

—Pero, fíjate en eso... ¡Se están zampando lo que tú les has preparado para comer!

Su voz sonaba tan alegre que noté una extraña sensación en el paladar.

Se quedó allí, jugueteando con el cabello de Cassie, señalándole los muñecos y animándola a jugar. Cassie procuraba imitar el sonido de su voz como si quisiera pronunciar alguna palabra.

—¿Quiere que bajemos a tomar un café? —pregunté—. Vicki podría cuidar de Cassie.

Cindy levantó los ojos, apoyando una mano en el hombro de Cassie.

—No... no, lo siento, doctor Delaware. No podría. Nunca la dejo —explicó.

—¿Nunca?

Sacudió la cabeza.

—Cuando está aquí, no. Sé que eso también parece una locura, pero no puedo. Se oyen tantas... cosas.

—¿Qué clase de cosas?

—Accidentes... alguien que se equivoca al administrar los medicamentos... éste es un hospital muy grande. Pero... necesito estar aquí. Perdone.

—No se preocupe. Lo comprendo.

—Estoy segura de que es más por mí que por ella, pero...

Cindy se inclinó para abrazar a Cassie, la cual intentó apartarse y siguió jugando.

—Sé que la protejo demasiado —añadió Cindy, mirándome con expresión de impotencia.

—No creo, después de todo lo que ha ocurrido.

—Es usted muy amable..., le agradezco que me lo diga.

Le señalé el sillón.

Esbozó una leve sonrisa y se sentó.

—La tensión de venir aquí tan a menudo debe de ser muy fuerte —dije—. Una cosa es trabajar en un hospital y otra muy distinta estar en él por necesidad.

Me miró, perpleja.

—¿Trabajar en un hospital?

—Usted era técnica de respiración, ¿no es cierto? —dije—. ¿Trabajaba en un hospital?

—Ah, bueno. De eso hace mucho tiempo. No, no llegué tan lejos..., ni siquiera obtuve el título.

—¿Perdió el interés?

—Más o menos. —Tomando la baraja, se golpeó con ella una rodilla—. En realidad, la idea de que estudiara Técnicas Respiratorias se le ocurrió a mi tía. Era enfermera diplomada y pensaba que una mujer tenía que contar con una buena preparación, aunque jamás la utilizara; decía que yo me tenía que buscar algo de lo que siempre hubiera demanda, como, por ejemplo, la atención sanitaria. Con lo deteriorada que estaba la atmósfera y lo mucho que fumaba la gente, creía que siempre habría sitio para una técnica de respiración.

—Su tía debía de tener unas opiniones muy firmes.

—Desde luego —dijo Cindy sonriendo—. Ahora ya ha muerto. —Rápido parpadeo—. Era estupenda. Mis padres murieron cuando yo era pequeña y ella fue la que me crió.

—Pero, ¿no la animó a que estudiara enfermería? ¿A pesar de ser ella enfermera?

—En realidad, me aconsejó que no lo hiciera. Decía que era mucho trabajo para tan poco sueldo y que, además, la profesión no era...

Cindy sonrió con expresión turbada.

—¿Suficientemente respetada por los médicos?

—Justo lo que usted acaba de decir, doctor Delaware. Tenía unas ideas muy claras acerca de todo.

—¿Trabajaba en un hospital?

—Trabajó durante veinticinco años en el consultorio privado de un médico y ambos se pasaban el rato peleándose como si estuvieran casados. Pero él era un hombre encantador... un anticuado médico de cabecera que no se daba muy buena maña en cobrar las facturas. Tía Harriet siempre lo regañaba por eso. Era una maniática del orden, probablemente como consecuencia del período que pasó en el ejército..., sirvió en el frente de Corea y alcanzó el grado de capitán.

—No me diga.

—Pues sí. Siguiendo su ejemplo, también probé fortuna en el Ejército. Pero me estoy remontando a muchos años atrás.

—¿Estuvo usted en las Fuerzas Armadas?

Esbozó una leve sonrisa como si ya esperara mi sorpresa.

—Es un poco raro en una chica, ¿verdad? Ocurrió en último curso de bachillerato. Durante el día que dedicamos a la elección de carreras, un representante del Ejército nos explicó en qué consistía eso y nos expuso las ventajas...: formación profesional, becas. A tía Harriet también le pareció una buena idea y decidí probarlo.

—¿Cuánto tiempo estuvo allí?

—Sólo unos meses. —Sus manos acariciaron la trenza—. A los pocos meses, me puse enferma y me tuvieron que licenciar.

—Cuánto lo siento —dije—. Debió de ser algo muy grave.

Levantó la vista, se ruborizó intensamente y siguió tirándose de la trenza.

—Pues sí —dijo—. Una gripe muy fuerte... que se transformó en neumonía. Neumonía viral aguda... hubo una terrible epidemia en los cuarteles. Muchas chicas se pusieron enfermas. Cuando me restablecí, dijeron que cabía la posibilidad de que se me hubieran debilitado los pulmones y ya no me quisieron readmitir. —Encogimiento de hombros—. Y eso fue todo. Así terminó mi famosa carrera militar.

—¿Sufrió usted una gran decepción?

—Pues no, la verdad. Todo fue para bien —contestó Cindy, mirando a Cassie.

—¿Dónde estaba usted destinada?

—En Fort Jackson, allá en Carolina del Sur. Era uno de los pocos lugares en los que se facilitaba instrucción exclusivamente a las mujeres. Fue en verano... Una neumonía no parece muy propia del verano, pero los gérmenes son los gérmenes, ¿verdad?

—Muy cierto.

—Hacía mucha humedad. Te duchabas y te sentías sucia al cabo de un par de segundos. Y yo no estaba acostumbrada a eso.

—¿Se crió usted en California?

—Soy californiana de pura cepa —contestó, agitando una imaginaria bandera—. De Ventura. Mi familia era originaria de Oklahoma. Se instaló aquí cuando la Fiebre del Oro. Una de mis bisabuelas era medio india..., de ahí me viene el cabello, según mi tía. —Tomó la trenza y la volvió a soltar—. Seguramente no es verdad —añadió con una sonrisa—. Hoy en día todo el mundo quiere ser indio. Está de moda. Delaware —dijo—. Con este apellido, puede que usted también sea medio indio.

—Eso dice una leyenda familiar..., un tercio de un tatarabuelo. Pero yo creo que soy más bien mestizo... Un poco de todo.

—Mejor para usted. Así es más típicamente norteamericano, ¿no cree?
—Sí —contesté sonriendo—. ¿Sirvió Chip alguna vez en el Ejército?
—¿Chip? —Pareció que la idea le hacía gracia—. No.
—¿Cómo se conocieron ustedes?
—En el colegio universitario. Estudié un año en el colegio de West Valley tras abandonar mis estudios de Técnicas respiratorias. Elegí Sociología y él era mi profesor. —Otra mirada a Cassie, todavía entretenida con la casa—. ¿Quiere probar sus técnicas ahora?
—Es un poco pronto todavía —contesté—. Quiero que la niña confíe plenamente en mí.
—Yo creo que... ya confía. Le encantan sus dibujos... Hemos guardado todos los que no ha roto.
—Mejor hacerlo poquito a poco —dije sonriendo—. Si no la someten a ningún tratamiento, no hay ninguna prisa.
—Es verdad —dijo Cindy—. Para lo que estamos haciendo aquí, creo que ya podríamos volver a casa ahora mismo.
—¿Usted lo quiere?
—Yo siempre lo quiero. Pero lo que más quiero es que ella mejore. —La niña nos miró y Cindy volvió a bajar la voz—. Los ataques me aterrorizaron, doctor Delaware. Fue como...
Sacudió la cabeza.
—¿Como qué?
—Como una película. Casi no me atrevo a decirlo, pero me recordaron *El exorcista*. —Volvió a sacudir la cabeza—. Estoy segura de que la doctora Eves conseguirá descubrir lo que ocurre. Ha dicho que nos quedemos una o dos noches más en observación. Seguramente, es mejor así. Aquí Cassie siempre está bien —añadió mientras unas lágrimas asomaban a sus ojos.
—Cuando vuelvan a casa —dije—, me gustaría visitar a la niña.
—Por supuesto...
Leí en su rostro unas preguntas no formuladas.
—Para consolidar la confianza y la amistad —expliqué—. Si consigo que Cassie se encuentre totalmente a gusto conmigo cuando no la someten a ningún tratamiento, estaré en mejores condiciones de ayudarla cuando me necesite.
—Claro. Se comprende. Gracias, es usted muy amable. Yo... no sabía que los médicos aún hacían visitas domiciliarias.
—De vez en cuando, las hacemos. Ahora las llamamos visitas domésticas.
—Ya. Pues me parece muy bien. Le agradezco mucho las molestias que se toma.
—La llamaré cuando la hayan dado de alta y concertaremos una cita. ¿Por qué no me da su dirección y su número de teléfono?

Arranqué una hoja de mi cuaderno de apuntes y se la alargué junto con una pluma.
Escribió y me la devolvió.
Bonita y suave escritura redondeada.

Domicilio de Cassie B. Jones:
19547 Dunbar Court
Valley Hills. Ca.

Un número telefónico con un prefijo 818.
—Eso está en el extremo norte de Topanga Boulevard —me explicó—. Muy cerca de Santa Susanna Pass.
—Bastante lejos del hospital.
—Desde luego.
Volvió a enjugarse las lágrimas de los ojos, se mordió el labio y trató de sonreír.
—¿Qué ocurre? —le pregunté.
—Estaba pensando. Siempre que venimos aquí: es de noche y no hay tráfico en la autopista. A veces, odio la noche.
Le apreté la mano y noté que sus dedos carecían de fuerza.
Se la solté, estudié de nuevo el papel, lo doblé y me lo guardé en el bolsillo.
—Cassie B. —dije—. ¿Qué significa B.?
—Brooks... es mi apellido de soltera. Una especie de homenaje a mi tía Harriet, aunque no sea muy femenino. Brooke con «e» final hubiera sido más apropiado para una niña. Como Brooke Shields. Pero yo quería recordar a tía Harriet. —Cindy miró de soslayo—. ¿Y ahora qué estamos haciendo, Cass? ¿Lavando los platos?
—Pla.
—¡Muy bien! ¡Platos!
Cindy se levantó y yo también lo hice.
—¿Alguna pregunta antes de que me vaya?
—No... no creo.
—Pues entonces pasaré mañana.
—Muy bien, ¿Cass? El doctor Delaware ya se va. ¿Le quieres decir adiós?
Cassie arqueó las cejas, sosteniendo un muñeco de plástico en cada mano.
—Adiós, Cassie —dije yo.
—A-dió.
—¡Muy bien! —exclamó Cindy—. ¡Lo has hecho muy bien!
—A... dió. —Cassie batió palmas y los muñecos tintinearon debido al impacto—. ¡A-dió!

Me acerqué a la cama. Cassie me miró con ojos brillantes y rostro inexpresivo. Le acaricié la mejilla. Cálida y mantecosa.

—¡Dió! —Un dedito me rozó el brazo durante un breve segundo. La herida del pinchazo se estaba curando muy bien.

—Adiós, bonita.

—¡Dió!

Vicki se encontraba en la sala de las enfermeras. La saludé y, al ver que no me contestaba, anoté mi visita en el diagrama de Cassie, me encaminé hacia la Quinta Este y bajé a pie a la planta baja. Al salir del hospital, me dirigí en mi automóvil a una gasolinera de Sunset y La Brea y llamé desde una cabina a Milo en Parker Center.

El teléfono comunicaba. Lo intenté infructuosamente otras dos veces y entonces marqué el número particular y oí a la hermana de Rick, haciendo de Peggy Lee.

Al oír la primera señal, me apresuré a decir:

—Hola, señor Azul, no es urgente, pero tengo unos datos que, a lo mejor, te podrían ahorrar un poco de tiempo. El papá nunca estuvo en el Ejército, pero la mamá, sí... ¿qué te parece? El apellido de soltera es Brooks. Sirvió en Fort Jackson, Carolina del Sur. La licenciaron muy pronto debido a una neumonía vírica, según dice ella, pero se puso muy colorada y nerviosa mientras me lo comentaba, lo cual podría significar que no me ha dicho toda la verdad. A lo mejor, la expulsaron por mala conducta. Ahora tiene veintiséis años y cursaba el último de bachillerato cuando se incorporó a filas, por consiguiente, tenemos un buen período de tiempo con el que trabajar.

Regresé a mi automóvil y me pasé el resto del trayecto pensando en la neumonía, las terapias respiratorias y en un niño muerto en la cuna. Cuando llegué a casa, me faltaba la respiración.

Me puse unos *shorts* y una camiseta y repasé mi charla con Cindy.

«La gente debe de pensar que estoy loca... A veces creo que estoy loca.»

¿Remordimiento? ¿Velada confesión? ¿O simple deseo de provocarme?

El vals.

Se había mostrado enteramente dispuesta a colaborar hasta el momento en que yo le había sugerido abandonar la habitación.

¿Una madre Münchhausen «exageradamente solícita»? ¿O simplemente la comprensible inquietud de una mujer que ha perdido a un hijo y ha sufrido muchísimo con el otro?

Recordé su nerviosismo y su asombro al exponerle yo mi propósito de visitar su casa.

¿Tendría acaso algo que ocultar? ¿O sería simple extrañeza y lógica reacción, sabiendo que los médicos ya no efectuaban visitas domiciliarias?

Otro factor de riesgo: la figura materna de su tía, la enfermera. Una mujer que, incluso en el afectuoso recuerdo de Cindy, era una severa ordenancista.

Una mujer que trabajaba para un médico, pero se peleaba con él. Y despotricaba contra los médicos.

Había encauzado a Cindy hacia una profesión sanitaria, pero lejos de la enfermería.

¿Ambivalencia a propósito de los médicos? ¿A propósito de la estructura de poder del sistema sanitario? ¿Inquietud acerca de la enfermedad y los tratamientos?

¿Le habría transmitido a Cindy todas esas cosas a muy temprana edad?

Estaba, además, la cuestión de la enfermedad de la propia Cindy..., la neumonía que había truncado sus proyectos profesionales.

«Todo fue para bien.»

El rubor, el tirón de la trenza. No cabía duda de que su licencia del Ejército era un tema delicado.

Descolgué el teléfono de la cocina, me facilitaron el prefijo de Carolina del Sur y marqué Información de allí. Resultó que Fort Jackson estaba en Columbia. Anoté el número y llamé.

Contestó una voz femenina que arrastraba las palabras. Pregunté por el jefe médico de la base.

—¿Quiere usted hablar con la comandante del hospital?

—Sí, por favor.

—Un momento.

Un segundo después:

—Despacho de la coronel Hedgeworth.

—Soy el doctor Delaware, de Los Ángeles, California. Quisiera hablar con la coronel, por favor.

—¿Qué nombre me ha dicho, señor?

—Delaware.

Especifiqué mi título e indiqué la facultad de medicina de la que procedía.

—La coronel Hedgeworth no se encuentra en estos momentos en su despacho, señor. ¿Desea hablar con el comandante Dunlap?

—Me parece muy bien.

—No se retire, por favor.

Seis latidos y otra voz que también arrastraba las palabras. De barítono:

—Comandante Dunlap al habla.

—Soy el doctor Alex Delaware de Los Ángeles, mi comandante.

Le repetí mis credenciales.

—Ya. ¿En qué puedo ayudarle, doctor?

—Estamos haciendo una investigación piloto sobre modalidades de contagio de epidemias víricas, concretamente gripe y neumonía, en ambientes relativamente cerrados como, por ejemplo, prisiones, escuelas privadas y bases militares. Comparándolas con grupos de control de la población en general.

—¿Una investigación epidemiológica?

—El trabajo no tiene nada que ver con el departamento de Pediatría. Aún nos encontramos en la fase preliminar de recogida de datos y Fort Jackson nos pareció un posible centro de investigación.

—Ya —dijo Dunlap. Prolongada pausa—. ¿Le han concedido una beca de investigación?

—Todavía no, sólo unos pequeños fondos iniciales. La solicitud de una beca dependerá de los datos que obtengamos. Si presentáramos el proyecto, lo haríamos en forma de colaboración..., los centros elegidos y nosotros. El trabajo lo llevaríamos a cabo exclusivamente nosotros y bastaría con que ustedes nos facilitaran el acceso a los datos y las cifras.

Risita complacida.

—¿Nosotros les daremos los datos que obran en nuestro poder y ustedes incluirán nuestros nombres en los trabajos que realicen?

—Eso sería parte del trato, pero también estaríamos dispuestos a aceptar una colaboración científica.

—¿Qué facultad de medicina me ha dicho que era?

Se lo repetí.

—Ya. —Otra risita—. Bueno, valdría la pena si a mí me siguieran interesando esas cosas, pero, sí, creo que, de momento, podría usted incluir nuestros nombres... con carácter condicional, y sin ningún compromiso por nuestra parte. Antes de dar la conformidad, tengo que consultarlo con la coronel Hedgeworth.

—¿Cuando regresará?

Dunlap volvió a reírse.

—Dentro de un par de días. Déme su teléfono.

Le facilité mi teléfono particular y dije:

—Es una línea privada, así les será más fácil localizarme.

—¿Cómo me ha dicho que se llamaba?

—Delaware.

—¿Como el estado?

—Exactamente.

—¿Y trabaja en Pediatría?

—Sí —contesté.

Técnicamente, era cierto, pero esperaba que no hurgara demasiado y descubriera que pertenecía a la plantilla, aunque llevaba años sin acercarme por allí.

—Muy bien —dijo—. Le llamaré en cuanto pueda. Si no tiene noticias mías dentro de, pongamos una semana... vuélvame a llamar.

—Así lo haré, mi comandante. Muchas gracias.

—No hay de qué.

—Pero, de momento, le agradecería que pudiera facilitarme una pequeña información.

—¿Sobre qué?

—¿Recuerda usted alguna epidemia de gripe o neumonía en su base durante los últimos diez años?

—¿Diez años? Mmm. No llevo tanto tiempo aquí. Tuvimos un brote de meningitis hace un par de años, pero fue de tipo bacteriano. Fue algo bastante serio.

—Nosotros limitamos nuestra investigación a las enfermedades respiratorias víricas.

—Bueno —dijo Dunlap—. Creo que tengo la información en otro sitio... no se retire.

Transcurrieron dos minutos.

—Capitán Katz al habla. ¿En que puedo servirle?

Le repetí la pregunta.

—Los datos de esas fechas no están incluidos en nuestro ordenador —dijo—. ¿Me permite que los busque y le vuelva a llamar?

—Sí, claro, muchas gracias.

Colgué el aparato irritado, sabiendo que la información estaría en un disco duro o un disquete inmediatamente accesible con solo pulsar la tecla correspondiente.

Milo no me devolvió la llamada hasta las cuatro.

—Me he estado poniendo al día sobre los Jones —dijo—. El forense tiene la ficha de defunción del primer hijo. Charles Lyman Jones, IV. No hay nada sospechoso... Síndrome de muerte súbita infantil, certificada por tu amiga Stephanie y confirmada por una tal doctora Rita Kohler.

—Es la jefa de la división de Pediatría General. La jefa de Stephanie. Era la médico que atendía al niño, pero casualmente se encontraba ausente de la ciudad cuando Chad murió.

—Ya. Bueno, parece que no hay nada sospechoso. Mira lo que he averiguado hasta ahora sobre los padres. Viven en West Valley y pagan escrupulosamente sus impuestos..., muy elevados, por cierto, pues son propietarios de muchas parcelas. Cincuenta.

—¿Cincuenta? ¿Dónde?

—Allí mismo donde viven... todas las tierras circundantes les pertenecen. No está mal para un profesor universitario, ¿verdad?

—Un profesor universitario con una abultada cuenta bancaria.

—Sin duda. Por lo demás, parece que llevan un tren de vida bastante discreto. Charles Lyman III tiene un Volvo 240 de cuatro puertas del año 1985, lo multaron una vez por exceso de velocidad y dos por aparcamiento indebido el año pasado, y pagó las multas. Cindy Brooks Jones tiene una furgoneta Plymouth Voyager y es pura como la nieve desde el punto de vista de las infracciones. Lo mismo cabe decir de la enfermera antipática, si se llama Victoria June Bottomley, nacida el 24 del 4 del 36 y domiciliada en Sun Valley.

—Tiene que ser ella.

—Hasta ahora, todo bien.

—Veo que no has recibido mi mensaje.

—No. ¿Dónde y cuándo?

—Sobre las once. Se lo dejé a la hermana de Rick.

—No he recibido ninguna llamada urgente.

—Porque comuniqué el mensaje al oír la primera señal —dije—. Quise respetar tus normas.

Le comenté las sospechas que había suscitado en mí la conversación con Cindy y mi llamada a Carolina del Sur.

—Eres un detective entrometido —dijo Milo—. Es que no te sabes estar quieto.

—Mira, con los honorarios que cobras, he pensado que cualquier cosa que yo pudiera hacer por mi cuenta, sería una ganga.

—Conocerme a mí sí que es una ganga —masculló Milo—. Conque neumonía, ¿eh? ¿Y qué me quieres decir con eso? ¿Que enfermó de los pulmones, se frustró su carrera y ahora la ha tomado con los pulmones de su hija..., proyectando en ella lo que le ocurrió años atrás?

—Algo así. Por si fuera poco, estudió terapia respiratoria.

—Pues entonces, ¿por qué abandonó las dolencias respiratorias? ¿Por qué pasó a los problemas gástricos y los ataques de epilepsia?

—Pues no lo sé, pero los hechos están ahí: una enfermedad pulmonar cambió su vida. Y/o la convirtió en objeto de la atención de los demás.

—¿Y ahora se la ha transmitido a los hijos para seguir llamando la atención o quizá para vengarse?

—O lo uno o lo otro. O ambas cosas. O ninguna de las dos. No lo sé. A lo mejor estoy dando palos de ciego.

—Ese comentario sobre la locura. ¿Sospechas acaso que la están vigilando?

—Es posible. O, a lo mejor, simplemente jugaba conmigo. Está desquiciada, pero, ¿quién no lo estaría con una hija constantemente enferma? Eso es lo malo del caso..., cualquier cosa se puede explicar de distintas maneras. Lo que más me da que pensar es su rubor y la forma en que se tiraba de la trenza cuando me habló del Ejército. Me pregunto si la historia de la neumonía no será una tapadera de una licencia por motivos psiquiátricos o por cualquier otra causa que ella no quiere desvelar. Espero que el Ejército me lo confirme en un sentido o en otro.

—¿Cuándo te llamarán los de la base?

—El tipo con quien hablé no se comprometió a nada. Me dijo que los archivos sanitarios más antiguos no están informatizados. ¿Tú crees que podrían estar incluidos en las bases de datos en las que Charlie se ha introducido?

—No lo sé, pero se lo preguntaré.

—Gracias.

—¿Qué tal está la niña?

—La recuperación es completa. No existe ningún problema neurológico que pudiera haber provocado los ataques. Stephanie la quiere mantener en observación uno o dos días más. La mamá dice que no le importaría regresar a casa, pero no insiste demasiado... Es la señorita Obediente que confía en el médico porque éste lo sabe todo. Dice también que Cassie está más habladora desde que me ha conocido y está segura de que es por algo que yo hice.

—¿El viejo truco de la adulación?

—Las mamás Münchhausen acostumbran a tener esta tendencia..., el personal sanitario suele estar encantado con ellas.

—Bueno pues, aprovéchalo mientras puedas —dijo Milo—. Si descubres algo desagradable sobre la mamá, apuesto a que la pelotilla se habrá terminado.

9

Tras colgar el teléfono, tomé el correo, el periódico de la mañana y un montón de facturas acumuladas y me fui a una charcutería de Los Ángeles Oeste. El local estaba casi lleno a rebosar...: ancianos inclinados sobre sus platos de sopa, familias con niños pequeños y dos policías uniformados, bromeando en la parte de atrás con el propietario mientras unos gigantescos bocadillos compartían el espacio de la mesa con sus *walkie-talkies*.

Me senté en una mesa de un rincón de la parte anterior, a la izquierda de la barra, y pedí pavo ahumado con empanada de cebolla, ensalada de col y una botella de gaseosa.

Todo estaba muy bueno, pero los pensamientos sobre el hospital no me permitían hacer bien la digestión.

A las nueve de la noche, decidí efectuar una visita inesperada al hospital. Quería ver la reacción de la esposa de Charles Lyman III.

Negra noche; las sombras de Sunset parecían moverse a cámara lenta y el paseo era cada vez más siniestro a medida que me iba acercando a la mejor zona de la ciudad. Tras recorrer unos cuantos kilómetros de ojos hundidos, intercambios entre «camellos» y mugrientos moteles, el logotipo en forma de niño del Western Pediatric y la flecha brillantemente iluminada de Urgencias me depararon una calurosa bienvenida.

El aparcamiento estaba casi desierto a aquella hora. Unas pequeñas bombillas color ámbar con pantalla de rejilla iluminaban desde el techo de hormigón una plaza aparcamiento sí y otra no. Los restantes espacios se hallaban totalmente a oscuras, creando un efecto de rayas de cebra. Mientras me encaminaba hacia la escalera, tuve la sensación de que alguien me vigilaba. Me volví, pero no había nadie.

El vestíbulo también estaba vacío y los suelos de mármol no reflejaban nada. Detrás de la ventanilla de Información una mujer se dedicaba a sellar metódicamente unos impresos. A la operadora del sistema de megafonía le pagaban para que hiciera acto de presencia.

Se escuchaba el tic tac de un reloj y olía a desinfectante y sudor, vestigios de la tensión de las horas anteriores.

Había olvidado otra cosa: los hospitales son distintos de noche. El lugar resultaba tan siniestro como las calles.

Tomé el ascensor hasta la quinta planta y crucé la sala sin que nadie se fijara en mí. Las puertas de casi todas las habitaciones estaban cerradas. Algunos letreros escritos a mano ofrecían una cierta distracción: *Aislamiento de Protección, ¡Ojo, infección!/ Prohibidas las visitas*... Las pocas puertas abiertas dejaban escapar el sonido del televisor y el clic del gota a gota de los sueros intravenosos dosificados. Pasé por delante de niños dormidos y de otros que parecían hipnotizados por el rayo catódico. Los padres permanecían rígidamente sentados como si fueran de yeso. Esperando.

Las puertas de madera de teca de la Sala Chappy me succionaron hacia un silencio mortal. No había nadie detrás del mostrador de la sala de las enfermeras.

Me dirigí a la 505 y llamé suavemente con los nudillos. No obtuve respuesta. Abrí la puerta y miré.

Las barandillas laterales de la cama de Cassie estaban subidas. La niña dormía entre los barrotes de acero inoxidable. Cindy también estaba durmiendo en el sofá-cama con la cabeza cerca de los pies de Cassie. Una de sus manos, alargada a través de los barrotes, tocaba la sábana de la niña.

Cerré suavemente la puerta.

—Están durmiendo —dijo una voz a mi espalda.

Me volví.

Vicki Bottomley me miró enfurecida con las manos apoyadas en las redondeadas caderas.

—¿Otro doble? —le pregunté. Puso los ojos en blanco e hizo ademán de retirarse. —Un momento —le dije.

La aspereza de mi voz la sorprendió tanto como a mí mismo.

Se detuvo y se volvió muy despacio.

—¿Cómo?

—¿Qué es lo que ocurre, Vicki?

—No ocurre nada.

—Pues yo creo que sí.

—Está en su perfecto derecho —replicó, dando media vuelta.

—Espere.

El pasillo vacío amplificó mi voz. O, a lo mejor, es que estaba enojado.

—Tengo cosas que hacer —dijo.

—Yo también, Vicki. En realidad, tenemos a nuestro cargo a la misma paciente.

Extendió un brazo hacia las casillas de las historias.

Me acerqué a ella lo bastante como para intimidarla. Retrocedió y yo me adelanté.

—No sé qué tiene usted contra mí, pero le aconsejo que lo resolvamos.

—Yo no tengo nada contra nadie.

—Ah. ¿no? ¿Lo que yo he visto hasta ahora es su encantadora forma habitual de comportarse?

Los bellos ojos azules parpadearon. Aunque los tenía secos, se apresuró a enjugárselos.

—Mire —dije, dando un paso atrás—, no quiero entrar en nada de tipo personal, pero usted me ha sido hostil desde el principio y me gustaría saber por qué.

Me miró fijamente, abrió los ojos y los volvió a cerrar.

—No es nada —dijo—. Le aseguro que no hay ningún problema. ¿De acuerdo?

Me tendió la mano y yo me dispuse a estrechársela, pero sólo me dio las puntas de los dedos. Tras un rápido apretón, dio media vuelta para retirarse.

—Voy abajo a tomar un café —dije —. ¿Quiere acompañarme?

—No puedo. Estoy de guardia.

—¿Quiere que yo le suba una taza?

Volvió inmediatamente la cabeza.

—¿Qué es lo que pretende?

—Nada —contesté—. Hace turnos dobles y pensé que no le vendría mal un poco de café.

—Estoy muy bien.

—Me han dicho que es usted estupenda.

—¿Y eso qué significa?

—La doctora Eves la aprecia mucho como enfermera. Y Cindy también.

Cruzó los brazos sobre el pecho como si temiera perder el equilibrio.

—Hago mi trabajo.

—¿Y le parece que yo constituyo un obstáculo?

Levantó los hombros y tuve la impresión de que estaba preparando una respuesta. Pero lo único que dijo fue:

—No. Todo irá bien. ¿De acuerdo?

—Vicki...

—Se lo prometo. Por favor. ¿Ahora ya me puedo retirar?

—Por supuesto que sí —contesté—. Y le pido perdón si he sido excesivamente brusco.

Apretó fuertemente los labios, dio media vuelta y regresó a la sala de las enfermeras.

Me dirigí a los ascensores de la Quinta Este. Uno de ellos estaba detenido en la sexta planta. Los otros dos llegaron simultáneamente. Chip Jones apareció en la puerta central con una taza de café en cada mano. Vestía pantalones vaqueros desteñidos, un jersey blanco de cuello cisne y una chaqueta de tela gruesa que hacia juego con los pantalones.

—Doctor Delaware.

—Hola, profesor.

—Por favor —dijo, saliendo al pasillo con una sonrisa —. ¿Cómo están mis señoras?

—Durmiendo.

—Gracias a Dios. Cuando hablé con Cindy esta tarde, me pareció que estaba agotada. Le traía esto de la cafetería para animarla un poco —añadió levantando una de las tazas—. Pero lo que más necesita es dormir.

Echó a andar en dirección a la puerta de teca y yo le seguí.

—¿Le estamos apartando de su hogar, doctor? —preguntó.

Sacudí la cabeza.

—Vengo de allí.

—No sabía que los psicólogos tuvieran unos horarios tan raros.

—Procuramos evitarlos siempre que podemos.

—Bien, el hecho de que Cindy esté durmiendo tan temprano quiere decir que Cassie ha mejorado y ella ya está un poco más tranquila. Eso es bueno.

—Me ha dicho que nunca se separa de Cassie.

—Nunca.

—Debe de ser muy duro para ella.

—Increíblemente duro. Al principio, traté de convencerla de que no lo hiciera, pero, tras haber estado varias veces aquí y ver lo que hacían otras madres, me di cuenta de que eso era normal. E incluso lógico. Una forma de autodefensa.

—¿Contra qué?

—Contra los fallos.

—Cindy también me lo ha comentado —dije—. ¿Ha visto usted muchos errores médicos por aquí?

—¿Me lo pregunta como padre o como hijo de Chuck Jones?

—¿Hay alguna diferencia?

—Vaya si la hay —contestó con una leve sonrisa—. Como hijo de Chuck Jones, creo que este lugar es un paraíso pediátrico y así pienso decirlo en el próximo banquete si me lo preguntan. Como padre, he visto cosas, los inevitables errores humanos. Le pondré un ejemplo..., uno que me impresionó muchísimo. Hace un par de meses, se produjo una conmoción enorme en toda la quinta planta. Por lo visto, estaban tratando a un niño enfermo de cáncer con una sustancia experimental... lo cual significa que probablemente no había muchas esperanzas de curación. Pero no se trata de eso. Alguien interpretó erróneamente un punto decimal y le administraron una sobredosis masiva. Lesiones cerebrales, coma y todo lo que usted pueda imaginar. Todos los padres que se encontraban en la planta oyeron a través del servicio de megafonía la llamada al equipo de reanimación y presenciaron la precipitada llegada de los médicos. Todos oyeron a la madre pidiendo socorro. Nosotros también la oímos... Yo estaba en el pasillo y la oí. La vi un par de días más tarde, doctor Delaware —añadió, haciendo una mueca—. Cuando el niño todavía vivía con respiración asistida. Parecía una víctima de un campo de concentración. ¿Sabe usted esa cara que ponen las personas apaleadas y traicionadas? Y todo por culpa de un punto decimal. Es posible que cosas por el estilo ocurran constantemente en menor escala..., cosas que después se pueden arreglar. O que incluso pasan inadvertidas. Por consiguiente, no se puede reprochar a los padres que quieran vigilarlo todo, ¿no cree?

—Por supuesto que no —dije yo—. Veo que no tiene usted demasiada confianza en este lugar.

—Al contrario, le tengo mucha —replicó Chip con impaciencia—. Antes de decidir tratar a Cassie aquí, hicimos algunas indagaciones... a pesar de mi padre. Por consiguiente, sé que éste es el mejor hospital de niños de la ciudad. Pero, cuando se trata de tu propio hijo, las estadísticas no cuentan demasiado. Y los errores humanos son inevitables.

Abrí la puerta de la Sala Chappy para que Chip pasara con el café.

Vimos la recia figura de Vicki a través de la puerta de cristal del cuarto de suministros que había al fondo de la sala de las enfermeras. Estaba colocando algo en uno de los estantes superiores. Pasamos de largo y nos dirigimos a la habitación de Cassie.

Chip asomó la cabeza y la retiró diciendo:

—Están dormidas. —Contemplando las tazas de café, me ofreció una a mí—. No se debe desperdiciar un café, por muy malo que sea.

—No, gracias —dije.

Chip se rió por lo bajo.

—La voz de la experiencia, ¿verdad? ¿Siempre ha sido tan malo?

—Siempre.

—Fíjese en lo que hay aquí... un pequeño *Exxon Valdez*. —Una oleosa película con reflejos irisados flotaba sobre la superficie negra. Haciendo una mueca de desagrado, Chip se acercó la otra taza a los labios—. Puá... esencia de instituto de bachillerato. Pero lo necesito para estar despierto.

—¿Ha tenido una jornada muy larga?

—Al contrario... demasiado corta. Son cada vez más cortas a medida que uno se va haciendo mayor, ¿no le parece? Cortas y repletas de trabajo. Después he tenido que ir arriba y abajo, del trabajo a casa y de casa hasta aquí. Nuestras gloriosas autopistas..., el nadir de la humanidad.

—Valley Hills significa la autopista de Ventura —dije—. Es la peor zona por este motivo.

—Horrible. Cuando estábamos buscando casa, elegí deliberadamente un lugar cerca del trabajo para evitar tener que ir arriba y abajo en tren. —Chip se encogió de hombros—. El plan era estupendo. A veces, cuando los automóviles se quedan atascados guardabarros contra guardabarros, me imagino que el infierno debe de ser algo muy parecido —añadió, tomando otro sorbo de café.

—Lo experimentaré directamente dentro de un par de días cuando efectúe una visita doméstica —dije.

—Sí, ya me lo ha dicho Cindy. Ah, aquí viene la señorita Nightingale... Hola, Vicki. ¿Otra vez el turno de noche?

Me volví y vi a la enfermera acercándose a nosotros con una sonrisa en los labios.

—Buenas noches, profesor Jones —dijo Vicki respirando hondo como si se dispusiera a levantar una pesa antes de saludarme a mí con una inclinación de la cabeza.

Chip le ofreció la otra taza de café intacta.

—O se la bebe o la tira —le dijo.

—Gracias, profesor Jones.

Chip ladeó la cabeza en dirección a la habitación de Cassie.

—¿Cuánto rato llevan roncando las Bellas Durmientes?

—Cassie se durmió sobre las ocho y su esposa sobre las nueve menos cuarto.

Chip consultó su reloj.

—¿Me podría usted hacer un favor, Vicki? Voy a acompañar al doctor Delaware hasta la salida y aprovecharé de paso para tomarme un bocado abajo. Avíseme por el sistema de megafonía si se despertaran.

—Si quiere, puedo bajar a buscarle algo para comer, profesor.

—No, gracias, necesito estirar un poco las piernas... Tengo autopistitis.

Vicki se rió comprensivamente.

—Claro. Ya le avisaré en cuanto una de ellas se despierte.

Nada más cruzar la puerta de teca, Chip se detuvo y me preguntó:

—¿Qué opina de la manera en que nos están tratando?

—¿En qué sentido?

—En el sentido médico —contestó, reanudando la marcha—... En el de la hospitalización actual. Que yo sepa, no se ha hecho ninguna auténtica evaluación. Nadie ha examinado físicamente a Cassie. Y no es que me importe... doy gracias a Dios de que no tenga que soportar aquellas terribles agujas. Pero el mensaje que yo estoy recibiendo es el de un simple placebo. Nos toman cariñosamente las manos, nos envían a un psiquiatra... no se lo tome a mal... y dejan que lo de Cassie desaparezca por sí solo.

—¿Le parece un insulto?

—Pues no... bueno, puede que un poco. Como si todo fueran figuraciones nuestras. Créame que no lo son. Ustedes no han visto lo que hemos visto nosotros... la sangre, los ataques.

—¿Usted lo ha visto personalmente?

—Todo, no. Es Cindy la que se despierta por las noches. Yo suelo dormir como un tronco. Pero he visto lo suficiente. Con la sangre no se discute. Por consiguiente, ¿por qué no hacen algo más?

—No puedo responder en nombre de otras personas —contesté—, pero creo que nadie sabe qué hacer y no quieren llevar a cabo pruebas innecesarias.

—Será eso —dijo—. Y que conste que yo estoy de acuerdo. La doctora Eves me parece una persona muy preparada. A lo mejor, los síntomas de Cassie son... ¿cómo se llama... autorrestrictivos?

—Autolimitativos.

—Autolimitativos —repitió Chip con una sonrisa—. Ustedes los médicos propagan más eufemismos que nadie... Ruego a Dios para que sean autolimitativos. Y no me importaría que el misterio médico quedara sin resolver con tal de que Cassie recuperara finalmente la salud. Pero la esperanza es cada vez más escasa.

—Chip —dije—, yo no he sido llamado porque los demás crean que los problemas de Cassie son de origen psicosomático. Mi tarea es la de eliminar la tensión y el dolor. El motivo por el cual yo deseo visitar su casa es el de poder crear un nexo de confianza y simpatía con la niña de forma que pueda serle útil cuando me necesite.

—Claro —dijo—. Lo comprendo.

Miró al techo y golpeó el suelo con un pie. Pasaron dos enfermeras y sus ojos las siguieron con aire distraído.

—Creo que lo que más me cuesta aceptar es el carácter absurdo de todo eso —dijo—. Como si todos estuviéramos flotando en un mar de acontecimientos fortuitos. ¿Por qué demonios está enferma la niña? —preguntó, golpeando la pared con un puño.

Comprendí que cualquier cosa que dijera serviría para agravar la situación, pero sabía que el silencio tampoco sería muy útil.

Se abrieron las puertas del ascensor y entramos.

—Unos padres cabreados —dijo Chip, pulsando con fuerza el botón de bajada—. Menuda manera de terminar la jornada.

—Es mi trabajo.

—Pues vaya trabajo.

—Tan bueno como cualquier otro.

Chip me miró con una sonrisa.
Señalé la taza que sostenía en la mano.
—Eso ya se habrá enfriado. ¿Le parece que vayamos a tomar algo?
Reflexionó un instante.
—Sí, ¿por qué no?

Como la cafetería estaba cerrada, bajamos por el pasillo pasando por delante de la Sala de los Residentes hasta llegar a la hilera de máquinas expendedoras automáticas que había al lado del vestuario. Una joven delgada con bata de quirófano se estaba alejando con dos puñados de caramelos. Chip y yo nos compramos sendas tazas de café solo y él adquirió además un paquete de dos bollos de chocolate envueltos en celofán.

Al fondo del pasillo había una sala con unas sillas de plástico de color anaranjado dispuestas en forma de L y una mesa blanca baja cuya superficie aparecía enteramente cubierta de envoltorios de comida y revistas antiguas. El Laboratorio de Patología se encontraba a un tiro de piedra. Me pregunté si Chip recordaría a su hijo por asociación de ideas mientras se sentaba, reprimiendo un bostezo.

Desenvolvió los bollos, remojó uno de ellos en el café y dijo, comiendo la parte remojada:

—Comida sana.

Sentado perpendicularmente a él, tomé un sorbo de mi café. Era malísimo, pero extrañamente reconfortante..., como el mal aliento de nuestro tío preferido.

—Bueno pues —dijo, volviendo a remojar el bollo en el café—, le voy a hablar de mi hija. Tremendamente dócil, comía y dormía muy bien. A las cinco semanas, ya dormía de un tirón como un angelito. Para muchas personas eso hubiera sido una cosa positiva, ¿verdad? Sin embargo, después de lo que le había ocurrido a Chad, nosotros nos moríamos de miedo. Queríamos que estuviera despierta... y ambos nos turnábamos en la tarea de despertar a la pobrecilla. Sin embargo, lo que más me sorprende es su flexibilidad... su capacidad de recuperación. Parece increíble que una cosa tan menuda pueda ser tan resistente.

»Me parece incluso ridículo estar hablando de ella con un psicólogo. No es más que un bebé... ¿qué clase de neurosis podría padecer? Aunque, después de todo lo que ha pasado, no me extrañaría que tuviera alguna, desde luego. La tensión es enorme. ¿Cree usted que se tendrá que someter toda la vida a psicoterapia?

—No.

—¿Alguien lo ha estudiado?

—Se han hecho muchas investigaciones —contesté—. Los niños

crónicamente enfermos suelen reaccionar mejor de lo que predicen los expertos... y lo mismo puede decirse de las personas en general.

—¿Suelen?

—Casi todos.

Chip esbozó una sonrisa.

—Ya sé que eso no es una ciencia exacta. Bueno pues, me permitiré el lujo de ser momentáneamente optimista.

Se tensó y acto seguido se relajó..., haciendo un esfuerzo deliberado, como si estuviera acostumbrado a las prácticas de meditación. Dejó los brazos colgando y estiró las piernas, echó la cabeza hacia atrás y se aplicó masaje a las sienes.

—¿No se cansa de pasarse todo el día escuchando a la gente? —me preguntó—. ¿De tener que asentir con la cabeza, mostrarse comprensivo y decirles que todo va bien?

—A veces —contesté—. Pero normalmente uno acaba conociendo a las personas y empieza a entender su humanidad.

—Aquí podríamos recordar la frase: «Nunca un espíritu más sutil pudo guiar a la humanidad; pero vosotros, oh, dioses, nos daréis algunos *defectos* para convertirnos en hombres». El texto es de William Shakespeare y el subrayado es mío. Sé que parece un poco presuntuoso por mi parte, pero el gran poeta me consuela..., siempre tiene algo para cada situación. No sé si estuvo alguna vez en un hospital.

—Es posible. Vivió en plena peste negra, ¿no?

—Muy cierto... En fin... —dijo Chip, incorporándose hacia adelante y desenvolviendo el segundo bollo—... le admiro porque yo no podría hacerlo. A mí que me den cosas teóricas claramente definidas.

—Jamás pensé que la sociología pudiera ser una ciencia exacta.

—Buena parte de ella no lo es. Pero la Organización Formal tiene muchos modelos e hipótesis mensurables. La ilusión de la exactitud. Yo me suelo engañar muy a menudo.

—¿Qué materias estudia usted? ¿Gestión empresarial? ¿Análisis de sistemas?

Sacudió la cabeza.

—No, eso es la práctica. Yo me limito a la teoría..., al estudio de los modelos de funcionamiento de los grupos e instituciones a nivel estructural y de la conexión fenomenológica de los componentes. Son cosas de torre de marfil, pero yo me lo paso muy bien. Me eduqué en una torre de marfil.

—¿Y eso dónde fue?

—Primero en Yale y después en la Universidad de Connecticut. Jamás presenté la tesis porque descubrí que la enseñanza me gusta mucho más que la investigación.

Contempló el pasillo desierto del sótano y el paso ocasional de unas fantasmagóricas figuras vestidas de blanco en la distancia.

—Me da repelús —dijo.
—¿A qué se refiere?
—A este lugar. —Chip bostezó y consultó su reloj—. Me parece que me voy arriba a ver qué tal están las señoras. Gracias por acompañarme.
Ambos nos levantamos.
—Si alguna vez necesita hablar conmigo —añadió—, aquí tiene el número de mi despacho.
Dejó la taza sobre la mesita, se introdujo la mano en el bolsillo y sacó un monedero de plata indio con irregulares incrustaciones de turquesas. Un billete de veinte dólares encima y varias tarjetas de crédito y otros papeles debajo. Sacándolo todo, rebuscó hasta encontrar una tarjeta blanca de visita. La dejó sobre la mesa, se sacó un bolígrafo Bic de otro bolsillo, escribió algo y me la entregó.
El logotipo de un tigre con las fauces abiertas, rodeado por las palabras CCWV TYGERS. Y debajo:

COLEGIO COMUNITARIO DE WEST VALLEY
DEPARTAMENTO DE CIENCIAS SOCIALES
(818) 509-3476

Al fondo, dos líneas escritas en letras negras de imprenta:

CHIP JONES
EXT. 2359

—Si estoy en clase —dijo—, eso lo pondrá en comunicación con el centro de mensajes. Si quiere que yo esté presente cuando vaya usted a mi casa, procure avisarme con un día de antelación.
Antes de que yo pudiera contestar, unas fuertes pisadas desde el fondo del pasillo nos indujeron a los dos a volver la cabeza al mismo tiempo. Una figura se estaba acercando a nosotros. Paso atlético y chaqueta oscura.
Chaqueta negra de cuero. Pantalones y sombrero de color azul. ¿Uno de los policías de alquiler, patrullando por los pasillos del Paraíso Pediátrico en busca de alguna señal de maldad?
Cuando estuvo más cerca, vimos que era un negro con bigote, rostro cuadrado y mirada penetrante. Eché un vistazo a la tarjeta de su solapa y vi que no pertenecía al servicio de Seguridad. Tres galones. Un sargento.
—Ustedes perdonen, señores —nos dijo amablemente, mirándonos con aire distraído.
El apellido que figuraba en la tarjeta era PERKINS.
—¿Qué ocurre? —preguntó Chip.
El policía leyó mi tarjeta y me miró, perplejo.

—¿Es usted médico?

Asentí con la cabeza.

—¿Cuánto tiempo llevan aquí?

—Unos cinco o diez minutos —contestó Chip—. ¿Ocurre algo?

La mirada de Perkins se desplazó al rostro de Chip, estudiando la barba y después el pendiente.

—¿También es médico? —preguntó el policía.

—Es un padre que visita a su hija —contesté yo.

—¿Tiene la tarjeta de visitante, señor?

Chip la sacó y la sostuvo en alto delante del rostro de Perkins.

Éste se mordió la mejilla y me miró. Olía a perfume de barbería.

—¿Han observado ustedes algo insólito?

—¿Cómo qué? —preguntó Chip.

—Cualquier cosa que se salga de lo corriente, señor. Alguien que no parezca de aquí.

—Que no parezca de aquí —repitió Chip—. ¿Quiere decir alguien que esté sano?

Perkins entornó los ojos hasta convertirlos en simples ranuras.

—No hemos visto nada, sargento —dije yo—. Todo estaba muy tranquilo.

—Gracias —dijo Perkins, retirándose.

Le vi alejarse y detenerse un momento al pasar por delante del laboratorio de Patología.

Chip y yo subimos al vestíbulo, utilizando la escalera. Un grupo de trabajadores del turno de noche se estaba dirigiendo hacia la puerta de cristal del extremo este que conducía a la salida. Al otro lado del cristal, unas intermitentes luces rojo cereza de la policía atravesaban la oscuridad y unas luces blancas parecían disgregarse en incontables destellos.

—¿Pero qué es lo que pasa? —preguntó Chip.

—Han atacado a alguien —contestó sin volver la cabeza una enfermera que pasaba por nuestro lado—. En el aparcamiento.

—¿Atacado? ¿Por quién?

La enfermera le miró y, al ver que era un civil, se alejó sin contestar.

Un camillero pálido y delgado con el cabello corto rubio platino y un mono de trabajo blanco dijo en tono nasal:

—Bueno, ya basta. Yo lo único que quiero es irme a casa.

Alguien le hizo eco con un gruñido.

Unos murmullos ininteligibles recorrían el vestíbulo. Al otro lado del cristal, un uniforme bloqueaba la salida. El sonido de una radio se filtraba desde el exterior. Mucho movimiento por todas partes. Un vehículo iluminó la puerta con sus faros delanteros y después dio la vuelta y se alejó a toda velocidad. Leí rápidamente las letras: AMBULAN-

CIA. Sin embargo, llevaba las luces del techo apagadas y no hacía sonar la sirena.

—Pero, ¿por qué no la traen aquí? —preguntó alguien.

—¿Quién ha dicho que es una mujer?

—Siempre es una mujer —contestó una voz femenina.

—¿No habéis visto? No sonaba la sirena —dijo alguien—. No debe de ser urgente.

—O, a lo mejor —dijo el rubio—, ya es demasiado tarde.

El grupo de personas se estremeció como un trozo de gelatina sobre una cápsula de Petri.

—Yo he intentado salir por la parte de atrás, pero también está bloqueada —dijo alguien—. Esto ya pasa de la raya.

—Creo que uno de ellos ha dicho que era un médico.

—¿Quién?

—Es lo único que he oído.

Zumbidos y susurros.

—Maravilloso —dijo Chip.

Volviéndose bruscamente, empezó a abrirse paso hacia la parte de atrás. Antes de que yo pudiera decir algo, desapareció.

Cinco minutos más tarde se abrió la puerta de cristal y la gente se abalanzó en masa hacia ella. El sargento Perkins se abrió paso y levantó una mano morena. Parecía un profesor suplente delante de unos díscolos alumnos de Instituto.

—¿Me permiten un momento? —Esperó a que todo el mundo se callara, pero, al final, se conformó con un silencio relativo—. Se ha producido una agresión en el aparcamiento del hospital. Necesitamos que vayan ustedes saliendo de uno en uno y respondan a unas cuantas preguntas.

—¿Qué clase de agresión?

—¿Cómo está la víctima?

—¿Quién es?

—¿Es un médico?

—¿En qué plaza de aparcamiento ha ocurrido?

Perkins volvió a entornar los ojos.

—Vamos a hacerlo a la mayor rapidez posible para que ustedes puedan regresar a sus casas cuanto antes —dijo.

El hombre del mono blanco preguntó:

—¿Por qué no nos dice qué es lo que ha pasado para que podamos protegernos, oficial?

Murmullos de aprobación.

—A ver si nos calmamos un poco —dijo Perkins.

—Cálmese usted —replicó el rubio—. Ustedes lo único que hacen es imponer multas en la calle. Y después, cuando pasa algo, nos hacen preguntas, se largan y dejan que nosotros nos las arreglemos como podamos.

Perkins no se movió ni dijo nada.

—Vamos, hombre —dijo un negro encorvado, vestido de camillero—. Algunos de nosotros todavía estamos vivos. Díganos que ha pasado.

—¡Sí!

A Perkins se le dilataron las ventanas de la nariz. Después miró a la gente en silencio, abrió la puerta y retrocedió.

Las personas que llenaban el vestíbulo empezaron a hacer comentarios despectivos.

—¡La madre que los parió! —exclamó alguien en voz alta.

—¡Sólo sirven para ponernos multas!

—Sí, son unos malnacidos... Tenemos el hospital al otro lado de la calle y ellos nos ponen multas cuando tratamos de llegar puntuales a nuestro trabajo.

Otro murmullo de aprobación. Ya nadie hablaba de lo que había ocurrido en el aparcamiento.

Se abrió de nuevo la puerta y entró una joven agente de la policía de raza blanca con la cara muy seria.

—Bueno pues —dijo ésta—, si hacen el favor de ir saliendo de uno en uno, el oficial comprobará sus carnés de identidad y entonces ya se podrán marchar.

—Vaya, hombre —dijo el negro—. Bienvenidos a la penitenciaría de San Quintín. Y después, ¿qué nos van a hacer? ¿Cacheos?

Más comentarios de aprobación mientras la gente se iba calmando poco a poco.

Tardaron veinte minutos. Un agente que llevaba un cuaderno de apuntes anotó el nombre que figuraba en la tarjeta de mi solapa, me pidió el carné de identidad para confirmar los datos y anotó el número de mi carné de conducir. Seis coches patrulla se encontraban aparcados al azar delante de la entrada, junto con un vehículo sin identificación. Un grupo de hombres permanecía de pie en el centro de la rampa del aparcamiento.

—¿Dónde ha ocurrido? —le pregunté al policía.

Dobló un dedo, señalándome el aparcamiento.

—Es que yo tengo aparcado mi automóvil allí.

El oficial arqueó las cejas.

—¿A qué hora llegó usted?

—Hacia las nueve y media de la noche?

—¿De la noche?

—Sí.

—¿En qué nivel aparcó?

—En el segundo.

Al oír mi respuesta, abrió los ojos.

—¿Y no vio nada insólito a aquella hora..., alguien que merodeara por allí o se comportara de manera sospechosa?

Recordando la sensación de ser observado que había experimentado al bajar de mi vehículo, contesté:

—No, pero la iluminación era muy desigual —contesté.

—¿Qué quiere usted decir con eso de «desigual», señor?

—Irregular. Algunos espacios estaban iluminados y otros se encontraban a oscuras. Hubiera sido fácil que alguien se escondiera.

Me miró y rechinó los dientes. Echó otro vistazo a la tarjeta de mi solapa y dijo:

—Ya puede usted marcharse, señor.

Bajé por la rampa. Al pasar junto al grupo, reconocí a uno de los hombres. Presley Huenengarth. El jefe de los Servicios de Seguridad del hospital estaba fumando un cigarrillo y contemplando las estrellas, a pesar de que en el cielo no había ninguna. Otro de los tipos lucía un escudo de oro en la solapa y estaba hablando sin que Huenengarth le prestara aparentemente la menor atención.

Nuestros ojos se cruzaron, pero su mirada no se detuvo en mi persona. Expulsó el humo a través de las ventanas de la nariz y miró a su alrededor. Para ser un hombre cuyo sistema de vigilancia acababa de fracasar estrepitosamente, se le veía notablemente tranquilo.

10

El periódico del miércoles convirtió la agresión en un homicidio.

La víctima, robada y golpeada hasta morir, había sido efectivamente un médico. Un nombre que yo no conocía: Laurence Ashmore. Cuarenta y cinco años y perteneciente a la plantilla del Western Pediatrics desde hacía apenas un año. El agresor lo había atacado por detrás, robándole el billetero, las llaves y la tarjeta magnética que permitía el acceso al aparcamiento de los médicos. Un anónimo portavoz del hospital había señalado que todos los códigos de entrada del aparcamiento se habían modificado, reconociendo, sin embargo, que el acceso a pie seguiría siendo tan fácil como subir un tramo de escalera.

Agresor desconocido, ausencia de pistas.

Dejé el periódico y rebusqué en los cajones del escritorio hasta encontrar un registro fotográfico de todo el cuerpo facultativo del hospital. Pero tenía cinco años de antigüedad y era anterior a la llegada de Ashmore.

Poco después de las ocho regresé al hospital y vi que el aparcamiento de los médicos estaba cerrado con una puerta metálica plegable y que varios vehículos permanecían aparcados en la calzada circular que había delante del acceso principal. A la entrada de la calzada había un letrero de COMPLETO y un guardia de seguridad que me entregó una fotocopia en la que se especificaba el procedimiento a seguir para la obtención de una nueva tarjeta magnética.

—¿Y dónde puedo aparcar entre tanto?

Me señaló el aparcamiento al aire libre del otro lado de la calle que utilizaban las enfermeras y los camilleros. Hice marcha atrás, rodeé la manzana y terminé haciendo cola durante un cuarto de hora. Tardé otros diez minutos en encontrar un espacio libre. Cruzando peligrosamente la calzada con el semáforo en rojo, pegué una carrerilla hasta la entrada principal. En el vestíbulo había dos guardias de seguridad en lugar de uno, pero no se observaba ninguna otra señal de que alguien se hubiera cobrado una vida a escasos metros de distancia. Yo sabía muy bien que la muerte no era una rareza en aquel lugar, pero pensaba que un asesinato hubiera tenido que suscitar una mayor reacción. Contemplé los rostros de las personas que iban, venían y esperaban. No vi en ellos el menor indicio de tristeza o preocupación.

Me dirigí a la escalera de la parte posterior y vi un registro fotográfico actualizado del cuerpo facultativo más allá del mostrador de Información. La fotografía de Laurence Ashmore era la del ángulo superior izquierdo. Especialista en toxicología.

El retrato correspondía a un juvenil individuo de cuarenta y cinco años. Semblante serio y enjuto. Desgreñado cabello oscuro, boca ancha, gafas de montura de concha. Un Woody Allen con dispepsia. No era un tipo que pudiera plantarle cara a un atracador. Me pregunté por qué razón habrían considerado necesario matarle para robarle el billetero, pero enseguida me di cuenta de que mi pregunta era una estupidez.

Cuando estaba a punto de subir a la quinta planta, un ruido al fondo del hospital me llamó la atención. Montones de batas blancas. Un escuadrón de gente pasando a toda prisa por delante de mi campo visual en dirección al ascensor que se utilizaba para el traslado de los pacientes. Un camillero empujaba una camilla con un niño y otro caminaba a su lado, sosteniendo una botella de suero.

La mujer que los acompañaba era Stephanie, seguida por dos personas. Chip y Cindy.

Corrí tras ellos y les di alcance en el momento en que entraban en el ascensor. Logré entrar por los pelos y me acerqué a Stephanie.

Ésta reconoció mi presencia con un movimiento de la boca. Cindy sostenía en su mano la de Cassie. Tanto ella como Chip parecían muy abatidos y miraban al suelo.

Subimos en silencio. Al salir del ascensor, Chip me tendió la mano y yo se la estreché un momento.

Los camilleros empujaron la camilla de Cassie en dirección a la puerta de teca. En unos segundos, colocaron el cuerpo inerte de la niña en la cama, colgaron la botella de suero en un soporte y subieron las barandillas laterales de la cama.

La historia de Cassie estaba encima de la camilla.

Stephanie la tomó diciendo:

—Gracias.

Los camilleros se retiraron. Cindy y Chip se situaron de pie al lado de la cama. Las luces de la habitación estaban apagadas y unos retazos de grisácea luz matinal se filtraban a través de las cortinas corridas.

El rostro de Cassie estaba abotargado, parecía un pellejo hinchado. Cindy tomó una vez más la mano de la niña y Chip sacudió la cabeza mientras rodeaba con su brazo el talle de su mujer.

—El doctor Bogner vendrá de nuevo a visitarla y creo que el médico sueco también —dijo Stephanie.

Ambos asintieron levemente con la cabeza.

Stephanie me miró ladeando la cabeza y ambos salimos al pasillo.

—¿Otro ataque? —pregunté.

—A las cuatro de la madrugada. Llevamos en Urgencias desde entonces, tratando de reanimarla.

—¿Y cómo se encuentra ahora?

—La situación se ha estabilizado. En estado letárgico. Bogner está tratando de sentar un diagnóstico, pero hasta ahora no ha conseguido gran cosa.

—¿La niña ha corrido peligro?

—Un peligro mortal, no, pero tú ya sabes los daños que pueden producir unos ataques repetidos. Y, si la cosa fuera a más, las consecuencias podrían ser más graves —contestó Stephanie, frotándose los ojos.

—¿Quién es el médico sueco? —pregunté.

—Un neurorradiólogo llamado Torgeson que ha publicado muchos trabajos sobre la epilepsia infantil. Tiene que pronunciar una conferencia en la facultad. Me ha parecido que su colaboración no estaría de más.

Nos acercamos al mostrador de la sala de las enfermeras. Una joven enfermera morena se encontraba de guardia en aquellos momentos. Stephanie anotó algo en el diagrama y le dijo:

—Avíseme inmediatamente si se produjera algún cambio.

—Sí, doctora.

Stephanie y yo nos alejamos pasillo abajo.

—¿Dónde está Vicki? —pregunté.

—Durmiendo en su casa, supongo. Terminó el turno a las siete, pero bajó a Urgencias y se quedó allí hasta las siete y media aproximadamente, sosteniendo la mano de Cindy. Quería quedarse y hacer otro turno, pero yo he insistido en que se fuera porque estaba completamente agotada.

—¿Presenció ella el ataque?

Stephanie asintió con la cabeza.

—También lo vio la administrativa de la sección. Cindy pulsó el timbre de llamada y después salió al pasillo, pidiendo ayuda.

—¿Y cuándo llegó Chip?

—En cuanto conseguimos estabilizar a Cassie. Cindy le llamó a casa y se presentó enseguida. Debió de ser sobre las cuatro y media.

—Menuda noche —dije.

—Por lo menos, hemos podido confirmar la existencia de los ataques. No cabe duda de que se trata de epilepsia infantil.

—O sea que ahora todo el mundo sabe que Cindy no está chiflada.

—¿Qué quieres decir?

—Ayer me estuvo comentando que, a lo mejor, la gente creía que estaba loca.

—¿Eso te dijo?

—Pues sí. Me comentó que ella era la única que había presenciado los ataques y que Cassie se recuperaba nada más llegar al hospital. Como si su credibilidad estuviera en entredicho. A lo mejor, lo dijo porque se sentía frustrada, pero puede que sepa que está bajo sospecha y lo dijera para observar mi reacción. O simplemente para jugar.

—¿Y tú cómo reaccionaste?

—De forma serena y tranquilizadora, o eso espero por lo menos.

—Mmmm —dijo Stephanie, frunciendo el ceño—. ¿Teme que su credibilidad se ponga en entredicho y, de repente, surge un problema orgánico?

—El momento ha sido muy oportuno, desde luego —dije—. ¿Quién estuvo anoche con Cassie, aparte de Cindy?

—Nadie. Por lo menos, no con carácter permanente. ¿Crees que le pudo administrar algo?

—O pellizcarle la nariz. O comprimirle el cuello..., presión del seno de la carótida. En la literatura que examiné sobre el Münchhausen se consignaban ambas cosas y estoy seguro de que existen muchos otros trucos que todavía no están documentados.

—Unos trucos que una experta en técnicas respiratorias podría conocer... Maldita sea. ¿Y cómo demonios se puede detectar una cosa así?

Stephanie se quitó el estetoscopio que le colgaba del cuello, lo enrolló alrededor de una mano y lo sacó. De cara a la pared, comprimió la frente contra él y cerró los ojos.

—¿Le vas a administrar algo? —pregunté—. ¿Dilantín o fenobarbital?

—No puedo porque, si no tuviera un auténtico trastorno, los medicamentos le podrían hacer más daño que beneficio.

—¿Y no sospecharán algo si no la medicas?

—Puede que... les diga la verdad. El electroencefalograma no está claro y quiero descubrir la verdadera causa de los ataques antes de administrarle algo. Bogner me apoyará... Está furioso porque no logra descubrir qué es lo que ocurre.

Se abrió la puerta de teca y entró George Plumb con la mandíbula proyectada hacia adelante y la bata volando a su alrededor. Le estaba sosteniendo la puerta a un hombre de unos setenta años vestido con un traje a rayas azul marino. El hombre era mucho más bajito que él, un metro sesenta y cinco o sesenta y siete, grueso y calvo, con rápidos andares patituertos y un rostro de apariencia maleable que parecía haber recibido muchos golpes directos: nariz rota, barbilla desviada, cejas entrecanas y ojos muy pequeños en medio de toda una red de arrugas bronceadas por el sol. Llevaba unas gafas de montura de acero, una camisa blanca de cuello ancho y una corbata de seda verdeazulada anudada con doble lazo. Las punteras de los zapatos bicolores le brillaban como espejos.

Ambos se acercaron directamente a nosotros. El más bajo ofrecía un aire muy atareado incluso sin hacer nada.

—La doctora Eves —dijo Plumb—. Y el doctor... Delaware, ¿verdad?

Asentí con la cabeza.

Al más bajo no parecía que le importaran demasiado las presentaciones, pues miraba a su alrededor con la misma expresión inquisitiva que yo había observado en Plumb dos días atrás.

—¿Qué tal está nuestra chiquilla, doctora Eves? —preguntó Plumb.

—Descansando —contestó Stephanie, mirando al bajito—. Buenos días, señor Jones.

Rápido movimiento de la cabeza calva. El bajo la miró y después me miró a mí. Con expresión reconcentrada. Como si fuera un sastre y yo fuera un rollo de tejido.

—¿Qué ha ocurrido exactamente? —preguntó en tono muy serio.

—Cassie ha sufrido un ataque epiléptico a primeras horas de esta mañana.

—Maldita sea. —El bajo se golpeó una mano con la otra cerrada en un puño—. ¿Y todavía no se conoce la causa?

—Me temo que no. La última vez que estuvo ingresada le hicimos todas las pruebas pertinentes, pero las volveremos a repetir y el doctor Bogner volverá a examinarla. Estamos esperando de un momento a otro la llegada de un profesor sueco invitado. Es especialista en epilepsia infantil. Si bien, cuando hablé con él por teléfono, le pareció que ya habían hecho todo lo que se tenía que hacer.

—Maldita sea. —Los arrugados ojos se clavaron en mí mientras una mano se disparaba hacia adelante—. Chuck Jones.

—Alex Delaware.

Nos dimos un fuerte y rápido apretón de manos. El contacto de su palma semejaba el de una áspera cuchilla. Todo en él parecía tener prisa.

—El doctor Delaware es psicólogo, Chuck —explicó Plumb.

Jones me miró parpadeando.

—El doctor Delaware ha estado trabajando con Cassie para ayudarla a superar el temor a las inyecciones —dijo Stephanie.

Jones emitió un sonido evasivo y después dijo:

—Bueno pues, dígame qué es lo que pasa. Vayamos al fondo de esta maldita idiotez.

Se encaminó hacia la habitación de Cassie y Plumb le siguió como un cachorro.

En cuanto ambos hubieron entrado, dije:

—¿Idiotez?

—¿Qué te ha parecido el abuelito?

—Le debe de encantar el pendiente de Chip.

—Lo que no le encantan son los psiquiatras. Cuando se cerró el departamento de Psiquiatría, algunos de nosotros fuimos a verle con la esperanza de que accediera a mantener en funcionamiento algunos servicios de salud mental. Fue como pedirle un préstamo sin intereses. Plumb te ha querido poner una zancadilla explicándole a Jones a qué te dedicas.

—¿El típico juego de las rencillas empresariales? ¿Por qué?

—Vete tú a saber. Te lo digo para que estés en guardia. Esta gente juega a otra cosa.

—Tomo nota —dije.

Stephanie consultó su reloj.

—Tengo que volver a la consulta.

Abandonamos la Chappy y nos dirigimos hacia los ascensores.

—¿Qué piensas hacer, Alex? —me preguntó.

Estuve a punto de revelarle la misión que le había encomendado a Milo, pero, pensándolo mejor, decidí dejarla al margen.

—A juzgar por lo que estoy viendo, lo único que podría dar resultado sería sorprender a alguien *in fraganti* o enfrentarnos directamente a ellos hasta que lo confiesen.

—¿Enfrentarnos? ¿Quieres decir acusando a Cindy?

Asentí con la cabeza.

—No puedo hacerlo en estos momentos, compréndelo —dijo Stephanie—. Precisamente ahora que hay testigos del ataque y va a venir un especialista. ¿Quién sabe?, a lo mejor me equivoco y se trata de un tipo de epilepsia distinto, no sé... Esta mañana he recibido una carta urgente de Rita desde Nueva York... se dedica a visitar galerías de arte. Me pregunta qué tal marcha el caso y si he adelantado algo en el diagnóstico. No sé por qué me parece que alguien la ha llamado a espaldas mías.

—¿Plumb?

—Creo que sí. ¿Recuerdas la reunión de que me habló? La mantuvimos ayer y estuvo más suave que la seda. Aprecia mi entrega a la institución. La situación económica esta muy mal y todavía estará peor, pero me ha insinuado que, si no me pongo pesada, podré acceder a un puesto mejor.

—¿El de Rita?

—No me lo dijo directamente, pero el mensaje fue ése. Me parece muy propio de él llamarla y predisponerla en contra mía... pero, en fin, eso no tiene ninguna importancia. ¿Qué hago con Cassie?

—¿Por qué no esperas a ver qué dice Torgeson? Si él cree que los ataques han sido prefabricados, tendrías más municiones para un eventual enfrentamiento.

—Sigues pensando en un enfrentamiento, ¿eh? Estoy deseando que llegue la hora.

Mientras nos dirigíamos a la sala de espera, le comenté a Stephanie el escaso impacto provocado por la muerte de Laurence Ashmore.

—¿Qué quieres decir?

—Nadie habla de ello.

—Sí, tienes razón... es terrible tanta dureza e insensibilidad. Estamos todos encerrados en nuestro propio caparazón. —Unos pasos más allá, Stephanie añadió—: Yo apenas conocía a Ashmore. Era un tipo huraño... un poco antisocial. Jamás participaba en las reuniones del cuerpo facultativo y nunca asistía a ninguna fiesta.

—Siendo tan poco sociable, ¿cómo se las había arreglado para conseguir las referencias?

—Él no necesitaba referencias... no trabajaba en los consultorios. Lo suyo era investigación pura.

—¿Una rata de laboratorio?

—Lo parecía. Pero me habían dicho que valía mucho... que era un experto en toxicología. Por eso, cuando Cassie empezó a tener problemas respiratorios, le pedí que examinara la historia de Chad.

—¿Le dijiste por qué?

—¿Si tenía sospechas quieres decir? No. Quería que lo examinara todo sin ningún prejuicio. Le pedí simplemente que buscara la posible presencia de algo que se saliera de lo normal. Se mostró muy reticente y casi ofendido..., como si yo le obligara en contra de su voluntad. Dos días más tarde, recibí un mensaje telefónico en el que me comunicaba que no había encontrado nada. Como diciéndome, ¡no vuelvas a molestarme!

—¿Cómo había conseguido el puesto? ¿Alguna subvención?

—Supongo.

—Yo creía que al hospital no le interesaban demasiado... y que no quería incrementar los gastos generales.

—Lo sé —dijo Stephanie—. A lo mejor, era una subvención exterior. —Frunciendo el ceño, añadió—: Aunque fuera poco sociable, lo que le ha pasado es terrible. Hubo un tiempo en que, por mala que fuera la situación en la calle, alguien que llevara una bata blanca o un estetoscopio alrededor del cuello estaba a salvo. Ahora eso ya se acabó. A veces tengo la sensación de que todo se está desmoronando.

Llegamos al consultorio. La sala de espera estaba rebosante de gente y el ruido era tan ensordecedor como el de una perforadora.

—Bueno, ya basta de quejarme —dijo—. Nadie me obliga. Pero no me vendría mal un poco de tiempo libre.

—¿Y por qué no te lo tomas?

—Estoy hipotecada.

Varias madres la saludaron con la mano y ella correspondió a los saludos. Cruzamos la puerta de la sección de los médicos y nos dirigimos a su despacho.

—Buenos días, doctora Eves —dijo una enfermera—. Tiene el carné de baile completo.

Stephanie sonrió valerosamente. Se acercó otra enfermera y le entregó un montón de historias clínicas.

—Felices Pascuas, Joyce, y gracias por el regalo —dijo Stephanie mientras la enfermera se alejaba entre risas.

—Hasta luego —le dije.

—Adiós y gracias por todo. Ah, por cierto, he averiguado otra cosa sobre Vicki. Una enfermera con la que yo había trabajado antes en la cuarta planta me dijo que Vicki tenía una mala situación familiar. Un marido alcohólico que la maltrata bastante. Por consiguiente, puede que les tenga un poco de manía... a los hombres. ¿Te sigue incordiando?

—No. Es más, tuvimos un enfrentamiento y llegamos a una especie de tregua.

—Me parece muy bien.

—Puede que les tenga manía a los hombres —dije yo—. Pero no a Chip.

—Chip no es un hombre. Es el hijo del gran jefe.

—Tienes razón. Un marido agresivo podría explicar la razón de su nerviosismo ante mi presencia. Quizá recurrió a algún terapeuta en busca de ayuda, no llegó a ninguna parte y está resentida... Si bien las tensiones familiares pueden haberla inducido también a actuar de otra forma... y a comportarse como una heroína en el trabajo para fortalecer su maltrecho amor propio. ¿Cómo actuó durante el ataque?

—Con gran competencia. Aunque yo no diría que fue un comportamiento heroico. Calmó a Cindy, se encargó de atender a Cassie y después me llamó. Con eficiencia de manual.

—Enfermera de manual y caso de manual.

—Pero, tal como tú has dicho, ¿cómo podría estar implicada si todas las demás crisis se iniciaron en casa?

—Pero ésta, no. Debo decir en justicia que no la considero sospechosa de nada. Aunque me sorprende un poco que tenga una vida familiar tan agitada y aquí se comporte con tanta eficiencia. Seguramente me concentro en ella porque no se ha portado muy bien conmigo.

—Una deducción muy interesante.

—Intriga y misterio, tal como tú me dijiste.

—Yo siempre cumplo mis promesas. —Otra mirada al reloj—.

Tengo que hacer mis visitas matinales y después me iré a Century City a recoger a Torgeson. Tengo que evitar que su automóvil quede atrapado en este jaleo del aparcamiento. ¿A ti dónde te han colocado?

—Al otro lado de la calle como a todo el mundo.

—Lo siento.

—Qué le vamos a hacer —dije, fingiendo ofenderme—, unos son grandes personajes de importancia internacional y otros aparcamos en la acera de enfrente.

—El tipo me ha parecido muy desabrido por teléfono —dijo Stephanie—, pero es muy importante... Ha pertenecido al comité del Nobel.

—Oh y ah.

—Oh y ah, bien puedes decirlo. Vamos a ver si logramos que él también se desconcierte.

Llamé a Milo desde una cabina y le dejé otro mensaje de una sola señal: «Vicki Bottomley tiene un marido bebedor que posiblemente la pega. Seguramente eso no significa nada, pero, ¿podrías comprobar si ha habido alguna llamada de denuncia de violencia doméstica y, en caso afirmativo, facilitarme las fechas?».

Enfermera de manual...

Münchhausen por sustitución de manual.

Muerte súbita infantil de manual.

Muerte súbita evaluada por el difunto doctor Ashmore.

El médico que no visitaba pacientes.

Una siniestra coincidencia, sin duda. Cualquiera que permanezca el tiempo suficiente en un hospital, comprobará que lo siniestro se convierte en algo habitual. Sin embargo, como no tenía nada mejor que hacer, decidí echar directamente un vistazo a la historia clínica de Chad Jones.

Los archivos médicos estaban todavía en la planta del sótano. Hice cola detrás de dos secretarias que llevaban unos impresos de solicitud y de un residente con un ordenador portátil y, cuando me tocó el turno, me informaron que las fichas de los pacientes fallecidos se encontraban en el segundo sótano, en un lugar llamado SPI..., situación permanentemente inactiva. Parecía un término inventado por los militares.

En la pared, junto a la escalera del segundo sótano, había un mapa con una flecha roja de USTED SE ENCUENTRA AQUÍ en el ángulo inferior izquierdo. El resto era una vista aérea de una red de pasillos, todos los cuales tenían las paredes pintadas de blanco y el suelo recubierto de linóleo gris con un dibujo de triángulos negros y rosa. Las puertas eran de color gris y las placas eran rojas. El pasillo estaba iluminado con luz fluorescente y en él se aspiraba el típico olor acre de un laboratorio químico.

El SPI se encontraba en el centro de la telaraña. Mientras me dirigía hacia allá, leí las placas de las puertas. SALA DE CALDERAS. ALMACÉN DE MOBILIARIO. Y toda una serie de puertas con la indicación de SUMINISTROS. En otras muchas puertas no había nada.

El pasillo giraba a la derecha.

ESPECTROGRAFÍA QUÍMICA. ARCHIVOS DE RAYOS X. ARCHIVOS DE MUESTRAS. Una placa más grande decía: DEPÓSITO DE CADÁVERES. PROHIBIDA LA ENTRADA NO AUTORIZADA.

Me detuve. No se aspiraba el menor olor de formol ni había nada que permitiera adivinar lo que había al otro lado de la puerta. Simplemente silencio, el mordisco del ácido acético y una frialdad debida tal vez a la acción de un termostato.

Me imaginé el mapa. Si la memoria no me fallaba, el SPI se encontraba doblando una esquina a la derecha, otra a la izquierda y, finalmente, al fondo de un tramo recto. Reanudé la marcha y me di cuenta de que, desde que había bajado allí, no me había cruzado con nadie. La atmósfera era cada vez más fría.

Apuré el paso procurando no pensar en nada y, de pronto, se abrió una puerta de la derecha tan de repente que tuve que echarme a un lado para que no me golpeara.

La puerta no tenía ninguna placa. Dos hombres del servicio de mantenimiento vestidos con unas prendas grises de trabajo salieron portando algo que debía de ser un ordenador personal, pero de tamaño muy grande... color negro y aspecto muy caro. Mientras se alejaban, salieron otros dos trabajadores. Con otro ordenador. Después salió un hombre con las mangas de la camisa remangadas, portando una impresora láser. Una tarjeta de quince centímetros por veinte fijada con cinta adhesiva a la cónsola de la impresora decía Doctor L. ASHMORE.

Seguí adelante y vi a Presley Huenengarth de pie en la puerta, sosteniendo entre sus brazos un montón de hojas impresas. A su espalda había unas paredes de color beige, varios muebles metálicos de color carbón y toda una serie de ordenadores en distintas fases de desconexión.

Una bata blanca colgada de una percha constituía la única indicación de que allí se estudiaban cosas algo más orgánicas que las ecuaciones diferenciales.

Huenengarth me miró fijamente.

—Soy el doctor Delaware —le dije—. Nos presentaron hace un par de días. En el departamento de Pediatría General.

Asintió brevemente con la cabeza.

—Lo del doctor Ashmore ha sido terrible —dije.

Volvió a asentir en silencio, entró de nuevo en la estancia y cerró la puerta.

Me volví a mirar, vi a los hombres del servicio de mantenimiento llevándose el equipo informático del doctor Ashmore y pensé en unos ladrones muy serios. De repente, una estancia repleta de fichas de autopsias se me antojó una cálida y tentadora perspectiva.

11

Situación Permanentemente Inactiva era una alargada sala llena de estanterías del suelo hasta el techo separadas por unos pasillos de anchura aproximada a la de un hombre. Los estantes estaban llenos de historias médicas. Cada historia ostentaba una lengüeta negra. Cientos de lengüetas consecutivas creaban unas onduladas líneas negras de unos tres centímetros de anchura que parecían cortar las fichas por la mitad. El acceso estaba bloqueado por un mostrador que llegaba hasta la cintura. Detrás de él había una asiática de unos cuarenta y tantos años, leyendo un periódico de tamaño sensacionalista escrito en un idioma asiático. Caracteres redondeados..., tailandeses o laosianos, pensé. Al verme, la asiática dejó el periódico y me miró con una sonrisa como si yo estuviera a punto de comunicarle una buena noticia.

Pedí ver la historia de Charles Lyman Jones IV. Me pareció que el nombre no le decía nada. Buscó bajo el mostrador y sacó un impreso de diez por quince centímetros con un encabezamiento que decía SOLICITUD DE SPI. Lo rellené y ella lo tomó, dijo «Jones», volvió a sonreír y se retiró hacia las estanterías de los archivos.

Buscó un rato, subiendo y bajando por los pasillos, sacando historias, levantando lengüetas y consultando el impreso. Regresó con las manos vacías.

—No aquí, doctor.

—¿Tiene usted idea de dónde puede estar?

Se encogió de hombros.

—Alguien llevar.

—¿Ya ha venido alguien a examinarla?

—Seguro, doctor.

—Mmm —dije, preguntándome quién podría haber tenido interés por una ficha de defunción de dos años de antigüedad.

—Eso es muy importante... para una investigación. ¿Hay alguna forma de que yo pueda hablar con ese alguien?

Reflexionó un momento, sonrió y sacó otra cosa de debajo del mostrador. Una caja de puros marca El Producto. Dentro había varios impresos de SPI sujetos con clips. Cinco pequeños fajos. Los extendió sobre el mostrador. Todos los impresos que estaban encima llevaban firmas de patólogos. Leí los nombres de los pacientes y no vi ninguna prueba de orden cronológico o cualquier otro sistema de clasificación.

—Por favor —dijo ella sonriendo antes de regresar a su periódico.

Retiré el clip del primer fajo y examiné los impresos. Enseguida me di cuenta de que efectivamente existía un sistema. Los impresos estaban ordenados según la fecha de solicitud, cada fajo representaba un mes y cada impreso había sido colocado en orden cronológico diario. Había cinco fajos porque estábamos en el mes de mayo.

No había ninguna posibilidad de abreviar. Se tenían que examinar los fajos uno a uno. En caso de que la historia de Chad Jones hubiera sido examinada antes del 1 de enero, el impreso no estaría allí.

Empecé a leer los nombres de los niños muertos como si los impresos fueran cartas.

Encontré lo que estaba buscando en el fajo correspondiente al mes de febrero. Un impreso fechado el día 14 y firmado por alguien que tenía muy mala escritura. Estudié detenidamente la firma y, al final, descifré el apellido Herbert. D. Kent Herbert, o tal vez el doctor Kent Herbert.

Aparte de la firma, la fecha y una extensión telefónica del hospital, el impreso estaba en blanco; los apartados PUESTO, DEPARTAMENTO, MOTIVO DE LA SOLICITUD no se habían rellenado. Copié el número de la extensión y le di las gracias a la asiática.

—¿Todo bien? —me preguntó ésta.

—¿Tiene idea de quién es esta persona?

Se acercó para echar un vistazo al impreso.

—Habert... no. Sólo trabajar aquí un mes. —Otra sonrisa—. Buen hospital —añadió jovialmente.

Empecé a preguntarme si sabría lo que eran aquellos archivos.

—¿Tiene usted una guía del hospital?

Me miró, perpleja.

—Un listín telefónico del hospital... uno de esos de color anaranjado.

—Ah. —Se inclinó y sacó uno de debajo del mostrador.

No había ningún Herbert entre los médicos. En la siguiente sección en la que figuraban los miembros del personal no sanitario, encontré a un tal Ronald Herbert, jefe adjunto de Servicios de Alimentación. Sin embargo, la extensión no coincidía con la que figuraba en el impreso y yo no acertaba a imaginar que un especialista en Servicios de Alimentación pudiera tener interés por una muerte súbita infantil.

Di las gracias y me retiré. Poco antes de cerrar la puerta, oí que la asiática me decía:

—Hasta pronto, doctor.

Volví sobre mis pasos en el segundo sótano y pasé de nuevo por delante del despacho de Laurence Ashmore. La puerta seguía cerrada y, cuando me detuve a escuchar, me pareció oír un ruido de movimiento al otro lado. Seguí adelante, buscando un teléfono y, al final, descubrí uno de monedas junto a los ascensores. Antes de que tuviera tiempo de acercarme a él, se abrió la puerta de un ascensor y apareció Presley Huenengarth. Vaciló un instante al verme y después salió del ascensor. De espaldas a mí, se sacó una cajetilla de Winston del bolsillo y se entretuvo un buen rato en rasgar el celofán.

La puerta del ascensor empezó a cerrarse. Yo la inmovilicé con la mano y conseguí entrar. Lo último que vi antes de que se cerrara la puerta fue la plácida mirada del jefe de Seguridad detrás de una densa nube de humo.

Subí a la primera planta y utilicé un teléfono que había al lado de la sección de Radioterapia para marcar el número de la extensión de D. Kent Herbert. Me contestó la centralita principal del hospital.

—Western Pediatric.

—Estaba marcando la extensión dos-cinco-cero-seis.

—Yo se la conecto enseguida, señor. —Una serie de clics y ruidos mecánicos y después—: Lo siento, señor esta extensión ha sido desconectada.

—¿Desde cuándo?

—No lo sé, señor.

—¿Tiene idea de a quién pertenecía?

—No, señor. ¿Con quien quería usted hablar?

—Con D. Kent Herbert.

—¿Es un médico?

—No lo sé.

Pausa.

—Un momento... El único Herbert que yo tengo anotado es Ronald, el de los Servicios de Alimentación. ¿Quiere usted que le conecte?

—¿Por qué no?

Cinco timbrazos.

—Ron Herbert —contestó una voz de timbre muy claro.

—Señor Herbert, aquí Archivos Médicos. Le llamo por la historia clínica que usted solicitó.

—¿Cómo?

—La historia clínica que usted solicitó en febrero en el SPI.

—Te equivocas, tío. Esto es la cafetería.

—¿Usted no solicitó una historia clínica el día 14 de febrero de este año en el SPI?

—¿Y para qué demonios iba yo a querer eso?

—Gracias, señor.

—No hay de qué. Espero que encuentres lo que buscas.

Colgué, bajé a la planta baja y me mezclé con la gente que abarrotaba el vestíbulo. Abriéndome paso entre los cuerpos, me dirigí al mostrador de Información y, al ver una guía del hospital junto a la mano de la empleada, me acerqué.

La empleada, una negra teñida de rubio, estaba contestando en inglés a una pregunta de un hombre de habla hispana. Ambos parecían cansados y la áspera discusión amargaba la atmósfera. La empleada vio la guía que yo sostenía en la mano y me miró con rabia. El hombre siguió la dirección de su mirada. La cola que había detrás oscilaba y emitía murmullos cual si fuera una gigantesca serpiente.

—No puede usarlo —me dijo la empleada.

Le indiqué con una sonrisa la tarjeta de mi solapa, diciendo:

—Sólo quiero consultarla un momento.

—Sólo un minuto —dijo la empleada, poniendo los ojos en blanco.

Me deslicé hacia el fondo del mostrador y abrí la guía por la primera página, recorriendo con la mirada y el dedo índice la columna de los números que había a la derecha de cada página, dispuesto a examinar cientos de extensiones antes de encontrar la 2506. Tuve suerte de dar con ella sólo al cabo de un par de docenas.

ASHMORE, L. W. (TOX.) 2506

Dejé la guía en su sitio y le di las gracias a la empleada. Ella me miró enfurecida, la tomó con muy malas maneras y la colocó Fuera del alcance de la Gente.

—Sólo medio minuto. ¿Tengo derecho a devolución?

Vi las caras de la gente de la cola y me arrepentí de habérmelas dado de gracioso.

Subí para ver a Cassie, pero había un letrero de NO MOLESTEN en la puerta y la enfermera de guardia me dijo que tanto la niña como Cindy estaban durmiendo.

Mientras me disponía a abandonar el hospital, alguien interrumpió mis pensamientos llamándome por mi nombre. Levanté la vista y vi a un individuo alto con bigote, acercándose desde la entrada. Cerca de los cuarenta, bata blanca, gafas de cristales sin montura y prendas propias de un ex alumno de alguna prestigiosa universidad del Este de los Estados Unidos. El bigote era un extravagante y encerado manillar de color negro. Todo el resto de la persona parecía estar en función suya.

Me saludó con la mano.

Rebusqué en el pasado y encontré un nombre.

Dan Kornblatt. Cardiólogo. Antiguo residente del hospital de la Universidad de California en San Francisco. Su primer año en el hospital coincidió con el último que yo pasé allí. Nuestras relaciones se habían limitado a consultas sobre casos y a conversaciones intrascendentes sobre la vida en el Área de la Bahía... Yo había sido becario en Langley Porter y Kornblatt se complacía en afirmar que no existía civilización al sur de Carmel. Le recordaba como a un tipo muy inteligente, pero con muy poco tacto para tratar con sus colegas y los padres de los enfermos, aunque muy afectuoso con sus pequeños pacientes. Le acompañaban otros cuatro médicos, dos mujeres y dos hombres, todos ellos jóvenes. Los cinco caminaban a grandes zancadas y con amplios movimientos de los brazos, dando muestras de una excelente forma física y un acusado sentido de sus propósitos. En cuanto estuvieron más cerca, observé que Kornblatt tenía algunas hebras grises en las sienes y que en su cara de halcón habían aparecido unas leves arrugas.

—Alex Delaware. Vaya, vaya.

—Hola, Dan.

—¿A qué debemos el honor?

—He venido para una consulta.

—¿De veras? ¿Te dedicas a la práctica privada?

—Desde hace algunos años.

—¿Dónde?

—En el West Side.

—Claro. ¿Has subido últimamente a nuestra ciudad?

—Últimamente, no.

—Yo tampoco. Hace dos Navidades que no voy. Echo de menos el Tadich Grill y toda aquella cultura urbana.

Me presentó a sus compañeros. Dos de ellos eran residentes, uno era un becario de cardiología y una de las mujeres —una morena bajita del Medio Oeste— estaba allí para atender a uno de sus pacientes privados. Sonrisas y apretones de manos de rigor. Cuatro apellidos que me entraron y salieron por los oídos.

—Alex era, sin duda, uno de nuestros más brillantes psicólogos —explicó Kornblatt—. Cuando los teníamos. Por cierto —añadió, dirigiéndose a mí—, yo creía que aquí vosotros estábais *verboten*. ¿Acaso ha cambiado la situación?

Sacudí la cabeza.

—Es una simple consulta aislada.

—Ya. ¿Adónde ibas? ¿A la salida?

Asentí con la cabeza.

—Si no tienes mucha prisa, ¿por que no nos acompañas? Reunión urgente de la plantilla. ¿Tú formas todavía parte de la plantilla? Seguro que sí, de otro modo no hubieras podido participar en la consulta. —Kornblatt arrugó el entrecejo—. ¿Cómo te las arreglaste para librarte del baño de sangre de psiquiatría?

—A través de un tecnicismo. Yo pertenezco a Pediatría, no a Psiquiatría.

—A Pediatría... interesante. Bonita triquiñuela. ¿Lo veis? —dijo, Kornblatt, dirigiéndose a los demás—, siempre hay alguna triquiñuela.

Cuatro miradas sabias. Ninguno de ellos superaba los treinta.

—Bueno pues —dijo Kornblatt—, ¿te quedas con nosotros? La reunión va a ser muy importante..., siempre y cuando te sientas todavía suficientemente vinculado a lo que ocurre aquí.

—Por supuesto que sí —dije, situándome a su lado—. ¿Cuál va a ser el tema?

—La decadencia y caída del Imperio, del Western Pediatric. Tal como ha demostrado el asesinato de Larry Ashmore. En realidad, es una sesión en memoria suya. —Kornblatt frunció el ceño—. Te enteraste de lo que ocurrió, ¿verdad?

—Terrible —contesté, asintiendo con la cabeza.

—Eso fue sintomático. Alex.

—¿De qué?

—De lo que está pasando aquí. Fíjate lo que ha hecho la administración. Matan a un médico y nadie se toma tan siquiera la molestia de enviar un memorando. Y eso que no escatiman el papel cuando se trata de dar a conocer sus directrices y normas.

—Lo sé —dije—. He leído una en la puerta de la biblioteca.

Me miró enfurecido, moviendo el bigote.

—¿Qué biblioteca?

—De eso también me he dado cuenta.

—Cara duras —dijo Kornblatt—. Cada vez que tengo que hacer alguna investigación, me veo obligado a trasladarme a la facultad.

Cruzamos el vestíbulo y llegamos a una cola. Una de las médicas vio a un paciente en la cola.

—En seguida estoy con vosotros —dijo, apartándose del grupo para ir a saludar al niño.

—No te pierdas la reunión —le dijo Kornblatt a su espalda sin interrumpir el ritmo de sus pasos. En cuanto dejamos atrás el vestíbulo, añadió—: Aquí no hay biblioteca, ni departamento de Psiquiatría, ni fondos para subvenciones y, además, se han congelado por completo los nuevos contratos. Y ahora dicen que van a introducir recortes en todos los departamentos..., órdenes directas del consejo de administración. Entropía. Probablemente los muy hijos de puta quieren derribar el edificio y vender el solar.

—El mercado no está para eso.

—No, hablo en serio, Alex. Aquí no se gana dinero y esa gente va sólo al negocio. Lo pavimentarán todo y construirán aparcamientos.

—Podrían empezar a pavimentar los que tienen en la acera de enfrente.

—No te engañes. Nosotros no somos más que unos peones para esta gente. Una especie de criados.

—¿Y cómo consiguieron hacerse con el control?

—Jones, el nuevo presidente, era el gerente de inversiones del hospital. Por lo visto, hizo un buen trabajo y, cuando llegaron los malos tiempos, el consejo de administración consideró necesaria la intervención de un profesional de las finanzas y le votaron a él. Entonces él despidió a todos los miembros de la antigua administración y trajo a su propio ejército de colaboradores.

Otra muchedumbre se arremolinaba delante de las puertas. La gente golpeaba el suelo con los pies, sacudía la cabeza con aire cansado y pulsaba inútilmente los botones. En la puerta del tercer ascensor había un letrero de NO FUNCIONA.

—Adelante, mis valientes —dijo Kornblatt, señalando la escalera y acelerando el paso hasta casi correr.

Todos cubrieron el primer tramo con el entusiasmo propio de unos atletas de competición. Cuando llegamos arriba, Kornblatt empezó a saltar como un boxeador.

—¡Vamos allá! —dijo, abriendo la puerta.

El auditorio se encontraba un poco más abajo. Un par de médicos esperaban junto a la entrada, en la cual un letrero escrito a mano decía: EN MEMORIA DE ASHMORE.

—¿Qué fue de Kent Herbert? —pregunté.

—¿Quién? —dijo Kornblatt.

—Herbert, el toxicólogo. ¿No trabajaba con Ashmore?

—No sé de nadie que trabajara con Ashmore. El tipo era un solitario, un auténtico... —Kornblatt dejó la frase en el aire—. ¿Herbert dices? No, no le recuerdo.

Entramos en la espaciosa sala de conferencias en forma de abanico; varias filas de asientos tapizados en tela gris bajaban casi en picado hacia un foso de madera. Al fondo había una polvorienta pizarra verde sobre ruedas. La tapicería de los asientos era muy vieja y algunos de los almohadones estaban cubiertos de manchas. Un murmullo de conversaciones llenaba la sala.

En el auditorio había por lo menos quinientos asientos, pero sólo unos setenta estaban ocupados. El escaso público presente le confería la apariencia de una clase a la que nadie se siente obligado a asistir tras haber superado los exámenes. Kornblatt y su séquito se dirigieron a la parte anterior de la sala, estrechando manos e intercambiando saludos por el camino. Yo me quedé en la última fila.

Muchas batas blancas de médicos de plantilla en régimen de plena dedicación. Pero, ¿dónde estaban los de dedicación parcial? ¿No habían podido asistir porque no habían sido avisados con la suficiente antelación o habían optado por mantenerse al margen? En el Western Pediatric siempre se había registrado una cierta tensión entre ambas comunidades, pero, a pesar de ello, los médicos de plantilla y los del «mundo real» habían logrado alcanzar a regañadientes una cierta simbiosis. Miré a mi alrededor y me sorprendió la escasez de cabezas grises. ¿Dónde estaban los miembros de más antigüedad que yo había conocido?

Antes de que pudiera entretenerme en semejantes reflexiones, un hombre que sostenía en la mano un micrófono inalámbrico bajó al foso y pidió silencio. Unos treinta y cinco años, pálido rostro infantil y cabello rubio con un llamativo peinado afro. La bata blanca amarilleaba un poco y le estaba demasiado grande. Debajo llevaba una camisa negra y una corbata marrón de punto.

—Por favor —dijo.

Cesaron los murmullos y se oyeron los pitidos de unos cuantos buscapersonas, pero en seguida se instauró el silencio.

—Gracias por venir. ¿Alguien podría cerrar la puerta?

Varios rostros se volvieron. Vi que yo era el que estaba más cerca de la salida, me levanté y la cerré.

—Muy bien —dijo el afro—. El primer punto de la orden del día es un minuto de silencio en memoria de nuestro compañero el doctor Laurence Ashmore. Os pido, por favor, que os levantéis...

Todo el mundo se levantó. Se inclinaron las cabezas y pasó un largo minuto.

—Muy bien, ya podéis sentaros si sois tan amables —dijo el afro. Acercándose a la pizarra, tomó un trozo de tiza y escribió:

ORDEN DEL DÍA
1. CONMEMORACIÓN DE ASHMORE
2.
3.
4. ...?

Apartándose de la pizarra, preguntó:

—¿Alguien quiere pronunciar unas palabras sobre el doctor Ashmore?

Silencio.

—En tal caso, sé que hablo en nombre de todos los presentes al condenar la brutalidad del ataque sufrido por Larry y al transmitir nuestra más profunda condolencia a su familia. En lugar de flores, propongo que se haga una colecta y la cantidad recaudada se entregue a la organización benéfica que elija la familia. O que elijamos nosotros en caso de que el hecho de preguntárselo a la familia resultara excesivamente embarazoso. Podemos decidirlo ahora o más tarde, como queráis. ¿Alguien quiere hacer algún comentario?

Una mujer de la tercera fila que llevaba el cabello muy corto dijo:

—¿Qué os parece el Centro de Control de Tóxicos? Él era toxicólogo.

—El Centro de Control de Tóxicos parece muy adecuado. ¿Alguien apoya la propuesta?

Una mano se levantó hacia el centro de la sala.

—Gracias, Barb. Se aprueba la propuesta. ¿Alguien conocía a la familia? ¿Para comunicarle nuestro propósito?

No hubo respuesta.

El afro se dirigió a la mujer que había hecho la sugerencia.

—Barb, ¿quieres encargarte tú de hacer la colecta?

La mujer asintió con la cabeza.

—Muy bien pues, podéis entregar las aportaciones en el despacho de Barb Loman en Reumatología y nosotros nos encargaremos de hacerlas llegar al Centro de Control de Tóxicos a la mayor brevedad posible. ¿Alguna otra cosa?

—Datos —dijo alguien—. A estas alturas, aún no tenemos ninguno.

—¿Quieres levantarte y aclarar la pregunta, Greg? —dijo el afro.

Se levantó un hombre fornido y con barba que lucía una camisa a cuadros y una ancha corbata retro de diseño floral. Me pareció recordarle sin la barba, cuando era residente. Apellido italiano...

—Digo, John, que la cuestión de la seguridad deja mucho que desear. Lo que le pasó a él le hubiera podido pasar a cualquiera de nosotros y, puesto que son nuestras vidas las que corren peligro, estamos en nuestro derecho al pedir pleno acceso a la información. Qué ocurrió exactamente, cómo marcha la investigación de la policía y qué medidas debemos adoptar para garantizar nuestra seguridad.

—¡No hay ninguna! —gritó un negro con gafas desde el otro lado de la sala—. A no ser que la administración se comprometa efectivamente a mejorar la seguridad... Guardias las veinticuatro horas del día en todos los accesos del aparcamiento y en todas las escaleras.

—Eso costaría mucho dinero, Hank —dijo el de la barba—. Que tengas suerte.

Se levantó una mujer con el cabello castaño recogido en una cola de caballo.

—Podría haber dinero si se organizaran bien las prioridades, Greg. No necesitamos para nada a esos tipos paramilitares que les hacen la vida imposible a nuestros pacientes en los vestíbulos. Lo que necesitamos es justo lo que tú y Hank acabáis de decir: una auténtica seguridad, con inclusión de clases de autodefensa, kárate, sprays irritantes, adiestramiento personal y todo lo que haga falta. Especialmente para el personal femenino. Las enfermeras tienen que enfrentarse con esta amenaza cada día cuando cruzan la calle. Sobre todo, las del turno de noche... Ya sabéis que dos de ellas fueron golpeadas recientemente y...

—Sí, lo sé...

—... los aparcamientos al aire libre no cuentan con ningún servicio de seguridad, tal como todos nosotros estamos comprobando por experiencia directa. Yo he llegado a las cinco de esta mañana y os aseguro que aquello daba auténtico miedo. Debo decir, además, que, en mi opinión, ha sido un error limitar esta reunión a los médicos. No es momento para elitismos. Las enfermeras y el personal auxiliar lo están pasando tan mal como nosotros y todos trabajamos con el mismo objetivo. Tendríamos que unirnos para ser más fuertes en lugar de separarnos.

Nadie dijo nada.

La mujer de la cola de caballo miró a su alrededor y volvió a sentarse.

—Gracias, Elaine —dijo el afro—, se toma nota. Aunque no creo que haya habido ningún intento deliberado de excluir a nadie.

—Bueno —la de la cola de caballo volvió a levantarse—, ¿acaso se informó al personal no médico?

El afro la miró con una sonrisa.

—Ésta era una reunión especial del equipo médico. Elaine. Es lógico que los médicos...

—¿No crees que a los demás también les preocupan estas cuestiones, John?

—Pues claro —contestó el afro—. Yo...

—¡Las mujeres del Western Pediatric están aterrorizadas! ¡A ver si espabiláis de una vez! Todo el mundo necesita ayuda. Si recordáis, las dos últimas víctimas de agresiones fueron mujeres y...

—Me acuerdo muy bien, Elaine. Todos nos acordamos, y te aseguro que, si se organizan otras reuniones, cosa absolutamente necesaria a mi juicio, se buscará la colaboración de todo el mundo.

Elaine sacudió la cabeza y volvió a sentarse.

El afro regresó a la pizarra, tiza en ristre.

—Creo que ya hemos pasado a otro tema, ¿verdad? El de la seguridad del personal.

Movimientos dispersos de las cabezas. La falta de coherencia resultaba casi tangible. Recordé otras reuniones de años atrás. Interminables discusiones que casi nunca llegaban a ninguna parte...

El afro apoyó la tiza al lado de CONMEMORACIÓN DE ASHMORE, escribió SEGURIDAD DEL PERSONAL en la siguiente línea y se volvió de nuevo de cara a la asamblea.

—Muy bien. ¿Alguna otra sugerencia, aparte de los guardias y el kárate?

—Sí —dijo un hombre moreno y bajito de anchas espaldas—. Armas de fuego.

Se oyeron unas cuantas carcajadas.

El afro sonrió sin ganas.

—Gracias, Al. Eso es lo que hacían en Houston, ¿verdad?

—Desde luego, John. S y W en todos los maletines negros. Significa Smith & Wesson para información de todos los pacifistas.

El afro formó una pistola con el pulgar y el índice, la apuntó contra el calvo y le guiñó el ojo.

—¿Alguna otra cosa, Al, aparte de tu deseo de convertir el hospital en un campo de adiestramiento militar?

Dan Kornblatt se levantó.

—Siento tener que decirlo, pero me parece que nos estamos limitando demasiado a cuestiones menores. Lo que tenemos que hacer es abordar los temas auténticamente importantes.

—¿A qué te refieres, Dan?

—A los objetivos..., los objetivos de esta institución.

El afro le miró, desconcertado.

—¿Entonces ya hemos terminado con el segundo tema?

—Yo, sí, desde luego —dijo Kornblatt—. La Seguridad no es más que un síntoma de una dolencia general.

El afro esperó un momento y después borró SEGURIDAD DEL PERSONAL.

—¿De qué dolencia estás hablando, Dan?

—De una apatía crónica en fase terminal... una apatía institucionalmente sancionada. Basta con que mires a tu alrededor. ¿Cuántos médicos privados tenemos en plantilla, John? ¿Doscientos? Echa un vistazo al porcentaje de los que han tenido el suficiente interés como para acercarse hasta aquí y prestarnos apoyo con su presencia.

—Dan...

—Espera, déjame terminar... El hecho de que se encuentren presentes tan pocos médicos privados tiene una explicación. Es la misma por la cual se suelen abstener de enviar a sus pacientes de pago aquí siempre que tengan a mano alguna clínica local medianamente aceptable. Y es la misma por la cual nuestros mejores especialistas se han ido a otro sitio. Nos han pegado la etiqueta de inútiles... y de fracasados. Y los ciudadanos se lo han creído porque el propio consejo de administración y la administración del hospital se encargan de desprestigiarlo. Y nosotros también lo hacemos. Todos nosotros hemos estudiado la suficiente psicología como para saber lo que ocurre con el amor propio de un niño cuando los demás le repiten constantemente que no sirve para nada. Al final, acaba por creerlo. Lo mismo nos pasa a...

Se abrió la puerta de par en par y todas las cabezas se volvieron. Entró George Plumb arreglándose el nudo de la corbata cuyo color rojo contrastaba con el blanco de la camisa y el gris claro del traje de seda cruda. Las suelas de sus zapatos resonaron sobre los peldaños mientras bajaba al foso de la sala. Cuando llegó allí, se situó al lado del afro como si ocupara la posición que por derecho le correspondía.

—Buenas tardes, señoras y señores —dijo.

—Precisamente ahora estábamos hablando de la apatía institucional, George —dijo Kornblatt.

Plumb le miró con aire pensativo y se colocó un puño bajo la barbilla.

—Yo creía que ésta era una sesión en memoria del doctor Ashmore.

—Y lo era —dijo el afro—, pero hemos decidido ampliarla a otras cuestiones adicionales.

Plumb se volvió para echar un vistazo a la pizarra.

—Han sido bastantes, veo. ¿Me permiten que vuelva atrás y hable un poco del doctor Ashmore?

Silencio. Asentimientos con la cabeza. Caras de aburrimiento. Kornblatt se sentó.

—En primer lugar —dijo Plumb—, quiero transmitirles los sentimientos de condolencia del consejo de administración y la administración del hospital por la pérdida del doctor Ashmore, un destacado investigador cuya ausencia será profundamente sentida. En lugar de flores, la señora Ashmore ha pedido que los fondos sean enviados a la UNICEF. Mi despacho tendrá mucho gusto en gestionar todas las donaciones. En segundo lugar, quiero asegurarles que se han hecho progresos en la elaboración de las nuevas tarjetas de aparcamiento, las cuales ya están listas y se podrán recoger en Seguridad de tres a cinco hoy y mañana. Lamentamos las molestias que ello les pueda ocasionar. No obstante, estoy seguro de que todos ustedes reconocen la necesidad de cambiar las llaves. ¿Alguna pregunta?

El fornido barbudo llamado Greg se levantó.

—¿Y qué hay de la seguridad propiamente dicha..., de la presencia de guardias en todas las escaleras?

Plumb le miró y esbozó una sonrisa.

—A eso iba, doctor Spironi. Sí, tanto la policía como nuestro servicio de seguridad nos informan de que las escaleras son un problema y, a pesar de que los costes van a ser considerables, estamos dispuestos a montar un servicio de vigilancia las veinticuatro horas del día, un hombre por turno en cada nivel del aparcamiento de los médicos y un guardia por turno en cada uno de los aparcamientos al aire libre del otro lado del paseo. Ello equivaldrá a un total de quince guardias, lo cual quiere decir que se tendrán que añadir once guardias más a los cuatro que ya tenemos en plantilla. El coste, incluyendo las primas de seguros, ascenderá a algo menos de cuatrocientos mil dólares.

—¡Cuatrocientos! —exclamó Kornblatt, levantándose de golpe—. ¿Casi cuarenta mil por policía?

—Guardias, no policías, doctor Kornblatt. Los policías nos costarían muchísimo más. Tal como ya he dicho, la suma incluye primas de seguros, compensaciones laborales, suministros y equipo, más los costes adicionales derivados del cursillo de orientación y adiestramiento interno. La empresa que hemos contratado tiene un excelente historial y su oferta incluye el adiestramiento en defensa personal y prevención del crimen para todo el personal del hospital. La administración no ha creído conveniente ir a la caza de gangas en semejante asunto, doctor Kornblatt. No obstante, si usted desea buscar por ahí algún precio más competitivo, no se prive. Tenga en cuenta, sin embargo, que el tiempo apremia... Queremos restablecer la seguridad y el bienestar a la mayor brevedad posible.

Cruzando las manos sobre el vientre, Plumb miró a Kornblatt.

—Mi trabajo, que yo sepa, es el de atender a los niños enfermos, George —dijo el cardiólogo.

—Ahí está —dijo Plumb. Y dándole la espalda a Kornblatt, añadió—: ¿Alguna pregunta más?

Se produjo una pausa de silencio casi tan prolongada como la que previamente se había dedicado a honrar la memoria de Ashmore.

Al final, Kornblatt se levantó.

—No sé vosotros, pero yo me siento avasallado.

—¿Avasallado? —preguntó Plumb—. ¿En qué sentido, doctor Kornblatt?

—En el sentido, George, de que esto tenía que ser una reunión de médicos y usted ha entrado aquí como Pedro por su casa.

Plumb se rascó la mandíbula, miró a los médicos y sonrió, sacudiendo la cabeza.

—Pues no era ésa mi intención, se lo aseguro —dijo.

—Puede que no, George, pero lo parece.

Plumb se acercó a la primera fila de asientos. Levantando una pierna y colocando el pie sobre el cojín de un asiento vacío, apoyó el codo en la rodilla doblada y se sostuvo la barbilla con una mano, adoptando la postura de *El pensador* de Rodin.

—Avasallado —repitió—. No era ése mi propósito.

—George, lo que Dan... —dijo el afro.

—Sobran las explicaciones, doctor Runge. El trágico accidente del doctor Ashmore nos ha desquiciado un poco a todos. —Manteniendo la pose del pensador, Plumb se volvió de nuevo hacia Kornblatt—: Debo decirle, doctor, que me sorprenden estas palabras tan sectarias, viniendo precisamente de usted. Si no recuerdo mal, el mes pasado redactó usted un memorando, solicitando una mayor comunicación entre la administración y el personal profesional. Me parece recordar que utilizó el término de polinización cruzada.

—Yo me refería a la toma de decisiones, George.

—Y eso es justamente lo que estoy intentando hacer, doctor Kornblatt. Una polinización cruzada en la cuestión de la toma de decisiones acerca de la seguridad. En este espíritu, les reitero mi ofrecimiento a usted... y a todos los demás. Preséntennos sus propias propuestas de seguridad. Si pueden encontrar ustedes alguna que sea tan completa como la nuestra con un coste igual o inferior, la administración y el consejo tendrán sumo gusto en estudiarla con el máximo interés. Hablo en serio. No será necesario que les recuerde la situación económica de la institución. Estos cuatrocientos mil dólares tendrán que salir de algún sitio.

—De la atención a los pacientes sin duda —dijo Kornblatt.

Plumb esbozó una triste sonrisa.

—Tal como ya he tenido oportunidad de subrayar en numerosas ocasiones, la reducción de las prestaciones a los pacientes es siempre el último recurso —dijo—. Pero cada mes estamos peor. Nadie tiene la culpa..., es simplemente la realidad de hoy en día. Es más, me alegro de que nos hayamos desviado de la cuestión del asesinato del doctor Ashmore para hablar claramente de este tema. Hasta cierto punto, la cuestión económica y la seguridad están estrechamente relacionadas entre sí... pues ambas arrancan de una situación demográfica que escapa a cualquier control.

—¿Quiere decir que la coexistencia no será posible? —dijo Spironi.

—Por desgracia, doctor, la coexistencia ya no existe.

—Entonces, ¿qué sugiere usted? —preguntó Elaine, la de la cola de caballo—. ¿Que cerremos el hospital?

Plumb la miró con dureza. Retirando el pie del asiento, enderezó la espalda y lanzó un suspiro.

—Lo que yo sugiero, doctora Eubanks, es que todos nosotros seamos dolorosamente conscientes de las realidades que nos agobian. Unos problemas específicos de la institución que aumentan la ya difícil situación de la atención sanitaria en esta ciudad, este condado y este estado y, en cierto modo, en todo el país. Sugiero que todos nosotros trabajemos dentro de un marco realista para que la institución siga funcionando a cierto nivel.

—¿A cierto nivel? —dijo Kornblatt—. Eso suena a más recortes, George. ¿Ahora qué nos espera? ¿Otro pogrom como el de Psiquiatría? ¿O acaso una cirugía radical en todos los departamentos tal como aseguran los rumores que circulan por ahí?

—No me parece el momento más adecuado para entrar en este tipo de detalles —dijo Plumb.

—¿Por qué no? Esto es un foro abierto.

—Porque, en este momento, no dispongo de los datos.

—¿O sea que no niega los futuros recortes?

—No, Daniel —contestó Plumb—, no sería sincero si los negara. No los niego ni los confirmo porque el hecho de hacer cualquiera de ambas cosas equivaldría a hacerle un flaco favor tanto a ustedes como a la institución. El motivo de mi presencia en esta reunión ha sido el de rendir homenaje al doctor Ashmore y expresar la solidaridad, tanto personal como institucional, con esta sesión conmemorativa. Yo ignoraba que la reunión tuviera un carácter político y, de haber sabido que mi presencia sería considerada una intromisión, hubiera permanecido al margen. Por consiguiente, les pido ahora mismo disculpas por la intromisión... aunque, si no me equivoco, estoy viendo por aquí a varios doctores externos —añadió, dirigiéndome una breve mirada—. Les deseo muy buenos días.

Dicho lo cual, saludó con la mano y empezó a subir los escalones.

—George... —dijo el afro—. ¿Doctor Plumb?

Plumb se detuvo y se volvió a mirarle.

—¿Sí, doctor Runge?

—Le agradecemos... le agradecemos mucho su presencia... y estoy seguro de que con ello expreso el sentir de todos nosotros.

—Gracias, John.

—Quizá si eso nos conduce a una mayor comunicación entre la administración y el equipo profesional, la muerte del doctor Ashmore no habrá sido del todo inútil.

—Dios le oiga, John —dijo Plumb—. Dios le oiga.

12

Tras la retirada de Plumb, la reunión perdió fuerza. Algunos médicos empezaron a discutir en pequeños grupos, pero la mayoría abandonó la sala. Mientras salía del auditorio, vi acercarse a Stephanie por el pasillo.

—¿Ya habéis terminado? —me pregunto ésta, apurando el paso—. Me han entretenido.

—Todo terminó, pero no te has perdido gran cosa. Por lo visto, casi nadie sabía qué decir sobre el doctor Ashmore. Poco a poco, la sesión se ha convertido en un ataque contra la administración. Después se ha presentado Plumb y ha tratado de calmar los ánimos del personal, comprometiéndose a hacer cualquier cosa que le pidan.

—¿Como qué?

—Mejora de la seguridad.

Le referí los detalles y después le conté la discusión de Plumb con Dan Kornblatt.

—Te daré una noticia de la que seguramente te alegrarás —dijo Stephanie—, parece que, al final, hemos encontrado el origen físico de los trastornos de Cassie. Mira.

Buscó en su bolsillo y sacó un trozo de papel en cuya parte superior figuraban el nombre de Cassie y su número de registro hospitalario. Debajo había una columna de números.

—Recién salido esta mañana de los laboratorios. —Me señaló unos números—. Disminución de azúcar... hipoglucemia. Eso podría explicar fácilmente la epilepsia, Alex. No había puntos focales en el electroencefalograma y las ondas anormales eran prácticamente nulas... Bogner dice que es uno de esos típicos perfiles que se prestan a distintas interpretaciones. Tú ya sabes que eso ocurre constantemente en los niños. Por consiguiente, si no hubiéramos descubierto la disminución de azúcar, hubiéramos estado auténticamente perdidos —añadió, guardándose de nuevo el papel en el bolsillo.

—Pero la hipoglucemia no había aparecido en otros análisis anteriores, ¿verdad?

—No, los vi todos. Cuando se producen ataques en un niño, lo primero que se busca es un desequilibrio en el azúcar y el calcio. Los profanos creen que la hipoglucemia no tiene demasiada importancia, pero a los niños les puede alterar el sistema nervioso. Después de sufrir los dos ataques, Cassie registraba niveles normales de azúcar, pero yo le pregunté a Cindy si le había dado algo de beber antes de traerla a Urgencias y ella me contestó que sí...: zumo de fruta o gaseosa. Es algo muy lógico...: ves a la niña deshidratada y le das un poco de líquido. Eso, más el tiempo transcurrido hasta llegar aquí, pudo alterar los resultados de los otros análisis. Por consiguiente, es bueno en cierto modo que sufriera el ataque aquí en el hospital y le pudiéramos hacer los análisis enseguida.

—¿Tenéis alguna idea de por qué tiene el nivel de azúcar tan bajo?

Stephanie puso cara de perplejidad.

—Ahí está lo malo, Alex. La hipoglucemia grave con ataques suele ser más común entre los niños de pecho que en los niños mayores. Prematuros, hijos de madres diabéticas, problemas perinatales..., cualquier cosa que pueda alterar el páncreas. En los demás niños se suele pensar en la presencia de alguna infección. El recuento leucocitario de Cassie es normal, pero puede que lo que ahora estamos viendo no sean más que los efectos residuales. Unas lesiones graduales en el páncreas provocadas por una antigua infección. No puedo excluir otros trastornos metabólicos, a pesar de que eso ya lo analizamos cuando tuvo problemas respiratorios. Es posible que sufra algún insólito problema de almacenamiento de glucógeno que aún no hayamos calibrado. —Stephanie miró al techo y lanzó un suspiro—. Otra posibilidad es un tumor pancreático secretor de insulina. Lo cual sería un mal asunto.

—Nada de lo que me cuentas parece demasiado bueno —dije.

—No, pero por lo menos sabremos a qué atenernos.

—¿Se lo has dicho a Cindy y Chip?

—Les he dicho que el nivel de azúcar de Cassie era bajo y que, probablemente, el suyo no era un caso clásico de epilepsia. No veo ninguna razón para entrar en más detalles hasta que no hayamos sentado un diagnóstico.

—¿Cómo han reaccionado?

—Con cierta pasividad..., hundidos. Como si acabaran de recibir un nuevo puñetazo en pleno rostro. Esta noche apenas han dormido. Él se fue al trabajo y ella se ha echado en el sofá.

—¿Y Cassie?

—Todavía adormilada. Estamos tratando de estabilizar el azúcar. Enseguida se pondrá bien.

—¿Y qué otras cosas le vais a hacer ahora?

—Más análisis de sangre y una tomografía abdominal. Más adelante, tal vez sea necesaria una intervención quirúrgica... para examinarle directamente el páncreas. Pero eso queda muy lejos. Tengo que volver junto a Torgeson. Está revisando la historia en mi despacho. Resulta que es un tipo muy simpático y agradable.

—¿Está examinando también la historia de Chad?

—La he pedido, pero no la encuentran.

—Ya lo sé —dije—. Yo también la he buscado... para examinar los antecedentes. Un tal D. Kent Herbert se la llevó... trabajaba con Ashmore.

—¿Herbert? —dijo Stephanie—. Nunca he oído hablar de él. ¿Para qué iba Ashmore a querer la historia si ni siquiera le interesó al principio?

—Buena pregunta.

—Lo investigaré. Entre tanto, será mejor que nos concentremos en el sistema metabólico de la señorita Cassie.

Nos encaminamos hacia la escalera.

—¿Podría la hipoglucemia explicar todos los demás problemas..., las dificultades respiratorias y las deposiciones sanguinolentas? —pregunté.

—En forma directa, no, pero todos los problemas podrían ser síntomas de un proceso infeccioso generalizado o de un síndrome extraño. Constantemente se descubren cosas nuevas... Cada vez que se identifica un nuevo enzima, encontramos a alguien que carece de él. También podría ser un caso atípico de algo que analizamos y que, por alguna razón ignorada, no quedó reflejado en los análisis de sangre.

Stephanie hablaba con renovado entusiasmo, como si se alegrara de poder enfrentarse finalmente con unos enemigos conocidos.

—¿Sigues interesada en mi participación? —le pregunté.

—Por supuesto que sí. ¿Por qué me lo preguntas?

—Me da la impresión de que ya no crees en la existencia de un Münchhausen y te inclinas más bien por una causa orgánica.

—Bueno —dijo—, sería bonito que hubiera un origen orgánico y pudiéramos instaurar un tratamiento. Pero, aunque así fuera, lo más probable es que exista una enfermedad crónica, lo cual significa que necesitarán ayuda, si a ti no te importa prestársela.

—En absoluto.

—Gracias.

Bajamos por la escalera y, al llegar a la siguiente planta, pregunté:

—¿Cabe alguna posibilidad de que Cindy, u otra persona, haya provocado la hipoglucemia?

—Por supuesto. Bastaría que le hubiera administrado a Cassie una inyección de insulina por la noche. Pero eso hubiera exigido una gran habilidad en la elección del momento y la dosificación.

—¿Y mucha práctica en la administración de inyecciones?

—Utilizando a Cassie como si fuera un acerico. Cosa que, teóricamente, se puede admitir. Sin embargo, dada la reacción de Cassie a las inyecciones. ¿no crees que, si su mamá la pinchara, se pegaría un susto cada vez que la viera? Yo soy la única que la asusta... Y además, nunca le he visto marcas extrañas de inyecciones cuando la he examinado.

—¿Y tú crees que las podrías distinguir entre tantas marcas de pinchazos como tiene?

—No es fácil, pero yo hago unos exámenes muy exhaustivos, Alex. Las exploraciones corporales de la niña son muy minuciosas.

—¿Y la insulina no se podría haber administrado más que por medio de inyecciones?

Stephanie sacudió la cabeza mientras bajábamos.

—Hay hipoglucemiantes orales, pero los metabolitos aparecerían en los análisis toxicológicos.

Pensando en la licencia de Cindy del Ejército por motivos de salud, pregunté:

—¿Hay antecedentes diabéticos en la familia?

—¿Alguien que compartiera la insulina con Cassie? —Stephanie denegó con la cabeza—. Al principio, cuando examinamos el metabolismo de Cassie, les hicimos análisis a Chip y a Cindy. Normales.

—Muy bien pues —dije—. Te deseo suerte.

Stephanie se detuvo para darme un beso en la mejilla.

—Te agradezco los comentarios, Alex. Estoy tan entusiasmada con la posibilidad de enfrentarme con la bioquímica que corro el peligro de limitar mis perspectivas.

Al llegar a la planta baja, le pregunté a un guardia dónde estaba la oficina de Personal. Me miró de arriba abajo y me contestó que allí mismo, en la planta baja.

Estaba exactamente donde yo recordaba. Había dos mujeres escribiendo a máquina y una tercera archivando documentos. Al verme, ésta se acercó a mí. Debía de andar por los sesenta y tenía el cabello rubio pajizo y unas facciones muy afiladas. Bajo su tarjeta de identificación llevaba una placa circular de fabricación casera con la fotografía de un enorme y peludo perro pastor. Le dije que deseaba enviar una tarjeta de pésame a la viuda del doctor Ashmore y le pedí su dirección particular.

—Ah, sí. Qué terrible, ¿verdad? Este lugar es cada vez más peligroso —me dijo con voz de fumadora, consultando una carpeta del tamaño de una guía telefónica—. Aquí tiene, doctor... North Whittier Drive, en Beverly Hills —añadió, facilitándome el código 900.

Beverly Hills Norte... una zona privilegiada. El código correspondía al sector situado por encima de Sunset. Lo mejor de lo mejor; estaba claro que Ashmore vivía de algo más que de las becas de investigación.

La administrativa lanzó un suspiro.

—Pobre hombre. Este suceso nos demuestra que la seguridad no se compra.

—Muy cierto —dije.

—Vaya si lo es.

Ambos intercambiamos una sonrisa.

—Bonito perro —comenté, señalando la placa.

Me miró con expresión radiante.

—Es mi cielo... mi campeón. Me dedico a la cría de auténticos pastores ingleses, por su temperamento y sus aptitudes.

—Debe de ser muy divertido.

—Mucho más que eso. Los animales lo dan todo sin exigir nada a cambio. Podríamos aprender unas cuantas cosas de ellos.

Asentí con la cabeza.

—Otra cosa. ¿Tenía el doctor Ashmore un colaborador... un tal D. Kent Herbert? El personal médico desea informarle de la recaudación benéfica que se está llevando a cabo en el hospital en memoria del doctor Ashmore, pero nadie ha podido encontrarle. Me han encargado localizarle, pero ni siquiera sé si todavía trabaja aquí. Por consiguiente, si me pudiera usted facilitar su dirección, se lo agradecería mucho.

—Herbert —dijo la mujer—. Mmm. ¿Usted cree que se fue?

—No lo sé. Creo que aún estaba en nómina en enero o febrero, si eso sirve de algo.

—Puede que sí. Herbert... vamos a ver. —Regresando a su escritorio, sacó otro abultado fichero de un estante de la pared—. Herbert, Herbert, Herbert... Bueno, aquí tenemos dos, pero ninguno de ellos parece el que usted busca. Herbert, Ronald, de Servicios de Alimentación, y Herbert, Dawn, de Toxicología.

—Puede que sea Dawn. El doctor Ashmore era especialista en toxicología.

La administrativa hizo una mueca.

—Dawn es un nombre de mujer. Yo pensaba que buscaba usted a un hombre.

Me encogí de hombros y puse cara de inocencia.

—Probablemente será una equivocación. El médico que me facilitó el apellido no conocía a la persona y ambos dimos por sentado que era un hombre. Perdone esta muestra de machismo.

—Eso a mí me da igual —dijo—. Son cosas que no me interesan.

—¿Esta Dawn tiene una «K» intermedia?

La administrativa bajó los ojos.

—Pues sí.

—Ya lo tenemos —dije—. El nombre que me dieron fue D. Kent. ¿Qué calificación laboral tiene?

—Mmm, cinco-treinta y tres A... vamos a ver... —La mujer pasó a otro fichero—. Eso tiene que ser un auxiliar de investigación, Nivel Uno.

—¿Fue trasladada, por casualidad, a otro departamento del hospital?

Consultando otro volumen, la administrativa contestó:

—No. Parece que se fue.

—¿Y tiene usted su dirección?

—No, aquí no hay nada. Eliminamos todos los datos de tipo personal a los treinta días del finiquito... por problemas de espacio, ¿comprende?

—¿Y cuándo se fue exactamente?

—Eso sí se lo puedo decir. —Pasó unas cuantas páginas y me señaló con el dedo un código que yo no supe descifrar.

—Aquí está. Tenía usted razón al decir que estaba aquí en febrero. Pero ése fue el último mes que estuvo aquí... Notificó su decisión el quince y se dio oficialmente de baja el veintiocho.

—El quince —dije yo.

Al día siguiente de haber pedido la historia de Chad.

—Eso es. ¿Lo ve usted? ¿Dos barra quince?

Me quedé unos minutos más con ella, escuchando las historias de sus perros. Pero yo estaba pensando en criaturas de dos patas.

Salí del aparcamiento a las tres cuarenta y cinco. A pocos metros de allí, un policía motorizado le estaba imponiendo una multa a una enfermera por cruzar la calzada con el semáforo en rojo. La enfermera parecía furiosa y el policía la miraba con cara de palo.

En Sunset había un embotellamiento de tráfico a causa de una colisión de cuatro vehículos y del consiguiente alboroto provocado por los mirones y los adormilados agentes de tráfico. Tardamos casi una hora en llegar al verde tramo del paseo que atravesaba Beverly Hills. Las lujosas mansiones de tejados de teja campeaban en lo alto de unas suaves lomas cubiertas de césped Bermuda y dicondra, al otro lado de unas hermosas y hostiles verjas de hierro que protegían también las pistas de tenis y los imprescindibles batallones de automóviles de fabricación alemana.

Pasé por delante del vasto solar cubierto de maleza en el que antaño se levantara la mansión Arden. Las malas hierbas estaban agostadas y todos los árboles de la propiedad habían muerto. El palacio de estilo mediterráneo había sido el fugaz juguete de un jeque árabe de veinte años de edad antes de ser incendiado por personas anónimas..., ofendidas en su sensibilidad estética por el vomitivo color verde de la pintura y el mal gusto de las estatuas con vello negro en el pubis, o tal vez impulsadas por la simple xenofobia. Cualquiera que hubiera sido la causa del incendio, desde hacía muchos años corrían rumores de que el solar se subdividiría en parcelas y seria edificado. Pero la crisis inmobiliaria no permitía hacerse demasiadas ilusiones.

Unas cuantas manzanas más allá apareció el Beverly Hills Hotel rodeado por una caravana de impresionantes limusinas blancas. Una boda o la promoción de una nueva película.

Mientras me acercaba a Whittier Drive, decidí no detenerme. Al ver el rótulo, giré repentinamente a la derecha y empecé a subir muy despacio por la calle flanqueada de jacarandás.

La casa de Laurence Ashmore se encontraba situada al final de la manzana y era un edificio georgiano de piedra arenisca de tres pisos de altura, construido en el centro de una parcela de por lo menos sesenta metros de anchura. Todo estaba impecable. Una calzada circular de ladrillo atravesaba una extensión de césped perfectamente cortado. El jardín no tenía mucha vegetación, pero era precioso, con preferencia por las azaleas, las camelias y los helechos hawaianos... estilo georgiano con detalles tropicales. Un gigantesco olivo daba sombra a la mitad del césped. La otra mitad estaba bañada por el sol.

A la izquierda de la casa había un garaje lo bastante largo como para acoger uno de los impresionantes vehículos que yo acababa de ver en el hotel. Al otro lado de la verja de madera se veían las copas de los árboles y unas rojas nubes de buganvillas.

Lo mejor de lo mejor. A pesar de la crisis, aquello debía de costar por lo menos cuatro millones de dólares.

Había un solo automóvil aparcado en la calzada circular. Un Oldsmobile Cutlass de color blanco de cinco o seis años de antigüedad. A lo largo de unos cien metros en ambas direcciones, el bordillo estaba vacío. No se veían visitantes vestidos de negro ni ramos de flores en el umbral. Las ventanas estaban cerradas y no parecía que hubiera nadie en la casa. Sobre la hierba perfectamente cortada se veía el letrero de una compañía de seguros.

Circulé sin detenerme, di la vuelta, volví a pasar por delante del edificio y regresé a casa.

Llamadas de rutina en mi centralita; nada de Fort Jackson. Llamé a pesar de todo a la base y pregunté por el capitán Katz. Se puso inmediatamente al aparato.

Le recordé quién era y le expresé mi esperanza de no haber interrumpido su cena.

—No, no se preocupe, yo le iba a llamar de todos modos. Creo que he encontrado lo que usted buscaba.

—Estupendo.

—Un momento... aquí está. Me dijo usted epidemias de gripe y neumonía en los pasados quince años, ¿verdad?

—Exactamente.

—Bueno pues, que yo sepa, sólo hubo una gran epidemia de gripe, de la cepa tailandesa, en el 73. Antes del período que a usted le interesa.

—Desde entonces, ¿no ha habido nada más?

—No creo. Y de neumonía tampoco. Seguramente habrá habido muchos casos aislados de gripe, pero nada de tipo epidémico. Somos muy minuciosos en esta clase de archivos. Lo único que nos preocupa normalmente desde el punto de vista del contagio es la meningitis bacteriana. Ya sabe usted lo grave que puede ser eso en un ambiente cerrado.

—Por supuesto —dije—. ¿Han registrado ustedes alguna epidemia de meningitis?

—Unas cuantas. La más reciente se produjo hace un par de años. Antes hubo otras en el 83, el 78 y el 75... tienen un curso casi cíclico, si bien se mira. Valdría la pena que alguien lo estudiara para ver si hay una pauta determinada.

—¿Fueron muy graves los brotes?

—El único que yo observé personalmente se produjo hace dos años y fue bastante grave... murieron varios soldados.

—¿Y qué me dice usted de las secuelas... daños cerebrales o ataques?

—Seguramente las hubo. Ahora no tengo los datos a mano, pero los podría buscar. ¿Está pensando en cambiar el objeto de su investigación?

—Todavía no —contesté—. Simple curiosidad.

—La curiosidad puede ser una buena cosa —dijo el capitán—. Por lo menos, en el mundo civil.

Stephanie ya tenía sus datos y yo tenía los míos.

Cindy había mentido a propósito de su licencia del Ejército.

Puede que Laurence Ashmore hubiera descubierto otros datos por su cuenta. Puede que, al ver el nombre de Cassie en los impresos de admisión y de alta, hubiera sentido curiosidad.

¿Qué otro motivo hubiera podido inducirle a echar un nuevo vistazo a la historia de Chad?

Él ya no me lo podría decir, pero tal vez pudiera hacerlo su antigua ayudante.

Llamé a Información de 213, 310 y 818, pidiendo infructuosamente el número de la abonada Dawn Kent Herbert. Amplié mi búsqueda a los 805, 714 y 619 con el mismo resultado y, al final, llamé a Milo en Parker Center. Éste se puso al teléfono y me dijo:

—Me he enterado del homicidio que hubo anoche.

—Yo estaba en el hospital cuando ocurrió.

Le comenté el interrogatorio y las escenas del vestíbulo y le dije que había experimentado la sensación de que alguien me vigilaba al salir del aparcamiento.

—Ten cuidado, chico. Recibí tu mensaje sobre el maridito de Bottomley, pero no hay ninguna llamada por violencia doméstica desde su domicilio y en el registro civil no hay nadie que pueda ser su marido. Pero tiene a alguien que le causa problemas. Un tal Reginald Douglas Bottomley, nacido en 1970. Podría ser su hijo o un sobrino.

—¿Y qué tipo de problemas le causa?

—Muchísimos... Tiene un historial delictivo como la copa de un pino. Un montón de delitos de menor cuantía, tenencia de estupefacientes, robo en establecimientos comerciales, hurtos, allanamientos de morada, atracos. Muchas detenciones, unas cuantas condenas, breves períodos en la cárcel, casi todos ellos en la prisión del condado. Me he puesto en contacto con un investigador de la División de Foothill, a ver si sabe algo. ¿Qué importancia tiene la situación familiar de Bottomley en el caso de la niña?

—No lo sé —contesté—. Estoy buscando factores de tensión que pudieran inducirla a actuar de una determinada manera. Seguramente porque me ataca los nervios. Claro que si Reggie se volvió malo porque Vicki lo maltrataba, eso podría ser muy significativo. Pero, entre tanto, yo tengo algo que sí es importante. Cindy Jones mintió a propósito de su licencia del Ejército. Acabo de hablar con Fort Jackson y allí no hay constancia de ninguna epidemia de neumonía en el 83.

—¿De veras?

—Pudo enfermar de neumonía, pero allí no hubo ninguna epidemia. Y ella tuvo mucho empeño en puntualizar que sí.

—Parece una mentira muy tonta.

—El juego de Münchhausen —dije yo—. También cabe la posibilidad de que quisiera ocultar algo. ¿Recuerdas que te comenté que su licencia del Ejército me había parecido un tema delicado..., que se había puesto colorada y se tiraba de la trenza? El responsable de sanidad de la base me ha dicho que hubo efectivamente una epidemia en el ochenta y tres... en las fechas en que Cindy debía de estar allí. Pero fue de meningitis bacteriana. La cual puede provocar ataques epilépticos y constituye un nexo con otro sistema orgánico con el que Cassie ha tenido problemas. De hecho, la niña sufrió anoche un ataque de epilepsia. En el hospital.

—¿Es la primera vez?

—Sí. La primera vez que lo ven otras personas aparte de Cindy.

—¿Quién más lo vio?

—Bottomley y la administrativa de la sala. Y lo más curioso es que Cindy me había comentado precisamente ayer que Cassie siempre se ponía enferma en casa y, nada más llegar al hospital, se recuperaba enseguida, por lo cual ella temía que la gente pensara que era una madre chiflada. Y, unas horas más tarde, se produce el ataque con testigos presenciales y confirmación analítica. En los análisis se descubrió que Cassie padecía hipoglucemia y ahora Stephanie está convencida de que la niña sufre una auténtica enfermedad. Lo malo es que la hipoglucemia se puede simular con cualquier cosa que altere el índice de azúcar en la sangre, Milo, por ejemplo, con una inyección de insulina. Se lo comenté a Stephanie, pero me parece que ahora ya no me hace caso. Está empeñada en buscar algún extraño trastorno metabólico.

—Qué cambio tan brusco —dijo Milo.

—No se lo reprocho. Tras haberse pasado tantos meses luchando, está harta y quiere ejercer la medicina y no jugar a juegos de adivinanzas psicológicos.

—Pero tú...

—Yo tengo una mente perversa..., que tú me has contagiado.

—Ya —dijo Milo—. Comprendo lo que significa para ti la meningitis, si es eso lo que tuvo la mamá. Ataques epilépticos para todos..., tanto para la madre como para la hija. Pero eso tú no lo sabes todavía. Si quería ocultar algo, ¿por qué mencionó su licencia del Ejército? ¿Y por qué te dijo que había servido en el Ejército?

—¿Por qué se inventó una historia, quieres decir? Si es una Münchhausen, le encanta provocar a los demás con medias verdades. Sería interesante ver los documentos de su licencia, Milo. Averigua qué le ocurrió exactamente en Carolina del Sur.

—Puedo intentarlo, pero me llevará algún tiempo.

—Otra cosa. Hoy he ido a examinar el informe de la autopsia de Chad Jones y había desaparecido. Se lo llevó la ayudante de investigación de Ashmore en el mes de febrero y no lo devolvió.

—¿Ashmore? ¿El médico asesinado?

—El mismo. Era toxicólogo. Stephanie ya le había pedido que revisara el informe hace seis meses, cuando empezó a sospechar a propósito de Cassie. Lo hizo a regañadientes... porque uno que se dedica a la investigación pura no trabaja con los enfermos. Le dijo que no había encontrado nada. ¿Por qué razón iba a pedir de nuevo el informe a no ser que hubiera descubierto alguna novedad sobre Cassie?

—Si no trabajaba con enfermos, ¿cómo podía conocer a Cassie?

—A través de los informes de admisión y de alta. Se hacen a diario y todos los médicos los reciben. Puede que el hecho de ver repetidamente a Cassie en ellos le llamara la atención hasta el punto de querer examinar la ficha de la muerte del hermano. La ayudante es una mujer llamada Dawn Herbert. He intentado ponerme en contacto con ella, pero dejó el hospital al día siguiente de haber retirado la ficha..., una casualidad muy curiosa también. Y ahora Ashmore ha muerto. No quiero parecer un maniático de las conspiraciones, pero, ¿no te parece un poco raro? Es posible que Herbert pudiera aclarar las cosas, pero su teléfono y dirección no figuran en ninguna guía desde Santa Bárbara a San Diego.

—Dawn Herbert —dijo Milo—. Como Hoover, el del FBI.

—Con un Kent intermedio. Como el duque de.

—Muy bien. Intentaré buscar algo antes de que termine mi turno.

—Te lo agradezco.

—Demuéstramelo dándome de comer. ¿Tienes un poco de manduca en casa?

—Supongo que sí...

—Mejor todavía, vamos a saborear una muestra de *haute cuisine*. Elijo yo. Sabrosa, supercara y con cargo a tu tarjeta de crédito.

Se presentó a las ocho, sostenía en la mano una caja de color blanco. Sobre la tapa había un dibujo de una sonriente isleña con falda de tiras de hierba, removiendo con un dedo un disco de masa de harina.

—¿Una pizza? —pregunté—. ¿Qué pasó con la *haute cuisine* supercara?

—Espera a ver la cuenta.

Trasladó la caja a la cocina, rasgó la cinta adhesiva con la uña de un dedo, sacó un trozo de pizza y se la comió de pie junto al mostrador. Después sacó un segundo, me lo ofreció, tomó otro para sí y se sentó junto a la mesa.

Examiné el trozo que sostenía en la mano. Un desierto de queso fundido aderezado con setas, cebolla, pimiento, anchoas, salchicha y un montón de cosas que no pude identificar.

—¿Eso qué es..., piña?

—Y mango. Y panceta canadiense y bratwurst y chorizo. Lo que tienes en la mano, amigo mío, es una auténtica pizza del Pogo-Pogo de Spring Street. El último grito en cocina democrática... un poco de cada etnia, una lección de democracia gastronómica. —Dio un bocado y empezó a hablar con la boca llena—. Un indonesio bajito las vende en un tenderete cerca del Center. La gente hace cola.

—La gente también hace cola para pagar las multas de aparcamiento.

—Allá tú —dijo Milo, hincando otra vez el diente en la pizza y colocando la otra mano debajo para recoger el queso que chorreaba de ella.

Me dirigí al armario, saqué dos platos de papel y los deposité sobre la mesa junto con un par de servilletas.

—¡Vaya, si has sacado la vajilla de porcelana! —exclamó Milo, limpiándose la barbilla con la servilleta—. ¿Tienes algo de beber?

Saqué dos latas de cola del frigorífico.

—¿Te parece bien?

—Siempre y cuando esté fría.

Se terminó el segundo trozo, abrió la lata y bebió.

Me senté y tomé un trozo de pizza.

—No está mal.

—Milo entiende de manduca. —Tomó otro sorbo de cola—. Con respecto a la señorita Dawn K. Herbert te diré que no pesa sobre ella ninguna orden de búsqueda ni tiene ningún tipo de antecedente. Otra virgen.

Rebuscó en su bolsillo, sacó un trozo de papel y me lo entregó. En él figuraba mecanografiado lo siguiente:

> Dawn Kent Herbert, fecha de nacimiento 12/13/63, 1,66 m de estatura, 80 kg de peso, cabello y ojos castaños, religión Mazda Miata.

Debajo había una dirección de Lindblade Street en Culver City.

Le di las gracias y le pregunté si había averiguado algo más sobre el asesinato de Ashmore.

Sacudió la cabeza.

—Lo han incluido inicialmente en la categoría de los habituales atracos de Hollywood.

—Me parece lógico que lo atracaran a él. Era muy rico —dije, describiéndole a Milo la casa de North Whittier.

—No sabía que la investigación resultara tan rentable —comentó Milo.

—Y no resulta. Ashmore debía de contar con otros ingresos independientes. Eso explicaría por qué razón el hospital le contrató en un momento en que está prescindiendo de muchos médicos y no tiene demasiado interés por las becas de investigación. Seguramente llevaba consigo algún tipo de subvención.

—¿Quieres decir que pagó para entrar?

—A veces ocurre.

—Permíteme que te pregunte una cosa —dijo Milo—. A propósito de tu teoría sobre la curiosidad de Ashmore. Cassie lleva entrando y saliendo del hospital desde que nació. ¿Por qué esperó él hasta febrero para empezar a fisgonear?

—Buena pregunta —dije—. Espera un momento.

Fui a la biblioteca a recoger las notas que había tomado sobre el historial médico de Cassie. Milo se había sentado sobre la mesa cuando yo regresé y empecé a pasar las páginas.

—Aquí está —dije—. El 10 de febrero. Cuatro días antes de que Herbert sacara la historia de Chad. Era la segunda hospitalización de Cassie por problemas gástricos. El diagnóstico fue de trastornos gástricos de origen desconocido y posible infección... El principal síntoma era una diarrea sanguinolenta, la cual pudo inducir a Ashmore a pensar en algún tipo de envenenamiento. Puede que su preparación toxicológica se impusiera sobre su apatía.

—Pero no fue suficiente para inducirle a hablar con Stephanie.

—Es cierto.

—Por consiguiente, a lo mejor buscó y no encontró nada.

—Pues entonces, ¿por qué no devolvió el informe? —repliqué.

—Mala organización. Herbert hubiera tenido que devolverlo, pero no lo hizo. Sabía que iba a dejar el trabajo y el papeleo le importaba un bledo.

—Cuando la vea, se lo preguntaré.

—Muy bien. ¿Quién sabe?, a lo mejor te lleva a una de las sesiones de su Miata.

—Anda ya —dije—. ¿Alguna novedad sobre Reginald Bottomley?

—Todavía no. Fordebrand —el tipo de Foothill— está de vacaciones y tengo que ponerme en contacto con el que le sustituye. Esperemos que colabore.

Milo dejó la lata de cola sobre la mesa. La tensión se reflejaba en su rostro y yo creí adivinar el motivo. Se preguntaba si el otro investigador sabría quién era él y se tomaría la molestia de devolverle la llamada.

—Gracias por todo —le dije.

—De nada.

Sacudió la lata. Estaba vacía.

Apoyando ambos codos sobre el mostrador, me miró fijamente a los ojos.

—¿Qué pasa? —le pregunté.

—Te veo abatido y desanimado.

—Supongo que lo estoy..., después de tantas teorías Cassie todavía no está a salvo.

—Ya sé lo que quieres decir. Lo mejor es procurar no perder la concentración y no desviarse demasiado. Eso es un riesgo en los casos en que no hay muchas perspectivas de solución..., bien sabe Dios los que yo he tenido. Te sientes impotente, empiezas a dar palos de ciego y, al final, no averiguas nada y estás mucho más viejo que antes.

Se fue al poco rato y entonces decidí llamar a la habitación de Cassie. Eran más de las nueve y el acceso directo a los teléfonos de los pacientes ya estaba cortado. Me identifiqué ante la telefonista del hospital y ésta me pasó la llamada. Se puso Vicki.

—Hola, soy el doctor Delaware.

—Ah... ¿en qué puedo servirle?

—¿Qué tal va todo?

—Muy bien.

—¿Está usted en la habitación de Cassie?

—No... fuera.

—¿En el mostrador?

—Sí.

—¿Y cómo se encuentra Cassie?

—Muy bien.

—¿Durmiendo?

—Pues sí.

—¿Y Cindy?

—También.

—Ha sido un día muy movidito para todo el mundo, ¿eh?

—Pues sí.

—¿Ha pasado por aquí la doctora Eves?

—Sobre las ocho... ¿quiere que le diga la hora exacta?

—No, gracias. ¿Alguna novedad sobre la cuestión de la hipoglucemia?

—Eso se lo tendrá que preguntar a la doctora Eves.

—¿La niña no ha sufrido nuevos ataques?

—No.

—Muy bien —dije—. Dígale a Cindy que he llamado. Mañana pasaré por allí.

Vicki colgó el aparato y yo, a pesar de su hostilidad, experimenté una extraña y casi corrupta sensación de poder. Porque conocía su doloroso pasado y ella no lo sabía. Entonces comprendí que lo que sabía no me acercaba para nada a la verdad.

No convenía alejarse demasiado, había dicho Milo.

Permanecí sentado y noté que la sensación de poder iba menguando poco a poco.

13

A la mañana siguiente, me desperté a una clara luz primaveral. Hice unos tres kilómetros de *jogging* y procuré olvidar el dolor de las rodillas, pensando en mi velada con Robin.

Después me duché, di de comer a los peces y leí el periódico mientras desayunaba. No había nada más sobre el homicidio de Ashmore.

Llamé a Información, tratando de encontrar un número que coincidiera con la dirección de Dawn Herbert que Milo me había facilitado. No había ninguno y, de los otros dos Herbert que vivían en Culver City, ninguno conocía a Dawn.

Colgué sin saber muy bien si ello me hubiera servido de algo. Aunque la hubiera localizado, ¿qué excusa hubiera utilizado para preguntarle qué había ocurrido con la ficha de Chad?

Decidí concentrarme en el trabajo para el cual me habían preparado. Me vestí, me prendí la tarjeta del hospital en la solapa, salí de casa, giré al este en Sunset y me dirigí a Hollywood.

Llegué a Beverly Hills en pocos minutos y pasé por delante de Whittier Drive sin aminorar la marcha. Algo en la otra acera del paseo me llamó la atención: un Cutlass de color blanco que, acercándose por el este, giró a Whittier y subió hacia la manzana 900.

Al llegar a la primera salida de la mediana, di la vuelta. Cuando llegué a la casa de estilo georgiano, el Oldsmobile se encontraba aparcado en el mismo lugar donde yo lo había visto la víspera y una negra estaba descendiendo del vehículo por el lado del conductor.

Era joven (unos treinta o treinta y tantos años), delgada y de baja estatura. Vestía un jersey gris de cuello cisne y una falda negra larga hasta los tobillos y calzaba unos zapatos negros sin tacón. En una mano llevaba una bolsa de Bullock's y en la otra un bolso de cuero marrón.

Debía de ser el ama de llaves que había ido a comprar algo a unos almacenes por cuenta de la desconsolada viuda.

Al volverse hacia la casa, me vio y entonces yo le dirigí una sonrisa. Me miró con expresión inquisitiva mientras se acercaba lentamente, caminando con paso breve. En cuanto estuvo más cerca, observé que era muy guapa y tenía una piel tan oscura que casi parecía azul. Su rostro era redondo y de barbilla cuadrada, con unos rasgos tan anchos y precisos como los de una máscara nubia. Sus grandes ojos rasgados se clavaron directamente en mí.

—Hola, ¿es usted del hospital?

Refinado acento de escuela privada británica.

—Sí —contesté sorprendido, hasta que me di cuenta de que me estaba mirando la tarjeta de la solapa.

Parpadeó y volvió a abrir los ojos. Iris de dos matices de castaño: caoba en el centro y nogal en los bordes.

Rosados en la periferia. Había estado llorando y le temblaban un poco los labios.

—Es usted muy amable al venir —me dijo.

—Alex Delaware —dije, tendiéndole la mano a través de la ventanilla.

Dejó la bolsa de la compra sobre la hierba y me la estrechó. Tenía una mano fina, seca y muy fría.

—Anna Ashmore. No esperaba a nadie tan pronto.

Sintiéndome un estúpido por mis suposiciones, contesté:

—No conocía personalmente al doctor Ashmore, pero quería expresarle mi condolencia.

Dejó caer la mano. En la distancia se oyó el eructo de una máquina cortadora de césped.

—No habrá ninguna ceremonia especial. Mi marido no era religioso. —Volviéndose hacia la impresionante mansión, añadió—: ¿Quiere pasar?

El vestíbulo a dos niveles tenía las paredes pintadas de color crema y el suelo de mármol negro. Una preciosa escalinata con barandilla de latón y peldaños de mármol subía curvándose hacia el primer piso y, a la derecha, un gran comedor decorado en tonos amarillos mostraba el esplendor de unos oscuros muebles de estilo modernista a los que la verdadera ama de llaves estaba quitando el polvo. El arte ocupaba también la pared de detrás de la escalinata: una mezcla de arte contemporáneo y tejidos estampados africanos. Más allá de la escalinata, un pequeño vestíbulo conducía a una puerta de vidrio que enmarcaba un paisaje californiano: césped verde, una piscina azul plateada por el sol, unas casetas blancas detrás de una columnata cubierta de plantas trepadoras y setos y parterres floridos bajo la fluctuante sombra de otros árboles de especies. Una mancha escarlata cubría el tejado de las casetas...: la buganvilla que yo había visto desde la calle.

La sirvienta salió del comedor y tomó la bolsa de la señora Ashmore. Anna Ashmore le dio las gracias y después me señaló a la izquierda un salón dos veces más grande que el comedor, situado dos peldaños más abajo.

—Por favor —dijo bajando y abriendo un interruptor que encendió varias lámparas simultáneamente.

Un piano negro de cola ocupaba un rincón. En la pared este había unas altas ventanas cuyas persianas permitían el paso de unas finas franjas de luz. El suelo era de parquet claro bajo unas alfombras persas en tonos negros y herrumbre. El techo blanco artesonado contrastaba con el estucado albaricoque de las paredes. Más muestras de arte: la misma mezcla de óleos y tejidos estampados. Me pareció identificar un Hockney sobre la repisa de granito de la chimenea.

La estancia resultaba un tanto fría y estaba llena de muebles que parecían recién salidos del Design Center. Unos sofás italianos de ante blanco, un sillón Breuer de color negro, unas grandes mesas de piedra cacarañada post-Neanderthal y otras más pequeñas realizadas con retorcidas barras de latón y rematadas con cristal tintado de azul. Una de las mesas de piedra se hallaba situada delante del sofá más grande. En el centro había un cuenco de madera de palisandro con manzanas y naranjas.

—Por favor —repitió la señora Ashmore. Me senté directamente detrás de la fruta—. ¿Le apetece beber algo?

—No, gracias.

Se sentó delante de mí, erguida y silenciosa.

En el tiempo que había tardado en recorrer la distancia desde la entrada, se le habían llenado los ojos de lágrimas.

—Lamento mucho su pérdida —le dije.

Se secó los ojos con un dedo y echó un poco más la espalda hacia atrás.

—Le agradezco que haya venido.

El silencio llenó la estancia e hizo que ésta pareciera todavía más fría. Se volvió a secar los ojos y entrelazó los dedos de las manos.

—Tiene usted una casa muy bonita —añadí.

Levantó las manos e hizo un gesto de impotencia.

—No sé qué voy a hacer con ella.

—¿Lleva mucho tiempo viviendo aquí?

—Sólo un año. Larry la tenía desde hacía mucho tiempo, pero jamás habíamos vivido juntos en ella. Cuando vinimos a California, Larry dijo que éste iba a ser nuestro hogar. —Se encogió de hombros, volvió a levantar las manos y las dejó caer de nuevo sobre las rodillas—. Demasiado grande, es realmente ridículo... Pensábamos venderla... —Sacudió la cabeza—. Por favor... tome algo.

Tomé una manzana del cuenco y la empecé a mordisquear. El hecho de verme comer pareció consolarla.

—¿De donde vinieron ustedes?

—De Nueva York.

—¿Había vivido el doctor Ashmore anteriormente en Los Ángeles?

—No, pero había venido varias veces para comprar... tenía muchas casas repartidas por todo el país. Eso era... lo suyo.

—¿La compra de inmuebles?

—La compra y la venta. Las inversiones. Una vez tuvo incluso una casa en Francia durante algún tiempo. Muy antigua..., un castillo. Se la vendió a un duque y después éste le contó a todo el mundo que pertenecía a su familia desde hacía muchos cientos de años. A Larry le hizo gracia porque odiaba la ostentación. Pero le encantaba comprar y vender y la libertad que ello le había permitido alcanzar.

Lo comprendí porque yo también había adquirido una cierta independencia económica gracias al *boom* inmobiliario de mediados de los setenta, a pesar de que mis operaciones habían tenido un carácter mucho más modesto.

—Arriba —me explicó—, está todo vacío.

—¿Vive sola aquí?

—Sí. No hemos tenido hijos. Por favor... tome una naranja. Son del árbol del jardín de atrás y se mondan con mucha facilidad.

Tomé una naranja, le quité la corteza y me comí un gajo. El ruido de mis mandíbulas me pareció ensordecedor.

—Larry y yo no conocemos a mucha gente —dijo, utilizando el presente propio de los deudos recientes de un difunto.

Recordando su comentario sobre mi temprana llegada, le pregunté:

—¿Va a venir alguien del hospital?

Asintió con la cabeza.

—Con un regalo... el certificado del donativo a la UNICEF. Lo van a enmarcar. Ayer llamó un hombre para confirmar si era ésta mi voluntad... entregar la cantidad recaudada a la UNICEF.

—¿Un hombre apellidado Plumb?

—No... no creo. Un apellido muy largo... parecía alemán.

—¿Huenengarth?

—Sí, ése es. Fue muy amable y dijo cosas muy agradables sobre Larry. —Su mirada se desplazó con expresión distraída hacia el techo—. ¿Seguro que no le apetece beber algo?

—Un poco de agua me iría muy bien.

Asintió con la cabeza y se levantó.

—Si tenemos suerte, creo que el hombre de Sparkletts ya ha llegado. El agua de Beverly Hills es malísima. Demasiado mineralizada. Larry y yo no la bebemos jamás.

Mientras ella se retiraba, me levanté para contemplar los lienzos. El de la chimenea era efectivamente un Hockney. Una acuarela de una naturaleza muerta con marco de plexiglás. A su lado había un pequeño cuadro abstracto que resultó ser de De Kooning. Una ensalada de letras de Jasper Johns, un estudio de albornoz de Jim Dine, un retazo de sátiro y ninfa de Picasso en tinta china. Y muchos otros que no pude identificar, mezclados con los tejidos estampados en tonos tierra. Las pinturas al encausto eran escenas tribales y dibujos geométricos que hubieran podido ser talismanes.

La viuda de Ashmore regresó con un vaso vacío, una botella de agua Perrier y una servilleta de lino doblada sobre una fuente ovalada lacada.

—Lo siento, no hay agua de manantial. Confío en que ésta le resulte aceptable.

—Por supuesto que sí. Muchas gracias.

Me llenó el vaso y volvió a sentarse.

—Tiene unas piezas artísticas preciosas —le dije.

—Las compró Larry en Nueva York cuando trabajaba en Sloan-Kettering.

—¿El instituto contra el cáncer?

—Sí. Estuvimos cuatro años allí. A Larry le interesaba mucho el cáncer... el aumento de su frecuencia. Las pautas. El envenenamiento del mundo. Se preocupaba mucho por el mundo.

Volvió a cerrar los ojos.

—¿Se conocieron ustedes allí?

—No. Nos conocimos en mi país... el Sudán. Yo procedo de una aldea del sur. Mi padre era el jefe de una comunidad. Me enviaron a estudiar a Kenia e Inglaterra porque las grandes universidades de Jartum y Omdurman son islámicas y mi familia era cristiana. El sur es cristiano y animista... ¿sabe usted lo que es eso?

—¿Antiguas religiones tribales?

—Sí. Primitivas, pero muy resistentes. A los norteños les molesta... la resistencia. Todo el mundo tenía que abrazar el islam. Hace cien años, vendían a los sureños como esclavos y ahora intentan esclavizarnos con la religión.

Apretó las manos, pero su persona permaneció inmóvil.

—¿Estaba el doctor Ashmore llevando a cabo alguna investigación en el Sudán?

Asintió con la cabeza.

—En un programa de las Naciones Unidas. Estudiando las pautas de las enfermedades... por eso al señor Huenengarth le pareció que el donativo a la UNICEF sería un homenaje apropiado.

—Pautas de enfermedades —dije yo—. ¿Epidemiología?

Volvió a asentir con la cabeza.

—Él era especialista en toxicología y medicina ambiental, pero se dedicó a eso durante muy poco tiempo. Su verdadero amor eran las matemáticas y, en la epidemiología, podía combinar las matemáticas con la medicina. En el Sudán estudió el avance del contagio bacteriano de una aldea a otra. Mi padre admiraba su trabajo y me nombró ayudante suya en la recogida de muestras de sangre de los niños... Yo acababa de terminar mis estudios de enfermería en Nairobi y había regresado a casa. Me convertí en la señora de la aguja —añadió con una sonrisa—. A Larry no le gustaba hacer daño a los niños. Nos hicimos muy amigos. Después vinieron los musulmanes. Mataron a mi padre... a toda mi familia... Larry me llevó consigo a Nueva York en el avión de las Naciones Unidas.

Contó la tragedia en tono desapasionado, como si los repetidos agravios le hubieran embotado la sensibilidad. Me pregunté si su anterior exposición al sufrimiento la ayudaría a afrontar el asesinato de su marido cuando el dolor la azotara con toda su fuerza o si, por el contrario, contribuiría a agravar su situación.

—Los niños de mi aldea... fueron asesinados cuando llegaron los norteños —dijo—. Las Naciones Unidas no hicieron nada y Larry se enfureció y sufrió una decepción. Al llegar a Nueva York, escribió cartas y trató de ponerse en contacto con los burócratas. Al ver que éstos no accedían tan siquiera a recibirle, su cólera se intensificó y lo indujo a replegarse en sí mismo. Fue entonces cuando empezó a dedicarse a las compras.

—¿Para vencer la cólera?

Enérgico movimiento afirmativo con la cabeza.

—El arte se convirtió en una especie de refugio para él, doctor Delaware. Decía que era lo más sublime que podía alcanzar el hombre. Compraba una pieza, la colgaba, se pasaba horas contemplándola y hablaba de la necesidad de rodearnos de objetos que no pudieran causarnos daño. —Miró a su alrededor, sacudiendo la cabeza—. Y ahora yo me he quedado con todo esto que apenas significa nada para mí. Los cuadros y el recuerdo de su enojo... Era un hombre perennemente enojado. Incluso el dinero lo ganó con rabia. —Al ver mi expresión de desconcierto, añadió—: Perdone, le pido disculpas... Creo que me estoy desviando del tema. Me refiero a la forma en que empezó todo. Jugando al *blackjack*, a los dados... y a toda clase de juegos de azar. Aunque creo que jugar no es la palabra más adecuada. Lo que él hacía no tenía nada que ver con el juego... Cuando jugaba, se encerraba en su propio mundo y no paraba ni siquiera para comer o dormir.

—¿Dónde jugaba?

—En todas partes. Las Vegas, Atlantic City, Reno, el lago Tahoe. El dinero que ganaba allí lo invertía en otras cosas..., el mercado bursátil, los bonos —contestó, abarcando la estancia con un gesto del brazo.

—¿Y siempre ganaba?

—Casi siempre.

—¿Acaso tenía algún sistema especial?

—Tenía muchos. Los creaba con sus ordenadores. Era un genio de las matemáticas, doctor Delaware. Sus sistemas exigían una extraordinaria memoria. Tenía en la cabeza columnas de números, parecía un ordenador humano. A mi padre le parecía un mago. Cuando les extraíamos sangre a los niños, yo le decía que les hiciera juegos de números y, de esta manera, se lo quedaban mirando embobados y no notaban el pinchazo de la aguja. —Sonrió, cubriéndose la boca con la mano—. Pensó que podría seguir obteniendo indefinidamente beneficios a costa de los casinos. Pero ellos se dieron cuenta y le pidieron que se marchara. Fue en Las Vegas. Entonces se trasladó a Reno, pero los de allí también estaban al tanto. Larry se puso furioso. Unos cuantos meses más tarde, regresó al primer casino vestido de otra manera y con una barba de anciano. Hizo apuestas muy fuertes y ganó todavía más. —Esbozó una sonrisa al recordarlo. El hecho de hablar de todo aquello parecía consolarla y a mí me ayudaba a racionalizar mi presencia—. Después —añadió—, dejó repentinamente de jugar. Dijo que ya estaba harto. A partir de aquel momento, empezó a comprar y vender inmuebles... Tuvo mucho acierto..., y ahora no sé qué voy a hacer con todo esto.

—¿Tiene usted familia aquí?

Negó con la cabeza y juntó las manos.

—Ni aquí ni en ningún otro sitio. Los padres de Larry también han muerto. Parece... una ironía. Cuando llegaron los norteños y empezaron a abrir fuego contra las mujeres y los niños, Larry les miró a la cara y los insultó a gritos. No era alto... ¿Le había visto usted alguna vez?

Negué con la cabeza.

—Era muy bajito. —Otra sonrisa—. Muy bajito... mi padre lo llamaba «mono» a su espalda. Pero con cariño. Un mono que se transformaba en un león. El comentario se convirtió en un chiste en toda la aldea, pero a Larry no le importaba en absoluto. Quizá los musulmanes lo consideraran un león, pues jamás le hicieron daño y le permitieron que me llevara consigo en el avión. Un mes después de nuestra llegada a Nueva York, un drogadicto me atracó en la calle. Me pegué un susto espantoso. Pero a Larry la ciudad jamás le asustaba. Yo solía decirle en broma que, a lo mejor, era él quien la asustaba a ella. Mi pequeño y valiente mono. Y ahora...

Volvió a sacudir la cabeza, se cubrió la boca con la mano y apartó la mirada. Dejé transcurrir unos momentos antes de preguntarle:

—¿Por qué se trasladaron ustedes a vivir a Los Ángeles?

—Larry no se encontraba a gusto en el Sloan-Kettering. Demasiadas normas y demasiada política. Dijo que tendríamos que trasladarnos a California y vivir en esta casa..., era el mejor inmueble que jamás hubiera comprado. Le parecía absurdo que otros disfrutaran de ella mientras nosotros vivíamos en un apartamento. Entonces desahució al inquilino..., una especie de productor cinematográfico que no había pagado el alquiler.

—¿Por qué eligió el Western Pediatric?

Vaciló antes de contestar.

—Por favor, no se ofenda, doctor, pero el motivo que le indujo a hacerlo fue que el Western Pediatric fuera un hospital en... decadencia. Tenía problemas económicos y el hecho de que él gozara de independencia económica le permitiría llevar a cabo sus investigaciones sin que nadie se entrometiera en su trabajo.

—¿Que clase de investigaciones estaba haciendo?

—Las mismas de siempre, las pautas de las enfermedades. De hecho, yo no sé gran cosa de eso... A Larry no le gustaba hablar de su trabajo. —Sacudió la cabeza—. No hablaba demasiado de nada. Después de la experiencia del Sudán y de los pacientes de cáncer de Nueva York, ya no quería tener nada que ver con las personas y su dolor.

—Tengo entendido que solía mantenerse apartado de todo.

Sonrió con ternura.

—Le encantaba estar solo. Ni siquiera quería una secretaria. Decía que él podía teclear más rápido y mejor en su procesador de textos y que no la necesitaba para nada.

—Pero tenía ayudantes de investigación, ¿verdad? Como Dawn Herbert.

—No conozco los nombres, pero es cierto, de vez en cuando contrataba a algún estudiante graduado de la universidad, pero éstos nunca estaban a la altura de lo que él exigía.

—¿De la Universidad de Westwood?

—Sí. Con su beca se podía pagar un ayudante de laboratorio que se encargaba de las tareas que él no quería tomarse la molestia de realizar. Pero nunca estaba contento con el trabajo de los demás. La verdad, doctor, es que Larry no se fiaba de nadie. La confianza en sí mismo era su única religión. Después del atraco que yo sufrí en Nueva York, se empeñó en que ambos aprendiéramos alguna técnica de autodefensa. Encontró en Manhattan Sur a un viejo coreano que nos enseñó kárate, la lucha a patadas... y otras técnicas. Yo asistí a una o dos clases, pero después lo dejé. Me pareció absurdo... ¿cómo podían nuestras manos protegernos contra un drogadicto armado con una pistola? Pero Larry siguió asistiendo a las clases y practicaba todas las noches. Ganó un cinturón.

—¿Un cinturón negro?

—Marrón. Larry dijo que el marrón ya era suficiente; lo demás hubiera sido egolatría.

Inclinó la cabeza, se cubrió el rostro con las manos y empezó a llorar muy quedo. Tomé una servilleta de la fuente lacada, me levanté para acercarme a su sillón y esperé sin decir nada. Su mano me asió con fuerza los dedos, pero enseguida los soltó.

—¿Le apetece tomar alguna otra cosa? —me preguntó.

Sacudí la cabeza.

—¿Puedo ayudarla en algo?

—No, muchas gracias. El hecho de que haya venido a visitarme ha sido muy amable de su parte... no conocemos a mucha gente —dijo, mirando una vez más a su alrededor.

—¿Ha tomado usted alguna disposición con respecto al entierro? —le pregunté.

—A través del abogado de Larry... Por lo visto, Larry lo tenía todo previsto. Los detalles..., los papeles. Yo también tengo asignado un papel. No lo sabía. Él se encargaba de todo. No sé muy bien cuándo se celebrará el entierro. En estos casos... el forense. Qué manera tan estúpida de... —Volvió a cubrirse el rostro con las manos. Más lágrimas—. Es terrible. Me comporto como una niña —dijo, enjugándose los ojos con una servilleta.

—Ha sido una pérdida muy lamentable, señora Ashmore.

—Son cosas que ya he visto otras veces —se apresuró a decir con repentina dureza.

Guardé silencio.

—Bueno —dijo al final—, supongo que será mejor que empiece a hacer algo.

Me levanté y ella me acompañó hasta la puerta.

—Gracias por venir, doctor Delaware.

—Si hay algo que yo pueda hacer...

—Es usted muy amable, pero estoy segura de que podré resolver los problemas a medida que se presenten.

Abrió la puerta.

Le dije adiós y la puerta se cerró a mi espalda.

Me encaminé hacia el lugar donde había dejado el Seville. Los rumores del jardín habían cesado y en la encantadora calle reinaba el silencio.

14

Cuando entré en la habitación 505, Cassie me siguió con la mirada, pero el resto de su persona no se movió.

Las cortinas estaban corridas y una luz amarillenta se filtraba a través de la puerta entornada del cuarto de baño. Vi unas prendas mojadas puestas a secar en la barra de la ducha. Las barandillas de la cama estaban bajadas y en la estancia se aspiraba el viscoso olor de las vendas usadas.

Un tubo de suero intravenoso estaba todavía conectado al brazo izquierdo de Cassie. El claro líquido goteaba muy despacio a través del tubo. El zumbido del aparato de medición del goteo parecía más fuerte que de costumbre. Los Conejitos Amorosos rodeaban a Cassie por todas partes. Sobre la mesa había la bandeja intacta del desayuno.

—Hola, cariño —le dije.

Me dedicó una leve sonrisa, cerró los ojos y movió la cabeza hacia adelante y hacia atrás, tal como hubiera podido hacer un niño ciego.

Cindy salió del cuarto de baño y dijo:

—Hola, doctor Delaware.

Se había recogido la trenza hacia arriba y llevaba la blusa por fuera de los pantalones.

—Hola. ¿Que tal está?

—Muy bien.

Me senté en el borde de la cama de Cassie. Cindy se acercó a mí. La presión de mi peso indujo a Cassie a abrir nuevamente los ojos. La miré con una sonrisa y le rocé las yemas de los dedos. Le gruñó el estómago mientras volvía a cerrar los ojos. Tenía los labios resecos y agrietados. Un pequeño retazo de piel muerta le colgaba del superior. Cada vez que respiraba, el retazo de piel se movía.

Tomé su mano libre y ella no ofreció resistencia. Tenía la piel tibia y sedosa, suave como el vientre de un delfín.

—Eres una niña muy buena —le dije, observando el movimiento de sus ojos bajo los párpados.

—Hemos pasado una noche muy mala —dijo Cindy.

—Ya lo sé y lo siento.

Contemplé la mano que sostenía en la mía. No había nuevos pinchazos, pero sí muchos antiguos. Uno del pulgar era minúsculo, tenía los bordes cuadrados y estaba un poco sucio. Ejercí una leve presión y el dedo se levantó, permaneció extendido un momento y después se dobló de nuevo sobre el dorso de mi mano. Repetí la presión y volvió a ocurrir lo mismo. Pero los ojos no se abrieron y el rostro se había relajado. En cuestión de unos momentos, la niña se había quedado dormida y respiraba al mismo ritmo que el goteo del suero.

Cindy se inclinó hacia adelante y acarició la mejilla de su hija. Uno de los conejitos cayó al suelo. Lo recogió y lo colocó al lado de la bandeja del desayuno. La bandeja estaba más lejos de lo que ella había calculado y el movimiento le hizo perder el equilibrio. La sostuve por el codo y, a través del tejido de la blusa, noté que su brazo era muy delgado y flexible. Lo solté, pero ella me asió la mano un momento.

Le vi unas arrugas de preocupación alrededor de los ojos y la boca y adiviné que envejecería por aquellas zonas. Nuestras miradas se cruzaron y yo vi en sus ojos asombro y temor. Se apartó de mí y fue a sentarse en el sofá-cama.

—¿Qué es lo que ha pasado? —pregunté, a pesar de que ya lo había leído en la historia antes de entrar en la habitación.

—Inyecciones y análisis —contestó Cindy—. Y tomografías de todas clases. Le dieron la cena muy tarde y la vomitó.

—Pobrecilla.

Cindy se mordió el labio.

—La doctora Eves dice que la pérdida del apetito se puede deber a la ansiedad o a los isótopos que han usado para hacerle las pruebas.

—Ocurre algunas veces —dije—. Sobre todo, cuando se realizan muchas pruebas y los isótopos se acumulan en el organismo.

Cindy asintió con la cabeza.

—Está muy cansada. Creo que hoy ya no podrá dibujar con ella.

—Yo también lo creo.

—Lástima... todo estaba yendo muy bien. No tuvo usted tiempo de utilizar sus técnicas.

—¿Cómo ha tolerado las pruebas?

—Pues la verdad es que estaba tan agotada después del ataque de epilepsia... que casi no tenía ni fuerzas.

Contempló la cama, apartó rápidamente la vista y apoyó las palmas de las manos en el sofá para incorporarse.

Nuestros ojos volvieron a cruzarse.

—Perdone —dijo, reprimiendo un bostezo.

—¿La puedo ayudar en algo?

—Gracias. No se me ocurre nada —contestó, cerrando los ojos.

—La dejaré descansar —dije, encaminándome hacia la puerta.

—¿Doctor Delaware?
—¿Sí?
—La visita domiciliaria de que hablamos —dijo—. Cuando salgamos finalmente de aquí, todavía tiene previsto hacerla, ¿verdad?
—Pues claro.
—Muy bien.
Algo en su voz, una estridencia que yo jamás había oído anteriormente, me indujo a detenerme y esperar.
Sin embargo, ella se limitó a repetir «Muy bien», apartando la vista con expresión resignada. Como si acabara de superar un momento crítico. Cuando vi que empezaba a juguetear con su trenza, me retiré.

No se veía a Vicki Bottomley por ninguna parte; la enfermera de guardia era una desconocida. Tras completar mis notas, volví a leer las que habían redactado Stephanie, el neurólogo y un endocrinólogo llamado a consulta..., un tal Alan Macauley, de escritura fuerte y enérgica.
El neurólogo no había descubierto ninguna anormalidad en dos encefalogramas sucesivos y había enviado a la paciente a Macauley, el cual tampoco había encontrado ninguna evidencia de trastorno metabólico, si bien los análisis de laboratorio todavía se estaban estudiando. Según la ciencia médica, el páncreas de Cassie era estructural y bioquímicamente normal. Macauley había aconsejado la realización de otros análisis genéticos y más escáners para excluir la posible existencia de un tumor cerebral, recomendando una «intensiva intervención psicológica por parte del doctor Delaware».
No conocía a aquel hombre y me sorprendió que se refiriera concretamente a mí por mi apellido. Deseaba saber qué había querido decir con «intensiva», por lo que busqué su número en una guía del hospital y lo llamé.
—Macauley al habla.
—Doctor Macauley, soy Alex Delaware..., el psicólogo que atiende a Cassie Jones.
—Ah, ya. ¿La ha visto últimamente?
—Hace aproximadamente un minuto.
—¿Qué tal está?
—Agotada..., el cansancio posterior al ataque, supongo.
—Probablemente.
—Su madre dice que el estómago de la niña no retuvo la cena.
—Conque su madre, ¿eh?... Bien, ¿en qué puedo servirle?
—He leído sus notas... sobre la atención psicológica. Quería saber si tenía usted alguna sugerencia que hacerme.
Prolongada pausa.

—¿Dónde se encuentra usted ahora? —preguntó.

—En la sala de las enfermeras de la Chappy.

—Bueno pues, yo tengo que estar en la clínica de Diabetes dentro de unos veinte minutos. Puedo ir un poco antes..., dentro de cinco. ¿Por qué no se reúne usted allí conmigo? Planta tercera Este.

Me saludó con la mano mientras me acercaba y entonces me di cuenta de que le había visto la víspera durante la sesión en memoria de Ashmore. Era el corpulento calvo moreno que había hablado de Texas y de las pistolas y de la necesidad de que en cada maletín negro hubiera un Smith & Wesson.

De pie parecía todavía más fornido y tenía unas espaldas muy anchas y unos brazos de estibador del puerto. Llevaba un polo de color blanco con la placa prendida justo por encima del logotipo del *jockey* y el caballo, unos pantalones vaqueros y unas botas del Oeste. Sostenía el estetoscopio en una mano y con la otra hacía movimientos aeronáuticos —descensos en picado y rápidas elevaciones— mientras hablaba con un desgarbado muchacho de unos diecisiete años.

Un cuarto de hora antes de que se iniciara la consulta, la sala de espera de Endocrinología ya se estaba empezando a llenar. En las paredes había varios carteles sobre nutrición y en la mesita se amontonaban los libros infantiles y las manoseadas revistas junto con folletos y envases de edulcorantes artificiales.

Macauley le dio al chico una palmada en la espalda y yo le oí decir:

—Lo estás haciendo muy bien... sigue con lo mismo. Ya sé que pincharte tú mismo es un fastidio, pero todavía lo es más tener que depender para eso de tu mamá, ¿comprendes? Por consiguiente, procura hacerlo tú mismo y sal por ahí a divertirte.

—De acuerdo —dijo el chico. Tenía una barbilla muy pronunciada, una nariz muy grande y unas grandes orejas de soplillo con los lóbulos traspasados por tres aros de metal dorado. Debía de medir más de metro ochenta, pero al lado de Macauley, parecía bajito. Tenía una piel pálida y grasienta con granos en las mejillas y la frente, y le habían cortado el pelo estilo *new-wawe* con más niveles y ángulos que el disparatado sueño de un arquitecto enloquecido—. Menudas fiestas serán las mías —añadió en tono sombrío.

—Que te diviertas te digo, hombre, con tal de que no tomes azúcar —dijo Macauley.

—Joder —replicó el chico.

—Bueno, eso también lo puedes hacer, Kev. Lo puedes hacer tanto como te apetezca con tal de que uses un preservativo.

El muchacho sonrió muy a pesar suyo.

Macauley le dio otra palmada diciendo:

—Bueno, y ahora lárgate, esfúmate, desaparece de aquí porque yo tengo que atender a los enfermos.

—Vale —dijo el chico, sacándose una cajetilla del bolsillo y colocándose un cigarrillo entre los labios aunque sin encenderlo.

—Oye, jovenzuelo —le dijo Macauley—, que los pulmones te los tendrá que arreglar otro.

El chico se alejó riéndose.

Macauley se acerco a mí.

—Rebeldes adolescentes diabéticos. Cuando me muera sé que iré al cielo porque ya he conocido el infierno.

Extendió un musculoso brazo. La correspondiente mano era muy grande, pero el apretón fue más bien suave. Tenía una cara de perro salchicha con un toque de bull-terrier: nariz ancha, labios carnosos, ojillos negros y párpados caídos. La calva y el ceño perpetuamente fruncido le conferían la apariencia de un hombre de mediana edad, pero yo calculé que debía de andar por los treinta y cinco.

—Al Macauley.

—Alex Delaware.

—El encuentro de dos Als —dijo—. Vámonos de aquí antes de que los nativos se empiecen a poner nerviosos.

Me acompañó al otro lado de unas puertas basculantes parecidas a las de la clínica de Stephanie y pasamos por delante de una mezcla similar de administrativas, enfermeras, médicos residentes, teléfonos que sonaban y plumas que rascaban ruidosamente el papel hasta llegar a una sala de exploración decorada con un gráfico de contenidos de azúcar publicado por una de las grandes cadenas de comida rápida. Los cinco grupos de alimentos con especial hincapié en las hamburguesas y las patatas fritas.

—¿En qué puedo servirle? —me dijo, sentándose en un taburete y empezando a balancearse hacia adelante y hacia atrás en pequeños semicírculos.

—¿Alguna sugerencia psicológica sobre Cassie? —le pregunté.

—¿Sugerencia? ¿Acaso tal cosa no le corresponde a usted?

—En un mundo perfecto, sí, Al. Por desgracia, la realidad se niega a colaborar.

Soltó un bufido y se pasó una mano por la cabeza, alisándose un inexistente cabello. Alguien había dejado olvidado sobre la mesa de exploración un martillo de goma de medición de los reflejos. Lo tomó y se rozó la rodilla con el extremo.

—Creo que usted ha recomendado un intensivo tratamiento psicológico —dije— y quería saber...

—Si yo era un tipo especialmente sensible o si pensaba que el caso era un poco sospechoso, ¿verdad? Le contestaré que ambas cosas a la vez. He leído sus notas en la historia clínica, he hecho averiguaciones por ahí y me han dicho que es usted un experto. Por consiguiente, he decidido aportar mi granito de arena.

—Sospechoso —dije yo—. ¿De Münchhausen por sustitución?

—Llámelo usted como quiera..., yo soy especialista en glándulas, no psiquiatra. Pero el metabolismo de la niña es normal, eso se lo digo yo.

—¿Está seguro?

—Mire, no es la primera vez que intervengo en este caso... Trabajé en él hace unos meses, cuando la niña hizo unas presuntas deposiciones sanguinolentas. En realidad, sólo las vio la mamá y unas manchas rojas en un pañal a mí no me convencen. Podría tratarse de una irritación provocada por los pañales. Mi primer examen fue muy exhaustivo. Todos los análisis endocrinos que mencionan los manuales e incluso algunos que no figuran en ellos.

—Alguien fue testigo del último ataque.

—Lo sé —dijo Macauley con impaciencia—. La enfermera y la administrativa de la sección. Fisiológicamente, la hipoglucemia lo puede explicar, pero lo que no explica es el por qué. La niña no tiene ninguna anomalía genética o metabólica, no padece el menor trastorno en el almacenamiento del glucógeno y el páncreas le funciona perfectamente. Lo que estoy haciendo en este momento es arar nuevamente el campo y añadir algunas pruebas experimentales que aprendí en la facultad..., cosas científicas que todavía constituyen la base de todo. Puede que ésta llegue a ser la niña de dos años a la que más análisis se le han hecho en todo el hemisferio occidental. Un auténtico récord Guinness.

—¿Y si fuera algo de tipo idiopático..., una extraña variante de una enfermedad conocida?

Me miró, pasándose el martillo de una mano a la otra.

—Todo es posible.

—Pero usted no lo cree.

—Lo que yo no creo es que la niña sufra un trastorno endocrino. Es una niña sana que ahora presenta una hipoglucemia por culpa de otra cosa.

—¿Una cosa que alguien le administró?

Lanzó el martillo al aire y lo recogió con dos dedos. Repitió un par de veces más el ejercicio y después dijo:

—¿A usted qué le parece? Siempre quise tener este tipo de intercambio con uno de ustedes. Hablando en serio, sí, eso es lo que a mí me parece. Es lógico, ¿no cree?, teniendo en cuenta la historia. Y el hermano que murió.

—¿Consultó usted la historia del niño?

—No, ¿por qué iba a hacerlo? Aquello fue un problema de tipo respiratorio. No digo que fuera algo necesariamente sospechoso..., hay niños que mueren a causa del síndrome de muerte súbita. Pero en este caso da que pensar, ¿no cree?

Asentí con la cabeza.

—Cuando supe lo de la hipoglucemia, en lo primero que se me ocurrió pensar fue en un envenenamiento por insulina. Pero Stephanie dijo que no vio ninguna huella de pinchazo reciente en el cuerpo de Cassie.

Se encogió de hombros.

—Puede ser. No le hice una exploración física completa, pero hay muchas maneras de pinchar con disimulo: utilizando, por ejemplo, una aguja muy fina..., como las que se emplean en los recién nacidos. Pinchando en un lugar que pueda pasar inadvertido...: los pliegues de las nalgas, los pliegues de la rodilla, los espacios interdigitales, justo bajo el cuero cabelludo. Mis pacientes son extraordinariamente imaginativos y la insulina atraviesa muy bien la piel. Un pequeño pinchazo ejerce un efecto inmediato.

—¿Le ha manifestado usted sus sospechas a Stephanie?

Asintió con la cabeza.

—Por supuesto que sí, pero ella sigue empeñada en creer en la existencia de algo de tipo esotérico. Me dio la impresión de que no quería escucharme, dicho sea entre nosotros. Y no es que personalmente me importe. Estoy fuera del caso..., me he largado. De hecho, pienso incluso largarme de aquí.

—¿Deja usted el hospital?

—Desde luego. Me quedaré un mes y después me buscaré unos pastos más tranquilos. El tiempo que me queda lo necesito para atender mis propios casos. Eso va a ser un desastre..., muchas familias se van a poner furiosas. Por consiguiente, no me interesa lo más mínimo intervenir en los asuntos de la familia de Chuck Jones, siendo así que yo no puedo hacer nada de todos modos.

—¿Porque se trata de su familia quiere decir?

Denegó con la cabeza.

—Sería bonito poder contestar que sí y decir que todo se reduce a una cosa de tipo político. Pero, en realidad, es por el caso en sí mismo. Aunque la niña fuera la nieta de un don nadie, estaríamos perdidos porque no disponemos de ningún hecho concreto. Fíjese en nosotros dos. Usted sabe lo que ocurre y yo también lo sé; Stephanie sabía lo que pasaba hasta que se empezó a entusiasmar con lo de la hipoglucemia. Pero, desde un punto de vista legal, saberlo es inútil porque no se puede hacer nada. Por eso me desagradan los casos de malos tratos... Alguien acusa a los padres y éstos niegan las acusaciones, se van o cambian simplemente de médico. Y, aunque pudiéramos demostrar que ocurre algo, acabaríamos metidos en un carrusel de abogados, papeleo y juicios que arrastrarían nuestras reputaciones por el fango.

Y, entre tanto, la niña lo seguiría pasando mal y nosotros no podríamos conseguir tan siquiera una orden cautelar judicial.

—Lo dice como si tuviera usted experiencia en estas cosas.

—Mi mujer es asistente social del condado. Los casos son tan numerosos que incluso los niños con fracturas óseas ya no se consideran una prioridad. Pero ocurre lo mismo en todas partes... Yo tuve en Texas el caso de un niño diabético. La madre no le administraba la insulina y nos costó Dios y ayuda salvar al niño. Y eso que ella era enfermera. Una enfermera de quirófano estupenda.

—Por cierto —dije—, ¿qué opina de la enfermera de Cassie?

—¿Quién es? Ah, sí, Vicki. Creo que Vicki está un poco chiflada, pero, en general, desarrolla una labor excelente... —Los párpados caídos se levantaron de golpe—. ¿Ella? Mierda, no se me había ocurrido pensarlo, pero sería absurdo, ¿no le parece? Porque, excepto el último ataque, los problemas siempre se habían originado en casa.

—Vicki visitó la casa, aunque sólo en un par de ocasiones. No pudieron ser suficientes para causar tanto daño.

—Además —dijo Macauley—, las Münchhausen siempre son las madres, ¿verdad? Y ésta es un poco rara..., por lo menos, en mi inexperta opinión.

—¿En qué sentido?

—No sé. Resulta excesivamente simpática. Teniendo en cuenta sobre todo lo ineptos que hemos sido en los diagnósticos sobre su hija. Yo que ella, estaría furioso y exigiría soluciones. En cambio, ella se limita a sonreír. Demasiado para mi gusto. «Hola, doctor. ¿Qué tal está usted, doctor?» Nunca se fíe de alguien que sonríe tanto, Al. En mi primer matrimonio yo estuve casado con una mujer así. Aquella blanca dentadura siempre escondía algo..., seguramente usted me podría explicar toda la psicodinámica que se oculta detrás de todo eso, ¿verdad?

—Un mundo perfecto —contesté, encogiéndome de hombros.

—No me sirve usted de mucho —dijo riéndose.

—¿Qué impresión le ha causado el padre? —pregunté.

—No le conozco. ¿Por qué? ¿Él también es rarito?

—No diría tanto, pero no es lo que uno espera del hijo de Chuck Jones. Barba, pendiente en la oreja. Parece que no le tiene demasiado cariño al hospital.

—Bueno, por lo menos, él y Chuck tienen algo en común... A mi juicio, este caso no tiene arreglo y yo ya estoy cansado. Por eso he recomendado su intervención. Y ahora usted me dice que tampoco sabe de qué va. Lástima.

Tomó de nuevo el martillo, lo lanzó al aire, lo recogió y empezó a tamborilear con él sobre la mesa.

—¿Cree usted que la hipoglucemia podría explicar alguno de los anteriores síntomas de Cassie?

—Puede que la diarrea. Pero es que, además, tenía fiebre, lo cual significa que seguramente había un foco infeccioso. Los problemas respiratorios también podrían tener este origen. Cuando se altera el metabolismo, cualquier cosa es posible. —Tomó el estetoscopio y consultó su reloj—. Tengo trabajo que hacer. Será la última vez que vea a algunos de los niños que esperan aquí afuera.

Me levanté y le di las gracias.

—¿Por qué? No he podido hacer nada.

—Yo pienso lo mismo de mí, Al —dije, riéndome.

—La depresión de los médicos de las consultas. ¿Conoce usted la historia del gallo rijoso que no paraba de acosar a las gallinas del corral? Las perseguía sin parar y se ponía pesadísimo. Al final, el granjero lo capó y lo convirtió en asesor. Ahora se pasa el día posado en la valla, observándolo todo y dando consejos a los demás gallos mientras trata de recordar cómo era todo aquello.

Volví a reírme. Abandonamos juntos la sala de exploración y regresamos a la sala de espera. Una enfermera se acercó a Macauley y le entregó un montón de historias clínicas sin decirle nada. Cuando se retiro, parecía enfadada.

—Gracias por darme los buenos días, cariño —dijo Macauley. Y dirigiéndose a mí, añadió—: Soy un cochino desertor. Estas pocas semanas que me quedan van a ser mi castigo.

Contempló el ajetreo que reinaba a su alrededor y los músculos de su rostro perruno parecieron aflojarse.

—¿Los pastos más tranquilos significan la práctica privada?

—La práctica colectiva. En una pequeña localidad de Colorado, cerca de Vail. Esquí en invierno, pesca en verano y búsqueda de nuevas modalidades de diversión el resto del año.

—No parece una mala perspectiva.

—Y no tendría que serlo. Nadie de los miembros del grupo es especialista en endocrinología, por lo que es posible que se me presente la ocasión de poner en práctica mis conocimientos de vez en cuando.

—¿Cuánto tiempo lleva usted en el Western Pediatric?

—Dos años. Y me tendría que haber marchado hace uno y medio.

—¿Por la situación económica?

—En buena parte, pero no en toda. Yo no era un ingenuo cuando vine aquí. Sabía que un hospital urbano siempre tiene que luchar con los balances de los libros de contabilidad. Es la actitud lo que me molesta.

—¿Del abuelo Chuck?

—Y de sus chicos. Quieren dirigir este hospital como si fuera una más de sus empresas. Para ellos, es como si estuviéramos fabricando artículos de consumo. Y eso es lo que molesta..., la incomprensión. Hasta los gitanos se han dado cuenta de que las cosas no marchan bien... ¿sabe cómo son nuestros gitanos de Hollywood?

—Sí —contesté—. Grandes Cadillacs de color blanco, doce personas en un coche, campamentos en los vestíbulos, sistema de trueque.

—A mí me han pagado con productos alimenticios, accesorios para mi MG e incluso una vieja mandolina —dijo Macauley sonriendo—. En realidad, me pagan mejor que el Estado. Uno de mis pacientes diabéticos es gitano. Tiene nueve años y figura en la línea sucesoria de la monarquía de la tribu. Su madre es una mujer muy guapa e instruida, con cien años de experiencia vital a su espalda. Siempre que viene, me mira con una sonrisa, me adula de mala manera y me dice que soy la respuesta divina a la ciencia médica. La última vez la vi muy desanimada, como si hubiera tenido un disgusto. El examen era de simple rutina, pues el niño estaba muy bien desde el punto de vista médico. Le pregunté qué le ocurría y me contestó:

»—Hay malas vibraciones en este lugar, doctor Al.

»Me miró con los ojos entornados como si fuera una echadora de cartas callejera.

»—¿Qué quiere usted decir? —le pregunté.

»Pero no me lo quiso explicar. Se limitó a rozarme la mano diciendo:

»—Yo le aprecio mucho, doctor Al, y Anton también le aprecia. Pero no volveremos porque hay malas vibraciones.

—Menuda intuición, ¿verdad?

—A lo mejor, le podríamos consultar el caso de Cassie.

Me miró con una sonrisa. Los pacientes seguían entrando a pesar de que ya no quedaba el menor espacio libre. Algunos de ellos le saludaron y él les contestó con un guiño del ojo.

Le di las gracias por el tiempo que me había dedicado.

—Siento que no hayamos tenido ocasión de colaborar —dijo.

—Que le vaya bien en Colorado.

—Esperemos. ¿Sabe usted esquiar?

—No.

—Yo tampoco... —Contempló la sala de espera y sacudió la cabeza—. Qué lástima... Al principio, yo quería ser cirujano y abrir y cortar a la gente, pero, cuando iba por el segundo año de carrera, enfermé de diabetes. Los síntomas no fueron muy espectaculares, una leve pérdida de peso que no me preocupó demasiado porque no comía debidamente. Sufrí un choc en el laboratorio de anatomía y me desplomé sobre el cadáver. Ocurrió poco antes de Navidad. Cuando regresé a casa, mi familia se limitó a no ofrecerme el jamón cocido con miel sin decirme ni una sola palabra. Yo contraataqué, subiéndome la pernera del pantalón, colocando la pierna sobre la mesa y pinchándome delante de todo el mundo. Más tarde pensé que sería mejor olvidarme de los bisturíes y dedicarme a la gente. Y eso fue precisamente lo que más me atrajo de este hospital..., la posibilidad de trabajar con los niños y sus familias. Sin embargo, cuando vine aquí, descubrí que todo eso ya no existía. Lo de las malas vibraciones es verdad, la gitana lo notó nada más cruzar la puerta. Puede que le parezca una tontería, pero ella consiguió cristalizar todo lo que me rondaba por la cabeza desde hacía algún tiempo. En Colorado me voy a aburrir como una ostra..., no habrá más que resfriados, estornudos y salpullidos infantiles. Y no llevo aquí el tiempo suficiente como para cobrar una pensión, lo cual significa que, desde el punto de vista económico, habré perdido dos años, pero, por lo menos, no me quedaré posado en la valla. Haciendo quiquiriquí.

15

Robin me llamó a las siete para decirme que estaba a punto de salir. Llegó a la puerta de mi casa media hora más tarde con el cabello recogido hacia atrás en una trenza que acentuaba las dulces y puras líneas de su cuello. Lucía unos pendientes negros colgantes y un vestido de color de rosa que le envolvía las caderas. Y sostenía en sus brazos varias bolsas de comida china para llevar.

Cuando vivíamos juntos, la comida china solía ser la base de una cena en la cama. En los viejos tiempos, la hubiera acompañado dulcemente al dormitorio. Pero dos años de separación y una desconcertante reconciliación me habían alterado los instintos. Tomé las bolsas, las dejé encima de la mesa del comedor y le di un suave beso en los labios.

Ella me rodeó con sus brazos, me comprimió la nuca con las manos y amplió el beso.

Cuando nos separamos para recuperar el resuello, me preguntó:

—¿Te parece bien que no salgamos?

—Hoy ya he salido bastante.

—Yo también. He tenido que entregar las Stealths en el hotel de los chicos. Querían que me quedara y participara en la fiesta.

—Tienen mejor gusto con las mujeres que con la música.

Rompió a reír, me dio otro beso y se echó hacia atrás, simulando una afanosa respiración.

—Ya basta de hormonas —dijo—. Lo primero es lo primero. Voy a calentar todo esto y organizaremos una merienda campestre doméstica.

Se fue con la comida a la cocina y yo me la quedé mirando sin moverme de donde estaba. En todos los años que la conocía, jamás me había cansado de observar sus movimientos.

Su vestido era de estilo novia de rodeo..., con muchos flecos de cuero y canesú de encaje antiguo. Calzaba unas botas de caña larga que resonaban sobre el suelo de la cocina. La trenza oscilaba de un lado para otro mientras se movía, lo mismo que el resto de su persona. Pero yo mantenía los ojos exclusivamente clavados en la trenza.

Era más corta que la de Cindy Jones y de color cobrizo en lugar de castaño, pero, aún así, me indujo a pensar de nuevo en el hospital.

Depositó las bolsas en el mostrador y fue a decir algo, pero se dio cuenta de que yo no la había seguido. Volviendo la cabeza, me preguntó:

—¿Ocurre algo, Alex?

—No —mentí—. Simplemente te estaba admirando.

Se acercó una mano al cabello y comprendí que estaba nerviosa. Sentí deseos de volverla a besar.

—Estás guapísima —le dije.

Me dedicó una sonrisa que me cortó la respiración y extendió los brazos hacia mí. Entré en la cocina.

—Qué complicado es eso —dijo ella más tarde, utilizando los palillos chinos a modo de agujas de hacer calceta para trenzar el vello de mi pecho.

—Yo quería que me manifestaras tu aprecio, tejiéndome un jersey. No convirtiéndome a mí en un jersey viviente —dije.

Robin se rió.

—Eso es *moo goo* frío. Ya verás qué bien sabe.

—En estos momentos, me conformaría con un poquito de arena mojada sobre una tostada —dije, acariciándole la mejilla.

Dejando los palillos sobre la mesita de noche, se acercó un poco más a mí. Nuestras sudorosas caderas se juntaron y emitieron unos ruidos de plástico mojado. Robin convirtió su mano en un planeador, con el cual sobrevoló mi pecho sin apenas tocar la piel. Después se incorporó, me rozó la nariz con la suya y me besó la barbilla. Llevaba el cabello todavía trenzado. Mientras hacíamos el amor, tomé la trenza y me la pasé entre los dedos de la mano. Cuando empecé a perder el control, la solté para no hacerle daño. Los mechones sueltos me cosquilleaban la cara. Los alisé hacia atrás y le hociqué la barbilla.

Levantó la cabeza, me aplicó un poco más de masaje en el pecho, se detuvo, me examinó detenidamente, y enrolló un pelo alrededor de uno de sus dedos diciendo:

—Mmm.

—¿Qué pasa?

—Un pelo gris..., qué gracioso.

—Adorable.

—Pues lo es, Alex. Quiere decir que estás madurando.

—¿Qué es eso, la quintaesencia del eufemismo?

—La pura verdad, doctor. El tiempo es un cerdo muy sexista..., las mujeres envejecen; en cambio, los hombres adquieren solera. Incluso a los tipos que no tenían la menor gracia cuando eran jóvenes, se les ofrece una segunda oportunidad de resultar atractivos siempre y cuando no se hayan deteriorado irremisiblemente. Los que, como tú, ya eran seductores al principio, son los que arrasan de verdad.

Empecé a jadear.

—Hablo en serio, Alex. Seguramente te convertirás en un auténtico sabio..., y todo el mundo creerá que comprendes realmente los misterios de la vida.

—No me vengas con estos camelos.

Me inspeccionó las sienes, volviéndome suavemente la cabeza con sus fuertes manos y hundiéndome los dedos en el cabello.

—Éste es el lugar ideal para que se te empiece a platear el cabello —dijo con voz de maestra—. Máximo nivel de elegancia y sabiduría. No, todavía no se ve nada, sólo este pelito de aquí abajo. —Rozándome el vello con una uña, volvió a tocarme la piel—. Lástima que seas todavía un jovenzuelo inexperto.

—Bueno, nena, vamos a ver si jugamos un poco.

Volvió a apoyar la cabeza en la almohada y se hundió bajo la manta.

—Pero la verdad es que los jovenzuelos inexpertos también tienen sus ventajas —dijo.

Nos dirigimos a la salita para escuchar algunas cintas que ella había traído consigo. El nuevo Warren Zevon arrojaba una fría luz sobre el lado oscuro de la vida..., parecía una novela en miniatura. Las texturas musicales de la guitarra de un genio de Texas llamado Eric Johnson suscitaron en mí el ardiente deseo de quemar mis instrumentos. Una joven llamada Lucinda Williams me sedujo con su bella y desgarrada voz y sus letras surgidas directamente del corazón.

Robin se sentó sobre mis rodillas, se acurrucó contra mí y apoyó suavemente la cabeza sobre mi pecho.

Cuando cesó la música, me preguntó:

—¿Todo bien?

—Pues claro. ¿Por qué?

—Te veo un poco distraído.

—Pues no era ésa mi intención —dije, preguntándome cómo lo habría adivinado.

Se levantó y se deshizo la trenza. Los bucles se le habían aplanado, por lo que empezó a separar los mechones. Cuando, al final, consiguió ahuecar el cabello y devolverle la ondulación natural, me dijo:

—¿Hay algo de lo que quieras hablarme?

—Pues, en realidad, no —contesté—. Cosas del trabajo..., un caso muy difícil. Seguramente me he dejado arrastrar demasiado por él.

Esperaba que fuera suficiente, pero ella insistió con cierto pesar.

—Es algo de carácter confidencial, ¿verdad?

—De carácter limitadamente confidencial —contesté—. Me han llamado a consulta y puede que la cosa tenga que pasar al campo de la justicia.

—Ah, ya. Uno de esos casos que ocurren a veces.

Me rozó la mejilla. Esperando.

Le conté la historia de Cassie Jones, omitiendo los nombres y las señales de identificación.

Cuando terminé, me preguntó:

—¿Y no se puede hacer nada?

—Estoy abierto a las sugerencias —contesté—. Milo está haciendo indagaciones sobre los padres y la enfermera y, por mi parte, yo procuro por todos los medios conocerles mejor a todos. Lo malo es que no hay ninguna prueba concreta, tan sólo la lógica y ésta no sirve de mucho desde el punto de vista legal. Hasta ahora, lo único que hay de cierto es la mentira de la madre sobre la epidemia de gripe cuando ella estuvo en el Ejército. Llamé a la base y conseguí averiguar que no hubo tal epidemia.

—¿Y qué razón pudo tener para mentir en una cosa así?

—Quizá quiso ocultar el verdadero motivo por el cual la licenciaron. O, a lo mejor, si es una personalidad Münchhausen, simplemente le gusta mentir.

—Qué asco —dijo Robin—. Parece mentira que una persona le pueda hacer eso a un hijo que es carne de su carne. O a cualquier niño... ¿Qué tal resulta estar de nuevo en el hospital?

—Más bien deprimente. Algo así como tropezarte con un viejo amigo que está de capa caída. Es un lugar muy triste, Rob. Se respira en el aire un profundo desánimo, la situación económica está peor que nunca, muchos miembros de la plantilla se han ido... ¿recuerdas a Raoul Meléndez-Lynch?

—¿El cancerólogo?

—Sí. Estaba casado con el hospital. Yo le vi aguantar una crisis tras otra. Pero hasta él se ha largado. Aceptó un puesto en Florida. Todos los médicos de mayor antigüedad se han marchado. Los rostros con los que me cruzo en los pasillos son nuevos. Y jóvenes. O, a lo mejor, es que yo me estoy haciendo viejo.

—Maduro —dijo Robin—. Repite conmigo: ma-du-ro.

—Yo creí que era un inexperto.

—Maduro e inexperto. Ése es el secreto de tu encanto.

—Y, por si fuera poco, los problemas de la delincuencia callejera se dejan sentir cada vez más. Ataques y robos contra enfermeras... Hace un par de noches hubo un asesinato en el aparcamiento. Un médico.

—Ya lo sé. Lo oí en la radio. Entonces aún no sabía que estabas trabajando otra vez allí, de lo contrario, me hubiera asustado.

—Estaba allí la noche en que ocurrió.

Sus dedos se clavaron en mi mano.

—Me consuela saberlo... Pero ten cuidado, por favor. Aunque no servirá de nada que yo te lo diga.

—Servirá. Te lo prometo.

Lanzó un suspiro y apoyó la cabeza en mi hombro. Nos pasamos un rato sentados sin decir nada.

—Tendré cuidado —dije al final—. Hablo en serio. Los viejos no pueden permitirse el lujo de ser temerarios.

—De acuerdo —dijo Robin. Poco después añadió—: Por eso estás tan apagado. Temí que yo tuviera la culpa.

—¿Tú? ¿Por qué?

Se encogió de hombros.

—Los cambios... todo lo que ha ocurrido.

—Eso no sería posible —dije—. Tú eres la luz de mi vida.

Se acercó un poco más y apoyó una mano en mi pecho.

—Eso que has dicho antes... de que el hospital era un lugar muy triste. Yo siempre he pensado que los hospitales eran así.

—El Western Pediatric era distinto, Rob. Era un lugar... lleno de vida. Todo funcionaba a la perfección, como una maravillosa máquina orgánica.

—No me cabe la menor duda, Alex —dijo Robin en un susurro—. Pero, si bien se mira y por mucha vitalidad y atenciones que haya, un hospital siempre será un lugar de muerte, ¿no crees? Cuando oigo la palabra «hospital» me viene a la memoria mi padre, tendido allí entubado, sin poder moverse y lleno de pinchazos por todas partes. Y mi madre, llamando a gritos a la enfermera cada vez que él gemía sin que a nadie le importara... El hecho de que tu hospital atienda a los niños es todavía peor, a mi entender. Porque, ¿acaso hay algo peor que el sufrimiento de los niños? Nunca comprendí que pudieras permanecer allí tanto tiempo.

—Uno construye un caparazón a su alrededor —dije—. Hace su trabajo y sólo echa mano de la cantidad de emoción que le puede ser útil en el trato con sus pacientes. Es como aquel anuncio del dentífrico. El escudo invisible.

—A lo mejor, eso es lo que te ocurre. Al regresar allí después de tantos años, te has dado cuenta de que el escudo ya no existe.

—Puede que tengas razón —dije en tono sombrío.

—Menuda psiquiatra estoy hecha —dijo Robin.

—No, no. Es bueno hablar de estas cosas.

Se acurrucó contra mí.

—Eres un encanto, tanto si hablas en serio como si no. Y me alegro de que me hayas contado lo que te pasa. Tú nunca has hablado demasiado de tu trabajo, las pocas veces que yo intentaba que lo hicieras, cambiabas de tema, yo me daba cuenta de que no te gustaba y nunca insistía. Ya sé que buena parte de lo que haces tiene carácter confidencial, pero es que a mí, en realidad, no me interesaban los detalles, Alex. Yo sólo quería saber lo que estabas haciendo para poder apoyarte. Y creo que tú me protegías.

—Es posible —dije—. Pero, a decir verdad, nunca pensé que tuvieras demasiado interés.

—¿Y eso por qué?

—Siempre pensé que a ti te interesaban más... ¿cómo diría?... los ángulos y los planos.

Soltó una risita.

—Sí, tienes razón. Nunca tuve demasiada inclinación a las sensiblerías. Es más, cuando nos conocimos, lo que menos me gustó de ti fue tu profesión de psicólogo. Y no es que ello me impidiera perseguirte descaradamente, pero sí me extrañó el hecho de que pudiera sentirme atraída por un psiquiatra. No tenía la menor idea de lo que era la psicología y ni siquiera había seguido un curso en la universidad. Seguramente porque papá siempre andaba diciendo que los psiquiatras estaban como una cabra y los médicos eran unos cuentistas. Siempre decía que no había que fiarse de las personas que no trabajaban con sus propias manos. Sin embargo, cuando te conocí y me di cuenta de que te tomabas en serio lo que hacías, me ablandé. Traté de aprender..., incluso leí algunos de los libros que tú habías escrito. ¿Lo sabías?

Sacudí la cabeza.

—De noche, en la biblioteca —añadió, sonriendo—. Cuando tú dormías y yo no podía conciliar el sueño. *Esquemas de refuerzo*, *Teoría cognoscitiva*. Unas cosas bastante raras para una palurda como yo.

—Jamás lo supe —dije, asombrado.

Se encogió de hombros.

—Me daba... vergüenza. Y la verdad es que no se por qué. No es que pretendiera convertirme en una experta. Quería simplemente sentirme más cerca de ti. Pero estoy segura de que no te supe enviar un mensaje muy claro..., no supe transmitirte mi comprensión. Me gustaría que pudiéramos seguir así. Confiando un poco más el uno en el otro.

—Podemos hacerlo, por supuesto —dije—. Aunque nunca te consideré poco comprensiva, simplemente...

—¿Ocupada y obsesionada por mi propia persona? —preguntó, mirándome con una cautivadora sonrisa.

Grandes y blancos incisivos superiores. Los que más me gustaba lamer.

—Fuertemente concentrada —contesté—. Eres una de esas personas cuyo creativo temperamento artístico necesita una intensa concentración.

—Conque fuertemente concentrada, ¿eh?

—Sin duda ninguna.

Se echó a reír.

—Pues ya tenemos algo en común, doctor Delaware. Probablemente será algo de tipo químico..., las feromonas o algo por el estilo.

—Eso tenlo por seguro.

Apoyó la cabeza en mi pecho mientras yo le acariciaba el cabello y me la imaginaba entrando sigilosamente en la biblioteca para leer mis libros.

—¿Quieres que lo intentemos de nuevo? —le pregunté ansioso—. ¿Volverás?

Se tensó con fuerza.

—Sí —contestó—. Sí, te lo juro.

Después se incorporó, me tomó el rostro entre sus manos y me lo besó, se me echó encima y me rodeó los hombros con sus brazos, estrechándome con fuerza.

Yo le acaricié la espalda, la sostuve por las caderas y nos fundimos una vez más el uno en el otro, balanceándonos juntos en silencio.

Al final, ella se echó hacia atrás, jadeando. Yo también respiraba afanosamente y tardé un buen rato en recuperar el aliento.

Me volví de lado y la rodeé con mis brazos mientras ella comprimía el vientre contra el mío y se pegaba a mi cuerpo.

Permanecimos abrazados largo rato. Cuando ella empezó a ponerse nerviosa y trató de apartarse tal como siempre solía hacer, yo no la quise soltar.

16

Se quedó a pasar la noche y, como de costumbre, se levantó muy temprano.

Pero, en contra de lo habitual, permaneció una hora más conmigo para tomarse un café y leer el periódico. Se sentó a mi lado junto a la mesa con una mano apoyada en mi rodilla mientras terminaba de leer el suplemento artístico y yo echaba un vistazo a los resultados deportivos. Después bajamos al estanque y les echamos comida a los peces. El excesivo calor primaveral había infundido una potencia inusitada a las corrientes del océano y el aire olía a atmósfera veraniega.

Estábamos a sábado, pero a mí me hubiera apetecido trabajar.

Robin permaneció de pie a mi lado. Nos acariciamos mucho, pero yo empecé a advertir en ella ciertas señales de desazón: contracción de músculos, miradas perdidas, pequeñas pausas en la conversación que sólo un enamorado o un paranoico hubiera podido notar.

—¿Vas a estar muy ocupada? —le pregunté.

—Tengo que ponerme al día en unas cuantas cosas. ¿Y tú?

—Lo mismo. Pienso pasar por el hospital, aunque no sé a qué hora.

Asintió con la cabeza, me rodeó la cintura con sus brazos y subimos a la casa abrazados. Después, ella tomó el bolso y bajamos al cobertizo de los automóviles.

Una furgoneta nueva estaba aparcada al lado del Seville. Era una furgoneta Chevrolet color cobalto con una franja blanca horizontal en el costado y una pegatina de matrícula nueva en el parabrisas.

—Qué bonita —dije—. ¿Cuándo te la has comprado?

—Ayer. El Toyota empezó a tener graves problemas con el motor y los cálculos que me hicieron oscilaban entre los mil y los dos mil dólares. Por consiguiente, decidí hacerme un regalo.

La acompañé a la furgoneta.

—A papá le hubiera gustado. Él siempre fue un hombre de Chevrolets..., lo demás no le interesaba. Cuando tenía la otra, a veces me lo imaginaba a mi espalda, mirándome con expresión de reproche y contándome historias de Iwo Jima.

Subió al vehículo, dejó el bolso en el asiento de al lado y asomó la cabeza por la ventanilla para que le diera un beso.

—Bueno —me dijo—. A ver si lo volvemos a hacer, cariño. ¿Cómo me dijiste que te llamabas? ¿Félix, Ajax?

—Señor Pulido.

—Cuán cierto —contestó riéndose mientras se alejaba a toda velocidad.

Llamé a Stephanie y la telefonista se puso de nuevo al aparato para decirme que la doctora Eves me llamaría en cuanto pudiera. Colgué, saqué mi guía Thomas y encontré la dirección de Dawn Herbert en Lindblade Street. La acababa de localizar cuando sonó el teléfono.

—¿Steph?

—No, soy Milo. ¿Interrumpo algo?

—Estaba esperando una llamada del hospital.

—Y, como es de suponer, no tienes dispositivo de retención de llamadas.

—Como es de suponer.

Milo soltó un prolongado resoplido equino que el teléfono convirtió en un rugido ensordecedor.

—¿Ya has cambiado las lámparas de gas por los hilos milagrosos del doctor Edison?

—Si Dios hubiera querido que el hombre fuera eléctrico, lo hubiera dotado de baterías.

Se rió por lo bajo.

—Estoy en el Center. Llámame en cuanto hayas terminado con Steph.

Colgó y transcurrieron otros diez minutos antes de que Stephanie llamara.

—Buenos días, Alex —me dijo—. ¿Qué es lo que ocurre?

—Eso es lo que yo te quería preguntar a ti.

—Pues no gran cosa. La he visto hace cosa de una hora. Se encuentra mejor... Despierta, alerta y gritando a pleno pulmón en cuanto me ve.

—¿Y qué tal la hipoglucemia?

—Los endocrinólogos dicen que no hay ningún problema metabólico, le han examinado minuciosamente el páncreas desde todos los ángulos posibles, lo tiene perfectamente normal..., y tanto mi amigo sueco como todos los demás vuelven a pensar en el Münchhausen. Por consiguiente, yo también he regresado al punto de partida.

—¿Cuánto tiempo piensas tenerla aquí?

—Dos o tres días y, si no ocurre nada, la devolvemos a casa. Ya sé que darle el alta es peligroso, pero, ¿qué puedo hacer, convertir el hospital en su hogar adoptivo? A no ser que a ti se te ocurra otra cosa.

—Todavía no.

—Mira, eso del azúcar me tenía obsesionada —dijo—. Creí que era verdad.

—No te lo reproches. El caso es una locura. ¿Cómo han reaccionado Cindy y Chip a la prolongada incertidumbre?

—Sólo he visto a Cindy. Con su habitual serenidad y resignación.

Recordando el comentario de Al Macauley, pregunté:

—¿Con una sonrisa en los labios?

—¿Una sonrisa? No. Ah, ¿te refieres a esas sonrisas de oreja a oreja que a veces nos dedica? No, esta mañana, no. Alex, no te puedes imaginar lo preocupada que estoy. Si le doy el alta a Cassie, ¿a qué la condeno?

Como no tenía ningún ungüento a mano, le ofrecí una «tirita».

—Por lo menos, el alta me dará la oportunidad de visitarla en su casa.

—Y, de paso, ¿por qué no aprovechas para fisgonear un poco y buscar alguna clave?

—¿Como qué?

—Agujas en los cajones de los escritorios, dosis de insulina en el frigorífico. Es una broma... Bueno, en realidad, es una broma a medias. Estoy tan a punto de enfrentarme directamente con Cindy que ya no sé lo que me digo. La próxima vez que la niña se ponga enferma, es posible que lo haga y, si se enfadan y se van a otro sitio, por lo menos sabré que he hecho todo lo que he podido... Perdón, me están llamando... de Neonatología, uno de mis prematuros. Tengo que dejarte, Alex. Llámame si averiguas algo, ¿de acuerdo?

Le devolví la llamada a Milo.

—¿Trabajas los fines de semana?

—Hice un trato con Charlie. Los sábados a cambio de cierta flexibilidad en mi pluriempleo. ¿Cómo está nuestra querida Steph?

—Ya no cree en una causa orgánica y ha vuelto al Münchhausen. Nadie ha podido descubrir ningún origen orgánico de la hipoglucemia.

—Lástima —dijo Milo—. Pues yo, entre tanto, he investigado a Reggie Bottomley, la oveja negra de la enfermera. El tipo lleva un par de años muerto, pero, por alguna razón, su nombre no se eliminó de las fichas. Suicidio.

—¿Cómo?

—Se encerró en el cuarto de baño, se quitó la ropa, se sentó en la taza del excusado, se fumó un pitillo de *crack*, vomitó y después se hizo papilla la cabeza, descerrajándose un tiro con una escopeta de caza. Un auténtico desastre. La investigadora de la comisaría de Tujunga, una chica llamada Dunn, dice que Vicki estaba en casa cuando ocurrió, viendo la televisión en el cuarto de al lado.

—Qué horrible.

—Pues sí. Ambos acababan de discutir a propósito de la vida disoluta que llevaba el chico y Reggie regresó a su habitación, sacó sus pertrechos de un cajón de la cómoda, fue por la escopeta, se encerró en el cuarto de baño y allí acabó todo. La mamá oyó el disparo, no pudo abrir la puerta, lo intentó con un destral y tampoco pudo. Los de la ambulancia la encontraron sentada en el suelo llorando y pidiéndole a gritos al chico que, por favor, saliera y hablara con ella. Derribaron la puerta y, cuando vieron lo que había ocurrido, trataron de impedir que Vicki entrara, pero ella vio algo de todos modos. Ésa podría ser la explicación de su mal carácter.

—Santo cielo —exclamé—. Debió de ser espantoso. ¿Había algo en la historia familiar que pudiera justificar el suicidio?

—Dunn dice que no había ningún antecedente de malos tratos infantiles..., le pareció una mamá normal con un niño descarriado. Ella misma había detenido a Reggie montones de veces y lo conocía muy bien.

—¿Y el padre?

—Murió cuando Reggie era pequeño. Un alcohólico, tal como tú pensabas. Reggie tuvo dificultades nada más entrar en la adolescencia, empezó con los porros y fue subiendo por la escala farmacéutica. Dunn dice que era un chaval flacucho y no demasiado listo que no aguantaba en ningún empleo. Por si fuera poco, era un delincuente muy torpe..., siempre lo pillaban, pero su aspecto era tan lastimoso que los jueces solían tratarlo con indulgencia. No empezó a ser violento hasta el final... en que agredió a otro chico, pero hasta en eso tuvo mala suerte... Fue una pelea en un bar y utilizó un taco de billar para golpear al otro en la cabeza. Dunn dice que iba de mal en peor por culpa del *crack* y que no hubiera tardado mucho en morir prematuramente de todos modos. Según ella, la mamá era una de esas mártires que hacen todo lo que pueden. Final de la historia. ¿Te dice algo sobre la posible sospechosa?

—No demasiado, pero gracias de todos modos.

—¿Qué vas a hacer ahora?

—A falta de otra cosa mejor, creo que le iré a hacer una visita a Dawn Herbert. Ayer hablé con la mujer de Ashmore y ésta me dijo que su marido solía contratar a estudiantes de grado de la universidad. Puede que Herbert tenga los suficientes conocimientos técnicos como para saber qué es lo que buscaba Ashmore en el informe de Chad.

—¿La mujer de Ashmore? Pero, ¿qué hiciste, le fuiste a dar el pésame?

—Sí. Es muy simpática. Ashmore era un tipo muy interesante.

Le comenté a Milo su estancia en el Sudán, los sistemas que había inventado para ganar en los juegos de azar y las inversiones que había realizado.

—¿En el *blackjack* dices? Debía de ser un tío muy listo.

—Su mujer me dijo que era un genio de las matemáticas..., un experto en informática. Además, era cinturón marrón en varias artes marciales. No era una presa fácil para un atracador.

—Ah, ¿no? Ya sé que tú también lo hacías y yo nunca quise quitarte la ilusión, pero he visto montones de artistas de las artes marciales con los pies hechos polvo. Una cosa es estar en un *dojo* y pegar saltos, doblar el cuerpo, brincar por ahí y gritar como si tuvieras una aguja de sombrero metida en el colon, y otra muy distinta hacerlo en la calle. Por cierto, me he puesto en contacto con la División de Hollywood a propósito del asesinato de Ashmore y lo van a considerar un caso de difícil solución. Confío en que la viuda no espere demasiado de la ley.

—La viuda está demasiado aturdida como para esperar algo.

—Ya...

—¿Qué dices?

—Mira, he estado pensando mucho en este caso..., en la psicología de todo este síndrome de Münchhausen..., y me parece que se nos ha pasado por alto otro posible sospechoso.

—¿Quién?

—Tu amiguita Steph.

—¿Stephanie? ¿Por qué?

—Es mujer, tiene conocimientos médicos, le gusta ejercer la autoridad, quiere ser el centro de atención.

—Nunca pensé que quisiera llamar la atención.

—¿No me dijiste que en sus tiempos había sido una radical tremenda y que después fue presidenta del sindicato de internos?

—Sí, pero parecía sincera. Una idealista.

—Tal vez, pero míralo de esta manera: el hecho de atender a Cassie la coloca en el centro de todo y, cuanto más enferma se pone la niña, tanto más se convierte Stephanie en el centro de atención de los demás. Juega a ser la salvadora, la gran heroína, corre a Urgencias y asume el control de la situación. El hecho de que Cassie sea la hija de un pez gordo la hace todavía más apetecible desde este punto de vista. Y estos cambios de opinión tan raros..., un día es Münchhausen, otro una dolencia pancreática y al otro de nuevo Münchhausen. ¿No te parece un comportamiento un poco histérico? ¿El vals ése de que me hablaste?

Traté de digerir las palabras de Milo.

—Puede que el hecho de que la niña se muera del susto al verla obedezca a un motivo, Alex.

—Sin embargo, el mismo razonamiento que se aplica a Vicki se le puede aplicar a ella —dije—. Antes del último ataque, todos los problemas de Cassie habían empezado en casa. ¿De qué manera hubiera podido intervenir Stephanie?

—¿Ha visitado alguna vez la casa?

—Sólo al principio..., una o dos veces para instalar el monitor del sueño.

—Bueno pues, a ver qué te parece eso. Los primeros problemas que tuvo la niña eran reales..., un catarro o lo que sea. Steph los trató y descubrió que el hecho de ser la médica de la nieta del presidente del consejo de administración del hospital era una gozada. Una inyección de poder... Tú mismo me has dicho que aspira al puesto de directora del departamento.

»Si ése fuera su objetivo, el hecho de curar a Cassie le hubiera permitido mejorar considerablemente su imagen. Los padres confían todavía en ella, ¿verdad?

—Sí. Creen que es estupenda.

—¿Lo ves? Consigue que estén pendientes de ella y, al mismo tiempo, chapucea con Cassie... y así mata dos pájaros de un tiro. Tú mismo me has dicho que la niña se pone enferma inmediatamente después de las visitas. ¿Y si ello se debiera a que Stephanie le hace algo..., le administra una dosis de cualquier cosa durante un chequeo y la envía a casa con una bomba de relojería dentro?

—¿Y qué podría hacer en la sala de exploración estando Cindy presente?

—¿Y tú cómo sabes que está presente?

—Porque nunca se aparta de Cassie. Y algunas de las exploraciones no las hizo Stephanie sino otros médicos..., unos especialistas.

—¿Sabes a ciencia cierta que Stephanie no visitó también a la niña el mismo día en que lo hicieron los especialistas?

—No, pero creo que podría saberlo si echo un vistazo a la historia.

—Siempre y cuando ella hiciera la correspondiente anotación. Pudo ser algo muy sutil... como, por ejemplo, examinar la garganta de la niña con un instrumento untado con alguna sustancia. Merecería la pena tenerlo en cuenta, ¿no te parece?

—¿Un médico que envía a casa a una niña con algo más que un caramelo? Me parece algo espantoso.

—¿Peor que el hecho de una madre que envenena a su propia hija? Otro motivo que también podría haber es el de la venganza: odia al abuelo por lo que está haciendo con el hospital y se venga de él a través de Cassie.

—Veo que has estado pensando mucho.

—Tengo una mente perversa, Alex. Me solían pagar por eso. En realidad, me he puesto a pensar tras haber hablado con Rick. Él ha oído hablar del Münchhausen, pero de la modalidad de los adultos. Y dice que conoce a médicos y enfermeras que manifiestan esas tendencias. Errores de dosificación que no son accidentales, héroes que acuden a toda prisa y salvan al paciente... cual si fueran unos bomberos pirómanos.

—Chip hizo algún comentario en este sentido —dije—. Errores médicos, fallos en la dosificación. A lo mejor, intuye algo en Stephanie sin darse cuenta... Pero, en tal caso, ¿por qué motivo hubiera solicitado Stephanie mi intervención? ¿Para jugar conmigo? Jamás había colaborado estrechamente con ella. No puedo significar demasiado para ella desde el punto de vista psicológico.

—El hecho de llamarte demuestra que está desarrollando una labor exhaustiva. Y tú tienes fama de tío muy bien preparado..., un auténtico reto para ella en caso de que fuera una Münchhausen. Además, los psiquiatras que había en el hospital ya no están.

—Muy cierto, pero no sé... ¿tú crees que puede ser Stephanie?

—No te obsesiones demasiado... no te vaya a salir una úlcera por eso... no es más que una teoría. Las fabrico a diestro y siniestro.

—Se me revuelve el estómago sólo de pensarlo, pero empezaré a vigilarla con más detenimiento. Tendré cuidado con lo que le diga y abandonaré la idea del trabajo en equipo.

—¿Acaso no ocurre siempre lo mismo? Cada uno de nosotros es un hombre que camina solo por la calle.

—Sí... Entre tanto, aprovechando que estamos fabricando teorías, ¿qué te parece ésta? No hemos podido llegar a ninguna parte porque nos hemos concentrado en un solo chico malo. ¿Y si estuviéramos en presencia de una confabulación?

—¿Entre quiénes?

—Cindy y Chip sería lo más lógico. El típico marido Münchhausen suele ser pasivo y carece de fuerza de voluntad. Lo cual no coincide en absoluto con la personalidad de Chip. Es un sujeto inteligente que sabe hacer valer sus opiniones. Por consiguiente, si su mujer está maltratando a Cassie, ¿cómo es posible que él no se haya dado cuenta? Pero también podrían ser Cindy y Vicki...

—¿Cómo? ¿Un romántico idilio?

—O una extraña relación de tipo materno-filial. Vicki podría recordarle a Cindy la figura de su tía..., una enfermera de carácter muy rígido. Puede que las patologías de ambas se hayan entremezclado. Y, qué demonios, a lo mejor Cindy y Stephanie han entablado una relación de tipo romántico. No sé nada sobre la vida privada de Stephanie. En nuestros tiempos no parecía que la tuviera.

—Puestos a hacer suposiciones, ¿qué tal el padre de Cindy y Stephanie?

—Tampoco estaría mal —contesté—. El papá y la doctora, el papá y la enfermera... desde luego, Vicki se come a besos a Chip. También podría ser la enfermera y la doctora, etc. *Ad nauseam. Et pluribus unum*. A lo mejor, son todos juntos, Milo. Un equipo de Münchhausen. El Orient Express de la pediatría. A lo mejor, todo el maldito mundo se ha vuelto loco.

—Te quedas corto, muchacho —dijo Milo.

—Probablemente.

—Necesitas tomarte unas vacaciones, doctor.

—Imposible —dije—. Tengo demasiada psicopatología y demasiado poco tiempo. Gracias por recordármelo.

Milo se echó a reír.

—Me alegro de haberte animado un poco. ¿Quieres que busque en las fichas por si hubiera algo sobre Stephanie?

—Bueno. Y, de paso, ¿por qué no buscas algo sobre Ashmore? Los muertos no pueden poner pleitos.

—Eso está hecho. ¿Alguien más? Aprovéchate de mi favorable disposición y del *hardware* del Departamento de Policía de Los Ángeles.

—¿Y yo?

—De lo tuyo ya me encargué hace años cuando pensé que quizá podríamos ser amigos.

Me dirigí en mi automóvil a Culver City, confiando en que Dawn Herbert estuviera en casa el sábado por la mañana. Tuve que pasar por delante del complejo de apartamentos de Overland donde había vivido en mi época de estudiante e interno de medicina. El taller de reparación de automóviles seguía en su sitio, pero mi edificio había sido derribado y, en su lugar, había un solar donde se vendían vehículos de segunda mano.

En Washington Boulevard tomé la dirección oeste hacia Sepúlveda y después seguí por el sur hasta una manzana más allá de Culver. Giré a la izquierda a la altura de un establecimiento de peces tropicales con una decoración de arrecifes de coral en los escaparates y recorrí la manzana, buscando el número que Milo había encontrado en los archivos.

Lindblade era una calle en la que abundaban los pequeños bungalows de una sola planta con tejados de materiales artificiales y unos minúsculos jardincitos en los que a duras penas se hubiera podido jugar a la rayuela. Casi todos los muros estaban pintados en tonos suaves; el color del mes era el mantequilla. Unos grandes olmos chinos daban sombra a la calle. Casi todas las casas estaban muy bien cuidadas, aunque el ajardinamiento de las parcelas se había hecho sin orden ni concierto...: aves del paraíso, tuyas, raquíticos rosales.

El diminuto bungalow de color azul pastel de Dawn Herbert ocupaba la penúltima parcela de la calle. Unas calcomanías de viaje adornaban el borde inferior de la ventana de atrás, pintada de color cacao en polvo.

Un hombre y una mujer estaban arreglando la parte anterior del jardín, acompañados de un *golden retriever* de gran tamaño y un pequeño mestizo negro con pretensiones de *cocker spaniel*.

Debían de tener unos cuarenta y tantos años y el apagado tono de su piel era el propio de las gentes que trabajan en un despacho si bien sus hombros y sus brazos estaban enrojecidos por unas recientes quemaduras de sol. El cabello castaño claro les llegaba hasta los hombros y llevaban gafas de cristales sin montura, camiseta, calzones cortos y sandalias de goma.

El hombre se acercó a una hortensia con unas tijeras de jardinería en la mano. Las flores cortadas fueron cayendo a sus pies cual vellones de color de rosa. Era alto y fuerte, lucía unas pobladas patillas que le llegaban hasta la mandíbula y llevaba los calzones sujetos con unos tirantes de cuero. Una cinta con abalorios le ceñía la frente.

La mujer no llevaba sujetador y, al inclinarse para arrancar unas malas hierbas, los pechos le colgaron casi hasta el suelo. Debía de ser tan alta como el hombre —un metro setenta y cinco o setenta y seis—, pero probablemente pesaba quince kilos más, casi todos ellos acumulados en el pecho y las caderas. Su físico hubiera podido coincidir con el que se describía en el permiso de conducir de Dawn Herbert, pero ésta había nacido en el 63 y aquélla debía de tener por lo menos diez años más.

Mientras me acercaba, me di cuenta de que ambos me resultaban vagamente conocidos, aunque no supe por qué.

Aparqué y apagué el motor. Ninguno de ellos levantó la vista. El perrito empezó a ladrar y el hombre le dijo sin interrumpir su tarea:

—Siéntate, *Homer*.

Fue suficiente para que los ladridos se intensificaran. Mientras el mestizo entornaba los ojos y ponía a prueba los límites de sus cuerdas vocales, el *retriever* lo miró con expresión absorta. La mujer dejó de arrancar hierbas y buscó el origen del alboroto.

Lo encontró y se me quedó mirando mientras yo descendía del automóvil. El mestizo se mantuvo en su sitio, pero agachó la cabeza hacia el suelo en gesto de sumisión.

—Hola, chico —le dije yo, inclinándome para darle unas palmadas. El hombre apartó las tijeras del arbusto y los cuatro me miraron fijamente.

—Buenos días —añadí.

La mujer enderezó la espalda. Era demasiado alta para ser Dawn Herbert. Su mofletudo rostro arrebolado era el típico de una campesina.

—¿Qué desea usted? —me preguntó con una melodiosa voz que yo tuve la certeza de haber escuchado anteriormente en alguna parte. Pero, ¿dónde?

—Busco a Dawn Herbert.

La mirada que ambos se intercambiaron me hizo sentir un policía.

—Ah, ¿sí? —dijo el hombre—. Pues ya no vive aquí.

—¿Saben ustedes dónde vive?

Otro intercambio de miradas. Más de temor que de cautela.

—No es por nada malo —expliqué—. Soy un médico del Western Pediatric... de Hollywood. Dawn trabajó allí y es posible que tenga cierta información que nos interesa acerca de un paciente. Ésta es la única dirección que me han dado.

La mujer se acercó al hombre en una especie de gesto de autodefensa, pero yo no supe muy bien quién protegía a quién.

El hombre utilizó la mano libre para sacudirse unos pétalos que habían quedado prendidos en sus calzones. El sol le había quemado también la nariz y tenía la punta enrojecida.

—¿Y ha hecho todo este camino sólo para conseguir una información? —me preguntó.

—Es una cosa un poco complicada —contesté, tratando de ganar tiempo para inventarme una excusa verosímil—. Es un caso importante..., un niño que corre peligro. Dawn sacó su historia médica del hospital y no la devolvió. En circunstancias normales, me hubiera dirigido al jefe de Dawn. Un médico apellidado Ashmore. Pero él ha muerto. Lo atracaron hace un par de días en el aparcamiento del hospital..., puede que ustedes hayan leído la noticia en alguna parte.

Otra mirada en sus rostros. De temor y perplejidad. Era evidente que la noticia los había pillado por sorpresa y no sabían cómo responder. Al final, optaron por el recelo, tomándose de la mano y mirándome con expresión enfurecida.

Al *retriever* no le gustaban las situaciones tensas. Miró a sus dueños y empezó a gañir.

—*Jethro* —dijo la mujer.

El perro se calmó, pero el mestizo negro levantó las orejas y soltó un gruñido.

—*Homer* y *Jethro*, como los músicos —dije yo—. ¿Tocan sus propios instrumentos o utilizan acompañamiento?

Mi comentario no suscitó la menor sonrisa. De pronto, recordé dónde les había visto. El año anterior en el taller de Robin. Clientes de unas reparaciones. Una guitarra y una mandolina, aquélla en muy mal estado. Dos cantantes de música *folk* con cierto talento, pero no demasiado dinero. Robin les había hecho un trabajo valorado en unos quinientos dólares a cambio de unos álbumes de grabaciones de producción casera, una bandeja de bollos de mantequilla dc elaboración propia y setenta y cinco dólares en efectivo. Desde el dormitorio del *loft*, yo había observado la transacción sin que ellos se dieran cuenta. Más tarde, Robin y yo escuchamos un par de álbumes. Casi todas las canciones eran de dominio público..., generalmente baladas y *reels* muy bien interpretados al estilo tradicional.

—Ustedes son Bobby y Ben, ¿verdad?

El hecho de que los reconociera disipó su recelo, pero renovó sus sospechas.

—Robin Castagna es amiga mía —dije.

—Ah, ¿sí? —dijo el hombre.

—El invierno pasado ella les arregló unos instrumentos. Una Gibson A-cuatro con una grieta en el mástil y una D-dieciocho con las clavijas flojas, el mástil doblado, los trastes en muy mal estado y el puente roto. Quienquiera que preparara aquellos bollos de mantequilla, estaban riquísimos.

—¿Y usted quién es? —preguntó la mujer.

—Exactamente quien le he dicho que era. Llame a Robin... ahora mismo está en su taller. Pregúntele por Alex Delaware. Y, si no quiere molestarse, ¿sería usted tan amable de decirme dónde puedo encontrar a Dawn Herbert? No tengo la menor intención de causarle el menor trastorno, sólo quiero recuperar la historia médica.

No contestaron. El hombre se pasó un pulgar por detrás de uno de los tirantes.

—Llama —le dijo la mujer.

El hombre entró en la casa. Ella se quedó donde estaba, respiró hondo y me miró fijamente. Los perros también me miraron. Nadie dijo nada. Mis ojos captaron un movimiento hacia el oeste y, volviendo la cabeza, vi un vehículo con remolque haciendo marcha atrás en una calzada particular para salir a la calle y tomar la dirección de Sepúlveda. Desde el otro lado de la calle, alguien estaba agitando una bandera americana. Más allá, vi a un anciano sentado en un sillón de jardín. No hubiera podido jurarlo, pero me pareció que él también me estaba mirando.

La guapa del baile de Culver City.

El hombre de los tirantes regresó a los pocos minutos, sonriendo como si acabara de tropezarse con el Mesías. Portaba una bandeja azul cielo. Con unos bollos y unas galletas.

Asintió con la cabeza y su sonrisa tranquilizó a la mujer. Los perros empezaron a menear la cola.

Esperé que alguien se pusiera a bailar.

—Oye, Bob —dijo el hombre—. Este chico es el novio de Robin..

—El mundo es un pañuelo —dijo la mujer con una sonrisa.

Recordé su voz en el álbum, fina y clara y con un sutil *vibrato*. Cuando hablaba, el timbre de su voz también era muy agradable. Hubiera podido ganar dinero en los teléfonos eróticos.

—Es una chica extraordinaria —añadió sin dejar de estudiarme—. ¿La aprecia usted?

—Todos los días.

Asintió con la cabeza y me tendió la mano diciendo:

—Bobby Murtaugh. Éste es Ben. Y a estos dos personajes ya los conoce.

Saludos por doquier. Acaricié a los perros y Ben pasó la bandeja. Los tres tomamos unos bollos y nos los comimos. Parecía el ritual de una tribu. Pese a todo, mientras masticaban, ambos me miraron con semblante preocupado.

Bobby, que fue la primera en terminarse el bollo, se comió una galleta y después otra, masticando sin parar. Las migajas quedaron esparcidas sobre su pechuga. Se las sacudió con un gesto de la mano y dijo:

—Vamos dentro.

Los perros nos siguieron y, una vez en el interior de la casa, se dirigieron hacia la cocina. A los pocos momentos, les oí comer ruidosamente. La estancia anterior tenía un techo muy bajo y no había demasiada luz porque las persianas estaban cerradas. Olía a copos de cereales, azúcar y perros mojados. Paredes de color tostado y suelo de madera de pino al que no le hubiera venido mal una mano de barniz, toscas estanterías de libros de fabricación casera y varios estuches de instrumentos en el lugar que hubiera tenido que ocupar una mesa auxiliar. En un rincón había un atril lleno de partituras. El mobiliario era de estilo Depresión, o sea, una mezcla de tesoros de tiendas de baratillo. En las paredes había un reloj vienés detenido a las dos en punto, un póster con marco y cristal de una guitarra Martin, y varias octavillas de propaganda del Concurso de Violín y Banjo de Topanga.

—Siéntese —me dijo Ben. Sin darme tiempo a que lo hiciera, añadió—: Lamento decírselo, amigo, pero Dawn ha muerto. Alguien la mató. Por eso nos hemos puesto tan nerviosos cuando usted ha mencionado su nombre y el otro asesinato. Perdone.

Contempló la bandeja de bollos, sacudiendo la cabeza.

—Aún no hemos conseguido quitárnoslo de la cabeza —dijo Bobby—. Pero siéntese si quiere.

Se hundió en un aburrido sofá de color verde. Ben se acomodó a su lado, colocando la bandeja en equilibrio sobre una de sus rodillas.

Yo me senté en un sillón con adornos de encaje y pregunté:
—¿Cuándo ocurrió?
—Hace un par de meses —contestó Bobby—. En marzo. Fue un fin de semana, a mediados de mes, el día diez, creo. No, el nueve —rectificó, mirando a Ben.
—Algo así —dijo éste.
—Estoy segura de que fue el nueve, cariño. El fin de semana de Sonoma, ¿recuerdas? Tocamos el nueve y regresamos a Los Ángeles el diez... ¿recuerdas lo tarde que llegamos por culpa de los problemas que tuvimos con la furgoneta en San Simeón? Por lo menos, eso fue lo que dijo el policía. Fue el nueve.
—Sí, tienes razón —dijo Ben.
—Estábamos fuera, actuando en un festival del norte —me explicó Bobby, volviéndose a mirarme—. Tuvimos un problema con el vehículo, nos vimos obligados a parar un buen rato y llegamos el diez... o, mejor dicho, a primera hora de la mañana del once. En el buzón encontramos la tarjeta de un policía con un número de teléfono. Era un investigador de la brigada de homicidios. No sabíamos qué hacer y no le llamamos, pero él nos llamó a nosotros, nos dijo lo que había ocurrido y nos hizo muchas preguntas. No teníamos nada que decirle. Al día siguiente, se presentó con otros dos hombres para registrar la casa. Traían la correspondiente orden judicial, pero estuvieron muy amables.
Una mirada a Ben.
—No se portaron mal —dijo éste.
—Sólo querían examinar sus efectos personales por si hubiera algo de interés. Pero no había nada, como es natural. El delito no se cometió aquí y ellos ya nos habían dicho desde un principio que no sospechaban de ninguno de sus conocidos.
—¿Y eso por qué?
—El investigador dijo que...
Bobby cerró los ojos y alargó la mano hacia una galleta. La encontró a tientas y se la comió.
—Según el policía, fue obra de un psicópata —explicó Ben—. Nos dijo que la chica estaba...
Sacudió la cabeza.
—Totalmente destrozada —terció Bobby, terminando la frase.
—Aquí no encontraron nada —añadió Ben.
Ambos parecían un tanto alterados.
—Qué cosa tan horrible —dije yo.
—Desde luego —dijo Bobby—. Nos llevamos un susto tremendo... Mira que ocurrirle eso a alguien que nosotros conocíamos.
Tomó otra galleta a pesar de que aún no se había terminado la que tenía en la mano.

—¿Tenían la vivienda alquilada a medias con ella?

—Ella era inquilina nuestra —contestó Bobby—. Somos propietarios de la casa —explicó casi complacida—. Tenemos una habitación libre que solíamos utilizar para las prácticas o para hacer alguna grabación. Pero después yo perdí el empleo en el centro de cuidados diurnos y entonces decidimos alquilarla para sacar un poquito de dinero. Pusimos un anuncio en el tablero de la universidad porque pensamos que a un estudiante le podría interesar. Dawn fue la primera que llamó.

—¿Eso cuándo fue?

—En julio.

Bobby se comió las dos galletas. Ben le dio unas palmadas en el muslo y se lo comprimió suavemente. La carne se le puso como un queso tierno. Bobby lanzó un suspiro.

—Eso que usted ha dicho sobre la ficha médica —dijo—. ¿Se la llevó indebidamente?

—Hubiera tenido que devolverla.

Ambos se miraron en silencio.

—¿Acaso tenía costumbre de «llevarse» cosas? —pregunté.

—Bueno... —dijo Ben con cierta turbación.

—Al principio, no —terció Bobby—. Al principio, era una inquilina estupenda..., lo limpiaba todo y se ocupaba de sus propios asuntos. En realidad, la veíamos muy poco porque nosotros teníamos nuestro trabajo durante el día y algunas veces íbamos a cantar por las noches. Y, cuando no lo hacíamos, nos acostábamos muy temprano. Ella salía mucho..., era una auténtica noctámbula. El arreglo funcionaba muy bien.

—Lo malo era que volvía a cualquier hora —dijo Ben—, porque *Homer* es un buen perro guardián y, cuando ella regresaba, solía ladrar y nos despertaba. Pero no podíamos decirle cuándo tenía que entrar y salir, ¿comprende? De todos modos, la cosa iba bastante bien en general.

—¿Cuándo empezó a llevarse cosas?

—Eso ocurrió más tarde —contestó Ben.

—Un par de meses después de su llegada —dijo Bobby—. Al principio, no nos dimos cuenta. Eran pequeñas cosas sin importancia..., plumas, púas de guitarra. No tenemos más objetos de valor que los instrumentos y es fácil perder los pequeños objetos. Como, por ejemplo, pares de medias baratos. Después ya fueron cosas más visibles. Algunas cintas de casete, un Pack de seis botellas de cerveza... Cosas que le hubiéramos dado si nos las hubiera pedido. Éramos bastante generosos con la comida, a pesar de que ella se la hubiera tenido que comprar, según el trato. Después se llevó algunas joyas..., dos pares de pendientes míos, uno de los pañuelos floreados de Ben y unos tirantes antiguos que se había comprado en Seattle. Muy bonitos, de cuero labrado, de esos que ya no se fabrican. Lo último que se llevó fue lo que más me disgustó. Un broche inglés antiguo que era de mi abuela... de plata y con un granate engarzado. La piedra estaba un poco descascarillada, pero para mí tenía valor sentimental. Lo dejé encima de la cómoda y, al día siguiente, había desaparecido.

—¿Le dijo usted algo a ella?

—No la acusé directamente, pero le pregunté si lo había visto. Y si había visto los pendientes. Me contestó que no sin inmutarse. Pero nosotros sabíamos que tenía que haber sido ella. ¿Quién hubiera podido ser? Era la única persona que entraba en esta casa y jamás había desaparecido nada hasta que ella vino.

—Debía de ser un problema emocional —dijo Ben—. Cleptomanía o algo por el estilo. No creo que pudiera conseguir mucho dinero a cambio. Y, además, no lo necesitaba. Tenía mucha ropa y un coche nuevo.

—¿Qué tipo de coche?

—Uno de esos pequeños descapotables... un Mazda, creo. Se lo compró después de Navidad. No lo tenía cuando vino, de lo contrario, le hubiéramos cobrado un poco más por el alquiler. Sólo le cobrábamos cien dólares al mes. Pensábamos que era una estudiante muerta de hambre.

—Desde luego, debía de tener un problema —dijo Bobby—. Encontré todas las cosas que robaba ocultas debajo de las tablas de madera del suelo del garaje dentro de una caja, junto con una fotografía suya..., como si con ello quisiera afirmar su derecho de propiedad, guardándolo en su escondrijo como hacen las ardillas. En realidad, era un poco avariciosa... Sé que no es muy caritativo decirlo, pero es la verdad. Más adelante, empecé a atar cabos.

—¿Avariciosa en qué sentido?

—Siempre se quedaba con lo mejor. Por ejemplo, si dejábamos en el congelador del frigorífico un helado de chocolate y vainilla, al volver descubríamos que se había comido toda la parte del chocolate y sólo había dejado la vainilla. Si había un cuenco de cerezas, se comía las más maduras.

—¿Pagaba puntualmente el alquiler?

—Más o menos. A veces, se retrasaba una o dos semanas. Nunca le dijimos nada y siempre nos pagó.

—Pero la situación era cada vez más tensa —dijo Ben.

—Ya casi estábamos a punto de decirle que se fuera —dijo Bobby—. Nos pasamos un par de semanas discutiendo sobre cómo se lo íbamos a decir. Pero entonces se nos presentó la ocasión de participar en el concurso de Sonoma y estuvimos muy ocupados, ensayando. Al volver a casa...

—¿Dónde la asesinaron?

—En no sé qué club de la ciudad.

—¿Una sala de fiestas?

Ambos asintieron con la cabeza.

—Por lo que yo he podido deducir —dijo Bobby—, era uno de esos locales de la *new wawe*. ¿Cómo se llamaba, Ben? Tenía un nombre indio, ¿verdad?

—El Maya —contestó Ben—. El Maya Taciturno. O algo por el estilo. —Leve sonrisa—. El policía nos preguntó si habíamos estado allí alguna vez.

—¿Era Dawn aficionada a la *new wawe*?

—Al principio, no —contestó Bobby—. Quiero decir que, cuando la conocimos, parecía una chica muy seria. Casi demasiado..., incluso recatada. Temimos que nos considerara excesivamente bohemios. Poco a poco, se fue desmelenando. Pero era muy inteligente, de eso no cabe duda. Siempre leyendo manuales. Estudiaba para el doctorado en biomatemáticas o algo así. Por la noche, cambiaba... y se vestía para salir. A esa ropa se refería Ben..., cosas de estilo *punk*, muchas prendas de color negro. Se solía teñir el cabello con ese líquido que se quita con un lavado. Y se maquillaba a lo familia Addams... a veces, se aplicaba espuma en el cabello para que le quedara de punta. Era como un disfraz. A la mañana siguiente, se vestía con seriedad para ir al trabajo. No la hubiera usted reconocido.

—¿La mataron allí mismo, en el club?

—No lo sé —contestó Bobby—. No prestamos demasiada atención a los detalles, sólo queríamos que la policía se llevara sus cosas para poder olvidarnos de todo.

—¿Recuerdan ustedes, acaso, el apellido del investigador que llevaba el caso?

—Gómez —contestaron ambos al unísono.

—Ray Gómez —puntualizó Bobby—. Era un fan de Los Lobos y le gustaba la marcha. No era mal chico.

Ben asintió con la cabeza. Ambos mantenían las rodillas tan juntas que la presión se las había dejado blancas.

—Qué cosa tan horrible —dijo Bobby—. ¿Y ahora este niño va a sufrir porque Dawn se llevó la ficha?

—Eso consideramos —respondí—. Por ello nos resultaría útil recuperarla.

—Lástima —dijo Ben—. Lamento que no podamos ayudarle. La policía se llevó todas sus cosas y yo no vi ninguna ficha médica allí dentro. Aunque, en realidad, tampoco miré muy bien.

—¿Y entre las cosas que había robado?

—No —contestó Bobby—, allí dentro tampoco había nada. Los policías no debieron de buscar bien, ¿verdad? De todos modos, déjeme mirar por si acaso... a lo mejor, dentro de las solapas de la tapa hay algo.

Se dirigió a la cocina y regreso poco después con una caja de zapatos y una tira de papel.

—Vacía... ésta es la fotografía que había dejado encima. Como si quisiera afirmar su derecho de propiedad.

Tomé la fotografía. Era una de aquellas instantáneas en blanco y negro, cuatro por un cuarto de dólar, que se hacían en las máquinas automáticas de las terminales de autobuses. Cuatro versiones de un rostro antaño bonito y ahora untado de sebo y empañado por la desconfianza. Cabello negro liso y grandes ojos oscuros. Ojos magullados. Hice ademán de devolverla.

—Quédesela —dijo Bobby—. Yo no la quiero.

Eché otro vistazo a la fotografía antes de guardármela en el bolsillo. Cuatro poses idénticas, serias y recelosas.

—Una cara triste —dije.

—Sí, no sonreía demasiado —añadió Bobby.

—A lo mejor —dijo Ben—, la dejó en su despacho de la universidad..., la ficha, quiero decir.

—¿Sabe usted a qué departamento pertenecía?

—No, pero nos había facilitado la extensión telefónica. Dos-dos-tres-ocho, ¿verdad?

—Creo que sí —contestó Bobby.

Saqué un trozo de papel y una pluma de mi cartera de documentos y lo anoté.

—¿Estaba haciendo el doctorado?

—Eso nos dijo cuando vino. Biomatemáticas o algo por el estilo.

—¿Mencionó alguna vez el nombre de su profesor?

—Nos dio un nombre como referencia —contestó Bobby—, pero no le llamamos.

Tímida sonrisa.

—Estábamos un poco apurados —explicó Ben—. Teníamos cierta prisa en alquilar la habitación y la chica nos pareció correcta.

—El único jefe de quien nos habló fue el médico con quien ella trabajaba en el hospital... ese al que han matado. Pero no nos dijo cómo se llamaba.

Ben asintió con la cabeza diciendo:

—No le tenía demasiada simpatía.

—¿Y eso por qué?

—No lo sé. Nunca entró en detalles..., aunque sí decía que era un tipo muy exigente y que ella lo pensaba dejar. Y así lo hizo, en efecto, en febrero.

—¿Encontró otro trabajo?

—No nos dijo nada —contestó Bobby.

—¿Saben con qué dinero pagaba las facturas?
—No, pero siempre tenía dinero para gastar.
Ben esbozó una amarga sonrisa.
—¿Qué ocurre? —le preguntó Bobby.
—Ella y su jefe; ella y el jefe al que tanto odiaba navegan ahora en el mismo barco. Los Ángeles acabó con ellos.
Bobby se estremeció mientras se comía un bollo de mantequilla.

17

El asesinato de Dawn Herbert y su cleptomanía me dieron que pensar.

Creía que la chica había sacado la ficha de Chad a petición de Laurence Ashmore. Pero, ¿y si lo hubiera hecho por su cuenta porque había descubierto algo perjudicial para la familia Jones y planeaba aprovecharlo?

Ahora había muerto.

Me dirigí a la tienda de peces tropicales, compré una bolsa de veinte kilos de comida para peces *koi* y les pregunté si podía utilizar el teléfono para efectuar una llamada. El chico de detrás del mostrador lo pensó un poco, miró el precio total que marcaba la caja registradora y me señaló un anticuado teléfono negro de pared, diciendo:

—Por allí.

Al lado del teléfono había un gran acuario de agua salada que albergaba un pequeño tiburón leopardo. Los pececitos de colores nadaban justo por debajo de la superficie del agua. El tiburón se deslizaba plácidamente. Tenía unos ojos azules casi tan bonitos como los de Vicki Bottomley.

Llamé a Parker Center. El hombre que atendió la llamada me dijo que Milo no estaba y no sabía cuándo regresaría.

—¿Es usted Charlie?

—No.

Clic.

Marqué el número particular de Milo. El chico de detrás del mostrador me estaba observando. Le miré con una sonrisa y le indiqué un minuto, haciendo una señal con el dedo mientras escuchaba los timbrazos.

Escuché la consabida grabación de Investigaciones Azul en la voz de Peggy Lee.

—Dawn Herbert fue asesinada en marzo —dije—. Probablemente el 9 de marzo, cerca de un club de música *punk* del centro. El investigador de la policía se llamaba Ray Gómez. Estaré en el hospital dentro de una hora... Me puedes llamar allí si quieres decirme algo.

Colgué y, al salir, capté un movimiento por el rabillo del ojo y me volví hacia el acuario. Los dos pececitos de colores habían desaparecido.

En la parte de Sunset que atraviesa Hollywood se respiraba el sosiego propio de los fines de semana. Los bancos y los establecimientos de diversión que había antes de llegar al Hospital Row estaban cerrados y algunas familias de pocos medios y gentes sin nada especial que hacer recorrían las aceras sin rumbo fijo. El tráfico rodado era muy escaso..., se trataba, en buena parte, de personas que trabajaban los fines de semana y turistas que se habían apartado excesivamente de su camino. Llegué a la entrada del aparcamiento de los médicos en menos de media hora. El aparcamiento estaba en pleno funcionamiento y había muchas plazas vacías.

Antes de subir a las salas, pasé por la cafetería para tomarme un café.

La hora del almuerzo ya estaba a punto de terminar y el local se encontraba casi vacío. Dan Kornblatt estaba recibiendo el cambio de la cajera en el momento en que yo me acerqué para pagar. El cardiólogo llevaba una taza de plástico con tapa. El café se había derramado un poco y estaba resbalando por los costados de la taza en riachuelos de color barro. El bigote en forma de manillar de Kornblatt aparecía caído, y él mostraba un semblante preocupado. Se guardó el cambio en el bolsillo y, al verme, inclinó la cabeza a modo de saludo.

—Hola, Dan. ¿Qué es lo que te pasa?

Mi sonrisa pareció molestarle.

—¿No has leído el periódico de esta mañana? —me preguntó.

—Pues la verdad es que sólo lo he hojeado por encima —contesté.

Me miró con los ojos entornados. Estaba visiblemente irritado. Tuve la sensación de haber dado una respuesta equivocada en un examen oral.

—Qué puedo decirte —replicó secamente antes de alejarse.

Pagué el café y me pregunté qué noticia del periódico lo habría sacado de quicio. Miré a mi alrededor por si alguien hubiera dejado olvidado un ejemplar, pero no vi ninguno. Tomé un par de sorbos de café, tiré la taza y me fui a la sala de lectura de la biblioteca. La encontré cerrada.

En la desierta Sala Chappy todas las puertas de las habitaciones estaban abiertas menos la de Cassie. Las luces estaban apagadas y las camas deshechas y se aspiraba el artificial aroma de prado de un ambientador. Un hombre vestido con el mono de trabajo amarillo de los servicios de limpieza estaba pasando un aspirador por el pasillo. El hilo musical transmitía una lenta y dulzona melodía vienesa.

Vicki Bottomley estaba sentada en la sala de las enfermeras, leyendo una historia clínica. Llevaba la cofia ligeramente ladeada.

—Hola, ¿alguna novedad? —le pregunté.

Sacudió la cabeza y me mostró la historia sin mirarme.

—Termine —le dije.

—Ya he terminado —contestó, entregándome la historia. La tomé, pero no la abrí.

—¿Qué tal se encuentra hoy Cassie? —pregunté, apoyado contra el mostrador.

—Un poco mejor.

Todavía sin mirarme.

—¿Cuándo se despertó?

—Sobre las nueve.

—¿El papá ya ha venido?

—Todo está anotado aquí —contestó con la cabeza inclinada, señalándome la historia con el dedo.

La abrí, pasé a la página correspondiente a aquella mañana y leí los resúmenes de Macauley y los del neurólogo.

Vicki tomó un impreso y se puso a escribir.

—Parece que el último ataque de Cassie fue muy violento —dije.

—He visto muchos así.

Dejé la historia sobre el mostrador y permanecí de pie sin moverme. Al final, Vicki me miró. Sus ojos azules parpadearon rápidamente.

—¿Ha visto usted muchos casos de epilepsia infantil? —le pregunté.

—Yo he visto de todo. He trabajado en Oncología. He atendido a niños con tumores cerebrales.

Encogimiento de hombros.

—Yo también trabajé en Oncología hace años. Prestando apoyo psicológico.

—Ya.

Vuelta al impreso.

—Bueno —dije—, parece que Cassie no tiene ningún tumor.

Silencio.

—La doctora Eves me dijo que tenía previsto darle el alta muy pronto.

—Ya.

—Creo que visitaré a la niña en su domicilio.

La pluma empezó a correr sobre el papel.

—Usted también ha estado allí, ¿verdad?

Silencio. Repetí la pregunta. Vicki dejó de escribir y me miró.

—Si lo he hecho, ¿acaso tiene eso algo de malo?

—No, es que yo...

—Usted habla por hablar, eso es lo que usted hace. ¿Vale? —Dejó la pluma y, con una sonrisa burlona en los labios, impulsó su silla de despacho hacia atrás—. ¿O acaso me está controlando y quiere saber si fui allí y le hice algo malo a la niña?

Desplazó la silla un poco más hacia atrás y me miró fijamente sin dejar de sonreír.

—¿Y por qué iba yo a pensar tal cosa?

—Porque sé lo que ustedes suelen pensar.

—Era una simple pregunta, Vicki.

—Sí, ya. De eso se trataba desde el principio. Todos estos comentarios que me hacía sin ton ni son. Usted me está vigilando para ver si soy como aquella enfermera de Nueva Jersey.

—¿De qué enfermera me habla?

—De la que mataba a los niños. Se escribió un libro sobre eso y se hizo una serie en la televisión.

—¿Usted se cree bajo sospecha?

—¿Acaso no lo estoy? ¿Acaso no le echan siempre la culpa a la enfermera?

—¿Le echaron injustamente la culpa a la enfermera de Nueva Jersey?

Su sonrisa consiguió convertirse en una triste mueca sin apenas transición.

—Ya estoy harta de este juego —dijo, levantándose y empujando la silla a un lado—. Ustedes siempre andan con estos juegos.

—Al decir «ustedes», ¿se refiere a los psicólogos?

Cruzó las manos sobre el pecho y se volvió de espaldas a mí, musitando algo por lo bajo.

—¿Vicki?

Silencio.

—Aquí sólo se trata de descubrir qué demonios le ocurre a Cassie —dije, haciendo un esfuerzo por dominar mi voz.

Simuló leer el tablero de boletines que había detrás del mostrador.

—Se acabó nuestra pequeña tregua —dije.

—No se preocupe —contestó, volviéndose rápidamente a mirarme. Levantó la voz y su amargo timbre se impuso a la azucarada música de torta Sacher del hilo musical—. No se preocupe —repitió—. No me interpondré en su camino. Si quiere algo, me lo pregunta. Porque usted es un médico y yo haré cualquier cosa que pueda ayudar a esta pobre chiquilla..., contrariamente a lo que usted cree. Yo cuido de ella, ¿comprende? Incluso iré a buscarle a usted un café si eso sirve para que centre todos sus esfuerzos en la niña, como debe ser. Yo no soy una de esas feministas que consideran un pecado hacer cualquier otra cosa que no sea administrar medicamentos. Pero no finja ser amigo mío, ¿de acuerdo? Hagamos cada cual nuestro trabajo sin conversaciones hipócritas y sigamos cada cual nuestro camino, si no le importa. Y, respondiendo a su pregunta, le diré que estuve en la casa exactamente un par de veces... varios meses atrás. ¿De acuerdo?

Se retiró al otro lado de la sala, sacó otro impreso, lo tomó y empezó a leerlo entornando los párpados y sosteniéndolo a la distancia de un brazo. Necesitaba gafas de lectura. Volvió a sonreír con afectación.

—¿Le está usted haciendo algo a la niña, Vicki? —le pregunté.

Sus manos se estremecieron y el papel se le cayó al suelo. Al inclinarse a recogerlo, se le cayó la cofia. Agachándose por segunda vez, recogió la cofia e irguió rígidamente la espalda. Llevaba mucho rímel y un par de motitas habían quedado adheridas al párpado inferior de uno de sus ojos.

Permanecí inmóvil.

—¡No! —contestó en un vehemente susurro.

Unas pisadas nos indujeron a volver la cabeza.

El hombre del servicio de limpieza salió al pasillo con el aspirador. Era de mediana edad e hispano, tenía la mirada cansada y llevaba un bigote a lo Cantinflas.

—¿Algo más? —preguntó.

—No —contestó Vicki—. Vete.

El hombre la miró arqueando una ceja y después tiró del aparato y lo remolcó hacia la puerta de madera de teca. Vicki le miró, apretando los puños.

Cuando el hombre se hubo retirado, añadió:

—¡Me ha hecho usted una pregunta horrible! ¿Por qué tiene que pensar estas cosas tan desagradables..., por qué alguien del hospital le iba a hacer algo a la niña? ¡Cassie está enferma!

—¿Sabe usted que todos los síntomas corresponden a una enfermedad misteriosa?

—¿Por qué no? —dijo—. ¿Por qué no? Eso es un hospital. Y eso es lo que solemos tener aquí..., niños enfermos. A eso se dedican los médicos de verdad. A tratar a los niños enfermos.

Guardé silencio. Los brazos de Vicki se empezaron a levantar y ella trató de impedirlo como si estuviera oponiendo resistencia a un hipnotizador. La cofia le resbaló hacia atrás y su lugar lo ocupó una cúpula de cabello en forma de sombrero.

—Los médicos de verdad no están muy de suerte, ¿no es cierto?

Expulsó el aire a través de la nariz.

—Juegos —dijo en un susurro—. Ustedes siempre se andan con juegos.

—Parece que usted sabe muchas cosas sobre nosotros.

Me miró sorprendida y se frotó los ojos. El rímel se le había corrido y los nudillos se le habían teñido de gris, pero ella no se dio cuenta porque me estaba mirando fijamente con expresión enfurecida.

Le sostuve la mirada y la absorbí.

Volvió a mirarme con sonrisa burlona.

—¿Desea usted alguna otra cosa, señor?

Se sacó unas horquillas del cabello y las utilizó para sujetar la blanca cofia almidonada.

—¿Les ha comentado usted a los Jones la opinión que le merecen los terapeutas? —le pregunté.

—Yo me guardo las opiniones. Soy una profesional.

—¿Les ha dicho, en algún momento, que alguien sospecha la existencia de juego sucio?

—Por supuesto que no. ¡Le repito que soy una profesional!

—Una profesional —dije yo—. Pero no le gustan los terapeutas. Son una caterva de charlatanes que prometen muchas cosas, pero nunca consiguen llegar a ninguna parte.

Echó la cabeza hacia atrás, la cofia se le volvió a mover y ella levantó rápidamente una mano para sujetarla.

—Usted no me conoce —dijo—. No sabe nada de mí.

—Eso es cierto —mentí—. Y se está convirtiendo en un problema para Cassie.

—No diga dispa...

—Su actitud dificulta el tratamiento de la niña, Vicki. Pero no sigamos discutiendo aquí —añadí, señalándole la sala que había detrás del mostrador.

—¿Para qué? —preguntó, poniendo los brazos en jarras.

—Para hablar con usted.

—No tiene usted ningún derecho.

—Sí lo tengo. El único motivo de que siga usted aquí se lo debe a mi benevolencia. La doctora Eves admira su preparación técnica, pero su actitud también le ataca los nervios.

—Muy bien.

—Llámela —dije tomando el teléfono.

Respiró hondo. Se tocó, nerviosa, la cofia. Se humedeció el labio con la lengua.

—¿Qué quiere usted de mí? —me preguntó en tono levemente quejumbroso.

—Aquí afuera, no —dije—. Allí dentro, Vicki. Por favor.

Fue a protestar, pero no le salieron las palabras. Un repentino temblor le estremeció los labios. Se cubrió la boca con una mano para disimularlo.

—Dejémoslo —dijo—. Le pido perdón.

Me miró atemorizada. Imaginándome la escena de su hijo muerto y sintiéndome un ogro, sacudí la cabeza.

—No pondré más obstáculos —dijo—. Se lo prometo... Esta vez hablo en serio. Tiene usted razón, no hubiera tenido que decir nada. Es porque estoy muy preocupada por la niña, lo mismo que usted. Me portaré bien. Le pido disculpas. No volverá a ocurrir...

—Por favor, Vicki —dije, señalándole la estancia del fondo.

—... Se lo juro. Vamos, déme un margen de confianza.

No di mi brazo a torcer.

Se acercó a mí con las manos cerradas en puño como si fuera a pegarme, pero después las bajó, dio súbitamente media vuelta y se encaminó hacia la sala del fondo. Despacio, con los hombros encorvados y sin apenas levantar los pies de la alfombra.

La estancia estaba amueblada con un sofá anaranjado, un sillón a juego y una mesa auxiliar. Sobre la mesa había un teléfono al lado de una cafetera destapada que llevaba mucho tiempo sin que nadie la utilizara o la limpiara. Unos pósters de unos gatitos y unos cachorros de perro estaban fijados a la pared por encima de una pegatina de coche que decía LAS ENFERMERAS LO HACEN CON TIERNO Y AMOROSO CUIDADO.

Cerré la puerta y me senté en el sofá.

—Esto es un atropello —dijo Vicki sin demasiada convicción—. No tiene usted ningún derecho... Voy a llamar a la doctora Eves.

Tomé el teléfono, hablé con la telefonista y pedí que me pusiera en comunicación con Stephanie.

—Espere —dijo Vicki—. Cuelgue.

Anulé la llamada y colgué el aparato. Restregó un poco los pies y, al final, se hundió en el sillón y jugueteó con la cofia, manteniendo ambos pies apoyados en el suelo. Reparé en algo en lo que antes no me había fijado; una minúscula margarita dibujada con laca de uñas en su nueva tarjeta de identificación, justo por encima de la fotografía. La laca se estaba empezando a desprender y la flor parecía deshojada.

Apoyó las manos sobre las rodillas y en su rostro se dibujó una expresión de reclusa condenada.

—Tengo trabajo que hacer —dijo—. Aún no he cambiado las sábanas y debo encargarme de que el servicio dietético reciba las debidas instrucciones para la cena.

—La enfermera de Nueva Jersey —dije—. ¿Por qué me lo ha comentado?

—¿Aún estamos con lo mismo?

Esperé.

—No es por nada especial —contestó—. Ya le he dicho que se escribió un libro y yo lo leí, eso es todo. Por regla general, no me gusta leer esas cosas, pero alguien me lo dio y lo leí. ¿De acuerdo?

A pesar de su sonrisa, sus ojos se llenaron súbitamente de lágrimas. Se acercó la mano al rostro y trató de enjugárselas con los dedos. Busqué a mi alrededor. No había ninguna caja de pañuelos de celulosa. Le ofrecí mi propio pañuelo.

Lo miró, pero no lo tomó. El rímel trazó unos negros arañazos de gato sobre el maquillaje de su rostro.

—¿Quién le dio el libro? —pregunté.

Su cara se contrajo en una mueca de dolor y yo tuve la sensación de haberle asestado una puñalada.

—No tiene nada que ver con Cassie, puede creerme.

—Muy bien, pero, ¿qué hacía exactamente aquella enfermera?

—Envenenaba a los niños... con lidocaina. Pero no era una enfermera. A las enfermeras les encantan los niños. Hablo de las auténticas enfermeras.

Sus ojos se posaron en la pegatina de la pared mientras las lágrimas rodaban profusamente por sus mejillas.

Cuando dejó de llorar, le ofrecí de nuevo mi pañuelo, pero ella fingió no darse cuenta.

—¿Qué quiere usted de mí?

—Un poco de sinceridad...

—¿Sobre qué?

—Sobre toda la hostilidad que usted me ha estado manifestando desde el principio...

—Ya le he pedido disculpas.

—Yo no necesito disculpas, Vicki. No se trata de mi honor y no tenemos por qué ser amigos usted y yo..., ni hablar por hablar. Pero sí tiene que establecerse entre nosotros una comunicación lo bastante fluida como para que podamos atender debidamente a Cassie. Y su comportamiento lo impide.

—No estoy de acue...

—Pues es cierto, Vicki. Y yo sé que no puede ser por algo que yo haya dicho o hecho porque usted estuvo en contra mía antes de que yo abriera la boca. Por consiguiente, está claro que usted la tiene tomada con los psicólogos y supongo que eso se debe a que éstos le fallaron... o no la trataron debidamente.

—Pero, ¿que es lo que está usted haciendo? ¿Me esta analizando?

—Lo haré en caso necesario.

—No me parece justo.

—Si quiere usted seguir trabajando en el caso, hablemos claro. Bien sabe Dios lo difícil que es eso. Cassie está cada vez más enferma y nadie sabe qué le ocurre. Unos cuantos ataques como el que usted presenció le podrían provocar graves lesiones cerebrales. No podemos permitirnos el lujo de distraernos por culpa de nuestras mierdas personales.

Su labio se estremeció y se proyectó hacia afuera.

—No hay necesidad de decir palabrotas —dijo.

—Perdone. Aparte de mis palabrotas, ¿qué más tiene contra mí?

—Nada.

—No la creo, Vicki.

—En realidad, no...

—A usted no le gustan los psiquiatras —dije— y mi intuición me dice que tiene sobrados motivos para ello.

Se reclinó contra el respaldo del sillón.

—¿Ah, sí?

Asentí con la cabeza.

—Los hay muy malos, que te chupan el dinero y no dan nada a cambio. Casualmente, yo no soy uno de ellos, pero no espero que usted me crea por el simple hecho de que yo se lo diga.

Frunció los labios y los volvió a relajar, aunque no del todo. Tenía el rostro tiznado por el rimel, cansado y mojado de lágrimas y yo me sentía el Gran Inquisidor.

—Por otra parte —añadí—, puede que esté molesta conmigo por celos, porque usted quiere ser la jefa.

—¡Eso no es cierto en absoluto!

—Pues entonces, ¿qué es lo que ocurre, Vicki?

No contestó. Se miró las manos. Utilizó una uña para empujar hacia abajo un padrastro. Su semblante era absolutamente inexpresivo, pero las lágrimas no habían cesado.

—¿Por qué no hablamos claro y terminamos de una vez? —dije—. Si no se trata de nada relacionado con Cassie, no saldrá de esta habitación.

Resolló y se pellizcó la punta de la nariz.

Me incliné hacia adelante y suavicé el tono de mi voz.

—Mire, esto no tiene por qué ser una maratón. No tengo la menor intención de acusarla de nada. Sólo quiero que se despeje un poco la atmósfera... y concertar una auténtica tregua.

—Conque no saldrá de esta habitación, ¿eh? —Otra vez la sonrisa afectada—. Eso ya lo he oído otras veces.

Nuestros ojos se cruzaron. Los suyos parpadearon. Los míos, no.

De repente, Vicki levantó los brazos, se arrancó la cofia de la cabeza y la arrojó al otro lado de la estancia donde aterrizó en el suelo. Fue a levantarse, pero no lo hizo.

—¡Maldito sea usted! —gritó.

Su desgreñado cabello formaba un nido de pájaros en la coronilla.

Doblé el pañuelo y lo dejé sobre una de mis rodillas. Qué buen chico es el inquisidor.

Vicki se acercó las manos a las sienes.

Me levanté y apoyé una mano en su hombro, pensando que la apartaría. Pero no lo hizo.

—Lo siento —dije.

Vicki rompió en sollozos y empezó a hablar y yo no pude más que escucharla.

Me lo contó sólo en parte. Abriendo de nuevo antiguas heridas mientras trataba de conservar un asomo de dignidad.

El delincuente Reggie se convirtió en «un niño muy revoltoso con problemas escolares».

—Era muy inteligente, pero no encontraba nada que le interesara y por eso se distraía.

El niño se transformó después en un chico «inquieto» que «no podía sentar la cabeza».

Los años de pequeños delitos quedaron reducidos a «unos problemas».

Vicki rompió de nuevo a llorar y esta vez aceptó mi pañuelo.

En susurros y entre sollozos, me reveló el hecho definitivo: la muerte de su único hijo a los diecinueve años a causa de «un accidente».

Tras la revelación del secreto, el inquisidor no dijo nada.

Vicki permaneció en silencio un buen rato, se enjugó las lágrimas de los ojos, se secó el rostro y volvió a hablar:

El marido alcohólico fue ascendido a héroe de la clase obrera. Muerto a los treinta y ocho años por culpa del «colesterol».

—Gracias a Dios, éramos propietarios de la casa —dijo—. Aparte de eso, lo único de valor que nos dejó Jimmy fue una vieja moto Harley-Davidson..., una de esas que parecen un helicóptero. Siempre le estaba haciendo arreglos y sacándole brillo, y dejaba el patio hecho un desastre. Sentaba a Reggie en el asiento de atrás y recorría a toda velocidad las calles del barrio. La llamaba su locomotora. Hasta que cumplió los cuatro años, Reggie creyó de verdad que aquello era una locomotora.

Sonrisa.

—Fue lo primero que vendí —dijo—. No quería que Reggie pensara que tenía derecho a salir por ahí a romperse la crisma en la autopista. Siempre le había gustado la velocidad. Como a su padre. Se la vendí a uno de los médicos del hospital donde trabajaba..., el Foothill General. Había trabajado allí antes de que Reggie naciera. Al morir Jimmy, tuve que volver.

—¿En pediatría? —pregunté.

Sacudió la cabeza.

—En la sala general..., allí no había departamento de pediatría. Yo lo hubiera preferido, pero necesitaba un sitio que estuviera cerca de casa para no dejar demasiado tiempo solo a Reggie... Tenía diez años, pero aún no se las sabía arreglar solo y yo quería estar en casa con él. Por eso hacía el turno de noche. Lo acostaba a las nueve, esperaba a que se durmiera, me echaba a descansar una hora y, a eso de las once menos cuarto, salía de casa para empezar el turno de las once.

Esperó algún comentario.

El inquisidor no hizo ninguno.

—Se quedaba solo todas las noches —añadió—. Pero yo pensaba que, estando dormido, no le ocurriría nada. Ahora lo llaman «descorrer el pestillo», pero entonces no había ningún nombre para eso. No había solución..., yo no tenía a nadie que me ayudara. Ni familia ni esos centros de cuidados diurnos que existen hoy en día. Sólo podía contratar a una «canguro» de una agencia para toda la noche y me cobraban todo lo que yo ganaba trabajando.

Volvió a enjugarse el rostro, contempló el póster y trató de contener las lágrimas.

—Nunca dejé de preocuparme por el niño. Cuando creció, me acusó de no haberle atendido debidamente y dijo que lo dejaba solo porque no me importaba. Incluso me echó en cara la venta de la moto de su padre..., como si lo hubiera hecho por codicia y no para evitar un peligro.

—Eso de criar en solitario a un hijo... —dije, sacudiendo la cabeza en gesto de comprensión.

—Yo regresaba corriendo a casa a las siete de la mañana, esperando que él estuviera todavía dormido y yo pudiera despertarle como si hubiera estado allí con él toda la noche. Al principio todo fue muy bien, pero él se dio cuenta enseguida y empezó a esconderse de mí. Como si fuera un juego... encerrándose en el cuarto de baño...

Apretó fuertemente el pañuelo en la mano mientras en su rostro se dibujaba una expresión de profundo sufrimiento.

—No se preocupe —le dije—. No es necesario que...

—Usted no tiene hijos y no sabe lo que es eso. Cuando creció, se pasaba las noches fuera de casa y, a veces, tardaba incluso un par de días en aparecer y ni siquiera llamaba. Cuando lo encerraba, conseguía escapar. Se burlaba de todos los castigos. Cuando intentaba hablar con él, me echaba en cara que le hubiera dejado solo para ir a trabajar. Golpe por golpe: tú te fuiste... y ahora me voy yo. Él nunca... —Sacudió la cabeza—. Nunca tuvo a nadie que lo ayudara. Nadie... le supo echar una mano. Los que son como usted, los expertos. Los asesores, los especialistas o como se llamen. Todo el mundo era experto menos yo. Porque el problema era yo, ¿comprende? Todos se daban mucha maña en echarme la culpa. En eso sí eran expertos.

Pero ninguno supo ayudar a mi hijo... Era incapaz de aprender nada en la escuela y cada año iba de mal en peor. Y ellos se limitaban a hacerme falsas promesas. Al final, lo llevé a... uno de ustedes. Un payaso de un consultorio particular. Nada menos que de Encino. A pesar de que no podía permitirme este lujo.

Me escupió un nombre que yo no conocía.

—Jamás he oído hablar de él —dije.

—Con un despacho muy grande —añadió—. Una vista preciosa de las montañas y toda una serie de muñequitos en los estantes en lugar de libros. Sesenta dólares la hora, que entonces era mucho dinero. Y lo sigue siendo..., especialmente si sólo sirve para perder el tiempo. Dos años de estafa fue lo único que recibí a cambio.

—¿Y cómo lo encontró usted?

—Me lo recomendó uno de los médicos de Foothill, deshaciéndose en elogios. Al principio, me pareció una persona muy bien preparada. Se pasó un par de semanas con Reggie sin darme ninguna explicación y después me llamó para que fuera a hablar con él y me dijo que Reggie tenía graves problemas a causa de la forma en que había crecido. Dijo que tardaría mucho tiempo en arreglarlo, pero que lo arreglaría. Siempre y cuando. Toda una serie de «siempre y cuandos». Siempre y cuando yo no presionara a Reggie para que se portara de una determinada manera. Y siempre y cuando le respetara como persona y respetara su derecho al carácter confidencial de las consultas. Le pregunté qué papel desempeñaría yo en todo aquello. Y me contestó que mi papel consistiría en pagar las facturas y ocuparme de mis propios asuntos. Reggie tenía que desarrollar su propia responsabilidad... Mientras yo le hiciera las cosas, el chico jamás lo conseguiría. Pero él no respetó el carácter confidencial de lo que yo le dije sobre Reggie. Dos años le estuve pagando a aquel farsante y, al final, lo único que conseguí fue un hijo que me odiaba por culpa de todas las cosas que aquel hombre le había metido en la cabeza. Pero sólo más tarde descubrí que él le había repetido al chico todo lo que yo le había dicho. Con lo cual se agravó la situación.

—¿Y usted no le dijo nada?

—¿Por qué? La tonta había sido yo por creerle. ¿Quiere saber lo tonta que fui? Después... después de lo de Reggie... después de lo que.. después de su... desaparición... un año después, fui a ver a otro. Uno como usted. Porque mi supervisora lo consideró necesario... aunque ella no me lo pagaba, claro. Y no porque yo no cumpliera con mi obligación en el trabajo. Lo que pasaba era que no dormía bien, apenas comía y nada me distraía. Parecía que estuviera muerta. Entonces ella me envió a otro. Pensé que una mujer sabría juzgar mejor la personalidad de la gente... Aquel payaso estaba en Beverly Hills y me cobraba ciento veinte dólares la hora. Por lo de la inflación, ¿comprende usted? Y no porque sus servicios valieran gran cosa, aunque, al principio, me pareció mejor que el otro. Reposado. Cortés. Todo un caballero. Pensé que me comprendía y me pareció que... el hecho de hablar con él me hacía sentir mejor. Pero sólo al principio. Pude empezar a trabajar un poco mejor. Después...

Se detuvo y cerró la boca, contemplando las paredes, el suelo y el empapado pañuelo que sostenía en la mano con expresión de asco y sorpresa.

De pronto, lo soltó como si estuviera lleno de piojos.

—Dejémoslo —dijo—. Ya es agua pasada.

Asentí con la cabeza.

Me lanzó el pañuelo y yo lo recogí.

—Bob Béisbol —dijo con insólita rapidez.

Se rió sin que yo comprendiera por qué.

—¿Bob Béisbol? —pregunté, dejando el pañuelo sobre la mesa.

—Es una cosa que solíamos decir Jimmy, yo y Reggie —contestó—. Cuando Reggie era pequeño. Siempre que alguien atrapaba algo al vuelo, le llamábamos Bob Béisbol... era una tontería.

—En mi casa, decíamos: «Tú podrías estar en mi equipo».

—Sí, ya conozco esta frase.

Permanecimos sentados en silencio, resignados a soportarnos el uno al otro como unos boxeadores en el decimotercero asalto.

—Aquí tiene usted mis secretos. ¿Está contento? —dijo.

Sonó el teléfono, lo tomé y la telefonista me preguntó:

—¿Doctor Delaware?

—Al habla.

—Hay una llamada para usted del doctor Sturgis. Lleva diez minutos llamándole por el sistema de megafonía.

Vicki se levantó.

Yo le hice señas de que esperara.

—Dígale que yo le llamaré.

Colgué. Vicki se quedó de pie.

—Este segundo terapeuta —dije—. Abusó de usted, ¿verdad?

—¿Abusó? —Pareció que la palabra le hacía gracia—. ¿Qué quiere decir? ¿Cómo uno que comete abusos deshonestos con un niño?

—Es más o menos lo mismo, ¿no cree? —contesté—. Abusó de su confianza, ¿no?

—¿Que abusó de mi confianza dice usted? Más bien la destrozó. Pero no importa. Aprendí de la experiencia... y ahora soy más fuerte y tengo cuidado.

—¿Tampoco presentó ninguna queja?

—No. Ya le he dicho que soy una estúpida.

—Pero...

—Lo que me hubiera faltado —dijo—. Su palabra contra la mía...

¿a quién hubieran creído? Él hubiera contratado a unos abogados que hubieran escarbado y hubieran sacado todo... lo de Reggie. Hubieran buscado a unos expertos y éstos hubieran dicho que yo era una embustera y una mala madre... —Lágrimas—. Yo quería que mi niño descansara en paz, ¿comprende? A pesar...

Levantó las manos y juntó las palmas.

—¿A pesar de qué, Vicki?

—A pesar de que él nunca me permitió disfrutar de paz —contestó, elevando la voz hasta rozar los límites de la histeria—. Me estuvo echando la culpa de todo hasta el final. Yo era la mala. Yo nunca le había cuidado. Yo era la culpable de que él no aprendiera ni hiciera los deberes. No le había obligado a ir a la escuela porque me importaba un carajo. Por mi culpa dejó la escuela y empezó a... andar por ahí con malas compañías... Yo era la culpable al ciento por ciento, al ciento cincuenta por ciento... —Soltó una carcajada que me erizó los pelos de la nuca—. ¿Quiere que le cuente una cosa confidencial... una cosa de esas que a ustedes les gusta tanto escuchar? Él fue quien me dio aquel libro sobre aquella bruja de Nueva Jersey. Ése fue el regalo que me hizo el Día de la Madre, ¿sabe usted? Dentro de un estuche con unas cintas muy bonitas y con la palabra *Mamá* escrita en letras de imprenta porque nunca consiguió dominar la escritura normal..., incluso las letras de imprenta las hacía tan torcidas como un niño de la escuela elemental. Llevaba muchos años sin hacerme ningún regalo. Pero aquel día me entregó el paquetito envuelto en papel de regalo con aquel libro en edición de bolsillo sobre unos niños muertos. Me entraron ganas de vomitar, pero lo leí de todos modos. Procuré descubrir si allí dentro había algo que yo hubiera descuidado y si él intentaba decirme algo que yo no había entendido. Pero no había nada. Era simplemente un libro desagradable. Aquella mujer era un auténtico monstruo, no una enfermera como Dios manda. Y una cosa que tengo muy clara y que he comprendido yo solita sin la ayuda de ningún experto es que aquella mujer no tiene nada que ver conmigo, ¿entiende? Ella y yo ni siquiera vivíamos en el mismo planeta. Yo procuro que los niños se sientan mejor. Y lo hago muy bien. Y jamás les causo ningún daño, ¿entiende usted? Nunca. Y seguiré haciendo lo mismo durante todo el resto de mi vida natural.

18

—Y ahora, ¿puedo retirarme? —preguntó, evidentemente cansada—. Quisiera lavarme la cara.

—Claro —contesté, sin que se me ocurriera ninguna razón para retenerla.

Se volvió a colocar la cofia en su sitio.

—Mire usted, yo ya tengo suficiente con mis propias penas, ¿sabe? Lo importante es que Cassie mejore. Pero no creo que...

Se ruborizó mientras se encaminaba hacia la puerta.

—No cree que yo pueda servir de mucho, ¿verdad?

—Lo que quiero decir es que no va a ser fácil. Si usted consigue finalmente diagnosticar lo que le pasa, me quitaré el sombrero.

—¿Qué opina usted del hecho de que los médicos no puedan descubrir nada?

Apoyó la mano en el tirador.

—Los médicos no pueden descubrir muchas cosas. Si los pacientes supieran la cantidad de cosas que sólo son fruto de suposiciones, creo que... —Se detuvo—. Será mejor que me calle si no quiero meterme otra vez en un buen lío.

—¿Por qué está usted tan segura de que la causa es orgánica?

—Porque no puede ser otra cosa. Esta gente no maltrata. Cindy es una de las mejores madres que he conocido y el doctor Jones es todo un caballero. Y, a pesar de quiénes son, tú ni te enteras porque nunca avasallan a nadie, ¿comprende? Eso es tener clase a mi modo de ver. Vaya a verlo usted mismo..., quieren con locura a su hijita. Es sólo cuestión de tiempo.

—¿Qué quiere decir?

—Que alguien descubra lo que le pasa a la niña. Lo he visto montones de veces. Cuando los médicos no encuentran la causa, dicen que es algo de tipo psicosomático. De pronto, aparece alguien y descubre algo que antes no se había buscado y surge una nueva enfermedad. Lo llaman progreso médico.

—¿Y usted cómo lo llama?

Me miró fijamente.

—Yo también lo llamo progreso.

Dicho lo cual, se retiró y yo me quedé donde estaba, pensando. Había conseguido que hablara, pero, ¿qué había averiguado?

Mis pensamientos volvieron al cruel regalo que su hijo le había hecho. ¿Puro desprecio? ¿O acaso le quiso decir algo?

¿Me lo había revelado Vicki como parte de un juego? ¿Me había dicho tan sólo lo que ella quería que yo supiera?

Lo estuve pensando, pero no se me ocurrió ninguna respuesta. Procuré despejarme la cabeza y me dirigí a la habitación 505.

Cassie estaba incorporada en la cama. Llevaba un pijama rojo floreado con el cuello y los puños de color blanco. Tenía las mejillas sonrosadas y le habían recogido el cabello hacia arriba con una cinta blanca. El soporte del suero se encontraba en un rincón como un espantapájaros metálico de cuyos brazos colgaban las bolsas vacías de glucosa. La única evidencia de que sus venas habían sido pinchadas era un pequeño parche redondo de esparadrapo en el dorso de una de sus manos y la amarillenta mancha de Betadine que asomaba por debajo. Sus brillantes ojos se posaron en mí.

Cindy estaba sentada al lado de la cama, dándole cucharadas de cereales con leche. Lucía una camiseta de SALVEMOS LOS MARES por encima de una falda de tela gruesa de algodón y calzaba unas sandalias. Unos delfines brincaban sobre su pecho. Ella y Cassie resultaban más parecidas que nunca.

Mientras yo me acercaba, Cassie abrió la boca llena de gachas de cereales y un copo se le quedó adherido al labio superior.

Cindy se lo quitó.

—Traga, cariño. Hola, doctor Delaware. Hoy no esperábamos verle.

Dejé mi cartera de documentos en el suelo y me senté a los pies de la cama. Cassie me miró perpleja, pero no asustada.

—¿Y eso por qué?

—Es fin de semana.

—Ustedes están aquí y yo también.

—Es muy amable de su parte. Mira, cielito, el doctor Delaware ha venido de lejos sólo para verte en sábado.

Cassie miró a Cindy y después a mí, todavía desconcertada.

Sin saber cuáles habrían sido los efectos mentales del ataque, pregunté:

—¿Qué tal va todo?

—Ah, pues muy bien.

Acaricié la mano de Cassie. Por un instante, la niña no la movió, pero después la empezó a retirar muy despacio. Cuando le hice cosquillas en la barbilla, me miró la mano.

—Hola, Cassie.

Siguió mirándome fijamente mientras un hililllo de leche se le escapaba de la boca. Cindy se lo secó y le cerró suavemente la boca. Cassie empezó a masticar. Después abrió los labios y dijo entre las gachas de cereales:

—Ah.

—¡Muy bien! —exclamó Cindy—. ¡Hola! ¡Estupendo, Cass!

—Ah.

—Hoy hemos comido con mucho apetito, doctor Delaware. Zumo, fruta y tostadas para desayunar. Y después copos de cereales a la hora del almuerzo.

—Qué bien.

—Pues sí.

La voz de Cindy sonaba un poco tensa. Recordando el breve momento de tensión que se había producido la última vez que yo la había visto y la sensación que yo había tenido de que ella estaba a punto de decirme algo importante, pregunté:

—¿Hay algo que quiera usted discutir conmigo?

—No, creo que no.

—La doctora Eves me dice que pronto regresarán ustedes a casa.

—Eso ha dicho. —Cindy acarició el monito de Cassie—. No sabe usted lo mucho que lo deseo.

—Me lo imagino —dije—. Se acabaron los médicos de momento.

—Los médicos se han portado muy bien —dijo, mirándome—. Sé que están haciendo todo lo que pueden.

—Son los mejores —conviné con ella—. Bogner, Torgeson, Macauley, Dawn Herbert.

No hubo reacción.

—¿Tienen ustedes algún plan especial para cuando vuelvan a casa?

—Simplemente regresar a la normalidad.

Sin saber qué habría querido decir, añadí:

—Me gustaría ir a ver cuanto antes a la niña.

—Sí... por supuesto. Podrá usted dibujar con Cassie sobre su mesa de juegos. Estoy segura de que encontraremos una silla adecuada para usted... ¿verdad, Cass?

—Ada.

—¡Eso es! Adecuada.

—Ada.

—Eso está muy bien, Cass. ¿Quieres que el doctor Delaware dibuje contigo en la mesita de los ositos? ¿Pintar cosas? —añadió trazando unos garabatos en el aire con una mano al ver que la niña no contestaba.

—Bujar.

—Sí, bujar. Con el doctor Delaware.

Cassie miró a su madre y después a mí. Asintió con la cabeza y sonrió.

Me quedé un ratito con ellas, intentando distraerlas mientras trataba de descubrir alguna señal de lesiones cerebrales. Me pareció que Cassie estaba bien, pero sabía que los efectos cerebrales pueden ser muy sutiles. Por milésima vez me pregunté qué estaría ocurriendo en su cuerpecito.

Cindy estuvo muy amable, pero yo no podía sacudirme de encima la sensación de que su entusiasmo por mis servicios había menguado un tanto. Sentada en el sofá-cama, empezó a cepillarse el cabello mientras hojeaba un ejemplar de una guía de TV. La atmósfera del hospital era fría y seca y el cabello crujía a cada pasada del cepillo. La luz del norte penetraba a través de la única ventana de la habitación y un rayo de tono pajizo, atravesando la bruma del exterior, iluminaba el infantil papel de pared de la estancia. El borde inferior del rayo rozaba los largos mechones del negro cabello de Cindy, arrancándoles un brillo metálico y creando un efecto estético sumamente favorecedor. Nunca se me había ocurrido pensar que fuera una persona deseable..., había estado demasiado ocupado preguntándome si sería un monstruo. Sin embargo, al verla iluminada de aquella manera, me di cuenta de lo poco que explotaba su físico.

Antes de que pudiera proseguir mis meditaciones, se abrió la puerta y entró Chip, sosteniendo en sus manos una bandeja con unas tazas de café. Llevaba un chándal de color azul marino y unas zapatillas de gimnasia y su cabello parecía recién lavado. Un brillante resplandecía en el lóbulo de su oreja.

Su saludo fue jovial y amistoso, pero yo advertí en su amabilidad un cierto deje de frialdad..., y una resistencia muy similar a la de Cindy. Me pregunté si ambos habrían hecho algún comentario sobre mí. Al ver que se sentaba entre Cassie y yo, me levanté y dije:

—Nos veremos luego.

Nadie protestó, pero Cassie me miró fijamente antes de clavar los ojos en un dibujo. Recogí mis cosas y me encaminé hacia la puerta.

—Adiós, doctor Delaware —dijo Cindy.

—Adiós —dijo Chip—. Y gracias por todo.

Miré a Cassie por encima del hombro de su padre y la saludé con la mano. La niña levantó la suya y dobló los dedos. El monito ya estaba nuevamente despeinado. Hubiera querido tomarla en mis brazos y llevármela a casa.

—Adiós, bonita.

—Dió.

19

Tenía verdadera necesidad de salir del hospital.

Sintiéndome como un cachorro sin nada que llevarse a la boca, abandoné el aparcamiento y me dirigí a un restaurante de Hillhurst que había conocido a través de Milo, pero al que nunca había ido a comer solo. Cocina europea de la vieja escuela, fotografías autografiadas de personajes semifamosos, paredes revestidas de madera oscura con manchas de nicotina y camareros sin pretensiones.

Un letrero en el vestíbulo informaba de que el restaurante no serviría comidas hasta pasada media hora, si bien en el salón de cócteles se atenderían las peticiones de bocadillos.

Una mujer de mediana edad vestida con esmoquin y con el cabello teñido de un improbable color rojo servía en la barra. Unos cuantos bebedores silenciosos permanecían sentados en la acolchada herradura de caballo, chupando cubitos de hielo, picando frutos secos salados y prestando la poca atención que les quedaba a una persecución automovilística en la pantalla de un televisor colgado del techo. Me recordó el que acababa de ver en la habitación de Cassie.

El hospital seguía dominando mis pensamientos como antaño. Me aflojé el nudo de la corbata, me senté y pedí un bocadillo gigante y una cerveza. Cuando la mujer se volvió de espaldas para prepararlo, me fui al teléfono público del fondo del local y llamé a Parker Center.

—A ver qué me cuentas —dijo Milo.

—¿«Doctor» Sturgis?

—Bueno, es que, si no dices que eres médico, la cosa se complica. Pensé que la mejor manera de que espabilaran sería usando un título.

—Ojalá fuera así —dije—. Perdona el retraso en devolverte la llamada, pero es que he estado ocupado con Vicki Bottomley y después con Cassie y sus padres.

—¿Alguna novedad?

—No demasiadas, pero me ha parecido que los Jones estaban un poco fríos conmigo.

—A lo mejor, tú representas una amenaza para ellos. Porque te acercas demasiado.

—No veo por qué. En cuanto a Vicki, ella y yo hemos tenido un pequeño psicodrama... Yo quería despejar la atmósfera y la he acorralado un poco. Me ha dicho que ya sabía que yo la consideraba sospechosa de causarle daño a Cassie y entonces yo le he preguntado si se lo causaba y se ha puesto hecha una furia. La cosa ha terminado dándome una versión sainetizada de la historia de su hijo y añadiendo algo que yo no sabía: Reggie le regaló un libro el Día de la Madre. Un libro-documento sobre una enfermera de Nueva Jersey que asesinaba a niños.

—Menudo regalo. ¿Crees que el chico intentaba decirle algo con eso?

—No lo sé. A lo mejor tendría que decirle a Stephanie que la apartara del caso, a ver lo que ocurre. Siempre y cuando pueda fiarme de Stephanie. Entre tanto, resulta que la tal Dawn Herbert, aparte de haber sido asesinada, era un poco cleptómana. —Le expliqué a Milo mi teoría acerca de un posible chantaje—. ¿A ti qué te parece?

—Pues... no sé —contestó Milo, carraspeando—. Buena pregunta, señor, pero la información no se encuentra disponible en nuestra base de datos actual.

—¿Mal momento para hablar?

—Sí, señor. Ahora mismo, sí. —Poco después, Milo añadió en un susurro—: Unos altos mandos están efectuando un recorrido por el centro. Este fin de semana se va a celebrar una importante reunión policial. Salgo dentro de cinco minutos. ¿Qué tal si almorzamos juntos tempranito... dentro de media hora, por ejemplo?

—Ya he empezado sin ti.

—Vaya un amigo estás hecho. ¿Desde dónde me llamas?

Se lo dije.

—Muy bien —dijo en voz baja—. Pídeme una sopa de guisantes con hueso de jamón y una pechuga de pollo rellena de maíz, con guarnición extra.

—En estos momentos sólo sirven bocadillos.

—Cuando yo llegue, ya servirán comida de verdad. Diles que es para mí. ¿Recuerdas lo que he pedido?

—Sopa, hueso, pollo, guarnición extra.

—Si alguna vez volvieran a filmar *Treinta y nueve escalones*, tú podrías interpretar el papel del señor Memory. Diles que calculen el tiempo para que no esté frío. Pídeme también una cerveza negra de barril. De la irlandesa..., ellos ya sabrán lo que quiero decir.

Regresé a la barra, transmití la petición de Milo a la camarera y le dije que esperara a servirme el bocadillo hasta que él llegara. La camarera asintió con la cabeza, llamó a la cocina y me sirvió la cerveza con un platito de almendras. Le pregunté si tenía un periódico.

—Lo siento —contestó, mirando a los clientes habituales—.

Aquí nadie lee. Pruebe en las máquinas automáticas del exterior.

Salí a Hillhurst y la luz del sol me azotó violentamente la cara. En la acera había cuatro máquinas expendedoras de periódicos que funcionaban con monedas. Tres de ellas estaban vacías y otra había sufrido los efectos de la acción de los gamberros y estaba enteramente cubierta de pintadas. La última estaba completamente llena y un letrero anunciaba SEXO SEGURO, CHICAS EXPLOSIVAS Y DIVERSIONES ERÓTICAS.

Regresé al bar. Habían cambiado de canal y ahora estaban dando una antigua película del Oeste. Mandíbulas cuadradas, becerros apáticos y grandes planos de paisajes desérticos. Los clientes asiduos contemplaban la pantalla hipnotizados. Como si la película no se hubiera rodado justo al otro lado de la colina, en Burbank.

Treinta y seis minutos más tarde, apareció Milo, saludándome con la mano al pasar por delante de la barra en dirección al restaurante. Tomé mi vaso de cerveza y me reuní con él. Llevaba la chaqueta colgada del hombro y la corbata remetida en la cinturilla, la cual aparecía aplastada por el volumen de su vientre. Un par de borrachines levantaron los ojos y le miraron con expresión apagada, pero cautelosa. Él no se dio cuenta, pero yo comprendí que se hubiera alegrado de saber que todavía despedía efluvios de policía.

El comedor principal estaba vacío con la excepción de un chico que estaba pasando un aparato manual de limpieza de alfombras por un rincón. Salió un anciano y esquelético camarero (personaje de película de terror americana sometido a dieta adelgazante acelerada), llevando en una bandeja unos panecillos tiernos, la cerveza de Milo y un platito de guindillas y aceitunas rellenas.

—Lo mismo para él, Irv —le dijo Milo.

—Enseguida, señor Sturgis.

En cuanto el camarero se retiró, Milo tocó mi vaso de cerveza diciendo:

—Vas a sustituir eso por una buena cerveza negra de barril, muchacho. A juzgar por el cansancio de tus ojos, yo diría que te lo has ganado.

—Gracias, papá. ¿Me comprarás también una moto de carreras?

Milo esbozó una sonrisa, se tiró de la corbata, aflojó el nudo por completo y se la quitó. Pasándose una mano por la cara, se reclinó en el asiento del reservado y soltó un bufido.

—¿Cómo te has enterado del asesinato de Dawn Herbert? —me preguntó.

—A través de sus antiguos caseros —contesté, y le resumí mi conversación con Bobby y Ben Murtaugh.

—¿Te han parecido sinceros?

Asentí con la cabeza.

—Aún están un poco trastornados.

—Bueno pues, no se ha producido ninguna novedad en el caso. Figura en los archivos como caso abierto de la Jefatura Central. Parece que fue obra de un sádico psicópata. Se dispone de muy pocas pruebas físicas.

—¿Otro caso con muy pocas probabilidades de que se aclare?

—Más bien sí. En estos casos tan retorcidos, lo mejor es esperar que el tipo lo vuelva a hacer y lo atrapen. Fue una cosa muy desagradable. La golpearon en la cabeza, le cortaron la garganta y le introdujeron un objeto de madera en la vagina... El forense encontró unas astillas. Son las únicas pruebas físicas de que disponen. Ocurrió cerca de un club *punk* instalado en el exterior de un local de un mayorista de la confección en Union District. No lejos del Centro de Convenciones.

—El Maya Taciturno —dije.

—¿Y tú cómo lo sabes?

—Me lo han dicho los Murtaugh.

—Pues la información no es del todo exacta. Era La Hipoteca Maya. El local cerró un par de semanas después.

—¿Por culpa del asesinato?

—No, hombre. En todo caso, eso hubiera servido para aumentar la clientela. Piensa que se trata de la vida nocturna, Alex. Niños mimados de Brentwood y Beverly Hills que se disfrazan con trapos propios del *Rocky Horror Show*, de esos de «Mira, mamá, a mi no me vengas con estas mierdas del sentido común». Sangre y cuerpos destripados, eso es lo que a ellos les gusta, siempre y cuando pertenezcan a otros, claro.

—Coincide con lo que me dijeron los Murtaugh sobre Herbert. De día, estudiante modelo y de noche una *punk*. Usaba un tinte de pelo de esos que se quitan con un lavado.

—Las multiformes facetas de Los Ángeles —dijo Milo—. Nada es lo que parece... Seguramente el local cerró porque esa gente se cansa fácilmente..., lo que les divierte es ir cambiando de sitio. Parece un poco la metáfora de la vida, ¿no crees?

Hice una pantomima de vómito provocado por el asco y Milo se echó a reír.

—¿Tú conocías ese club? —pregunté.

—No, pero son todos iguales..., locales efímeros que carecen de licencia de apertura y de autorización para la venta de bebidas alcohólicas. Algunas veces, ocupan un edificio abandonado y no se toman tan siquiera la molestia de pagar el alquiler. Cuando se entera el propietario o el Ayuntamiento está a punto de cerrarlo, ya han desaparecido. La cosa cambiaría si unos doscientos payasos de esos murieran calcinados en un incendio. —Milo levantó su vaso y hundió el labio superior en la espuma de la cerveza. Después se la secó con la servilleta diciendo—: Según la Jefatura Superior, uno de los barmans vio salir a Herbert con un tipo poco antes de las dos de la madrugada. La reconoció porque ella había estado bailando en el club y era una de las pocas chicas gordas a las que habían permitido la entrada, pero no pudo facilitar ningún detalle sobre el individuo, excepto el hecho de que tenía pinta de hombre serio y era mayor que ella. La hora coincide con la que estableció el forense, entre las dos y las cuatro de la madrugada. El forense le encontró también en el cuerpo alcohol y cocaína.

—¿Mucha cantidad?

—La suficiente como para embotarle el juicio. Siempre y cuando lo tuviera, lo cual es bastante dudoso si andaba sola por el Union District a semejantes horas de la madrugada.

—Los caseros dicen que era muy inteligente..., estaba haciendo el doctorado en biomatemáticas.

—Ya. Bueno, hay maneras y maneras de ser inteligente. El asesinato tuvo lugar en una callejuela situada a escasas manzanas de distancia del club. En el interior del Mazda que ella tenía, la llave estaba todavía puesta en el encendido.

—¿La mataron en el coche?

—En el mismo asiento del conductor a juzgar por las salpicaduras. Después, la dejaron tendida sobre ambos asientos. El cadáver fue descubierto poco después del amanecer por dos empleados de la empresa de confección que trabajaban en el primer turno. La sangre se había filtrado a través de la portezuela hasta la calzada. La pendiente hizo que la sangre bajara y formara un charco. Fue el charco lo que les llamó la atención.

El camarero se acercó con la cerveza y una ración de ostras para mí y la sopa de guisantes para Milo. Esperó mientras Milo la probaba.

—Perfecta, Irv —dijo Milo.

El anciano asintió con la cabeza y se retiró.

Milo tomó un par de cucharadas más, se pasó la lengua por los labios y habló a través del humeante vapor.

—La capota del Mazda estaba subida, pero no había sangre en la parte interior, por lo que el forense deduce que estaba bajada cuando ocurrieron los hechos. La disposición de las salpicaduras indica que el autor del crimen se encontraba en el exterior del vehículo, de pie junto al lado del conductor. Posiblemente a unos treinta o sesenta centímetros detrás de la chica. La golpeó en la cabeza y, a juzgar por las lesiones del cráneo, la debió de dejar sin sentido e incluso puede que la matara en el acto. Después utilizó una hoja para seccionarle la yugular y la tráquea. Y, una vez hecho esto, cometió una violación mecánica, lo cual significa que, a lo mejor, se trata de un necrófilo.

—Más bien parece ensañamiento —dije yo—. Una especie de furia asesina.

—O deseo de hacer un trabajo concienzudo — dijo Milo, tomando otra cucharada de sopa—. Tuvo la suficiente frialdad como para volver a subir la capota.

—¿La vieron bailar con alguien en el club?

—No consta en el informe. El barman la vio porque había salido a la calle a fumarse un pitillo.

—¿Y a él no lo consideraron sospechoso?

—No. Mira, te voy a decir una cosa, el tipo que lo hizo ya iba preparado... piensa en todas las armas que llevaba. Debía de ser uno que andaba a la caza de algo, Alex. Tal vez alguien que vigilaba el club y merodeaba por la zona porque sabía que por allí había muchas mujeres. Esperó hasta que vio exactamente lo que buscaba. Una mujer sola, tal vez un determinado tipo físico, quizás estaba empeñado en hacerlo aquella noche. Por si fuera poco, la chica tenía un descapotable aparcado en una oscura y silenciosa calle. Con la capota bajada. Es como si le hubiera dicho «Aquí te espero».

—Tiene su lógica —dije, notándome un nudo en la garganta.

—Dices que era estudiante de grado, ¿no? Lástima que le fallara la lógica más elemental. No quiero echarle la culpa a la víctima, Alex, pero la droga, el alcohol y el tipo de vida que llevaba la chica no permiten suponer que tuviera el instinto de supervivencia muy desarrollado. ¿Qué objetos había robado?

Se lo dije mientras él se tomaba la sopa, utilizaba la cuchara para desprender el tuétano del hueso y se lo comía también.

—Los Murtaugh me comentaron que la chica no parecía tener ningún problema de dinero cuando dejó el trabajo —dije—. Y tú acabas de añadir la cocaína a su presupuesto. Por consiguiente, lo del chantaje tiene un cierto sentido, ¿no crees? Sabe que el primer hijo de los Jones murió y que la hija ingresa constantemente en el hospital aquejada de extrañas enfermedades. Roba las pruebas e intenta explotarlas. Pero ahora ha muerto. Como Ashmore.

Milo posó lentamente el vaso de cerveza.

—Menudo salto cualitativo, desde los pequeños hurtos sin importancia al chantaje a unos peces gordos, Alex. Dadas las circunstancias en que se produjeron los hechos, no hay razón para dudar de que la mató un psicópata. En cuanto a lo del dinero, todavía no sabemos si se lo enviaba su familia. Puestos a suponer, puede que la droga fuera una fuente de ingresos y no de gastos... A lo mejor, también traficaba con droga.

—Si recibía dinero de la familia, ¿por qué alquiló una habitación barata en casa de los Murtaugh?

—Porque le gustaba probarlo todo. Ya sabemos que era aficionada a interpretar distintos papeles..., lo típico de los *punks*. Los hurtos que cometió en la vivienda de sus caseros tampoco eran lógicos y no lo hizo para obtener un provecho. Y además, eran cosas que no podían pasar inadvertidas. A mí me parece una persona muy desorganizada, Alex. No me la veo planeando y llevando a cabo un chantaje en toda regla.

—Nadie dice que consiguiera hacerlo. Fíjate cómo terminó.

Milo miró a su alrededor en el desierto local como si temiera repentinamente que alguien nos hubiera escuchado. Apuró el vaso de cerveza y después tomó la cuchara y empujó con ella el hueso por el plato como un niño que jugara a remolcar un barquito en un minúsculo puerto verde de juguete.

—Cómo terminó —dijo finalmente—. ¿Quién la mató? ¿El papá? ¿La mamá? ¿El abuelito?

—¿Y si fue un asesino a sueldo? Esta gente no hace personalmente el trabajo sucio.

—¿Un asesino a sueldo que la rebanó y la violó después de muerta?

—A lo mejor contrataron a alguien para que hiciera una «cosa de psicópata», de esas que no se aclaran hasta que el psicópata lo vuelve a hacer. Qué demonios, a lo mejor Ashmore también estaba implicado y el mismo individuo cobró para simular un atraco.

—Tienes mucha imaginación —dijo Milo—. ¿Has tenido el valor de estar con esa gente, jugando con su hijita y charlando como si tal cosa mientras pensabas todo esto?

—¿Crees que voy totalmente desencaminado?

Milo se tomó otra cucharada de sopa antes de contestar.

—Mira, Alex, te conozco lo bastante como para saber apreciar tus razonamientos. Pero ahora creo que todo eso que tú dices no son más que fantasías.

—Es posible —dije—, pero merece la pena pensar en Cassie y en todo lo que podríamos hacer por ella.

Nos sirvieron el resto de los platos. Observé a Milo mientras trinchaba el pollo. Tardó un buen rato en cortar la carne, haciendo gala de unas habilidades quirúrgicas que yo jamás le había visto.

—Falso asesinato de psicópata en el caso de Herbert —dijo—. Y falso atraco en el de Ashmore.

—Él era el jefe de Herbert. Era el propietario de los ordenadores y había llevado a cabo un análisis toxicológico en unas muestras de Chad Jones. Es lógico suponer que sabía lo que estaba haciendo Herbert. Y, aunque no lo supiera, quienquiera que matara a la chica pudo haberle matado también a él por si acaso.

—¿Y por qué iba él a participar en un chantaje? Era rico e independiente.

—Invertía en inmuebles —dije— y el mercado está en crisis. Quizá se encontraba con el agua al cuello. O, quizá, no había dejado de jugar, contrariamente a lo que creía su mujer. Quizá perdió grandes sumas y necesitaba dinero. A veces los ricos se arruinan. Las multiformes facetas de Los Ángeles.

—Si Ashmore estaba metido en ello, y conste que es una simple conjetura, ¿para qué necesitaba la colaboración de Herbert?

—¿Y quién te dice que la necesitara? A lo mejor, ella lo averiguó por su cuenta..., averiguó los datos a través del ordenador y decidió actuar por libre.

Milo no dijo nada y se secó los labios con la servilleta a pesar de que todavía no había probado el pollo.

—De todos modos, hay un problema —añadí—. A Ashmore lo asesinaron dos meses después que a Herbert. Si ambos asesinatos están relacionados, ¿por qué tardaron tanto en liquidarlo a él?

Milo tamborileó con los dedos sobre la mesa.

—Bueno... hay otra posibilidad. Quizás Ashmore no sabía lo que estaba haciendo Herbert al principio, pero más tarde lo averiguó. A través de los datos que ella introdujo en el ordenador. Y solamente entonces intentó aprovecharse o se lo comentó a alguna persona que no debía.

—Pues mira, eso encaja con algo que vi el otro día. Vi a Huenengarth, el jefe de Seguridad, retirando los ordenadores de Ashmore al día siguiente del asesinato. Mi primera impresión fue la de que se estaba apropiando del equipo informático de Ashmore. Pero, a lo mejor, lo que a Huenengarth le interesaba era lo que había dentro de las máquinas. Los datos. Trabaja para Plumb..., lo cual significa, en realidad, que trabaja para Chuck Jones. El tipo es un auténtico paniaguado, Milo. Además, su nombre se mencionó ayer cuando hablé con la señora Ashmore. Es el que la visitó para darle el pésame en nombre del hospital y le entregó el certificado de la UNICEF y la placa. Curiosa misión, tratándose del jefe de Seguridad, ¿no te parece? A no ser que su verdadero propósito fuera el de averiguar si Ashmore tenía un ordenador en su domicilio y, en caso afirmativo, sacarlo de allí.

Milo estudió su plato y, finalmente, empezó a comer. Mecánicamente, con prisas y sin demasiado placer aparente. Yo sabía lo mucho que significaba la comida para él y lamentaba estropearle el almuerzo.

—Muy interesante —dijo—. Pero no es más que una hipótesis.

—Tienes razón —contesté—. Será mejor que lo dejemos.

Milo posó el tenedor.

—Todo lo que me estás diciendo tiene un fallo básico, Alex. Si el abuelo sabía que su hijo o su nuera habían matado a Chad y tenía el suficiente interés en echar tierra sobre el asunto como para estar dispuesto a pagar un chantaje y contratar a un asesino, ¿por qué permitió que llevaran a Cassie al mismo hospital?

—Puede que no lo supiera hasta que Herbert y/o Ashmore lo amenazaron.

—Aun así, ¿por qué no enviar a Cassie a otro sitio? ¿Por qué correr el riesgo de tratar precisamente con los mismos médicos que habían atendido a Chad y de que éstos ataran los mismos cabos que ataron los chantajistas? La decisión hubiera estado plenamente justificada. Cassie no mejora... y tú mismo has dicho que el padre de la niña ha comentado la posibilidad de que se produzcan errores médicos. Nadie les hubiera reprochado que eligieran otro sitio. Además, una cosa es que los padres maltraten al hijo y el abuelo intente protegerlos hasta el punto de eliminar a un chantajista, y otra muy distinta que el abuelo sepa que están envenenando a Cassie y no haga nada por impedirlo.

—A lo mejor, son tal para cual —dije.

—¿Una familia de psicópatas?

—¿Dónde crees tú que pudo empezar la cosa?

—No lo sé...

—A lo mejor, Chuck Jones era un padre que maltrataba a su hijo y ahí fue donde Chip lo aprendió. Por la forma en que está desmantelando el hospital, el abuelo no parece precisamente muy compasivo.

—Una cosa es la codicia propia de un empresario, Alex, y otra muy distinta ver que le hacen daño a tu nieta hasta el punto de provocarle ataques epilépticos.

—Ya —dije—, seguramente no son más que fantasías... estoy exagerando un poco. ¿Quieres hacer el favor de comer? Ya me estás empezando a poner nervioso.

Me miró con una sonrisa y tomó el tenedor. Ambos simulamos extasiarnos ante la comida.

—Huenengarth —dijo Milo—. No creas que hay demasiados apellidos como éste. ¿Cuál es su nombre de pila?

—Presley.

Milo volvió a sonreír.

—Todavía mejor. Por cierto, he investigado a Ashmore y a Steph en las fichas. Él estaba absolutamente limpio, exceptuando un par de multas de tráfico que aún no había pagado cuando murió. Y ella tenía un historial impecable, pero hace unos años la detuvieron por conducir en estado de embriaguez.

—¿De veras?

—Pues sí. Provocó una colisión, pero no hubo heridos. Como era la primera vez, le concedieron libertad vigilada. Probablemente la enviaron a Alcohólicos Anónimos o a algún centro de desintoxicación.

—A lo mejor, es por eso por lo que ha cambiado.

—¿Cambiado en qué sentido?

—Ha adelgazado y ha empezado a maquillarse y a seguir la moda.

Ahora parece una joven profesional. Tiene una cafetera de diseño en su despacho. Una de esas que hacen auténtico café exprés.

—Podría ser —dijo Milo—. El café cargado es uno de los principales elementos de los alcohólicos desintoxicados..., sustituye a las bebidas alcohólicas.

Pensando en los ocasionales coqueteos de Milo con la botella, le pregunté:

—¿Y tú crees que eso significa algo?

—¿A qué te refieres, a la conducción en estado de embriaguez? ¿Has observado tú alguna señal de que ella siga bebiendo?

—No, pero es que tampoco la he buscado porque no lo sabía.

—¿Existe alguna clara relación entre el alcoholismo y la enfermedad de Münchhausen?

—No, pero, cuando alguien tiene algún problema, el alcoholismo lo agrava. Y, si sus antecedentes fueran los típicos del síndrome de Münchhausen —malos tratos, incesto, enfermedad—, comprendería que se hubiera entregado a la bebida.

Milo se encogió de hombros.

—Tú mismo has contestado a la pregunta. Cuando menos, eso significa que Stephanie tiene algo que quisiera olvidar. Lo cual la hace muy semejante a la mayoría de nosotros.

20

Al salir del restaurante, Milo me dijo:

—Intentaré averiguar lo que pueda sobre Dawn Herbert, a ver si nos sirve de algo. ¿Tú qué vas a hacer ahora?

—Una visita domiciliaria. A lo mejor, el hecho de verlos en su medio natural me permite descubrir alguna clave.

—Es posible. Aprovechando que estás allí, podrías fisgonear un poco..., tienes una tapadera perfecta.

—Eso es justamente lo que me dijo Stephanie. Me sugirió medio en broma que echara un vistazo al botiquín de los medicamentos.

—¿Y por qué no? A vosotros los psiquiatras os pagan para hurgar y fisgonear. Ni siquiera necesitáis una orden judicial.

Antes de regresar a casa, pasé por el domicilio de Ashmore. Sentía curiosidad por la visita de Huenengarth y quería saber cómo estaba la viuda. En la entrada había una corona negra y nadie contestó cuando toqué el timbre.

Regresé al automóvil, encendí el equipo estereofónico e hice todo el trayecto sin pensar ni en la muerte ni en las enfermedades. Llamé a la centralita y me dijeron que Robin había dejado recado de que volvería sobre las seis. El periódico de la mañana estaba todavía pulcramente doblado sobre la mesa, tal como ella siempre lo dejaba.

Recordando el irritado comentario de Dan Kornblatt en la cafetería, hojeé el periódico, buscando la causa de su enojo. No había nada en la primera plana ni en la sección dedicada al área metropolitana, pero la noticia me saltó a los ojos en la segunda página de la sección de Economía.

Yo nunca leía las páginas económicas, pero, aunque lo hubiera hecho, la noticia me hubiera podido pasar inadvertida. Era un pequeño recuadro al fondo de la página, al lado de los tipos de cambio extranjeros.

El encabezamiento decía: ATENCIÓN SANITARIA EN EL SECTOR PRIVADO. BAJA EL OPTIMISMO. La esencia de la noticia era que la atención sanitaria privada, antaño considerada una mina de oro en Wall Street, se había convertido en un negocio ruinoso. La afirmación se demostraba con ejemplos de hospitales y centros sanitarios que habían hecho suspensión de pagos y con entrevistas a expertos financieros, uno de ellos George Plumb, antiguo director gerente del centro MGS Health Consultants de Pittsburgh, y actual director gerente del Western Pediatric Medical Center de Los Ángeles.

Pittsburgh... La empresa que estaba informatizando la biblioteca del hospital con un anticuado sistema, la BIO-DAT, también era de Pittsburgh.

¿Una mano dando de comer a la otra?, me pregunté mientras seguía leyendo.

Las principales quejas de los administradores de los centros hospitalarios iban dirigidas contra la intervención del Estado y las restrictivas políticas de honorarios, pero también se referían a las dificultades planteadas por las compañías de seguros, a la elevación de los costes de las nuevas tecnologías, a las exigencias salariales de los médicos y las enfermeras y a la imposibilidad de que los pacientes se comportaran de conformidad con las estadísticas.

«Un solo paciente de sida nos puede costar millones —se lamentaba un administrador de la Costa Este—. Y aún no se ve la luz al final del túnel. Es una enfermedad sobre la que nadie sabía nada cuando se trazaron los planes. Las reglas han cambiado en mitad de la partida.»

Los ejecutivos citaban repetidamente la epidemia de la nueva enfermedad como si ésta fuera una pequeña travesura destinada a desorientar a los agentes de seguros.

La especial aportación de Plumb se centraba en las dificultades de administrar los hospitales urbanos a causa de la «desfavorable situación demográfica y los problemas sociales de los barrios circundantes que dejan sentir sus efectos en los centros hospitalarios. Si a todo ello se añade el rápido deterioro de los inmuebles y la reducción de los ingresos, se comprende que el consumidor de pago o su asegurador no estén dispuestos a contratar nuestros servicios de atención sanitaria».

En respuesta a la pregunta sobre cuáles podrían ser a su juicio las soluciones, Plumb manifestaba su esperanza en una futura «descentralización que permitiera sustituir los grandes hospitales urbanos por unidades más pequeñas de atención sanitaria, estratégicamente situadas en áreas suburbanas con un crecimiento favorable.

»No obstante —advertía—, se tendrían que llevar a cabo unos exhaustivos análisis económicos antes de emprender una planificación de tal envergadura. Y también habría que tener en cuenta otras consideraciones de carácter no pecuniario. Muchas de las actuales instituciones sanitarias inspiran un elevado grado de confianza en numerosas personas cuyos recuerdos se basan en los buenos tiempos de antaño.

Todo aquello sonaba a balón-sonda destinado a tantear la reacción de la opinión pública antes de proponer una cirugía radical, en la cual se pondrían a la venta los inmuebles y los centros se trasladarían a zonas suburbanas. En caso de que alguien lo acosara, Plumb siempre podría quitar hierro a sus declaraciones, señalando que éstas no habían sido más que el imparcial análisis de un experto.

El comentario de Kornblatt a propósito de la venta de los inmuebles hospitalarios ya no parecía el resultado de una mente paranoica, sino una conjetura con bastantes visos de realidad.

Claro que Plumb era un simple portavoz. Pero hablaba en representación del hombre al que yo acababa de proponer como posible inductor de unos asesinatos y cómplice de malos tratos infantiles.

Recordé lo que Stephanie me había dicho acerca de los antecedentes de Chuck Jones. Antes de acceder a la presidencia del consejo de administración del Western Pediatric, había gestionado la cartera de inversiones del hospital. ¿Quién podía conocer mejor el valor exacto del Western Pediatric, incluido el solar, que el hombre que llevaba los libros? Les imaginé a él y a Plumb, junto con sus siniestros y serviles lacayos Roberts y Novak, inclinados sobre un polvoriento libro mayor cual unos rapiñadores directamente salidos de una tira cómica de Thomas Nast.

¿Y si la apurada situación económica del hospital se debiera a algo más que a las desfavorables condiciones demográficas y a la reducción de los ingresos? ¿Y si Jones hubiera malversado los fondos del Western Pediatric hasta llevarlo a una situación de crisis y ahora pretendiera ocultar las pérdidas mediante una espectacular operación inmobiliaria?

¿Y encima tuviera el descaro de cobrar una abultada comisión como intermediario?

«Estratégicamente situadas en áreas suburbanas con un crecimiento favorable...»

¿Como, por ejemplo, las cincuenta parcelas que Chip Jones poseía en el West Valley?

Una mano dando de comer a la otra...

Sin embargo, para poder hacer semejante cosa, se tendrían que salvar las apariencias y Jones y sus compinches deberían poner de manifiesto una inquebrantable lealtad al dinosaurio urbano hasta que éste exhalara el último suspiro.

Y el hecho de llevarse a la nieta a otro sitio no hubiera estado muy conforme con aquella idea.

No obstante, sí se podían adoptar medidas para acelerar la muerte del dinosaurio.

Cancelar los programas clínicos. Retirar el apoyo a las investigaciones. Congelar los salarios y reducir el personal de las salas.

Alentar a los médicos de mayor antigüedad a marcharse y sustituirlos por jóvenes inexpertos de tal manera que los médicos privados perdieran la confianza en el centro y dejaran de enviarle a sus clientes de pago.

Y después, cuando la redención ya no fuera posible, pronunciar un apasionado discurso sobre las insolubles cuestiones sociales y la necesidad de avanzar sin temor hacia el futuro.

Destruyendo el hospital para salvarlo.

Caso de que consiguieran sus propósitos, Jones y sus esbirros serían considerados unos visionarios que habían tenido el valor y la intuición de sacar una ruinosa casa de caridad de sus apuros, sustituyéndola por unos centros sanitarios destinados a la alta clase media.

Todo aquello poseía una cierta belleza perversa.

Unos hombres taimados planeando una guerra sorda contra los organigramas, los balances y las salidas impresas.

Las salidas impresas...

Huenengarth, confiscando los ordenadores de Ashmore.

¿Le interesarían acaso unos datos que no tenían nada que ver con el síndrome de muerte súbita infantil o los niños envenenados?

Ashmore no sentía el menor interés por el cuidado de los pacientes, pero experimentaba una poderosa atracción hacia las finanzas. ¿Y si hubiera descubierto las maquinaciones de Jones y Plumb..., y si hubiera oído algo en el segundo sótano o se hubiera introducido en una base de datos que no debía?

¿Y si hubiera tratado de sacar provecho de la información y lo hubiera pagado caro?

Un salto cualitativo, hubiera dicho Milo.

Recordé mi fugaz visión del despacho de Ashmore antes de que Huenengarth cerrara la puerta.

¿Qué clase de investigación toxicológica se podía llevar a cabo sin tubos de ensayo ni microscopios?

Ashmore, haciendo cálculos y muriendo por su atrevimiento... ¿Y qué pintaba Dawn Herbert en todo aquello? ¿Por qué había sacado la ficha de un niño muerto? ¿Por qué había sido asesinada dos meses antes que Ashmore?

¿Planes separados?

¿Connivencia?

Un salto cualitativo... Pero, aunque así fuera, ¿qué demonios tenía que ver todo aquello con el suplicio que estaba sufriendo Cassie Jones?

Llamé al hospital y pedí que me pusieran en comunicación con la habitación 505 W. Nadie contestó. Volví a marcar y pedí que me pusieran con el mostrador de las enfermeras de la sala Chappy. Contestó una enfermera con acento hispano, que me informó de que la familia Jones había salido a dar un paseo.

—¿Alguna novedad? —le pregunté—. Me refiero al estado de la niña.

—No lo sé muy bien..., tendrá usted que preguntárselo al médico que la atiende. Creo que es la doctora...

—Eves.

—Sí, así es. Yo soy una suplente y no estoy familiarizada con el caso.

Colgué y contemplé a través de la ventana de la cocina las grisáceas copas de los árboles bajo el resplandor amarillo limón del sol poniente mientras meditaba acerca de la cuestión económica.

Me acordé de alguien que quizá me podría dar unas cuantas lecciones de economía. Lou Cestare, un antiguo y brillante corredor de bolsa, convertido ahora en un prudente y cauteloso veterano del Lunes Negro.

El *crash* lo había pillado desprevenido y todavía se estaba limpiando la mancha que empañaba su reputación. Pero, para mí, seguía siendo un profesional de primera.

Años atrás yo había conseguido ahorrar un poco de dinero, trabajando ochenta horas a la semana y procurando no gastar demasiado. Lou me había ayudado a conseguir una cierta seguridad económica, invirtiendo mi dinero en inmuebles en primera línea de playa antes de que se disparara el *boom*, obteniendo unos saneados beneficios con su venta y colocando los beneficios en valores de primera clase y obligaciones libres de impuestos, sin realizar ningún tipo de operación especulativa, pues sabía que yo nunca me haría rico trabajando como psicólogo y no me podía permitir el lujo de perder elevadas cantidades.

Aquellas inversiones me seguían reportando unos intereses lentos pero seguros que complementaban mis ingresos como asesor forense. Jamás me podría comprar cuadros de impresionistas franceses, pero, si no gastaba más de la cuenta, seguramente no tendría que trabajar cuando no me apeteciera hacerlo.

Por su parte, Lou era un hombre muy rico, incluso tras haber perdido buena parte de sus propiedades y a la mayoría de sus clientes, por lo que ahora dividía su tiempo entre una embarcación de vela en el Pacífico Sur y una finca en el Valle de Willamette.

Llamé a Oregón y se puso su mujer. Estaba tan tranquila como siempre, pero yo me pregunté si ello se debería a su fortaleza de carácter o no sería más que una apariencia. Nos pasamos un ratito charlando animadamente y después ella me dijo que Lou se encontraba en el estado de Washington, practicando el montañismo con su hijo cerca del Mount Rainier y no regresaría hasta el día siguiente por la noche o el lunes por la mañana.

Le expresé mis mejores deseos, le di las gracias y colgué.

Después me tomé otra taza de café y esperé el regreso a casa de Robin para que su presencia me ayudara a olvidar los sinsabores de la jornada.

21

Llevaba dos maletas y parecía contenta. Una tercera maleta se encontraba abajo, en su nueva furgoneta. Fui a recogerla y observé a Robin mientras deshacía el equipaje y colgaba la ropa en el armario, ocupando el espacio que había permanecido vacío durante más de dos años.

—Ya está —dijo, sentándose en la cama con una sonrisa en los labios.

Nos acariciamos un rato, bajamos a ver a los peces y fuimos a comernos unas chuletas de cordero en un tranquilo local de Brentwood donde nosotros éramos los clientes más jóvenes. Al volver a casa, nos pasamos el resto de la velada escuchando música, leyendo y jugando a las cartas. Todo resultó romántico, un poco geriátrico y altamente satisfactorio. A la mañana siguiente, salimos a dar un paseo por el valle, fingiendo ser unos observadores de pájaros e inventándonos nombres para todas las criaturas aladas que veíamos.

El almuerzo del domingo consistió en unas hamburguesas acompañadas de té frío en la terraza. Después de lavar los platos conmigo, Robin se entretuvo con el crucigrama del domingo, mordiendo el lápiz y frunciendo mucho el entrecejo. Yo me tendí en una tumbona, simulando relajarme. Poco después de las dos de la tarde, Robin dejó el crucigrama y dijo:

—Se acabó. Demasiadas palabras francesas.

Se tendió a mi lado y ambos absorbimos el sol hasta que noté que ella empezaba a moverse.

Me incliné hacia ella y le besé la frente.

—Mmmm... ¿en qué puedo servirte? —me preguntó.

—En nada, gracias.

—¿Seguro?

—Sí.

Intentó dormir, pero estaba demasiado nerviosa.

—Hoy me gustaría pasar un momento por el hospital —le dije.

—Ah, muy bien..., pues yo aprovecharé para ir de tiendas y comprar algunas cosas que necesito.

La habitación de Cassie estaba vacía, la cama deshecha y las cortinas corridas. El cuarto de baño había sido desinfectado; una tira de papel precintaba el excusado.

Al salir de la habitación, una voz me dijo:

—Un momento.

Me topé de cara con un guardia de seguridad. Terso rostro triangular, labios apretados y gafas de montura negra. El mismo héroe que había visto el primer día, el que me había obligado a ponerme la tarjeta de identificación.

—Perdón —le dije mientras él bloqueaba la puerta y ponía cara de asaltante de las lomas de San Juan en la guerra hispano-norteamericana de Cuba.

No se movió. Apenas quedaba espacio entre nosotros para que yo pudiera bajar la mirada y leer el nombre de su tarjeta. Sylvester, A. D.

Él leyó el que figuraba en la mía y dio un solo paso atrás. Retirada parcial, pero no suficiente como para que yo pudiera pasar.

—¿Ve usted?, ya me han hecho la nueva —le dije—. Reluciente y a todo color. ¿Ahora quiere hacerme el favor de quitarse de en medio para que yo pueda ir a mis asuntos?

Me miró de arriba abajo un par de veces, comparando mi rostro con el de la foto.

—Esta sala está cerrada —me dijo, apartándose a un lado.

—Ya lo veo. ¿Durante cuánto tiempo?

—Hasta que la vuelvan a abrir.

Pasé casi rozándole para dirigirme a la puerta de madera de teca.

—¿Busca algo en particular? —me preguntó.

Me detuve y le miré. Mantenía una mano apoyada en la funda del arma y con la otra asía la porra.

Reprimiendo el impulso de ladrarle «Desenfunda, compañero», le contesté:

—He venido a ver a una paciente. Ocupaba esta habitación.

Utilicé un teléfono de la sala pública, llamé a Admisiones y Altas y allí me confirmaron que Cassie había sido dada de alta una hora antes. Bajé por la escalera al primer piso y me compré una aguada bebida de cola en la máquina expendedora. La llevaba en la mano cuando me crucé en el vestíbulo principal con George Plumb y Charles Jones. Ambos se reían caminando a grandes zancadas, por cuyo motivo las cortas piernas arqueadas de Jones se veían casi obligadas a correr. Conque aquél era el preocupado abuelo.

Alcanzaron la puerta justo cuando yo salía. Jones me vio y se le paralizó la boca. A los pocos segundos, le ocurrió lo mismo con los pies. Plumb se detuvo detrás de su jefe. El sonrosado color de su tez era más subido que nunca.

—Doctor Delaware —dijo Jones.

Su chirriante voz me sonó a gruñido de advertencia.

—Hola, señor Jones.

—¿Tiene usted un momento, doctor?

Me pilló desprevenido y contesté:

—Pues claro.

Mirando a Plumb, Jones le dijo:

—Me reuniré contigo más tarde, George.

Plumb asintió con la cabeza y se alejó, moviendo los brazos hacia adelante y hacia atrás.

—¿Cómo está mi nieta? —me preguntó Jones en cuanto estuvimos solos.

—La última vez que la vi, me pareció que se encontraba mejor.

—Muy bien. Ahora mismo iba a verla.

—La han dado de alta.

Sus pobladas cejas entrecanas se arquearon desigualmente y cada una de ellas apuntó en una dirección distinta. Por debajo de las cejas se veían las protuberancias de un tejido cicatricial. Entornó los ojos y vi por primera vez que éstos eran de un acuoso color marrón.

—Ah, ¿sí? ¿Cuándo ha sido?

—Hace una hora.

—Maldita sea. —Arrugó la rota nariz y la punta se movió hacia adelante y hacia atrás—. He venido exclusivamente para verla porque ayer no pude..., estuve todo el día ocupado con las malditas reuniones. Es mi única nieta. ¿comprende? ¿A que es preciosa?

—Vaya si lo es. Ojalá no estuviera enferma.

Me miró fijamente, se introdujo las manos en los bolsillos y golpeó el suelo de mármol con la puntera del zapato. El vestíbulo estaba vacío y el sonido resonó ruidosamente. Volvió a repetirlo. Su porte había perdido ligeramente la rigidez, aunque enseguida enderezó la espalda. Los acuosos ojos se entrecerraron.

—Busquemos un sitio donde poder hablar —dijo, reanudando la enérgica marcha a través del vestíbulo.

Era un sólido hombrecillo que se comportaba como si la desconfianza en sí mismo no existiera en su ADN. Se oyó un tintineo mientras caminaba.

—Yo no tengo despacho aquí —añadió—. Con los problemas económicos que tenemos y el poco espacio que hay, no quiero que nadie piense que soy un irresponsable.

Al pasar por delante de los ascensores, llegó uno de ellos. La suerte de los magnates. Entró inmediatamente como si lo tuviera reservado y pulsó sin pérdida de tiempo el botón del sótano.

—¿Le parece bien el comedor? —me preguntó mientras bajábamos.

—Está cerrado.

—Ya lo sé —dijo—. Yo soy el que redujo el horario.

Se abrió la puerta. Salimos y nos encaminamos hacia la cafetería cerrada. Sacando un llavero del bolsillo de los pantalones —el origen del tintineo—, buscó y seleccionó la llave.

—Al principio, hicimos un estudio sobre la utilización de las instalaciones y descubrimos que, a esta hora del día, casi nadie utilizaba esta sala.

Abrió la puerta y la sostuvo para que yo entrara.

—Los privilegios de los ejecutivos —dijo—. No es muy democrático, pero la democracia no sirve para nada en un sitio como éste.

Entré. La sala estaba completamente a oscuras. Tanteé la pared en busca de un interruptor, pero él lo encontró primero y lo encendió. Algunos tubos fluorescentes parpadearon y se iluminaron.

Me indicó un reservado hacia el centro de la sala. Me senté mientras él rodeaba el mostrador, llenaba una taza con agua del grifo y le añadía una raja de limón. Después sacó algo de debajo del mostrador —un bollo de fruta con nueces— y lo colocó en un platito. Se movía con toda soltura, como si estuviera en la cocina de su casa.

Regresó junto a mí, tomó un bocado y un sorbo y lanzó un suspiro de satisfacción.

—Tendría que estar sana, maldita sea —dijo—. La verdad es que no entiendo por qué no lo está. Nadie me ha podido dar una explicación clara.

—¿Ha hablado usted con la doctora Eves?

—Con Eves, con los demás y con todo el mundo. Nadie sabe nada. ¿Tiene usted algo que decirme?

—Me temo que no.

Se inclinó hacia adelante.

—Lo que yo no comprendo es por qué lo han llamado a usted. No se ofenda..., pero es que no veo qué pinta aquí un psicólogo.

—No se lo quiero discutir, señor Jones.

—Llámeme Chuck. Eso de «señor Jones» es una canción del tipo ése del cabello rizado... ¿cómo se llama... Bob Dylan? —Leve sonrisa—. Le extraña que le conozca, ¿verdad? Forma parte de su era, no de la mía. Se trata de una broma de nuestra familia. De cuando Chip iba a la escuela. Me sacaba de quicio y protestaba por todo. Todo era así —añadió, juntando y entrelazando las manos y tratando de separarlas como si estuvieran pegadas con cola—. Eso era lo que ocurría entonces. La rebeldía de mi único hijo era como la de media docena de hijos juntos. Cada vez que yo intentaba obligarle a hacer algo que él no quería hacer, me decía que me comportaba como ese personaje de la canción de Dylan Thomas..., el señor Jones. Solía cantarla a voz en grito. Yo jamás había prestado atención a la letra, pero comprendía lo que quería decir. Hoy en día somos inmejorables amigos y nos reímos al recordar aquellos tiempos.

Pensando en la amistad basada en los negocios inmobiliarios, esbocé una sonrisa.

—Es un chico muy serio —añadió—. El pendiente y el corte de pelo no son más que una imagen... ya sabe usted que es profesor universitario, ¿verdad?

Asentí con la cabeza.

—A los chicos de sus clases les encantan esas cosas. Es un gran profesor, incluso ha ganado premios.

—Ah, ¿sí?

—Muchísimos. Pero él nunca hace alarde de nada. Siempre fue así. Modesto. Yo soy el que presume por él. Los ganó cuando estudiaba en Yale. Siempre tuvo afición a la docencia. Daba clase a los compañeros más atrasados de la asociación estudiantil a la que pertenecía y, gracias a él, los muchachos conseguían aprobar. También daba clase a chicos de bachillerato... y ganó otro premio. Es un don como cualquier otro.

Mantenía las fuertes manos todavía entrelazadas cual si fueran dos apretados racimos de uva. Las separó y abrió los dedos en abanico sobre la mesa. Volvió a juntar los dedos. Rascó la superficie de formica.

—Veo que está usted muy orgulloso de él —dije.

—Sin duda ninguna. Y también lo estoy de Cindy. Es una chica encantadora y sin ninguna pretensión. Han creado un vínculo muy sólido... y la prueba de ello la constituye Cassie. Ya se que no soy imparcial, pero esa chiquilla es bonita, inteligente y adorable. Y, encima, es muy obediente.

—Una gran cualidad, teniendo en cuenta lo que ha tenido que sufrir —dije.

Sus ojos recorrieron la sala, se cerraron y se volvieron a abrir.

—Usted ya sabe que perdimos a un niño antes de que ella naciera, ¿verdad? Un chiquillo precioso..., muerte en la cuna. Todavía no saben por qué ocurre, ¿verdad?

Sacudí la cabeza.

—Le aseguro que fue el infierno en la tierra, doctor. Así, sin más... Un día lo tienes aquí y, al siguiente... No acierto a comprender por qué razón nadie puede decirme qué le pasa a mi nieta.

—Es que nadie lo sabe, Chuck.

Hizo un gesto despectivo con la mano.

—Sigo sin comprender por qué le han llamado a usted. Y le repito que no se ofenda. Ya sé que le han contado toda suerte de historias terroríficas a propósito del cierre del Departamento de Psiquiatría. Pero lo cierto es que eso no tuvo nada que ver con el hecho de que yo estuviera a favor o en contra de los tratamientos mentales. Yo estoy a favor... ¿por qué no iba a estarlo? Hay personas que necesitan ayuda. Pero lo malo es que los que dirigían el Departamento de Psiquiatría no tenían ni idea de lo que es elaborar un presupuesto y atenerse a él, y no digamos nada de su competencia profesional. La opinión que me transmitieron los demás médicos fue la de que se trataba de unos ineptos. Pero algunos dicen que eran unos genios... y que nosotros clausuramos un brillante centro de cuidados psiquiátricos. No importa —añadió, poniendo los ojos en blanco—. Confío en que algún día podamos poner en marcha un departamento como es debido. Contrataremos a los mejores. Usted ha trabajado aquí, ¿verdad?

—Hace años.

—¿Le interesaría volver?

Sacudí la cabeza.

—¿Por qué se fue?

—Por distintas razones.

—¿Atraído por la libertad del sector privado? ¿Para ser su propio jefe?

—En parte, sí.

—Eso significa que, viéndolo desde fuera, usted puede ser imparcial y comprender lo que quiero decir cuando hablo de la necesidad de ser realistas y eficientes. Observo que, en general, los médicos del sector privado lo comprenden mejor. Porque dirigir un consultorio es como dirigir un negocio. Sólo los que viven del... Bueno, no importa. Volviendo a lo que le estaba diciendo acerca de su participación en el caso de mi nieta. Nadie tiene el valor de decir que sus problemas son de tipo mental, ¿verdad?

—No puedo hablarle de los detalles, Chuck.

—¿Y por qué demonios no puede hacerlo?

—Es algo de carácter confidencial.

—Chip y Cindy no me ocultan ningún secreto.

—Eso me lo tienen que decir ellos. Lo manda la ley.

—Es usted muy duro, ¿verdad?

—No especialmente —contesté.

Volvió a sonreír. Entrelazó las manos. Tomó otro sorbo de agua caliente.

—Muy bien. Está en su terreno y yo tengo que respetar sus normas. Supongo que ellos me tendrán que entregar una autorización por escrito.

—Supone bien.

Su sonrisa se ensanchó. Tenía una dentadura extremadamente irregular y con manchas marrones.

—Entre tanto —dijo—, ¿estoy autorizado a hablar con usted?

—Por supuesto que sí.

Me estudió la cara, examinándola con una mezcla de interés y escepticismo cual si fuera un informe de una publicación.

—Quiero suponer que nadie cree seriamente que los problemas de Cassie son de tipo mental porque le aseguro que eso sería sencillamente ridículo.

Pausa de valoración. ¿Esperando tal vez alguna clave no verbal? Procuré no moverme.

—O sea que lo único que se me ocurre para explicar su participación en el caso —dijo— es el hecho de que alguien cree que les pasa algo a Cindy o a Chip. Lo cual es de todo punto ridículo.

Se reclinó en su asiento y me siguió estudiando. Una expresión de triunfo se dibujó en su rostro. Sin embargo, yo estaba seguro de no haber parpadeado tan siquiera. Me pregunté si habría visto algo o si simplemente se estaba echando un farol.

—A los psicólogos no se les llama simplemente para que analicen, Chuck —dije—. También prestamos apoyo a las personas que se encuentran sometidas a una fuerte situación de estrés.

—Algo así como un amigo contratado, ¿verdad? —Movió de nuevo la punta de la nariz y se levantó sonriendo—. Pues, en tal caso, hágame el favor de ser un buen amigo. Son unos buenos chicos. Los tres.

22

Mientras regresaba a casa en mi automóvil, traté de averiguar qué era lo que Chuck buscaba y si yo se lo habría proporcionado sin darme cuenta.

¿Quería que yo le viera como un abuelo preocupado?

«Chip y Cindy no me ocultan ningún secreto.»

Y sin embargo, Chip y Cindy no se habían tomado la molestia de comunicarle que Cassie había sido dada de alta. Caí en la cuenta de que, en el transcurso de todos los contactos que yo había mantenido con ellos, el nombre de Chuck no se había mencionado ni una sola vez.

Un hombre menudo y rebosante de fuerza que estaba enteramente centrado en los negocios... A lo largo de los pocos minutos que había durado nuestra conversación, había mezclado los asuntos familiares con los asuntos hospitalarios.

No había perdido ni un minuto en discusiones y no había intentado hacerme cambiar de opinión.

Había optado más bien por modelar la conversación.

Incluso la elección del lugar había sido intencionada. El comedor estaba cerrado, pero él lo trataba ahora como si fuera su cocina personal. Preparando refrescos para él, pero no para mí.

Blandiendo un manojo de llaves para darme a entender que él podía abrir todas las puertas del hospital. Alardeando de ello, pero haciéndome saber que su honradez le impedía tener despacho propio en el hospital.

Mencionando sin tapujos mi presunta hostilidad hacia el saqueador del Departamento de Psiquiatría y tratando a continuación de neutralizarme con un sutil soborno que en nada difería de una simple conversación intrascendente:

«Confío en que algún día podamos poner en marcha un departamento como es debido. Contrataremos a los mejores... ¿Le interesaría volver?»

Al ver que yo me negaba, había hecho inmediatamente marcha atrás, elogiando mi sentido común y utilizándolo acto seguido para respaldar sus propios puntos de vista.

Si hubiera sido un criador de cerdos, hubiera encontrado la manera de atraerme con los chillidos.

Por consiguiente, tenía que creer que, aunque nuestro encuentro hubiera sido fortuito, de no habernos cruzado casualmente aquel día, él hubiera concertado una reunión.

Yo era un pez demasiado pequeño como para que a él le importara la opinión que yo le merecía.

Siempre y cuando ésta no guardara ninguna relación con Cassie, Chip y Cindy.

Le interesaba saber lo que yo había averiguado acerca de su familia.

Lo cual significaba que probablemente había algo que ocultar y él no sabía si yo lo había descubierto.

Recordé la preocupación de Cindy: «La gente debe de pensar que estoy loca».

¿Habría tenido algún fallo en su pasado?

¿Temía la familia que la sometieran a un análisis psicológico?

En caso afirmativo, ¿qué mejor lugar para evitar el análisis que un hospital sin departamento de psiquiatría?

Otra razón para no trasladar a Cassie a otro centro.

Pero entonces Stephanie lo había estropeado todo llamando a un colaborador libre.

Recordé el asombro de Plumb al decirle ella lo que era yo.

Ahora el jefe me había examinado personalmente.

Configurando y moldeando la conversación. Pintándome una imagen idílica de Chip y Cindy. Sobre todo, de Chip... Me di cuenta de que apenas me había hablado de Cindy.

¿Orgullo paterno? ¿O deseo de desviar mi atención de su nuera para que se hablara lo menos posible de ella?

Me detuve en un semáforo en rojo de Sunset y La Brea.

Observé que mis manos asían con fuerza el volante. Había recorrido tres kilómetros sin darme cuenta.

Cuando regresé a casa, estaba de mal humor y me alegré de que Robin aún no hubiera vuelto y no tuviera que aguantarme.

La telefonista de mi centralita me contestó:

—Nada, doctor Delaware. Qué bien, ¿verdad?

—Desde luego.

Nos deseamos buenos días el uno al otro.

Incapaz de poderme quitar de la cabeza a Ashmore y a Dawn Herbert, me dirigí en mi automóvil a la universidad, pasando por el extremo norte del campus y bajando después hacia el sur hasta llegar al Centro Médico. Una nueva exposición sobre la historia de la sangría con sanguijuelas ocupaba el pasillo que conducía a la biblioteca de Biomedicina... Grabados medievales y simulacros en cera de pacientes cuya sangre succionaban unos parásitos de goma. La principal sala de lectura todavía permanecería abierta un par de horas más. Una agraciada bibliotecaria rubia estaba sentada junto al mostrador de referencias.

Examiné toda una década del *Index Medicus*, buscando artículos publicados por Ashmore y Herbert, y encontré cuatro firmados por él, todos ellos publicados en el transcurso de los últimos diez años.

El primero se había publicado en el boletín de sanidad pública de la Organización Mundial de la Salud y era un resumen elaborado por el propio Ashmore de todas sus obras sobre enfermedades infecciosas en el sur del Sudán, en el cual se hacía hincapié en las dificultades de llevar a cabo investigaciones en un ambiente devastado por la guerra. Su estilo era frío, pero dejaba traslucir la cólera que lo dominaba.

Los tres trabajos restantes habían aparecido en publicaciones de biomatemáticas. El primero de ellos, financiado con una beca de los National Institutes of Health era una colaboración de Ashmore sobre el desastre del Canal Love. El segundo era un estudio financiado con una beca del Estado sobre las aplicaciones de las matemáticas a las ciencias biológicas. La frase final de Ashmore decía lo siguiente: «Hay mentiras, malditas mentiras, y estadísticas».

El último era el que la señora Ashmore me había mencionado: un análisis de la relación entre la concentración de pesticidas en el suelo y los índices de leucemia, tumores cerebrales y cánceres linfáticos y hepáticos infantiles. El resultado no era excesivamente alarmante: existía una pequeña relación numérica entre las sustancias químicas y la enfermedad, pero no demasiado significativa desde el punto de vista estadístico. Sin embargo, Ashmore afirmaba que, aunque sólo se consiguiera salvar una vida, el estudio ya estaría justificado.

Arrimaba un poco el ascua a su sardina y era excesivamente estridente para ser un trabajo científico, pensé. Busqué la procedencia de la beca del estudio: el Ferris Dixon Institute for Chemical Research de Norfolk, Virginia. Beca # 37958.

Sonaba un poco a tapadera de alguna industria, a pesar de que los puntos de vista de Ashmore no eran los más adecuados para convertirle en un buen candidato a la generosidad de la industria química. Me pregunté si la ausencia de ulteriores publicaciones se debería al hecho de que el Instituto había cancelado la beca.

En caso afirmativo, ¿quién pagaba sus gastos en el Western Pediatric?

Me acerqué a la bibliotecaria y le pregunté si había alguna lista de becas científicas otorgadas por organismos privados.

—Pues sí —dijo—. ¿De ciencias químicas, o físicas?

Sin saber en que categoría se podían encuadrar los trabajos de Ashmore, contesté:

—De las dos.

Se levantó y se dirigió rápidamente a las estanterías del fondo. Acercándose a una casilla del centro, sacó dos gruesos volúmenes de tapas blandas.

—Aquí tiene..., éstas son las más recientes. Todo lo anterior a este año esta encuadernado allí. Si busca usted las becas estatales, las encontrará a la derecha.

Le di las gracias, me llevé los libros a la mesa y leí las tapas.

> CATÁLOGO DE BECAS DE INVESTIGACIÓN PRIVADAS: VOLUMEN I: CIENCIAS BIOMÉDICAS Y BIOLÓGICAS.
> Ídem: VOLUMEN II: INGENIERÍA, MATEMÁTICAS Y CIENCIAS FÍSICAS.

Abrí el primer volumen y busqué la sección de Becarios en la parte de atrás. El nombre de Laurence Ashmore me saltó a los ojos hacia la mitad de la letra A, con una referencia a un número de página de la sección de Otorgantes. La busqué inmediatamente:

> THE FERRIS DIXON INSTITUTE FOR CHEMICAL RESEARCH
> NORFOLK, VIRGINIA

El Instituto sólo había financiado dos proyectos académicos aquel año:

> # 37959: Ashmore. Laurence Allan. Western Pediatric Medical Center, Los Ángeles, CA. *Toxicidad del suelo como factor en la etiología de neoplasmas infantiles: estudio complementario.*
> *$ 973.652.75*, tres años.
>
> # 37960: Zimberg, Walter William. Universidad de Maryland, Baltimore, MD. *Estadísticas no paramétricas contra las correlaciones Pearson en la predicción científica: valor de investigación, heurístico y predictivo, de la determinación* a priori *de la distribución de muestras*
> *$ 124.731.00*, tres años.

El segundo estudio parecía una cosa muy rimbombante, pero estaba claro que el Ferris Dixon no pagaba por palabras. Ashmore había recibido casi el 90 por ciento de la financiación total.

Casi un millón de dólares para tres años.

Muchos dólares para un proyecto de un solo hombre que, en el fondo, no era más que un refrito. Me hubiera gustado saber por qué razón los del Ferris Dixon habían soltado tanta pasta. Pero era domingo y los ricachos también descansaban.

Regresé a casa, me puse unas prendas cómodas y empecé a ocuparme en fruslerías como si el hecho de que estuviéramos en fin de semana significara algo para mí. A las seis, sin poder resistir por más tiempo la simulación, llamé a la residencia de los Jones. Mientras llamaba, se abrió la puerta de la entrada y apareció Robin. Me saludó con la mano y pasó por la cocina para darme un beso en la mejilla antes de dirigirse al dormitorio. En cuanto ella se retiró, oí la voz de Cindy.

—¿Diga?

—Hola, soy Alex Delaware.

—Ah, hola. ¿Qué tal esta usted, doctor Delaware?

—Muy bien, ¿y usted?

—Pues... bastante bien.

Parecía un poco nerviosa.

—¿Ocurre algo, Cindy?

—No... mmm, ¿puede usted esperar un segundito?

Cubrió el teléfono con la mano y, cuando volví a oír su voz, ésta sonaba amortiguada y las palabras resultaban ininteligibles. Pero capté otra voz contestando... Por el timbre más grave, debía de ser Chip.

—Perdón —dijo Cindy—. Es que todavía nos estamos instalando. Me parecía haber oído a Cassie..., está echando una siesta.

No cabía duda de que estaba nerviosa.

—¿Cansada del viaje hasta la casa? —pregunté.

—Pues... sí, y también de la readaptación. Ha comido muy bien, ha tomado postre y enseguida le ha entrado sueño. Ahora mismo estoy en el pasillo. Con los oídos atentos... usted ya me entiende.

—Desde luego —dije.

—Siempre dejo abierta una puerta de su habitación que da a nuestro cuarto de baño... porque comunica con nuestro dormitorio, ¿sabe?... y tengo encendida una luz nocturna para poder vigilarla de vez en cuando.

—¿Y cómo puede usted dormir de esta manera?

—Ya me las arreglo. Si estoy cansada, duermo cuando ella se queda dormida. Como siempre estamos juntas, tenemos más o menos el mismo ritmo.

—¿Se turnan usted y Chip?

—No, yo no quiero... Este semestre él está muy ocupado con las clases. ¿Vendrá pronto a visitarnos?

—¿Qué le parece mañana?

—¿Mañana? De acuerdo. ¿Le iría bien por la tarde..., sobre las cuatro?

Pensando en el tráfico de la 101, contesté:

—¿No sería posible un poco más pronto?

—Muy bien... ¿a las tres y media?

—Yo había pensado incluso un poco antes, Cindy. ¿Qué tal a las dos?

—De acuerdo, pero... primero tengo algunas cosas que hacer... ¿le iría bien a las dos y media?

—Por supuesto.

—Estupendo, doctor Delaware. Estamos deseando verle.

Me dirigí al dormitorio, pensando que Cindy parecía mucho más nerviosa en casa que en el hospital. ¿Y si algo de su casa le provocara ansiedad y desencadenara en ella el síndrome de Münchhausen?

Aunque, a decir verdad, incluso en el caso de que fuera inocente, era lógico que su casa la atemorizara, pues allí era donde solían ocurrir todos los males.

Robin se estaba poniendo un vestidito negro que yo jamas le había visto. Le subí la cremallera, apoyé la mejilla contra el cálido espacio que había entre sus paletillas y, finalmente, conseguí completar la operación. Nos trasladamos en mi automóvil a la parte más alta del valle, a un restaurante italiano del centro comercial que había justo a los pies de Mulholland. No habíamos reservado mesa y tuvimos que esperar junto a una fría barra de ónice. Aquella noche abundaban los clientes solitarios, los cuerpos bronceados y los tríos. Nos encantó no formar parte de todo aquel ambiente y poder disfrutar de un reconfortante silencio. Yo estaba empezando a confiar en el éxito de nuestro reencuentro... y me resultaba agradable pensar en él. Media hora más tarde nos acompañaron a una mesa de un rincón y pedimos los platos antes de que el camarero se nos volviera a escapar. Pasamos una hora muy tranquila, comiendo ternera y bebiendo vino y después regresamos a casa, nos quitamos la ropa y nos fuimos directamente a la cama. A pesar del vino, nuestra unión fue rápida, ágil y casi festiva. Más tarde, Robin abrió el grifo de la bañera, se metió dentro y me llamó para que me reuniera con ella. Cuando estaba a punto de hacerlo, sonó el teléfono.

—Doctor Delaware, soy Janie, la telefonista de la centralita. He recibido una llamada de Chip Jones.

—Gracias. Pásemela, por favor.

—¿Doctor Delaware?

—Hola, Chip, ¿qué hay?

—Nada... nada de tipo médico quiero decir, gracias a Dios. ¿No es demasiado tarde para usted?

—En absoluto.

—Me acaba de llamar Cindy para decirme que va usted a ir a nuestra casa mañana por la tarde. Quería saber si necesita usted que yo esté allí.

—Su presencia siempre es bienvenida, Chip.
—Ya.
—¿Hay algún problema?
—Me temo que sí. Tengo una clase a las tres y media y después una reunión con algunos alumnos. No es que sea muy importante, simples consultas, pero, estando tan cerca los exámenes finales, el temor de los alumnos se incrementa a marchas forzadas.
—No se preocupe —dije—, ya nos veremos en otra ocasión.
—Estupendo... De todos modos, llámeme si hay algo que quiera preguntarme. Ya le di el número, ¿verdad?
—Sí.
—Muy bien pues. Todo arreglado.
Colgué y sentí que la conversación me había inquietado sin que yo supiera por qué. Robin volvió a llamarme desde el cuarto de baño y me fui para allá. Bajo la delicada luz, vi a Robin cubierta de espuma hasta el cuello y con la cabeza echada hacia atrás contra el borde de la bañera. Algunas burbujas tan brillantes como piedras preciosas punteaban su cabello recogido hacia arriba. Mantenía los ojos cerrados y no los abrió cuando yo me metí en la bañera.
Cubriéndose el pecho, me dijo:
—Uy, qué miedo... espero que no sea Norman Bates.
—Norman prefería las duchas.
—Ah, sí, es verdad. Pues entonces el meditabundo hermano de Norman.
—El remojado hermano de Norman..., Merman.
Robin se echó a reír. Me desperecé y cerré también los ojos. Ella colocó sus piernas encima de las mías y yo me hundí en el agua caliente, le acaricié los dedos de los pies y procuré relajarme. Pero estaba tenso porque no lograba quitarme de la cabeza mi conversación con Chip.
«Me acaba de llamar Cindy para decirme que va usted a ir a nuestra casa mañana por la tarde.»
Lo cual significaba que él no estaba en casa cuando yo había llamado.
Y que no era el hombre con quien yo había oído hablar a Cindy.
El nerviosismo...
—¿Qué te pasa? —me preguntó Robin—. Tienes los hombros completamente contraídos.
Se lo dije.
—Me parece que ves más de lo que hay, Alex. Pudo ser un familiar suyo que había ido a verla..., su padre o su hermano.
—No tiene ni lo uno ni lo otro.
—Pues un primo o un tío. O algún operario..., un fontanero, un electricista o lo que sea.

—Esa gente no te viene a casa un domingo por la tarde —dije.

—Son ricos y los ricos consiguen lo que quieren y cuando quieren.

—Sí, puede que fuera eso... No obstante, me pareció que estaba nerviosa. Como si yo la hubiera pillado por sorpresa.

—Bueno pues, a lo mejor tiene un ligue. Tú sospechas que está envenenando a la niña. El adulterio sería una nimiedad en comparación con eso.

—¿Y tú crees que recibiría a su amante el mismo día de su regreso del hospital?

—Al maridito no le ha parecido mal irse a su despacho el primer día. Si él tiene por costumbre ausentarse tan a menudo de casa, lo más probable es que ella se sienta muy sola, Alex. Y, si él no le da lo que necesita, puede que ella se lo busque en otro sitio. En todo caso, ¿tiene el adulterio algo que ver con el síndrome de Münchhausen?

—Cualquier cosa que haga sentirse desvalida a una persona que manifieste esas tendencias puede tener una repercusión. Pero es que hay algo más, Robin. Si Cindy tiene un ligue, podría haber un motivo. Podría querer librarse del marido y de los hijos para poder estar con su amante.

—Hay métodos más fáciles para librarse de la familia.

—Ten en cuenta que estamos hablando de una mente enferma.

—Muy enferma.

—A mí no me pagan para que trate las mentes sanas.

Robin se inclinó hacia adelante y me acarició la mejilla.

—Todo esto te está afectando demasiado.

—Desde luego que sí. Cassie esta absolutamente indefensa y todo el mundo le ha fallado.

—Tú haces todo lo que puedes.

—Supongo que sí.

Permanecimos un buen rato en el agua. Intenté nuevamente relajarme y, al final, me tuve que conformar con unos músculos relajados y una mente en tensión. Las nubes de espuma rodeaban los hombros de Robin como si fueran una estola de armiño. Estaba muy guapa y se lo dije.

—Me halagas demasiado, Mer —me dijo en tono burlón.

Pero yo vi que su sonrisa era sincera y me alegré de haber conseguido, por lo menos, darle una satisfacción a alguien.

Regresamos a la cama y yo tomé el periódico. Esta vez lo leí con atención, buscando alguna noticia sobre el Western Pediatric o sobre Laurence Ashmore, pero no había ninguna. A las diez cuarenta y cinco, sonó el teléfono. Se puso Robin.

—Hola, Milo.

Éste le dijo algo que la hizo reír.

—Totalmente —contestó Robin, pasándome el teléfono y regresando a su crucigrama.

—Me alegro de volver a oír su voz —dijo Milo—. Veo que, al final, estás empezando a sentar la cabeza.

La comunicación era muy clara, pero se oía como de muy lejos.

—¿Dónde estás?

—En una callejuela de la parte de atrás de un almacén de artículos de cuero, vigilando unos posibles hurtos, pero hasta ahora no ha habido nada. ¿Interrumpo algo?

—Una dicha doméstica —contesté, acariciando el brazo de Robin.

Estaba enteramente concentrada en el crucigrama y sostenía el lápiz entre los labios, pero, aun así, levantó la mano hacia la mía y ambos entrelazamos nuestros dedos.

—Todas las dichas son buenas —dijo Milo—. Tengo un par de cosas para ti. La primera es que el tal señor Huenengarth tiene una ficha muy curiosa. El permiso de conducir está en regla y el número de la Seguridad Social, también, pero la dirección del permiso de conducir es un apartado de correos de Tarzana, no tiene teléfono ni tarjetas de crédito y no figura en las listas de Hacienda. Tampoco hay nada en los archivos del condado ni en los del Ejército y no aparece en el censo de votantes. Es lo que suele ocurrir en el caso de un delincuente que acaba de salir de la cárcel tras cumplir un largo período de condena..., alguien que no ha votado ni pagado impuestos. Aunque tampoco figura en las fichas penitenciarias ni en las listas de libertad provisional, por consiguiente puede que se trate de un fallo informático o que yo haya cometido un error de tipo técnico. Mañana le pediré a Charlie que lo revise él.

—El fantasma del hospital —dije yo—. Me consuela saber que es el jefe de los servicios de Seguridad.

Robin levantó un momento la vista y la volvió a bajar.

—Sí —dijo Milo—, te sorprendería saber la cantidad de tipos raros que consiguen introducirse en los servicios de seguridad..., muchos chalados que intentan ingresar en el cuerpo de policía y no superan la evaluación psíquica. Entre tanto, tú procura mantenerte alejado de él hasta que yo averigüe algo más. Lo segundo es que he estado investigando la ficha de Herbert y tengo intención de efectuar una visita nocturna por allí abajo... y hablar con el barman que la vio.

—¿Tú crees que le podrás sacar más información?

—No, pero Gómez y su compañero no hicieron un trabajo suficientemente exhaustivo para mi gusto. El tipo tiene antecedentes por tráfico de droga y pensaron que no sería un testigo muy de fiar. Por eso lo soltaron sin hacerle demasiadas preguntas. Tengo su número de teléfono, hablé con su amiga y descubrí que trabaja en otro club de por allí, cerca de la comisaría de Newton. Quiero ir a hablar con él y pensé que, a lo mejor, te podría interesar acompañarme. Pero está claro que tienes cosas mejores que hacer.

Robin levantó la vista. Me percaté de que mis dedos estaban apretando los suyos con excesiva fuerza y aflojé la presa.

—¿Cuándo irás? —pregunté.

—Dentro de una hora aproximadamente. Quería ir hacia la medianoche, cuando empieza la juerga. Quiero verle en su elemento, pero antes de que la cosa se desmadre. Bueno pues, que disfrutes de tu dicha.

—Espera. Tengo que contarte unas cuantas cosas. ¿Dispones de tiempo?

—Por supuesto. Aquí en esta calleja sólo estamos los gatos y yo. ¿Qué pasa?

—Hoy el abuelo Chuck me ha parado para hablar conmigo justo cuando estaba a punto de salir del hospital. Me soltó el sermón de la familia feliz... y defendió el honor del clan mientras conversábamos. Y lo ha rematado todo con una oferta de trabajo. Me ha insinuado que me porte bien y no me meta en camisa de once varas.

—No ha sido muy sutil.

—En realidad, lo ha hecho con mucha delicadeza. Aunque la conversación se hubiera grabado, no se le hubiera podido acusar de nada. La oferta no es gran cosa, pues no creo que un puesto en el Western Pediatric tenga demasiada seguridad.

Le conté a Milo lo que decía Plumb en la entrevista del periódico y las hipótesis de los proyectos económicos que me habían inducido a estudiar con más detenimiento las investigaciones de Laurence Ashmore. Cuando me oyó mencionar el Ferris Dixon Institute, Robin dejó el crucigrama y prestó atención.

—Virginia —dijo Milo—. He estado allí un par de veces para asistir a cursillos nacionales de adiestramiento. Un estado muy bonito, pero todo lo de allí me huele a Gobierno.

—El Instituto figura en una lista de organismos privados. Yo pensé que, a lo mejor, era la tapadera de alguna importante empresa.

—¿Qué tipo de beca era?

—Sobre el efecto de los pesticidas en el suelo. Ashmore analizaba sus antiguos hallazgos sobre el tema. Demasiado dinero para eso, Milo. Quería llamar mañana por la mañana al Instituto para intentar averiguar algo más. También trataré de ponerme nuevamente en contacto con la señora Ashmore. Me interesa saber si el misterioso Huenengarth la ha vuelto a visitar.

—Ya te he dicho que procures no acercarte demasiado a él, Alex.

—No te preocupes, sólo me acercaré al teléfono. Por la tarde, iré a casa de Chip y Cindy y me dedicaré a hacer lo que me enseñaron en la universidad. Es posible que ellos no disfruten de la dicha doméstica.

Le revelé a Milo mis sospechas, incluyendo los comentarios que me había hecho Robin.

—¿Tú qué crees?

—Creo que no podemos saberlo. A lo mejor, tenía un grifo que goteaba o, quizá, es la coqueta número uno del valle de San Fernando. Pero te diré una cosa. Si le está poniendo los cuernos a Chip, lo hace con muy poca discreción, ¿no te parece? Ha dejado que oyeras la voz de su amante.

—A lo mejor lo ha hecho sin querer..., la he pillado por sorpresa. Estaba nerviosa... y ha cubierto el teléfono con la mano casi inmediatamente. Yo sólo he podido oír unas palabras lejanas de una voz de timbre grave. Si es una Münchhausen, no sería nada extraño que le gustara jugar con fuego.

—¿Una voz grave dices? ¿Seguro que no era la televisión?

—No, era una conversación de verdad. Cindy hablaba y el tipo le ha contestado. Al principio, pensé que era Chip. Si él no me hubiera llamado más tarde, jamás hubiera sabido que no era él.

—Ya. ¿Y eso qué significado tiene en relación con Cassie?

Le repetí mi teoría de los motivos.

—No olvides el dinero de Chip —dijo Milo—, eso es un aliciente muy poderoso.

—Y una vergüenza para la familia si la cosa transcendiera y hubiera un divorcio sonado. A lo mejor, es de eso de lo que Chuck quiere apartarme. Me dijo que Chip y Cindy habían creado un vínculo muy sólido... y añadió que Cindy era una chica encantadora, a pesar de que no parece la clase de chica que un tipo de su posición hubiera querido por nuera. Por otra parte, a juzgar por el aspecto de sus dientes, me parece que es un individuo que se ha abierto camino él solito y puede que no sea un esnob.

—¿Los dientes?

—Los tiene torcidos y manchados. Nadie le ha puesto fundas ni le ha practicado la ortodoncia. Y sus modales son bastante zafios.

—Un hombre que se ha hecho a sí mismo —dijo Milo—. A lo mejor, respeta a Cindy por haber hecho lo mismo que él.

—¿Quién sabe? ¿Has averiguado algo sobre los motivos de su licencia del Ejército?

—Todavía no. Tengo que apretarle las tuercas a Charlie... Bueno pues, ya te llamaré mañana.

—Si descubrieras algo más a través del barman, llámame a primera hora.

Mi voz sonaba muy tensa y me notaba los hombros contraídos.

Robin me los rozó con la mano y me preguntó:

—¿Qué ocurre?

Cubrí el teléfono y me volví hacia ella.

—Ha encontrado una pista de algo que, a lo mejor, está relacionado con el caso.

—Y te ha llamado para invitarte a que le acompañes.

—Sí, pero...

—Y tú quieres ir.

—No, yo...

—¿Es peligroso?

—No, se trata simplemente de interrogar a un testigo.

Me dio un suave empujón.

—Ve con él.

—No es necesario, Robin.

Se echó a reír.

—Pero tú ve de todos modos.

—No lo necesito. Aquí estamos muy a gusto.

—¿Dicha doméstica?

—En grado superlativo —contesté, rodeándola con mi brazo.

Me lo besó y lo apartó.

—Vete, Alex. No quiero estar aquí, oyendo cómo te agitas.

—No pienso ir.

—Sabes muy bien que irás.

—¿Prefieres quedarte sola?

—No lo estaré espiritualmente ahora que volvemos a estar juntos.

23

La arropé en la cama y salí al salón para esperar. Milo llamó suavemente a la puerta justo pasada la medianoche. Llevaba una maleta compacta del tamaño de una cartera de documentos y se había puesto un polo, unos pantalones de sarga y una cazadora acolchada. Todo de color negro. Una parodia del conjunto de los jóvenes extravagantes de Los Ángeles.

—¿Acaso quieres disolverte en la noche, Zorro? —le pregunté.

—Iremos en tu automóvil. No quiero llevar el Porsche por aquellos andurriales.

Saqué el Seville; Milo colocó la maleta en el portaequipajes y se acomodó en el asiento del pasajero.

—Vamos allá.

Seguí sus instrucciones, enfilando Sunset oeste hasta la 405 sur donde nos mezclamos con los ruidosos camiones y la gente que se dirigía al aeropuerto para tomar los vuelos nocturnos. Al llegar a la confluencia con la autopista de Santa Mónica, seguí hacia Los Ángeles, circulando por el carril rápido. La autopista estaba más vacía de lo que yo jamás la había visto y la húmeda y cálida bruma suavizaba los contornos, creando una imagen impresionista.

Milo bajó la luna de la ventanilla, encendió un cigarro y expulsó el humo hacia la ciudad. Parecía cansado, como si se hubiera agotado hablando por teléfono. Como yo también lo estaba, ninguno de los dos dijo una sola palabra. Cerca de La Brea, un vehículo deportivo se nos acercó por detrás, rugió y nos envió unos destellos con los faros, adelantándonos a casi ciento sesenta por hora. Milo se incorporó, reaccionando automáticamente como un policía, y lo vio desaparecer antes de reclinarse de nuevo contra el respaldo del asiento para seguir mirando con expresión ensimismada a través del parabrisas.

Seguí la dirección de su mirada hacia la no del todo redonda luna marfileña que, veteada por algunas nubes, permanecía suspendida en el cielo delante de nosotros como un gigantesco yoyo o un queso fermentado, jaspeado de moho.

—Tres cuartos de luna —dije yo.

—Más bien siete octavos. Eso quiere decir que todos los lunáticos han salido a la calle. Sigue por la Diez hasta pasado el cruce y sal en Santa Fe.

Me siguió dando instrucciones en voz baja hasta que llegamos a un vasto y silencioso barrio de almacenes, fundiciones y locales de venta al por mayor. No había farolas ni movimiento; los únicos vehículos que yo vi estaban aparcados en solares protegidos por vallas de seguridad semejantes a las de las prisiones. Cuanto más nos alejábamos del océano, tanto más se disipaba la bruma, permitiendo que el perfil de los edificios del centro de la ciudad se recortara con toda nitidez contra el cielo. Pero allí yo apenas podía distinguir las formas que, como un espejismo, parecían surgir de la nada sobre la negra y empañada inmovilidad de los límites externos de la ciudad. El silencio se me antojaba siniestro..., un fallo del espíritu. Como si la energía de Los Ángeles se hubiera desbordado más allá de sus fronteras geográficas.

Milo me dirigió a través de toda una serie de rápidas y bruscas vueltas a lo largo de unas franjas de asfalto que hubieran podido ser calles o callejuelas..., un laberinto que yo jamás lograría borrar de mi recuerdo. Había dejado que su puro se apagara, pero el olor a tabaco impregnaba el interior del automóvil. A pesar de la agradable tibieza de la brisa, Milo empezó a subir la luna de la ventanilla. Comprendí la razón antes de que terminara de hacerlo: un nuevo olor se había superpuesto al de la barata hoja quemada de tabaco. Dulceamargo, metálico y, sin embargo, putrefacto. Penetraba a través del cristal junto con un frío estruendo semejante al aplauso de unas gigantescas manos de acero, rasgando el silencio de la noche desde algún lejano lugar.

—Fábricas de conservas —me explicó—. Al este de Los Ángeles hasta llegar a Vernon, pero el ruido llega hasta aquí. Cuando me incorporé al cuerpo, recorría aquella zona en un coche patrulla durante el turno de noche. A veces, sacrificaban a los cerdos por la noche. Les oías chillar y golpearse contra las cosas y se oía el chirrido de las cadenas. Ahora creo que les administran sedantes... Aquí, gira a la derecha e, inmediatamente después, a la izquierda. Recorre una manzana y aparca donde puedas.

El laberinto terminaba en un tramo recto de una manzana de longitud, flanqueado a ambos lados por vallas metálicas. No había aceras. Las malas hierbas crecían en el alquitrán como pelos en un quiste sebáceo. Había automóviles aparcados a ambos lados de la calle, todos ellos pegados a las vallas.

Me introduje en el primer espacio que vi, detrás de un viejo BMW con una pegatina de un conjunto musical en una ventanilla y un asiento posterior lleno de trastos. Descendimos del Seville. El aire había refrescado, pero aún se aspiraba el olor a matadero aunque no de forma continuada sino en ráfagas intermitentes. Seguramente había cambiado la dirección del viento, aunque yo no lo notaba. El chirrido de las máquinas había sido sustituido por la música..., unos espectrales alaridos de órgano electrónico, un siniestro contrabajo y unos apagados tonos que quizá procedían de unas guitarras. En caso de que hubiera algún ritmo, tampoco lo noté.

—La hora de la juerga —dije—. ¿Qué se baila esta semana?

—La lambada delictiva —me contestó Milo—. Te restriegas contra tu pareja y le metes la mano en los bolsillos.

Se introdujo las manos en sus propios bolsillos y echó a andar, arrastrando los pies.

Empezamos a subir por una calle sin salida, cerrada por un alto edificio sin ventanas. Paredes de ladrillo pintadas en colores claros e iluminadas por un par de bombillas rojas que les conferían un tono rosado. Tres pisos, un trío de cubos de tamaño decreciente, colocados el uno encima del otro. Tejado plano, puertas de acero asimétricamente colocadas bajo una desigual serie de ventanas con persianas. Un amasijo de escaleras contra incendios abrazaba la fachada como una enredadera de hierro colado. Al acercarnos, vi unas despintadas letras de gran tamaño por encima de las escaleras: COMPAÑÍA DE POTASA Y FERTILIZANTES BAKER.

La música sonaba cada vez más fuerte. Un pesado y lento solo de teclado. Se oían unas voces entre los tonos. Vi una curvada cola de personas en forma de S delante de una de las puertas..., una fila de hormigas de unos quince metros de longitud que se derramaba hacia la calle y la bloqueaba.

Pasamos junto a la cola. Los rostros se volvieron sucesivamente hacia nosotros como fichas animadas de dominó. El negro era el uniforme y las caras enfurruñadas, la nota dominante. Botas claveteadas, cigarrillos legales e ilegales, murmullos, empujones, sonrisas de desprecio y ocasionales sacudidas espasmódicas provocadas por las anfetaminas. Retazos de piel desnuda más blanca que la luz de la luna. Alguien hizo un vulgar comentario sobre el trasfondo de los sonidos del órgano y alguien lo acogió con una risotada.

Las edades oscilaban entre los dieciocho y los veinticinco años, con predominio de las más jóvenes. Oí un maullido de gato a mi espalda y más risas. Una juerga infernal.

La puerta ante la cual se había formado la cola era un rectángulo metálico de color herrumbre, cerrado por un pestillo. Un tipo de elevada estatura vestido con un jersey negro de cuello cisne sin mangas, floreados calzones de surf en tonos verdes y botas de caña alta con cordones, permanecía de pie delante de ella. Debía de contar unos veintitantos años y tenía unas grumosas facciones, unos ojos soñadores y una piel que hubiera sido rubicunda incluso sin el concurso de la bombilla roja que brillaba por encima de su cabeza. Llevaba el cabello negro muy corto por arriba y se le veían retazos de cuero cabelludo a ambos lados. Observé un par de pequeñas zonas que no habían sido rasuradas..., como si se estuviera recuperando de unas sesiones de quimioterapia. Pero su cuerpo era enorme y extremadamente fornido. Llevaba el largo cabello de la parte de atrás recogido en una apretada y grasienta cola que le colgaba por encima de un hombro. Ambos hombros aparecían constelados de granitos. Un salpullido hormonal... de ahí le venía la caída del cabello.

Los chicos del principio de la cola le estaban diciendo algo, pero él no contestaba. No nos vio acercarnos o fingió no vernos.

—Hola, tío —le dijo Milo.

El tipo siguió mirando para el otro lado.

Milo repitió el saludo. El tipo volvió la cabeza y soltó un gruñido. De no haber sido por su tamaño, el gesto hubiera resultado cómico. Los chicos del principio de la cola, lo miraron impresionados.

—Adelante, kung-fu —le dijo alguien.

El tipo sonrió, volvió a apartar el rostro, hizo crujir los nudillos y bostezó.

Milo actuó con rapidez, situándose delante de él y acercando la placa a su carnoso rostro.

El tipo volvió a gruñir, pero se ablandó. Volví la cabeza y vi que una chica con el cabello teñido del color de la sangre desoxigenada me sacaba la lengua y la agitaba. El chico que le estaba acariciando el pecho me soltó un escupitajo.

Milo movió la placa hacia adelante y hacia atrás a la altura de los ojos del matón. Éste la siguió con la mirada como hipnotizado.

Milo la sostuvo en su mano sin moverla mientras el matón la leía con visible esfuerzo.

Alguien profirió una maldición. Otro aulló como un lobo y muchos siguieron su ejemplo hasta que la calle quedó convertida en un escenario de una novela de Jack London.

—Abre, mamón, si no quieres que empecemos a pedir los carnets de identidad y los códigos sanitarios.

El volumen del coro lobuno aumentó hasta casi anular la música. El matón frunció el entrecejo mientras digería las palabras de Milo. Parecía que le doliera algo. Al final, sonrió y desplazó la mano hacia atrás.

Milo le agarró por la muñeca, pero a duras penas consiguió rodearla con sus largos dedos.

—Tranquilo.

—Ya abro, hombre —dijo el matón—. Tengo que buscar la llave.

Su voz era insólitamente profunda, como una cinta pasada despacio, pero quejumbrosa a pesar de todo.

Milo retrocedió para dejarle un poco de sitio sin apartar la vista de sus manos. El matón sacó una llave de sus calzones de surf, abrió la cerradura y descorrió el pestillo.

La puerta se abrió un par de centímetros, a través de los cuales se filtraron al exterior el calor, la luz y el ruido. La manada de lobos se abalanzó hacia ella.

El matón pegó un brinco hacia adelante, haciendo con las manos un gesto que él creyó de karate mientras mostraba los dientes. La manada se detuvo y se retiró, aunque se oyeron algunas protestas. El matón levantó las manos como si fueran unas zarpas. La bombilla de arriba arrancaba unos reflejos rojizos de sus ojos. Tenía los sobacos afeitados. Y con granos.

—¡Atrás joder!

Los lobitos se callaron.

—Me dejas de piedra, mamón —le dijo Milo.

El tipo no apartaba los ojos de la cola. Mantenía la boca abierta, jadeaba y sudaba. A través de la rendija de la puerta, el ruido seguía filtrándose al exterior.

Milo apoyó la mano en el pestillo. Éste chirrió y el matón volvió la cabeza y miró a Milo.

—Mándale a la mierda —gritó una voz a nuestra espalda.

—Ahora vamos a entrar, mamón —dijo Milo—. Procura tranquilizar a esos hijos de puta.

El matón cerró la boca y respiró ruidosamente a través de la nariz, una de cuyas ventanas estaba obstruida por una burbuja de mocos.

—Yo no me llamo mamón —dijo—. Me llamo James.

Milo le miró con una sonrisa.

—Muy bien pues. Procura hacer un buen trabajo, James. ¿Tú trabajaste alguna vez en La Hipoteca Maya?

El matón se limpió la nariz con el brazo y contestó:

—¿Qué?

Era lento de entendederas.

—Déjalo.

El matón pareció ofenderse.

—Pero, ¿qué me ha dicho, hombre? Hablo en serio.

—Te he dicho que tienes un brillante futuro por delante, James. En caso de que cierre el local, podrías presentarte candidato a la vicepresidencia de la nación.

El local era muy espacioso y estaba brillantemente iluminado en algunos puntos, aunque predominaba la oscuridad. El suelo era de cemento y las paredes que se podían ver eran de ladrillo pintado. En el techo había toda una serie de tuberías, engranajes y conductos que, en algunos sectores, aparecían desprendidos como si alguien los hubiera arrancado en un acceso de furia.

A la izquierda estaba la barra formada por unas puertas de madera colocadas sobre unas cabrillas delante de una estantería metálica llena de botellas. Al lado de la estantería se veía una media docena de cuencos de color blanco llenos de hielo.

Relucientes cuencos de porcelana. Con las tapas levantadas.

Unos excusados.

Dos hombres trabajaban a destajo para servir a la sedienta jauría de menores de edad, llenando, escanciando y sacando cubitos de los retretes. No había grifos; la soda y el agua eran de botella.

El resto del espacio lo ocupaba la pista de baile. No había ninguna separación entre la gente de la barra y los cuerpos que se agitaban y retorcían como peces recién pescados. Escuchada de cerca, la música resultaba todavía menos rítmica. Pero el ruido hubiera sido suficiente como para poner en movimiento la escala de Richter del Instituto Tecnológico de California.

Los genios que la estaban creando ocupaban un improvisado estrado en la parte de atrás. Cinco sujetos de mejillas hundidas que llevaban unos leotardos y hubieran podido ser unos yonquis de haber ofrecido un aspecto un poco más saludable. Unas cajas de embalaje tan grandes como casetas de playa formaban un oscuro telón de fondo a su espalda. El bombo llevaba escrita la palabra CARROÑA.

En la pared, por encima de los amplificadores, había otro letrero de la fábrica de fertilizantes, parcialmente oculto por un cartel pegado en sentido transversal.

BIENVENIDOS A LA CASA DE LA MIERDA.

Los adornos que lo embellecían eran todavía más exquisitos.

—Muy original —dije yo en voz lo bastante alta como para que me vibrara el paladar, aunque sin que se oyera.

Milo debió de leer el movimiento de mis labios porque esbozó una sonrisa y sacudió la cabeza. Después la volvió a inclinar y se abrió paso sin contemplaciones entre los bailarines para acercarse a la barra.

Yo le seguí.

Llegamos un poco magullados, pero intactos a la zona de los bebedores. Unos platos de cacahuetes sin descascarar descansaban al lado de unos cuadrados de papel higiénico que hacían las veces de servilletas. La superficie de la barra necesitaba que le pasaran un trapo. El suelo estaba alfombrado de cáscaras en los lugares donde no estaba mojado y resbaladizo.

Milo consiguió situarse al otro lado de la barra. Ambos barmans eran delgados, morenos y barbudos y vestían camiseta gris sin mangas y unos holgados pantalones de pijama de color blanco. El que estaba más cerca de Milo era calvo. El otro era una princesa disfrazada.

Milo se acercó al pelón. El barman extendió una mano en gesto defensivo mientras con la otra vertía un Jolt Cola en un vaso que contenía dos dedos de ron. La mano de Milo le asió la muñeca y se la retorció bruscamente, aunque no lo suficiente como para causarle una lesión. Pese a ello, el barman abrió los ojos y la boca, dejó la lata sobre la barra y trató de zafarse de la presa.

Milo no se lo permitió y volvió a montar el número de la placa, pero esta vez con discreción, sosteniéndola en ángulo de tal forma que los bebedores no pudieran verla. Una mano se disparó hacia adelante y asió el vaso de cola con ron. Otras varias empezaron a golpear la superficie de la barra. Unas cuantas bocas se abrieron en silenciosos gritos.

El pelón miró a Milo con expresión aterrorizada.

Milo le habló al oído.

El pelón le contestó algo.

Milo añadió algo más.

El pelón le señaló al otro maestro de la coctelera. Milo aflojó la presa. El pelón se acercó a la princesa y ambos deliberaron en voz baja. La princesa asintió con la cabeza y el pelón regresó junto a Milo con aire resignado.

Yo los seguí a los dos en un penoso y arriesgado viaje alrededor y a través de la pista de baile, avanzando muy despacio..., en parte a paso de baile y en parte en plan de avance a través de la selva. Al final, llegamos al fondo del local, detrás de los amplificadores del conjunto y de toda una maraña de cables eléctricos, cruzando una puerta de madera en la que figuraba la indicación de LAVABOS.

Al otro lado había un alargado y frío pasillo cuyo suelo de cemento estaba totalmente cubierto de papeles y charcos de repugnante apariencia. Varias parejas se movían a tientas en la sombra. Unos cuantos solitarios permanecían sentados en el suelo con las cabezas inclinadas sobre las rodillas. La marihuana y los vómitos competían entre sí en su afán por ganar la partida olfativa. El nivel sonoro había bajado al del rugido del despegue de un avión.

Pasamos por delante de varias puertas en las que figuraban las indicaciones de DE PIE y AGACHADOS, procurando sortear la porquería y no pisar ninguna pierna. El pelón lo hacía muy bien, moviéndose con agilidad y destreza mientras los pantalones del pijama se hinchaban a su alrededor como si fueran unas velas desplegadas al viento. Al fondo del pasillo había otra herrumbrosa puerta metálica, exactamente igual que la que guardaba el matón.

—¿Fuera le parece bien? —preguntó el pelón con voz chirriante.

—¿Qué hay aquí afuera, Robert?

El barman se encogió de hombros y se rascó la barbilla.

—La parte de atrás.

Debía de tener entre treinta y cinco y cuarenta y cinco años. La barba no era más que una pelusilla que a duras penas le ocultaba un rostro que más le hubiera valido ocultar, pues era chupado, ratonesco, ceñudo y ruin a más no poder.

Milo abrió la puerta, miró hacia el exterior y asió al barman por el brazo.

Los tres salimos a un pequeño aparcamiento vallado. Había un camión de carga de dos toneladas y tres automóviles. El suelo estaba cubierto de basura, la cual formaba en algunos lugares montículos de treinta centímetros de altura agitados por la brisa. Más allá de la valla brillaba la enorme luna.

Milo condujo al calvo hasta un lugar relativamente limpio del centro del aparcamiento, lejos de los vehículos.

—Éste es Robert Gabray —me dijo—. Insigne maestro de la coctelera. —Dirigiéndose al barman, añadió—: Tienes unas manos muy rápidas, Robert.

El barman movió los dedos.

—Tengo que trabajar.

—La vieja ética protestante.

Mirada inexpresiva.

—¿A ti te gusta trabajar, Robert?

—No tengo más remedio. Ellos lo tienen todo vigilado.

—¿Quiénes son ellos?

—Los dueños.

—¿Te están vigilando allí dentro?

—No, pero tienen ojos.

—Eso parece la CIA, Robert.

El barman no contestó.

—¿Quién te paga el sueldo, Robert?

—Unos tíos.

—¿Qué tíos?

—Los propietarios del edificio.

—¿Qué nombre figura en el cheque de la paga?

—Aquí no pagan con cheque.

—¿Dinero en efectivo, Robert?

Movimiento afirmativo con la cabeza.

—¿No pagas el impuesto sobre la renta?

Gabray cruzó los brazos sobre el pecho y se frotó los hombros.

—Vamos, hombre, ¿qué quiere que haga?

—Tú lo sabes mejor que yo, ¿no crees, Robert?

—Los propietarios son unos árabes.

—Nombres.

—Fahrizad, Nahrizhad, Nahrishit o no sé que.

—Eso parece iraní más que árabe.

—Bueno pues, lo que sea.
—¿Cuánto tiempo llevas trabajando aquí?
—Un par de meses.
Milo sacudió la cabeza.
—No, me parece que no, Robert. ¿Quieres intentarlo otra vez?
—¿Qué? —preguntó Gabray, perplejo.
—Piensa dónde estabas realmente hace un par de meses, Robert.
Gabray se volvió a frotar los hombros.
—¿Tienes frío, Robert?
—No... bueno pues, hace un par de semanas que trabajo aquí.
—Eso ya está mejor.
—Da igual.
—¿Para ti las semanas y los meses son lo mismo?
Gabray no contestó.
—¿A ti te parecían meses?
—Da igual.
—¿El tiempo pasa rápido cuando te diviertes?
—Da igual.
—Dos semanas —dijo Milo—. Eso es mucho más razonable. Seguramente es lo que tú querías decir. Tú no querías ponerme dificultades... simplemente te habías equivocado, ¿verdad?
—Sí.
—Habías olvidado que hace un par de meses tú no trabajabas en ninguna parte porque estabas en la prisión del condado por culpa de un cochino alijo de marihuana.
El barman se encogió de hombros.
—Fue muy hábil por tu parte, Robert; pasarte un semáforo en rojo con aquel ladrillo que llevabas en el portaequipajes de tu coche.
—No era cosa mía.
—Ya.
—En serio, hombre.
—¿Cargaste con la culpa de otro?
—Sí.
—Eres un buen chico, ¿verdad? Un auténtico héroe.
Encogimiento y nuevo frotamiento de hombros. Uno de los brazos de Gabray se levantó un poco más para rascar la calva.
—¿Te pica algo, Robert?
—No me pasa nada.
—¿Seguro que la droga no te ha provocado un enfriamiento?
—Le digo que no me pasa nada.
Milo me miró.
—Robert mezcla los polvos con tanta habilidad como los líquidos. Es muy aficionado a la química... ¿verdad, Robert?
Otro encogimiento de hombros.

—¿Tienes algún trabajo diurno, Robert?
Movimiento de denegación con la cabeza.
—¿Sabe el oficial encargado de tu vigilancia que trabajas aquí?
—¿Y por qué no puedo trabajar aquí?
Milo se inclinó un poco más hacia él y esbozó una paciente sonrisa.
—Porque tú, como delincuente habitual que eres, estás obligado a mantenerte apartado de las malas compañías y esa gente de aquí dentro no parece demasiado sana.
Gabray apretó los dientes y bajó la mirada al suelo.
—¿Quién le dijo que yo estaba aquí?
—Ahórrame las preguntas, Robert —dijo Milo.
—Ha sido aquella puta, ¿verdad?
—¿A qué puta te refieres?
—Usted ya lo sabe.
—¿Que yo lo sé?
—Tiene que saberlo... de lo contrario, no me hubiera localizado aquí.
—¿Estás enfadado con ella, Robert?
—No.
—¿Ni un poquito?
—Yo no me enfado.
—Pues, ¿qué haces?
—Nada.
—¿No quieres vengarte?
—¿Puedo fumar? —preguntó Gabray.
—Ella te pagó la fianza. En mi opinión, eso equivale a ser una heroína.
—Pienso casarme con ella. ¿Puedo fumar?
—Pues claro, Robert, eres un hombre libre. Por lo menos, hasta que se celebre el juicio. Porque la puta te pagó la fianza.
Gabray se sacó una cajetilla de Kools del bolsillo de los pantalones de pijama. Milo le ofreció inmediatamente fuego.
—Vamos a hablar del sitio donde estabas hace tres meses, Robert.
Gabray dio una calada al cigarrillo y miró a Milo como si no le hubiera comprendido.
—Un mes antes de que te detuvieran, Robert. En marzo.
—¿Qué pasa?
—La Hipoteca Maya.
Gabray dio otra chupada y miró al cielo.
—¿Lo recuerdas, Robert?
—¿Qué pasa?
—Eso.
Milo se sacó algo del bolsillo de la camisa. Una pequeña linterna del tamaño de un lápiz y una fotografía en color. Sostuvo la fotografía

a la altura de los ojos de Gabray y la iluminó con la linternita. Yo me situé detrás de Gabray y miré por encima de su hombro.

El mismo rostro que el de la instantánea que me habían dado los Murtaugh. Por debajo del nacimiento del cabello. Por encima, el cráneo estaba tan aplanado que no hubiera podido contener un cerebro. Lo que quedaba del cabello era una especie de enmarañada masa de color negro rojizo. Piel de color cáscara de huevo. Un collar negro rojizo le rodeaba la garganta. Los ojos eran dos berenjenas moradas.

Gabray contempló la fotografía, dio una chupada y preguntó:

—¿Y qué?

—¿La recuerdas, Robert?

—¿Y por qué la tendría yo que recordar?

—Se llamaba Dawn Herbert. La liquidaron cerca del Maya y tú les dijiste a los investigadores de la policía que la habías visto con un tipo.

Gabray sacudió la ceniza del cigarrillo y esbozó una sonrisa.

—Ah, ¿conque es eso? Pues sí, creo que se lo dije.

—¿Crees?

—Hace mucho tiempo, hombre.

—Tres meses.

—Eso es mucho tiempo, hombre.

Milo se acercó un poco más a Gabray y le miró de arriba abajo.

—¿Me quieres ayudar en eso, sí o no? —le preguntó, agitando la fotografía.

—¿Qué fue de los otros dos policías? Creo que uno de ellos era un mangante.

—Aceptaron la jubilación anticipada.

Gabray soltó una carcajada.

—¿Y adónde se han ido? ¿A Tijuana?

—Habla conmigo, Robert.

—Yo no sé nada.

—Tú la viste con un tipo.

Encogimiento de hombros.

—¿Acaso les mentiste a aquellos pobres y esforzados investigadores, Robert?

—¿Yo? Jamás. —Sonrisa—. Que se me pegue la lengua al paladar.

—Dime lo que les dijiste a ellos.

—¿Es que no lo anotaron en el informe?

—Tú dímelo de todos modos.

—Hace mucho tiempo.

—Tres meses.

—Eso es mucho, hombre.

—Desde luego, Robert. Noventa días enteros y piensa en eso: con los antecedentes que tienes, por cualquier cosita de nada podrías pasarte un período de tiempo dos o tres veces mayor en la cárcel. Imagínate trescientos fríos días en una celda... Llevabas un montón de hierba en el portaequipajes.

—La hierba no era mía.

—¿Así piensas defenderte? —replicó Milo, soltando una carcajada.

Gabray frunció el ceño, dio una calada al cigarrillo y se tragó el humo.

—¿Me está usted diciendo que puede ayudarme?

—Depende de lo que me digas.

—La vi.

—¿Con el tipo?

Movimiento afirmativo con la cabeza.

—Cuéntamelo todo, Robert.

—Es lo que le he dicho.

—Cuéntamelo como si fuera un cuento. Érase una vez.

Gabray esbozó una sonrisa burlona.

—Ah, bueno. Pues érase una vez... la vi con un tipo. Final del cuento.

—¿En el interior del club?

—Fuera.

—¿Dónde fuera?

—Pues como... a una manzana de distancia.

—¿Fue la única vez que la viste?

Gabray reflexionó.

—Quizá la vi otra vez dentro.

—¿Visitaba asiduamente el local?

—Más o menos.

Milo lanzó un suspiro y le dio al barman una palmada en el hombro.

—Robert, Robert, Robert.

Gabray hizo una mueca a cada mención de su nombre.

—¿Qué pasa?

—Pues que eso no es un cuento.

Gabray apagó el cigarrillo en el suelo y sacó otro. Esperó a que Milo se lo encendiera y, al ver que éste no lo hacía, sacó una caja de cerillas y se lo encendió él mismo.

—A lo mejor, la vi otra vez —dijo—. Eso es todo. Allí sólo trabajé un par de semanas.

—¿Te cuesta conservar los empleos, Robert?

—Me gusta variar, hombre.

—Eres un veleta.

—Pues sí.

—Un par de veces en dos semanas —dijo Milo—. Por lo visto el sitio le gustaba.

—Unos pijos de mierda —dijo Gabray con repentina pasión—. Unos niños bien que bajaban aquí para jugar a la vida callejera y después regresaban corriendo a Rodeo Drive.

—¿Dawn Herbert parecía una niña bien?

—Todos son iguales, hombre.

—¿Hablaste alguna vez con ella?

El barman miró alarmado a Milo.

—No. Ya le he dicho que sólo la vi una o dos veces. Eso es todo. No tenía ni puta idea de quién era..., no tenía nada que ver con ella y no tengo nada que ver con eso —añadió, señalando la fotografía con el dedo.

—Veo que estás muy seguro.

—Totalmente seguro. Segurísimo, hombre. Eso no es lo mío.

—Háblame de cuando la viste con aquel tío.

—Tal como ya le he dicho, érase una vez yo trabajaba allí y érase una vez salí a la calle a fumarme un pitillo y la vi. Sólo la recuerdo porque el tipo me llamó la atención. No era uno de esos.

—¿Uno de quiénes?

—De los pijos. Ella sí lo era, pero él, no. Llamaba la atención por eso.

—¿Por qué la llamaba?

—Por su pinta de tipo serio.

—¿Como de hombre de negocios?

—No.

—Pues, ¿cómo qué?

Gabray se encogió de hombros.

—¿Vestía traje de calle, Robert?

Gabray se puso a pensar mientras daba una fuerte chupada al cigarrillo.

—No. Más bien como usted... con una chaqueta de Sears Roebuck —contestó, cruzando las manos sobre la cintura.

—¿Una cazadora?

—Sí.

—¿De qué color?

—Pues no sé... oscura. Hace mucho...

—Mucho tiempo —dijo Milo—. ¿Y qué más llevaba?

—Pantalones, zapatos, yo qué sé. Se parecía a usted.

Sonrisa. Bocanadas de humo.

—¿En qué sentido?

—No sé.

—¿Corpulento?

—Sí.

—¿De mi edad?

—Sí.

—¿De mi estatura?
—Sí.
—¿Con un cabello como el mío?
—Sí.
—Oye, ¿tú tienes dos pichas?
—S... ¿cómo dice?
—Corta el rollo, Robert. ¿Cómo llevaba el cabello?
—Más bien cortito.
—¿Calvo o con pelo?
Gabray frunció el ceño y se tocó la calva.
—Tenía pelo —contestó a regañadientes.
—¿Con barba o bigote?
—No lo sé. Estaba muy lejos.
—Pero, ¿no recuerdas si tenía pelo en la cara?
—No.
—¿Qué edad tenía?
—No lo sé... cincuenta, cuarenta, algo así.
—Tú tienes veintinueve años. ¿Era mucho mayor que tú?
—Veintiocho. Cumplo los veintinueve el mes que viene.
—Feliz cumpleaños. ¿Era mayor que tú?
—Mucho mayor.
—¿Lo bastante como para ser tu padre?
—Quizá.
—¿Quizá?
—Bueno... no lo bastante. Unos cuarenta o cuarenta y cinco.
—¿Y de qué color tenía el cabello?
—No sé... castaño.
—¿Quizás o seguro?
—Probablemente.
—¿Castaño claro o castaño oscuro?
—No lo sé. Era de noche.
—¿Y ella de qué color tenía el cabello?
—Ya lo ve usted en la fotografía.
Milo restregó la fotografía contra el rostro del barman.
—¿Ésta era la pinta que tenía cuando tú la viste?
Gabray retrocedió y se humedeció los labios con la lengua.
—Pues... era... el cabello era distinto.
—Vaya si lo era —dijo Milo—. Estaba en un cráneo intacto.
—Ya... pero... yo me refiero al color. Amarillo, ¿sabe usted? Pero un amarillo rabioso... como de huevos revueltos. Se veía muy bien bajo la luz.
—¿Ella estaba bajo una luz?
—Creo que... sí. Los dos estaban de pie bajo una farola. Estuvieron parados allí un segundo hasta que me oyeron y se largaron.

—Tú no les dijiste nada a los investigadores sobre la farola.
—No me lo preguntaron.
Milo bajó la mano en la que sostenía la fotografía. Gabray dio una calada al pitillo y apartó los ojos.
—¿Qué estaban haciendo la señorita Herbert y aquel tipo tan serio bajo la farola?
—Hablando.
—¿Y el cabello del tipo no era rubio?
—Ya le he dicho que la rubia era ella. Se notaba mucho, hombre... parecía... un plátano —contestó Gabray, soltando una risita.
—Y el del hombre era castaño.
—Sí. Oiga, si todo eso es tan importante, ¿por qué no lo anota?
—¿Qué otra cosa recuerdas de él, Robert?
—Eso es todo.
—Mediana edad, cazadora oscura, cabello castaño. Eso no basta para que hagamos un trato, Robert.
—Le digo lo que yo vi, hombre.
Milo se volvió de espaldas a Gabray y me miró.
—Bueno, hemos hecho lo posible por ayudarle —me dijo.
—¿Tienen a alguien bien amarrado?
—¿Qué quieres decir, Robert? —preguntó Milo, todavía de espaldas a él.
—Quiero decir un caso seguro. No sea que yo les diga algo y luego el tipo salga en libertad acogiéndose a alguna ley o a lo que sea, y entonces venga por mí, usted ya me entiende.
—Es que apenas me has dicho nada, Robert.
—¿Tienen a alguien bien amarrado?
Milo dio media vuelta muy despacio y le miró directamente a la cara.
—A quien yo tengo es a ti, Robert, que me estás tomando el pelo y ocultas unas pruebas, aparte el ladrillo que llevabas en el portaequipajes. Calculo que te caerán encima unos seis meses como mínimo... y, según el juez que te corresponda, incluso te podrían condenar a un año.
Gabray levantó las manos.
—Mire, es que no quiero que alguien salga de la cárcel y venga por mí. Aquel tipo era...
—¿Qué?
Gabray guardó silencio.
—Aquel tipo era un presidiario... ¿comprende? Parecía que no estaba para bromas. Un tipo duro.
—¿Te diste cuenta desde tan lejos?
—Hay cosas que se ven, ¿sabe? La forma de moverse, no sé. Los zapatos que llevaba... grandes y feos, como los que te dan en la cárcel.

—¿Le viste los zapatos?

—De cerca, no... pero se veían bien bajo la luz. Eran grandes... yo he visto zapatos así otras veces. ¿Qué es lo que quiere de mí? Yo estoy intentando colaborar.

—Bueno, Robert, pues no lo intentes. No tenemos a nadie en custodia.

—¿Y si... ? —preguntó Gabray.

—Y si, ¿qué?

—¿Yo le digo algo y, de resultas de ello, ustedes lo detienen? ¿Cómo sé yo que no lo van a soltar y vendrá por mí?

Milo volvió a mostrarle la fotografía.

—Mira lo que hizo, Robert. ¿Tú qué crees? ¿Que lo vamos a soltar?

—Eso no significa nada para mí, hombre. No me fío del sistema.

—¿Y eso por qué?

—Pues porque sí. Constantemente veo tipos que han hecho cosas malas y salen en libertad gracias a un tecnicismo.

—No me digas. Pero, en qué mundo vivimos. Mira, sabelotodo, si lo encontramos, te aseguro que ése no sale. Y, si tú me dices algo que nos ayude a localizarle, obtendrás la libertad. Y, encima, con todos los pronunciamientos favorables. Qué demonios, con todos los pronunciamientos favorables que vas a tener, todavía te quedará margen para cometer un par de delitos y librarte de la cárcel.

Gabray dio una calada al cigarrillo, golpeó el suelo con el pie y frunció el ceño.

—¿Qué pasa, Robert?

—Estoy pensando.

—Ah. —Y dirigiéndose a mí, Milo añadió—: No hagamos ruido, no vayamos a distraerle.

—La cara del tipo —dijo el barman—. La vi, pero sólo durante un segundo.

—Ah, ¿sí? ¿Y parecía que estaba enfadado?

—No, simplemente hablaba con ella.

—¿Y ella qué hacía?

—Le escuchaba. Yo pensé al verlo: qué raro que esta putilla *punk* ande por ahí con un tipo tan serio.

—Un presidiario.

—Ya, pero, aun así, no encajaba en este ambiente..., a aquella hora no se ven por allí más que tipos raros, mangantes y negros. Y policías... Al principio, pensé que era un policía. Después vi que parecía más bien un presidiario. A veces, no se distinguen.

—¿Y que le estaba diciendo a la chica?

—¡No pude oírlo, hombre! Estaba...

—¿Sostenía algo en la mano?

—¿Como qué?

—Como lo que sea.
—¿Quiere decir algo para hacerle daño? Yo no vi nada. ¿Cree usted realmente que fue él quien se la cargó?
—¿Qué cara tenía?
—Normal... más bien... cuadrada. —Gabray se colocó el cigarrillo entre los labios y trazó con las manos en el aire un trémulo cuadrado—. Una cara normal.
—¿Color de la piel?
—Era blanco.
—¿Pálido, moreno... tirando a oscuro?
—No lo sé, un tipo blanco.
—¿Del mismo color que ella?
—Ella iba maquillada, con esa mierda tan blanca que se ponen. Él tenía la piel más oscura, pero era un blanco normal y corriente.
—¿Color de los ojos?
—Estaba demasiado lejos para que lo viera, hombre.
—¿Cómo de lejos?
—No sé, a una media manzana.
—Pero, tú le viste los zapatos, ¿no es cierto?
—A lo mejor, estaba un poco más cerca... le vi los zapatos. Pero no le vi el color de los ojos.
—¿Qué estatura tenía?
—Más alto que ella.
—¿Más alto que tú?
—Pues... quizá. No demasiado.
—¿Tú cuánto mides?
—Un metro setenta y ocho.
—¿O sea que él debía de medir un metro ochenta o metro ochenta y dos?
—Más o menos.
—¿De complexión fuerte?
—Sí, pero no estaba gordo, ¿sabe?
—Si lo supiera, no te lo preguntaría.
—Alto y corpulento..., como si estuviera acostumbrado a trabajar al aire libre. ¿Sabe? En unos astilleros.
—¿Musculoso?
—Sí.
—¿Lo reconocerías si volvieras a verle?
—¿Por qué? —preguntó Gabray, súbitamente alarmado—. ¿Es que han detenido a alguien?
—No. ¿Lo reconocerías si vieras una fotografía suya?
—Eso seguro. —En tono impertinente, Gabray añadió—: Tengo muy buena memoria. Si lo ponen en una fila entre otros tipos y me tratan bien, yo les daré todos los detalles que necesiten.

—¿Pretendes cerrar un trato ilícito conmigo, Robert?
Gabray se encogió de hombros, sonriendo.
—Cuido mi negocio.
—Muy bien —dijo Milo—, vamos a ver si concertamos algún trato.

Cruzamos con Gabray la parte de atrás, pasamos por encima de una zanja llena de escombros en el lado este del edificio y salimos a la calle. La cola de la entrada apenas había experimentado cambios. Esta vez el matón nos vio acercarnos.
—Maldito King Kong de mierda —dijo Gabray por lo bajo.
—¿El tipo que estaba con la señorita Herbert era tan alto como James? —le preguntó Milo.
Gabray soltó una carcajada.
—Qué va... imposible. Eso no es un ser humano. A ese lo han sacado de un maldito zoo.
Milo lo empujó hacia adelante y le estuvo haciendo preguntas hasta que llegamos al automóvil sin conseguir sacarle nada más.
—Bonito cacharro —comentó Gabray cuando nos detuvimos junto al Seville—. ¿Lo ha sacado de algún embargo o qué?
—Trabajando duro, Robert. La vieja ética protestante.
—Ah, es que yo soy católico, hombre. O lo era, por lo menos. Todo eso de la religión es una idiotez.
—Calla la boca, Robert —dijo Milo, abriendo el portaequipajes.
Sacó la maleta, acomodó a Gabray en el asiento de atrás del vehículo, se sentó a su lado y dejó la portezuela abierta para que entrara la luz. Yo me quedé fuera y le vi abrir la maleta. Dentro había un libro que decía IDENTIKIT. Milo le mostró a Gabray unas transparencias con unos dibujos de unos rasgos faciales. Gabray eligió unas cuantas y las juntó. Cuando terminó, salió una risueña cara de raza blanca. Una cara sacada de una cartilla infantil. La cara del papá de algún personaje.
Milo la estudió con detenimiento e hizo una anotación; después le pidió a Gabray que señalara lugares con un marcador amarillo en un plano callejero. Tras hacerle unas cuantas preguntas más, descendió del vehículo y Gabray le siguió. A pesar de la cálida brisa, los hombros desnudos del barman tenían la piel de gallina.
—¿Ya está? —preguntó Gabray.
—De momento, sí, Robert. Ya sé que no hace falta que te lo diga, pero te lo diré de todos modos: no cambies de domicilio y quédate donde yo te pueda localizar.
—Tranquilo —dijo Gabray, haciendo ademán de retirarse.
Milo le bloqueó el paso, extendiendo el brazo.
—Entre tanto, yo escribiré unas cartas. Una a tu oficial de vigilancia, diciéndole que trabajabas aquí sin que él lo supiera y otra al señor

Fahrizad y compañeros, informándoles de que tú te has chivado y que por eso el departamento de Prevención de Incendios les va a clausurar el local y otra a la delegación de Hacienda, comunicándoles que llevas Dios sabe cuánto tiempo cobrando en efectivo sin hacer la declaración.

Gabray se dobló por la cintura como si acabara de sufrir un calambre.

—No, por favor...

—Más un informe al fiscal del asunto de la marihuana para que se entere de que no colaboraste y pusiste impedimentos y contigo no se pueden cerrar tratos. No me gusta escribir cartas, Robert. Es algo que me ataca los nervios. Como tenga que perder el tiempo buscándote, me pondré todavía más nervioso y me encargaré de que todas esas cartas sean entregadas directamente en mano. Si te portas bien, las romperé. ¿Comprendes?

—Pero, hombre, eso no es justo, yo me he...

—No pasará nada si te portas bien, Robert.

—Sí, ya entiendo.

—¿Te portarás bien?

—Sí, sí. ¿Ya puedo retirarme? Tengo trabajo.

—¿Me has oído bien, Robert?

—Sí, le he oído, perfectamente. Que no me mueva de sitio y que sea tan bueno como un *boy scout*. Que no me meta en líos y no intente engañar. ¿Vale? ¿Puedo irme?

—Otra cosa, Robert. Tu chica.

—¿Sí? —dijo Gabray, con una dureza que le convirtió de pronto en algo más que un miserable perdedor—. ¿Qué le pasa?

—Se ha largado con viento fresco. Ni se te ocurra ir tras ella. Y, por encima de todo, no se te ocurra hacerle daño por haber hablado conmigo. Porque yo te hubiera encontrado de todos modos. Déjala en paz.

Gabray abrió enormemente los ojos.

—¿Que se ha largado? ¿Qué... quiere decir?

—Pues que se ha ido. Lo estaba deseando, Robert.

—Mierda...

—Estaba haciendo las maletas cuando hablé con ella. Ya no aguantaba tu forma de entender la vida doméstica.

Gabray no dijo nada.

—Ya está harta de que la peguen, Robert.

Gabray arrojó el cigarrillo al suelo y lo pisó con fuerza.

—Miente —dijo—. La muy hija de puta.

—Ella te pagó la fianza.

—Me lo debía. Todavía está en deuda conmigo.

—Déjalo ya, Robert. Piensa en esas cartas.

—Ya —dijo Gabray, golpeando el suelo con el pie—. Qué más da. Me deja frío. Yo me tomo las cosas tal como vienen.

24

Cuando salimos del laberinto y regresamos a San Pedro, Milo encendió la linternita y estudió el rostro del Identikit.

—¿Crees que el tipo es de fiar? —le pregunté.

—No mucho. Pero, en el improbable caso de que apareciera un sospechoso, eso nos podría ser útil.

Me detuve en un semáforo y estudié la composición facial.

—No es muy definido.

—No.

Me incliné y la examiné con más detenimiento.

—Podría ser Huenengarth sin el bigote.

—Ah, ¿sí?

—Huenengarth es más joven que el tipo que Gabray ha descrito —treinta y tantos años— y tiene la cara más redonda. Pero es de complexión fuerte y lleva el cabello peinado de esta manera. El bigote se lo podría haber dejado después de marzo y, aunque lo llevara, es muy fino..., pudo pasar inadvertido desde cierta distancia. Y tú dices que podría ser un ex presidiario.

—Mmm.

El semáforo se puso verde y yo regresé a la autopista.

Milo se rió por lo bajo.

—¿Qué pasa?

—Estaba pensando. Si alguna vez consiguiera desentrañar el misterio de Herbert, mis apuros podrían ser mayúsculos. He sacado su ficha sin permiso. Me he adentrado en el territorio de la Jefatura Central, le he ofrecido a Gabray una protección que no estoy autorizado a dar. Por lo que respecta al Departamento, yo ahora no soy más que un maldito administrativo.

—¿Y el hecho de que aclararas un homicidio no impresionaría favorablemente al Departamento?

—No tanto como el hecho de cumplir las normas..., pero bueno, supongo que ya encontraría la manera de arreglarlo, llegado el caso. Les haría un regalo a Gómez y a Wicker... y dejaría que ellos se llevaran la gloria y la esperanza de una futura condecoración. Puede que Gabray no consiga lo que le he prometido... pero, qué demonios, tampoco es un inocente... que se vaya al carajo. Si su información es veraz, saldrá adelante. —Cerró la maleta y la dejó en el suelo del vehículo—. Pero, ¿tú me oyes?, estoy hablando como un maldito político.

Subí por la rampa. Todos los carriles estaban desiertos y la autopista parecía un circuito de carreras gigantesco.

—El solo hecho de poder dar su merecido a los malos tendría que ser una satisfacción más que suficiente, ¿no te parece? Lo que vosotros llamáis la motivación intrínseca —añadió.

—Desde luego —dije yo—. Procura ser bueno por amor al bien y Papá Noel no te olvidará.

Llegamos a mi casa poco después de las tres de la madrugada. Milo se fue en su Porsche y yo me metí en la cama, procurando no hacer ruido. Robin se despertó de todos modos y buscó mi mano con la suya. Entrelazamos los dedos y nos quedamos dormidos.

Se levantó y se fue antes de que a mí se me despejaran los ojos. En mi sitio de la mesa de la cocina, encontré un bollo tostado y un zumo de fruta. Me los tomé mientras planificaba mi jornada.

Tarde en casa de los Jones.

Mañana dedicada a las llamadas telefónicas.

Pero el teléfono sonó antes de que yo pudiera iniciar mi trabajo.

—Alex— dijo Lou Cestare—, ¿qué son todas esas preguntas tan interesantes? ¿Acaso pretendes dedicarte a los negocios bancarios?

—Todavía no. ¿Qué tal fue la excursión?

—Muy larga. Pensaba que mi chico se iba a cansar, pero él quería jugar a ser Edmund Hillary. ¿Por qué quieres hacer averiguaciones sobre Chuck Jones?

—Es el presidente del consejo de administración del hospital donde yo había trabajado. Y también gestiona la cartera de inversiones del hospital. Pertenezco todavía a la plantilla y le tengo cierto cariño. La situación económica no es buena y corren rumores de que Jones está propiciando la ruina del centro para poder liquidarlo y vender el solar.

—No me parece su estilo.

—¿Le conoces?

—Le he visto en algunas fiestas. Simplemente nos hemos saludado..., no creo que me recuerde. Pero conozco su estilo.

—¿Y cuál es?

—Construir, no derribar. Es uno de los que mejor saben gestionar el dinero en la actualidad, Alex. No presta atención a lo que hacen los demás y va en busca de empresas sólidas a precio de saldo. Las gangas con las cuales sueñan todos los agentes de cambio y bolsa. Pero él es el que las sabe encontrar.

—¿Cómo?

—Sabe descubrir la verdadera marcha de una empresa. Lo cual significa que va más allá de los informes trimestrales. En cuanto localiza unas acciones infravaloradas, las compra, espera, las vende y vuelve a repetir el procedimiento. Sabe elegir mejor que nadie el momento.

—¿Las localiza por medio de información privilegiada?

Pausa.

—¿A primera hora de la mañana ya estás diciendo palabrotas?

—O sea que es eso lo que hace.

—Mira, Alex, todo eso de información privilegiada es una exageración. Que yo sepa, nadie ha conseguido definir exactamente en qué consiste.

—Vamos, Lou.

—¿Tú lo sabes?

—Por supuesto que sí —contesté—. Se trata de utilizar datos que no están al alcance de las personas corrientes para poder tomar decisiones de compra y venta.

—Muy bien pues, ¿qué me dices del inversor que invita a comer y a cenar a algún importante ejecutivo de la empresa para averiguar si ésta cumple debidamente sus objetivos? La persona que se toma la molestia de examinar todos los entresijos de las operaciones de una empresa; ¿es corrupta o simplemente precavida?

—Si hay un soborno de por medio, es corrupta.

—¿Te refieres a los almuerzos y las cenas? ¿Qué diferencia hay entre eso y lo que hace un reportero cuando le unta la mano a una fuente de información? ¿O lo que hace un policía que invita a un testigo a tomarse un dónut y un café? No conozco ninguna ley que prohíba un almuerzo entre hombres de negocios. Teóricamente, cualquiera lo puede hacer con tal de que esté dispuesto a afrontar el esfuerzo que eso supone. Pero es que nadie se toma esta molestia, Alex. Ahí está la cosa. Incluso los profesionales suelen basarse en los gráficos, las tablas y las cifras que les facilita la empresa. Muchos de ellos ni siquiera visitan la empresa que están analizando.

—Seguramente todo depende de lo que averigüe el inversor a través de los almuerzos y las cenas.

—Exactamente. Si el ejecutivo le dijera que alguien va a hacer una propuesta de compra en tal fecha, eso sería ilegal. Pero si este mismo ejecutivo le dijera que la situación económica de la empresa está madura para una compra, el dato sería válido. La línea divisoria es muy tenue... ¿comprendes? Chuck Jones sabe hacer muy bien los deberes, eso es todo. Es un bulldog.

—¿Cuáles son sus antecedentes?

—No creo que tenga estudios universitarios. Me parece que era un pobretón. Creo que de niño herraba caballos o algo por el estilo. ¿No te emociona pensarlo? Se convirtió en un héroe del Lunes Negro porque vendió sus acciones muchos meses antes de que se produjera el *crash* y lo invirtió todo en letras a plazo fijo y metales. A pesar de que sus acciones estaban subiendo. Si alguien lo hubiera sabido, hubiera pensado que chocheaba. Y, cuando cayó el mercado, él pudo salir a flote, volvió a comprar y ganó otra fortuna.

—¿Y cómo es posible que nadie se enterara?

—Es un maniático de la discreción..., toda su estrategia depende de eso. Compra y vende constantemente, evita las grandes transacciones y procura no hacer negocios que estén informatizados. Yo no me enteré hasta varios meses más tarde.

—¿Y cómo te enteraste?

—A través de los rumores que circulaban... Supo prever las cosas; en cambio, los demás no tuvimos tanta vista y no nos quedó más remedio que lamernos las heridas.

—¿Y cómo pudo predecir el *crash*?

—Presciencia. La tienen los mejores jugadores. Es una combinación entre una enorme base de datos y una especie de percepción extrasensorial que uno adquiere tras pasarse mucho tiempo bregando en esas lides. Yo antes creía tenerla, pero recibí mi castigo. Qué le vamos a hacer. La vida me estaba resultando muy aburrida y la recuperación es más entretenida que el simple hecho de mantenerme a flote. Pero Chuck Jones la tiene. No digo que nunca pierda, porque eso es algo que a todo el mundo le ocurre. Pero gana mucho más de lo que pierde.

—¿Ahora qué está haciendo?

—No lo sé... tal como ya te he dicho, es un tipo muy discreto. Invierte sólo para sí mismo y, de esta manera, no tiene que tratar con otros accionistas. No obstante, dudo que esté muy metido en los negocios inmobiliarios.

—¿Por qué?

—Pues porque el sector está atravesando una crisis. No me refiero a alguien como tú que compró hace años y sólo pretende obtener unos ingresos estables. Para los que buscan rápidos beneficios, la fiesta ha terminado, por lo menos, de momento. Yo me deshice de lo que tenía hace algún tiempo y he vuelto a las acciones. Jones es más listo que yo y, por consiguiente, lo más probable es que se haya adelantado a hacer lo mismo mucho antes que yo.

—Su hijo es propietario de una enorme manzana de terreno en el Valle.

—¿Quién ha dicho que la sabiduría es hereditaria?

—Es profesor de universidad y no creo que tuviera dinero para comprarse cincuenta parcelas.

—A lo mejor tenía unos fondos a su nombre..., no lo sé. No puedo creer que Chuck haya decidido volver a dedicarse de lleno a los negocios inmobiliarios. Los terrenos del hospital están en Hollywood, ¿verdad?

—Varias hectáreas —contesté—. Adquiridas hace mucho tiempo. El hospital tiene setenta años y, por consiguiente, ya deben de estar amortizadas. A pesar de la crisis, la venta sería un buen negocio.

—De eso no me cabe ninguna duda, Alex. Pero lo sería para el propio hospital. ¿Qué ganaría Jones con eso?

—La comisión.

—¿Cuántas hectáreas son y dónde están exactamente?

—Unas tres —contesté, facilitándole la localización del Western Pediatric.

—Pues bien, eso son unos diez o quince millones de dólares..., pongamos veinte, contando los solares colindantes. Es un cálculo muy exagerado porque este pedazo de tierra no se podría vender fácilmente y habría que subdividirlo en parcelas más pequeñas. Lo cual llevaría tiempo... Habría problemas con la calificación de la zona, juicios, petición de permisos y jaleos medioambientales. La máxima tajada que se podría llevar Chuck sin provocar un escándalo sería el veinticinco por ciento... más probablemente el diez. Lo cual significa que se embolsaría entre dos y cinco millones de dólares... No, no me imagino a Chuck intrigando por ahí por esta suma.

—¿Y si hubiera algo más que eso? —pregunté—. ¿Y si no sólo proyectara clausurar el hospital sino construir otro nuevo en los terrenos de su hijo?

—Dudo que, de repente, se haya pasado al negocio hospitalario, Alex. No te ofendas, pero la atención sanitaria también está en crisis. Los hospitales están casi tan mal como los ahorros y los préstamos.

—Ya lo sé, pero, a lo mejor, Jones cree que podrá hacer un buen negocio de todos modos e invertir la tendencia. Tú mismo has dicho que no presta atención a lo que hacen los demás.

—Cualquier cosa es posible, Alex, pero me lo tendrías que demostrar para que lo creyera. ¿De dónde has sacado tú todas estas teorías?

Le referí los comentarios de Plumb en la prensa.

—Ah, el otro hombre de tu lista. Como jamás había oído hablar de él, lo busqué en todas las guías que tenía a mano. El típico ejecutivo. Un máster en dirección empresarial, un doctorado y toda una serie de cargos cada vez más importantes. Su primer empleo lo tuvo en una empresa nacional de contabilidad llamada Smothers y Crimp. Después pasó a director de otro sitio.

—¿Dónde?

—Espera... lo tengo aquí anotado... aquí está. Plumb, George Haversford. Nacido en el 34; casado con Mary Ann Champlin en el 58; dos hijos, etc., etc... terminó los estudios de grado en el 60 con un doctorado en Administración de Empresas; Smothers y Crimp, de 1960 a 1963, se fue de allí como socio; jefe de contabilidad en Hardfast Steel de Pittsburgh, del 63 al 65; jefe de contabilidad y director ejecutivo en Readlite Manufacturing, de Reading, Pensilvania, del 65 al 68; un salto a director gerente en una empresa llamada Baxter Consulting donde permaneció hasta el 71; del 71 al 74, estuvo en Advent Management Specialists; creó su propia empresa Plumb Group, del 74 al 77; volvió a trabajar a sueldo en el 78 en una empresa llamada Vantage Health Planning, donde fue director gerente hasta el 81...

—El tío salta mucho.

—No demasiado, Alex. Cambiar cada dos años para mejorar es lo típico en el mundo empresarial. Fue uno de los principales motivos por los cuales yo lo dejé prematuramente. Es un infierno para la familia..., muchas esposas se dan a la bebida y muchos hijos convierten la delincuencia en una forma artística... ¿Dónde estaba? Ah, Vantage Health hasta el 81; a partir de ahí, parece que se empezó a especializar en la cosa médica. Estuvo tres años en Arthur-McClennan Diagnostics, en NeoDyne Biologicals otros tres y después en MGS Healthcare Consultants... la empresa de Pitsburgh que tú me pediste que investigara.

—¿Y que has descubierto?

—Unos servicios hospitalarios medios, especializados en centros de enfermos agudos en ciudades pequeñas o medianas de los estados norteños. Los creó un grupo de médicos en el 82 y empezaron a cotizar en bolsa en el 85, los resultados fueron adversos, al año siguiente se retiraron del mercado..., un grupo de inversores los compraron y los cerraron.

—¿Cómo es posible que unos inversores los compraran y los cerraran?

—Pudo ser por varios motivos. A lo mejor, descubrieron que la compra había sido un error y decidieron cortar rápidamente las pérdidas. O, a lo mejor, les interesaban los activos de la empresa más que la empresa en sí.

—¿Qué clase de activos?

—Los equipos informáticos, las inversiones, los fondos de pensiones. El otro grupo que mencionaste, el BIO-DAT era inicialmente una filial de la MGS. La sección de informática de la empresa. Antes de su fusión con la empresa principal, fue vendida a Northern Holdings, de Missoula, Montana, a la que todavía pertenece.

—¿Cotiza en bolsa?

—No.

—¿Y qué me dices de las restantes empresas en las que trabajó Plumb? ¿Las conoces?

—No conozco ninguna.

—¿Alguna de ellas cotiza en bolsa?

—Espera un momento, enseguida te lo digo... Tengo el ordenador en marcha. Voy a echar un vistazo. ¿Lo quieres todo, desde la empresa de contabilidad Smothers y no sé qué?

—Si tienes tiempo.

—Tengo mucho más tiempo que antes. Espera un segundo.

Esperé, escuchando los clics del teclado.

—Muy bien —dijo—, empezaremos a pasar lista... allá voy.

Bip.

—Nada en la bolsa de Nueva York.

Bip.

—Ninguna de ellas figura en los listados del American Express. Vamos a ver la Nasdaq...

Bip. Bip. Bip.

—No están en ninguno, Alex. Ahora déjame ver las listas de las que no cotizan.

Bip.

—Aquí tampoco hay nada, Alex.

Una extraña inflexión en la voz.

—¿Quieres decir que ninguna está en funcionamiento?

—Eso parece.

—¿Y no es un poco raro?

—Bueno —contestó—, las empresas fracasan y cierran con gran rapidez, pero este Plumb parece que lleva la negra.

—Chuck Jones le contrató para dirigir el hospital, Lou. ¿Te importa revisar tus ideas acerca de sus intenciones?

—Crees que es un carroñero, ¿verdad?

—¿Qué les ocurrió a las otras empresas en las que Plumb estuvo trabajando?

—Eso sería muy difícil de averiguar..., todas eran pequeñas y, si no cotizaban en bolsa y no tenían ramificaciones bursátiles, la prensa especializada apenas les debió de prestar atención.

—¿Y la prensa local?

—Si era una empresa en la que trabajaba mucha gente de la ciudad que después se quedó en la calle, tal vez. Pero sería muy difícil encontrar este tipo de información.

—De acuerdo pues. Muchas gracias.

—¿Tan importante es eso, Alex?

—No lo sé.

—Para mí sería más fácil averiguarlo porque me conozco esta selva —dijo Lou—. Deja que haga un poco de Tarzán.

Cuando Lou colgó el aparato, llamé a Información de Virginia y pedí el número del Ferris Dixon Institute for Chemical Research. Me contestó una agradable voz femenina:

—Ferris Dixon, buenas tardes, ¿en qué puedo servirle?

—Soy el doctor Schweitzer del Western Pediatric Medical Center de Los Ángeles. Soy compañero del doctor Laurence Ashmore.

—Un momento, por favor.

Larga pausa. Música. La Hollywood Strings, interpretando la marcha policial *Every Breath You Take*.

Otra vez la voz:

—Sí, doctor Schweitzer, ¿en qué puedo servirle?

—Verá, ese Instituto financia las investigaciones del doctor Ashmore.

—¿Sí?

—No sé si se han enterado ustedes de que ha muerto.

—Oh, qué horrible —exclamó la voz, pero no me pareció excesivamente sorprendida—. Me temo que la persona que podría atenderle no está en este momento.

Yo no había pedido que me atendiera nadie, pero preferí pasarlo por alto.

—¿Y quién es?

—No estoy muy segura, doctor, tendría que comprobarlo.

—¿Sería usted tan amable?

—Sí, por supuesto, pero puede que tarde un ratito, doctor. ¿Por qué no me da su número y le llamo yo?

—Es que voy a salir. ¿Le importa que yo la vuelva a llamar a usted?

—En absoluto, doctor. Buenas tar...

—Perdone —dije, interrumpiéndola—. Ya que estamos, ¿me podría facilitar usted alguna información sobre el Instituto? Es con fines a mi propia investigación.

—¿Qué desea usted saber, doctor Schweitzer?

—¿Qué clase de proyectos prefieren ustedes financiar?

—Ésa es una pregunta técnica en la que yo lamento no poder ayudarle —contestó la voz.

—¿Me podría usted enviar algún folleto? ¿Y una lista de los estudios que hasta ahora han financiado?

—Me temo que no será posible... somos un organismo bastante joven.

—¿De veras? ¿Cómo de joven?

—Un momento, por favor.

Otra prolongada pausa. Más hilo musical y otra vez la voz.

—Perdone que haya tardado tanto, doctor, pero siento no poder seguir atendiéndole... tengo varias llamadas esperando. ¿Por qué no nos vuelve a llamar y nos expone todas las preguntas? Estoy segura de que la persona encargada de estos asuntos le podrá atender.

—La persona encargada —dije.

—Exactamente —contestó la voz con repentino júbilo—. Buenas tardes, doctor.

Clic.

Volví a llamar. La línea comunicaba. Le pedí a la telefonista que insertara una interrupción urgente y esperé hasta que escuché de nuevo su voz.

—Lo siento, señor, pero esta línea está averiada.

Permanecí sentado, oyendo mentalmente la agradable voz.

Suave... bien ensayada.

Recordé súbitamente una palabra.

«Somos un *organismo* bastante joven.»

Curiosa manera de describir una fundación privada.

«Virginia... todo lo de allí abajo me huele a Gobierno.»

Lo intenté de nuevo. El teléfono estaba todavía descolgado. Busqué en mis notas el otro estudio financiado por el Instituto.

Zimberg, Walter William. Universidad de Maryland. Baltimore. Algo relacionado con las estadísticas en la investigación científica.

¿La facultad de Medicina? ¿El departamento de Matemáticas? ¿Sanidad Pública?

Busqué el número de la universidad y llamé. No había ningún Zimberg en la facultad de Medicina. Tampoco en el Departamento de Matemáticas.

En Sanidad Pública me contestó una voz masculina.

—El profesor Zimberg, por favor.

—¿Zimberg? Aquí no hay nadie que se llame así.

—Perdone —dije—. Me habrán informado mal. ¿Tiene a mano una lista de los profesores de la universidad?

—Un momento... Tengo a un profesor Walter Zimberg, pero está en el departamento de Ciencias Económicas.

—¿Me podría poner con su despacho, si es tan amable?

Clic. Voz femenina:

—Ciencias Económicas.

—El profesor Zimberg, por favor.

—No se retire, un momento.

Clic. Otra voz femenina:

—Despacho del profesor Zimberg.

—El profesor Zimberg, por favor.

—Lo siento, pero no está en la ciudad, señor.

Aventuré una conjetura:

—¿Acaso se encuentra en Washington?

—Mmm... ¿con quién hablo, por favor?

—Soy el profesor Schweitzer, un antiguo colega. ¿Está Wal... el profesor Zimberg en la convención?

—¿A qué convención se refiere usted, señor?

—A la de la Asociación Nacional de Bioestadística... en el Capital Hilton. Me dijeron que iba a presentar unos nuevos datos sobre los no paramétricos. El estudio que está financiando el Ferris Dixon.

—Pues... mire, el profesor va a llamar de un momento a otro, señor. Déme su número de teléfono y yo le diré que se ponga en contacto con usted.

—Es usted muy amable —dije—, pero es que precisamente estoy a punto de tomar un avión. Por eso no he podido acudir a la convención. ¿Escribió el profesor algún resumen de su trabajo antes de irse? ¿Algo que yo pueda leer a mi regreso?

—Para eso tendrá usted que hablar con el profesor.

—¿Cuándo se espera su regreso?

—En realidad —contestó la voz—, el profesor está disfrutando de un año sabático.

—¿De veras? Pues no me lo habían dicho... Pero no tardará mucho en volver, ¿verdad? ¿Adónde se ha ido?

—A distintos lugares, profesor...

—Schweitzer.

—A distintos lugares, profesor Schweitzer. Pero, tal como ya le he dicho, llama muy a menudo. Déme su número de teléfono y yo le diré que se ponga en contacto con usted.

Repitiendo palabra por palabra lo que acababa de decir un minuto antes.

Palabra por palabra lo que otra amable voz femenina había dicho cinco minutos antes, hablando desde la sagrada sede del Ferris Dixon Institute for Chemical Research.

25

A la mierda Alexander Graham Bell.

Regresé a otros sagrados lugares que pudiera ver y tocar.

Había un parquímetro libre cerca del edificio de la administración de la universidad. Me dirigí a la oficina del registro y le pedí a una empleada hindú vestida con un sari de color melocotón que me buscara a Dawn Kent Herbert.

—Lo siento, señor, pero no podemos facilitar información personal.

Le mostré mi tarjeta de la facultad de Medicina de la otra punta de la ciudad.

—No quiero nada de tipo personal... sólo quiero saber a qué departamento está adscrita. Es por algo relacionado con un empleo. Comprobación de datos académicos.

La empleada leyó la tarjeta, me hizo repetir el nombre de Herbert y se retiró.

Regresó momentos después.

—Me consta como estudiante graduada de la Escuela de Sanidad Pública, señor. Pero su participación ya ha concluido.

Yo sabía que Sanidad Pública se encontraba en el edificio de Ciencias Sanitarias, aunque nunca había estado allí. Después de echar más monedas en el parquímetro, me dirigí al sur del campus, pasé por delante del edificio de Psicología, donde yo había aprendido a adiestrar ratas y a escuchar con un tercer oído, crucé el patio de Ciencias y entré en el Centro por el extremo oeste, cerca de la Escuela de Odontología.

El largo pasillo que conducía a Sanidad Pública se encontraba a dos pasos de la biblioteca donde yo acababa de examinar el historial académico de Ashmore. En ambas paredes había fotografías de todas las promociones que se habían graduado en la escuela. Los nuevos médicos parecían unos niños. Y los batas blancas que recorrían los pasillos parecían tan jóvenes como ellos. Cuando llegué a la Escuela de Sanidad Pública, el pasillo ya estaba más tranquilo. Una mujer salía en aquel momento del despacho principal. Le sostuve la puerta y entré.

Otro mostrador y otra administrativa, trabajando en un reducido espacio. Era una negra muy joven con el cabello estirado y teñido de alheña y una sonrisa que parecía sincera. Llevaba un suave jersey verde lima con un loro bordado en tonos rosas y amarillos. El pájaro también sonreía.

—Soy el doctor Delaware del Western Pediatric. Una de las estudiantes de grado de aquí trabajó en nuestro hospital y quisiera saber quién es su asesor.

—Ah, muy bien. Dígame su nombre, por favor.

—Dawn Herbert.

No hubo ninguna reacción.

—¿A qué departamento pertenece?

—Sanidad Pública.

La sonrisa se ensanchó.

—Eso es la Escuela de Sanidad Pública, doctor. Tenemos varios departamentos, cada uno con su propia facultad.

Tomó un folleto de un montón que había junto a mi codo, lo abrió y me mostró el contenido.

DEPARTAMENTOS DE LA ESCUELA

BIOESTADÍSTICA
CIENCIAS SANITARIAS COMUNITARIAS
CIENCIAS SANITARIAS MEDIOAMBIENTALES
EPIDEMIOLOGÍA
SERVICIOS SANITARIOS

Recordando el tipo de trabajo que hacía Ashmore, dije:

—Tiene que ser en Bioestadística o en Epidemiología.

La administrativa consultó las fichas y sacó una carpeta de tela de color azul. El lomo decía BIOEST.

—Sí, aquí está. Pertenece al programa de doctorado y su asesora es la doctora Yanosh.

—¿Y dónde puedo encontrar a la doctora Yanosh?

—Un piso más abajo... en el despacho B-tres-cuarenta y cinco. ¿Quiere que llame para ver si está?

—Sí, por favor.

—¿Doctora Yanosh? Hola, soy Merilee. Aquí hay un médico de un hospital que quiere hablar con usted sobre una de sus alumnas... Dawn Herbert... Ah... De acuerdo. —Frunciendo el ceño—. ¿Cómo me ha dicho usted que se llamaba, señor?

—Delaware. Del Western Pediatric Medical Center.

La administrativa se lo repitió a su interlocutora telefónica.

—Sí, por supuesto, doctora Yanosh... ¿Me podría usted mostrar algún documento de identificación, doctor Delaware?

Volví a sacar la tarjeta.

—Sí, la tiene, doctora Yanosh. —Deletreó mi apellido—. De acuerdo, doctora, se lo diré. —Después de colgar el teléfono, la joven añadió en tono aparentemente irritado—: No dispone de mucho tiempo, pero le recibirá ahora mismo.

Mientras yo abría la puerta para retirarme, la chica preguntó:

—¿La asesinaron?

—Me temo que sí.

—Qué horror.

Había un ascensor pasado el despacho, justo al lado de una sala de lectura con las luces apagadas. Lo utilicé para bajar al piso inferior. El despacho B-345 se encontraba unas cuantas puertas a la izquierda.

Cerrado bajo llave. Una placa decía Doctora ALICE JANOS, DIPLOMADA EN SANIDAD PÚBLICA.

Llamé con los nudillos. Entre la primera y la segunda llamada, oí una voz que decía:

—Un momento.

Un taconeo. Se abrió la puerta.

—Doctor Delaware —dijo una mujer de cincuenta y tantos años.

Le tendí la mano. La tomó, me dio un brusco apretón y me la soltó. Era rubia, bajita y gordita, llevaba el cabello ahuecado, iba muy bien maquillada y lucía un vestido blanco y rojo confeccionado a la medida. Zapatos de color rojo, laca de uñas a juego, joyas de oro. Poseía un bello y atractivo rostro de ardillita y, de pequeña, debió de ser la niña más graciosa de la escuela.

—Pase, por favor.

Acento europeo. La hermana intelectual de Zsa Zsa Gabor.

Entré en el despacho. Dejó la puerta abierta y me siguió. La estancia estaba muy ordenada, tenía muy pocos muebles, olía a perfume y en sus paredes colgaban varios pósters artísticos con marcos cromados. Miró, Albers, Stella y uno de una exposición de Gwathmey-Siegel en el Museo de Boston.

Sobre una mesa redonda de cristal vi una caja abierta de trufas de chocolate y, en un soporte perpendicular al escritorio, un ordenador y una impresora, ambos protegidos por fundas con cremallera. Encima de la impresora descansaba un bolso de cuero rojo de diseño exclusivo. El escritorio era metálico como los que solía haber en todas las universidades, adornado con un tapete de encaje colocado en sentido transversal, un secante con dibujos de Limoges y varias fotografías familiares. Una familia numerosa. Un marido con pinta de Albert Einstein y cinco apuestos hijos adolescentes. Se sentó junto a la caja de las trufas de chocolate y cruzó las piernas. Me acomodé directamente delante de ella y observé que tenía unos tobillos de bailarina clásica.

—¿Es usted médico?

—Psicólogo.

—¿Y qué relación tiene usted con la señorita Herbert?

—Soy asesor de un caso del hospital y resulta que Dawn se llevó una ficha del hermano de la paciente y no la devolvió. Pensé que, a lo mejor, la había dejado aquí.

—¿El nombre de la paciente?

Al ver que yo vacilaba, añadió:

—No puedo responder a su pregunta sin saber lo que tengo que buscar.

—Jones.

—¿Charles Lyman Jones IV?

Sorprendido, le pregunté:

—¿Lo tiene usted?

—No, pero es usted la segunda persona que viene a pedirme lo mismo. ¿Acaso se trata de alguna cuestión genética urgente? ¿Tipificación de tejidos o algo por el estilo?

—Es un caso muy complicado —contesté.

Volvió a cruzar las piernas.

—La primera persona tampoco me dio una explicación demasiado clara.

—¿Quién era?

Me miró inquisitivamente y se reclinó en su asiento.

—Perdóneme, doctor, pero quisiera ver el documento de identificación que le ha mostrado usted a Merilee.

Por tercera vez en media hora, saqué mi tarjeta de la facultad y le añadí mi nueva tarjeta hospitalaria a todo color.

Poniéndose unas gafas de lectura de montura dorada, las examinó cuidadosamente. La tarjeta del hospital fue la que más le interesó.

—El otro señor también la tenía —comentó, sosteniéndola en alto—. Dijo que era el responsable de los servicios de seguridad del hospital.

—¿Se llamaba Huenengarth?

Asintió con la cabeza.

—Parece que ustedes dos andan en busca de lo mismo.

—¿Cuándo estuvo aquí?

—El jueves pasado. ¿Acaso el Western Pediatric tiene por costumbre ofrecer este tipo de atención personal a todos sus pacientes?

—Tal como ya le he dicho, se trata de un caso muy complicado.

—¿Desde el punto de vista médico o socio-cultural? —preguntó con una sonrisa.

—Lo siento, pero no puedo entrar en detalles —contesté.

—¿Discreción psicoterapéutica?

Asentí con la cabeza.

—Respeto su voluntad, doctor Delaware. El señor Huenengarth utilizó otra frase para proteger su discreción. «Información privilegiada». Me pareció un poco misterioso y así se lo dije. No le hizo mucha gracia. Un tipo bastante siniestro, en realidad.

—¿Le entregó usted la ficha?

—No, porque no obra en mi poder, doctor. Dawn no se dejó aquí ningún tipo de informe médico. Siento haberle inducido a error, pero todo el revuelo que últimamente se ha producido en torno a ella me obliga a ser muy cauta. Excepto en lo concerniente a su asesinato, claro. Cuando vino la policía a preguntar, yo misma revisé personalmente su armario. Sólo encontré unos libros de texto y los disquetes de ordenador de la investigación que estaba llevando a cabo con vistas a su tesis.

—¿Copió usted los disquetes?

—¿Tiene esta pregunta alguna relación con este caso tan complicado?

—Es posible.

—Es posible —repitió—. Bueno, por lo menos usted no intenta avasallarme como hizo el señor Huenengarth, insistiendo en que se los entregara. —Se quitó las gafas, se levantó, me devolvió la tarjeta y cerró la puerta. Sentada de nuevo en su silla, añadió—: ¿Estaba Dawn metida en algo de tipo delictivo?

—Puede que sí.

—El señor Huenengarth fue mucho más directo que usted, doctor. Me dijo claramente que Dawn había robado la ficha y me informó de que yo tenía el deber de encargarme de su devolución... me lo dijo en un tono muy desagradable, extremadamente autoritario. Tuve que pedirle que se fuera.

—No es demasiado encantador que digamos.

—Eso es decir muy poco..., sus métodos son puro KGB. Mantuvo, a mi entender, una actitud mucho más policial que la de los policías que vinieron a investigar el asesinato de Dawn. Esos fueron más bien blandos. Unas cuantas preguntas rutinarias y listo... Si hubiera tenido que calificarles, les hubiera dado un suspenso. Semanas más tarde llamé para ver si se habían hecho progresos y nadie quiso atender mi llamada. Dejé mensajes y nadie me contestó.

—¿Qué clase de preguntas le hicieron acerca de ella?

—Quiénes eran sus amigos, si alguna vez se había relacionado con delincuentes, si consumía drogas. Por desgracia, no pude responder a ninguna de las preguntas. A pesar de haberla tenido como alumna durante cuatro años, yo no sabía prácticamente nada acerca de ella. ¿Ha formado usted parte alguna vez de comités doctorales?

—Algunas veces.

—Pues entonces ya sabe usted lo que es eso. Con algunos alumnos se establecen relaciones amistosas; otros pasan por tu vida sin apenas dejar huella. Me temo que Dawn pertenecía a esta última categoría. Y no porque no fuera inteligente. Las matemáticas se le daban muy bien. Por eso la acepté, a pesar de tener ciertas reservas acerca de sus motivos. Siempre busco a mujeres a las que no les asusten los números y ella estaba muy dotada para las matemáticas, pero nunca llegamos a... congeniar.

—¿Qué tenían de malo sus motivos?

—Pues que no tenía ninguno. Siempre me dio la impresión de que estaba haciendo estudios de grado porque era el camino más fácil. Había presentado una instancia de admisión en la facultad de Medicina y la habían rechazado. Siguió presentando instancias incluso tras haberse matriculado aquí... Una causa perdida, en realidad, pues sus calificaciones en otras asignaturas no eran muy buenas e incluso algunas estaban significativamente por debajo de la media. Pero sus calificaciones matemáticas eran tan altas que decidí aceptarla a pesar de todo. Llegué incluso al extremo de conseguirle una beca de Graduación Avanzada. En otoño pasado, la tuve que anular. Fue cuando ella encontró trabajo en su hospital.

—¿No rendía lo suficiente?

—No adelantaba en la preparación de la tesis. Terminó el trabajo del curso con buena nota, presentó un proyecto de investigación que parecía muy prometedor, lo dejó, presentó otro, también lo dejó, etc. Al final, encontró uno que, por lo visto, le gustaba, pero, de pronto, se quedó paralizada y no hizo absolutamente nada. Ya sabe usted lo que ocurre..., algunos alumnos corren como locos y otros languidecen durante años. Yo he ayudado a muchos alumnos perezosos y traté de ayudar a Dawn. Pero ella rechazaba los consejos. No se presentaba a las citas, daba excusas, repetía constantemente que ya lo haría, que simplemente necesitaba un poco más de tiempo. Nunca pensé que pudiera llegar a alguna parte con ella. Estaba a punto de pedirle que abandonara el programa. Pero entonces... —Se frotó una uña color sangre con la yema de otro dedo—. Supongo que ahora todo eso ya no tiene la menor importancia. ¿Le apetece una trufa de chocolate?

—No, gracias.

Contempló las trufas y cerró la caja.

—Considere este pequeño discurso una respuesta exhaustiva a su pregunta sobre los disquetes —dijo—. Pero sí, los copié y no encontré en ellos nada significativo. No había adelantado absolutamente nada en la tesis. De hecho, ni siquiera me los había mirado cuando se presentó el señor Huenengarth... Su muerte me causó una impresión tan honda que me limité a guardarlos y me olvidé de ellos. El hecho de tener que revisar su armario me había resultado muy penoso. Sin embargo, él insistió tanto en que se los entregara que, en cuanto se retiró, los copié. Era peor de lo que había imaginado. A pesar de mis palabras de aliento, los disquetes no contenían más que una repetición de sus hipótesis y una tabla numérica aleatoria.

—¿Una tabla numérica aleatoria?

—Para muestras aleatorias. Seguramente usted ya sabe cómo se hacen.

Asentí con la cabeza.

—Se genera una serie de números al azar con un ordenador o cualquier otra técnica y se utiliza para seleccionar sujetos de un muestreo general —dije—. Si la tabla dice cinco, veintitrés, siete, se eligen la quinta, la vigésimotercera y la séptima persona de la lista.

—Exactamente. La tabla de Dawn era inmensa..., miles de números. Páginas y páginas generadas en el gran ordenador del departamento. Una pérdida total de tiempo. No había llegado tan siquiera a la selección de la muestra. Y todavía no tenía muy clara la metodología básica que iba a emplear.

—¿Cuál era el tema de la investigación?

—Predicción de la incidencia de cáncer a través de la localización geográfica. Eso era lo único que tenía claro. Me entristeció muchísimo la lectura de los disquetes. Incluso lo poco que había escrito era totalmente inaceptable. Desorganizado y sin una secuencia lógica. Llegué a preguntarme si efectivamente consumía drogas.

—¿Vio usted en ella algún signo sospechoso?

—Supongo que la falta de seriedad se hubiera podido considerar un síntoma. A veces, se mostraba muy nerviosa..., casi exaltada. Quería convencerme, y convencerse a sí misma, de que estaba haciendo progresos. Pero sé que no tomaba anfetaminas. Aumentó varios kilos durante los últimos cuatro años... por lo menos, quince. Al principio, era una chica muy agraciada.

—A lo mejor, tomaba cocaína —apunté.

—Sí, es posible, pero he observado el mismo comportamiento en alumnos que no se drogaban. La tensión de los estudios de grado puede volverle a uno transitoriamente loco.

—Muy cierto —dije.

Se acarició las uñas y contempló las fotografías de su familia.

—Cuando me enteré de que la habían asesinado, cambié de opinión. Hasta entonces, yo estaba furiosa con su comportamiento. Pero, al averiguar cómo la habían encontrado..., me compadecí de ella. La policía me dijo que iba vestida de punkie. Entonces comprendí que la chica llevaba una vida oculta que yo ignoraba. Era una de esas personas para quienes el mundo de las ideas jamás hubiera sido importante.

—¿No cree usted que su falta de motivación pudo deberse a la existencia de unos ingresos independientes?

—Oh, no —contestó—. Era muy pobre. Cuando la acepté, me suplicó que le buscara una beca, pues sin ella no se hubiera podido matricular.

Pensé en la despreocupada actitud hacia el dinero de que Dawn había hecho gala en casa de los Murtaugh. Y en el automóvil recién estrenado en el que había muerto.

—¿Y su familia? —pregunté.

—Me parece recordar que su madre era una... alcohólica. Sin embargo, la policía me dijo que no habían podido localizar a nadie que se hiciera cargo del cadáver. Aquí se hizo incluso una colecta para sufragar los gastos del entierro.

—Una pena.

—Pues sí.

—¿De qué parte del país procedía?

—Creo que del este. No, no era una chica rica, doctor Delaware. Su falta de interés se debía a otra cosa.

—¿Cómo reaccionó ante la pérdida de la beca?

—No reaccionó en absoluto. Yo esperaba que se enfadara o llorara o cualquier otra cosa... Esperaba que ello contribuyera a aclarar la situación y que, de este modo, ambas pudiéramos llegar a un entendimiento. Pero ella ni siquiera intentó ponerse en contacto conmigo. Al final, la mandé llamar y le pregunté cómo se las iba a arreglar para su manutención. Entonces me habló del empleo que había encontrado en el hospital. Me dio a entender que era un trabajo muy prestigioso... porque, en realidad, era bastante presumida. Sin embargo, el señor Huenengarth me la presentó como una simple limpiadora de frascos.

No había ningún frasco en el laboratorio de Ashmore. Pero no dije nada.

Consultó su reloj y contempló el bolso que había dejado encima de la impresora. Por un instante, pensé que iba a levantarse. En su lugar, acercó un poco más su silla a la mía y me miró fijamente a los ojos. Tenía unos cálidos ojos de color avellana. Unos ojos cálidamente inquisitivos. Como los de una ardilla que estuviera buscando su escondido tesoro de bellotas.

—¿A qué vienen todas estas preguntas, doctor? ¿Qué es lo que usted busca realmente?

—Siento no poderle facilitar detalles, pues se trata de un asunto confidencial —contesté—. Ya sé que eso no parece muy justo.

Tras una pausa de silencio, me dijo:

—Era una ladrona. Los libros de texto que guardaba en su armario se los había robado a otro alumno. Y encontré otras cosas, además. El jersey de otra compañera. Una pluma mía de oro. Por consiguiente, no me extrañaría que hubiera estado metida en algo de tipo delictivo.

—Puede ser.
—¿Algo que fue la causa de su asesinato?
—Es posible.
—¿Y cuál es su papel en todo este asunto, doctor?
—El bienestar de mi paciente podría correr peligro.
—¿Se refiere a la hermana de Charles Jones?
Asentí con la cabeza, sorprendiéndome de que Huenengarth le hubiera revelado aquel detalle.
—¿Acaso sospecha de la existencia de malos tratos infantiles? —preguntó—. ¿Algo que Dawn tal vez averiguó y de lo que quizá quiso sacar provecho?
Tragándome el asombro, conseguí encogerme de hombros y me pasé un dedo por los labios.
Me miró con una sonrisa.
—Yo no soy Sherlock Holmes, doctor Delaware. Pero la visita del señor Huenengarth me dio mucho que pensar..., no comprendí a qué obedecía su insistencia. Llevo demasiado tiempo estudiando los sistemas de atención sanitaria como para creer que pueda haber alguien que se tome tantas molestias por una paciente cualquiera. Entonces le pedí a mi marido que hiciera averiguaciones sobre el hijo de los Jones. Es cirujano vascular y está vinculado al Western Pediatric aunque lleva muchos años sin operar allí. Por consiguiente, sé quiénes son los Jones y el papel que desempeña el abuelo en la turbulenta situación que está atravesando el hospital. También sé que el niño murió de síndrome de muerte súbita y que la niña está siempre enferma. Los rumores van corriendo. Si a ello se añade el hecho de que Dawn robara la ficha del primer hijo y pasara de la más negra miseria al derroche de dinero y de que dos profesionales me han venido a visitar por separado en busca de esa ficha, no hace falta ser un lince para empezar a atar cabos.
—Aun así, me deja usted de una pieza.
—¿Usted y el señor Huenengarth tienen propósitos divergentes?
—No trabajamos juntos.
—¿Del lado de quién está usted?
—Del de la niña.
—¿Y quién le paga los honorarios?
—Oficialmente, los padres.
—¿Y eso no le parece un conflicto de intereses?
—En caso de que tal cosa llegara a ocurrir, no les presentaría la factura.
—Le creo —dijo, tras estudiarme unos momentos en silencio—. Y ahora dígame una cosa: ¿Le parece que la posesión de los disquetes me coloca en una situación de peligro?
—Lo dudo, pero no se puede descartar.

—No es una respuesta muy consoladora.

—No quiero engañarla.

—Se lo agradezco. Sobreviví a los tanques rusos en Budapest en el 56 y, desde entonces, tengo el instinto de supervivencia muy desarrollado. ¿Cuál cree usted que puede ser la importancia de los disquetes?

—Es posible que contengan datos codificados ocultos en la tabla numérica aleatoria —contesté.

—Confieso que yo también lo he pensado... No había ninguna razón para que generara una tabla de tal magnitud en la fase inicial de su investigación. Por eso la examiné, utilizando unos cuantos programas básicos, y no aparecieron algoritmos evidentes. ¿Tiene usted conocimientos criptográficos?

—Ninguno en absoluto.

—Yo tampoco, aunque existen unos excelentes programas de descodificación que hacen innecesario que uno sea un experto. No obstante, ¿por qué no echamos un vistazo ahora mismo, a ver si nuestras sabidurías combinadas consiguen descubrir alguna cosa? Después, le entregaré los disquetes a usted y me libraré de ellos. Acto seguido, escribiré una carta a Huenengarth y a la policía y enviaré una copia a mi decano, señalando que le he pasado los disquetes a usted y no tengo el menor interés por ellos.

—¿Y si se limitara a escribir a la policía? Puedo facilitarle el nombre de un investigador.

—No. —Regresó al escritorio, tomó el bolso de diseño y lo abrió, sacando una pequeña llave que introdujo en la cerradura del primer cajón—. Por regla general, no cierro las cosas de esta manera —me explicó—. Pero ese hombre me hizo sentir de nuevo como en Hungría.

Abrió el archivador de la izquierda, lo examinó con el ceño fruncido. Introdujo la mano, buscó y la sacó vacía.

—Han desaparecido —dijo, levantando la vista—. Qué curioso.

26

Ambos subimos al despacho del departamento y Janos le pidió a Merilee que sacara la ficha estudiantil de Dawn Herbert. Era una tarjeta de quince por veinte centímetros.

—¿Eso es todo? —preguntó Janos, frunciendo el ceño.

—Ahora reciclamos todo el papel viejo, ¿no lo recuerda, doctora Janos?

—Ah, sí. Qué bien está eso desde un punto de vista político...

Janos leyó la tarjeta. En la parte superior decía, escrito en letras rojas de imprenta: APARTADA DEL PROGRAMA. Debajo, cuatro líneas mecanografiadas:

HERBET, D.K. PROGR: DOCTORAD., BIOEST.
FDN: 12/13/63
LDN: POUGGHKEEPSIE. N.Y.
LICENCIATURA, MATEM. POUGGHKEEPSIE COLLEGE

—No es demasiado —dije.

Janos esbozó una fría sonrisa y le devolvió la tarjeta a Merilee.

—Tengo un seminario, doctor Delaware, si usted me disculpa.

Dicho lo cual, abandonó el despacho.

Merilee se quedó allí con la tarjeta en la mano, mirándome como si acabara de ser involuntariamente testigo de una pelea matrimonial.

—Que tenga usted un buen día —me dijo, volviéndose de espaldas a mí.

Sentado en mi automóvil, traté de deshacer los nudos que la familia Jones había atado en mi cabeza.

El abuelo Chuck le estaba haciendo algo al hospital.

Chip y/o Cindy les estaban haciendo algo a sus hijos.

Ashmore y/o Herbert habían averiguado algo al respecto. Huenengarth había confiscado los datos de Ashmore. Huenengarth había robado los datos de Herbert. Herbert había sido probablemente asesinada por un hombre que se parecía mucho a Huenengarth.

La posibilidad de un chantaje resultaba evidente incluso para un observador accidental como Janos.

Pero si Ashmore y Herbert se proponían algo, ¿por qué había muerto ella primero?

¿Y por qué Huenengarth había tardado tanto en recuperar los disquetes después de su muerte, cuando se había apresurado a llevarse los ordenadores de Ashmore al día siguiente del asesinato del toxicólogo?

A no ser que hubiera averiguado la existencia de los datos de Herbert tras leer los archivos de Ashmore.

Me pasé un rato reflexionando y se me ocurrió una posible cronología:

Herbert debió de ser la primera en sospechar la existencia de un nexo entre la muerte de Chad Jones y las enfermedades de Cassie... La alumna había guiado al profesor porque al profesor le importaban un bledo los pacientes.

Sacó el informe de Chad, vio confirmadas sus sospechas, introdujo sus hallazgos en el ordenador de la universidad, codificándolos como números aleatorios, grabó un disquete, lo guardó en su armario y empezó a apretarle las tuercas a la familia Jones.

Pero no sin antes haber copiado el disquete y haber introducido los datos en uno de los ordenadores de Ashmore sin que éste lo supiera.

Dos meses después de su asesinato, Ashmore descubrió el archivo e intentó aprovecharlo.

Codicioso, a pesar de su beca de un millón de dólares.

Pensé en el dinero del Ferris Dixon. Demasiado para lo que Ashmore estaba haciendo. ¿Por qué razón la generosidad de una fundación química había favorecido a un hombre que tanto criticaba a las empresas químicas? Una fundación, por cierto, sobre la que nadie parecía saber demasiado y presuntamente dedicada a las investigaciones biológicas, pero cuyo segundo becario de aquel año era un economista.

El escurridizo profesor Zimberg..., secretarias idénticas en su despacho y en el Ferris Dixon.

Una especie de juego...

Un vals.

A lo mejor, Ashmore y Herbert actuaban desde distintas perspectivas.

Él, concentrándose en Chuck Jones por su chanchullo financiero. Y ella, intentando sacarles dinero a Chip y Cindy por el secreto de los malos tratos infantiles.

¿Dos chantajeadores actuando desde un mismo laboratorio?

Seguí con mis conjeturas.

El dinero y la muerte, los dólares y la ciencia. No lograba establecer una relación.

Vi desde lejos la señal roja del parquímetro. Me había pasado del tiempo. Consulté mi reloj. Las doce del mediodía. Faltaban más de dos horas para mi cita con Cassie y su mamá.

Entre tanto, ¿por qué no ir a hacerle una visita al papá?

Llamé desde una cabina telefónica del edificio de Administración al Community College de West Valley y pregunté el camino.

Cuarenta y cinco minutos de viaje siempre y cuando el tráfico fuera fluido. Dejé el campus y me dirigí al norte, giré al oeste en Sunset y tomé la 405. Al llegar al cruce, seguí por la autopista de Ventura para dirigirme al extremo occidental del Valle y salí a la altura del Topanga Canyon Boulevard.

En mi camino hacia el norte, atravesé una floreciente zona comercial: locales falsamente lujosos en los que todavía parecía que la situación económica era boyante, tiendas de mala muerte que jamás habían creído en ella e inestables galerías comerciales sin la menor coherencia ideológica.

Pasado Nordhoff, la calle adquiría carácter residencial y en ella abundaban los edificios de pequeños apartamentos, los hoteles de una estrella y los complejos de viviendas en comunidad de propietarios con los muros tapizados de toda suerte de carteles. Algunos huertos de limoneros y alguna que otra granja dispersa habían sobrevivido al progreso. En el aire se mezclaban las esencias de estiércol, petróleo y hojas de limonero sin conseguir enmascarar el olor a cena quemada emitido por una tierra que ardía a fuego lento bajo los rayos del sol.

Me acerqué al Santa Susanna Pass, pero la carretera estaba bloqueada sin motivo aparente por unas barreras de la empresa de construcción CalTrans. Seguí hasta el final de Topanga donde toda una serie de pasos elevados de la autopista desembocaban en las laderas de las montañas. A la derecha, varias mujeres esbeltas paseaban a lomos de unos preciosos caballos. Algunas de las amazonas iban vestidas con atuendos de caza; todas parecían satisfechas.

Encontré la rampa de entrada de la 118, recorrí varios kilómetros en dirección oeste y salí, utilizando una rampa recién construida y señalizada con la indicación de COLLEGE. El Community College de West Valley se encontraba a un kilómetro escaso de distancia..., y era lo único que había a la vista.

No se parecía para nada al campus que acababa de abandonar; anunciaba su presencia por medio de un inmenso aparcamiento semidesierto, al otro lado del cual varios edificios prefabricados de una sola planta y algunos remolques se hallaban repartidos sin orden ni concierto sobre una superficie de cuatro hectáreas de tierra y cemento. En algunos puntos habían intentado ajardinar la zona con cierta gracia mientras que en otros el intento había fracasado. Unos cuantos estudiantes paseaban por los sencillos caminos de hormigón.

Bajé y me dirigí a la caravana que tenía más cerca. El sol del mediodía arrojaba sus ardientes rayos sobre el Valle y tuve que entornar los párpados. Casi todos los estudiantes caminaban solos y apenas se escuchaba la menor conversación en medio del calor.

Tras una serie de salidas en falso, conseguí encontrar a alguien que me pudo indicar dónde estaba Sociología. Desde el edificio 3A hasta el 3F.

La oficina de los departamentos estaba en el 3A. La secretaria era rubia y delgada y parecía recién salida de un instituto de bachillerato. Mostró su extrañeza por el hecho de que yo le preguntara dónde estaba el despacho del profesor Jones, pero me contestó:

—Dos edificios más arriba, en el Tres-C.

Una tierra reseca y agrietada separaba los distintos edificios. Tan dura y reseca que no se veía en ella ni una sola huella de pisadas. Qué lejos estaba todo aquello de las elegantes universidades de la Ivy League del Este. El despacho de Chip Jones era uno de los seis que ocupaban el pequeño edificio de muros de estuco color de rosa. La puerta estaba cerrada y la tarjeta que indicaba el horario del despacho decía:

COMO SIEMPRE,
EL QUE VENGA PRIMERO, PRIMERO SERÁ ATENDIDO

Los demás despachos también estaban cerrados. Regresé a la secretaría y le pregunté a la chica si el profesor Jones estaba en el campus. Consultó una tabla de horarios y me contestó:

—Pues sí. Está dando la clase de Sociología Uno-cero-dos en el Cinco-J.

—¿Cuándo termina la clase?

—Dentro de una hora..., es un seminario de dos horas, de las doce a las dos.

—¿Hacen una pausa intermedia?

—No lo sé —contestó, volviéndose de espaldas.

—Disculpe —le dije, logrando que me indicara dónde estaba el 5J.

El edificio era uno de los tres remolques que había en el extremo occidental del campus, al borde de una hondonada.

A pesar del calor, Chip Jones estaba dando clase al aire libre, sentado sobre uno de los pocos retazos de hierba que había, bajo la sombra parcial de un joven roble, de cara a unos diez alumnos, todos ellos mujeres, menos dos. Los dos chicos estaban sentados en la parte de atrás mientras que las chicas casi le tocaban las rodillas.

Me detuve a unos treinta metros de distancia. Tenía el rostro algo apartado de mí y gesticulaba con los brazos. Vestía un polo de color blanco y unos pantalones vaqueros. A pesar de su condición de profesor, no dudaba en utilizar expresiones coloquiales en su disertación. Los alumnos seguían con la cabeza los movimientos de sus brazos y las melenas de las chicas se agitaban al compás. De pronto, me di cuenta de que no tenía nada que decirle ni ninguna razón para estar allí, por lo que di media vuelta.

Entonces oí un grito, me volví a mirar por encima del hombro y le vi agitando la mano.

Les dijo algo a sus alumnos, se puso en pie de un salto y corrió hacia mí. Le esperé y, cuando le tuve más cerca, vi que parecía asustado.

—Me ha parecido que era usted. ¿Todo bien?

—Sí —contesté—. No quería alarmarle. Simplemente quería pasar por aquí antes de dirigirme a su casa.

—Ah, claro. —Respiró hondo—. Menos mal. Me hubiera gustado que me avisara de su venida para poder dedicarle un poco más de tiempo. Ahora tengo un seminario de dos horas hasta las dos... puede usted sentarse a escuchar, si quiere, pero no creo que le interese la estructura de las organizaciones. Después tengo una reunión del claustro de profesores hasta las tres y otra clase.

—Parece una jornada muy apretada.

—Las mías siempre lo son —dijo, esbozando una sonrisa que repentinamente se esfumó—. En realidad, la que lo tiene peor es Cindy. Yo puedo evadirme. —Se alisó la barba. El pendiente que lucía aquel día era un pequeño zafiro que centelleaba bajo el sol. Sus bronceados brazos desnudos carecían de vello y parecían muy fuertes—. ¿Quería usted hablar conmigo sobre algo en concreto? —me preguntó—. Puedo concederles a los alumnos unos minutos de descanso.

—Pues, en realidad, no.

Contemplé el inmenso espacio vacío que nos rodeaba.

—Esto no es precisamente Yale —dijo como si hubiera leído mis pensamientos—. Yo les digo constantemente que, si plantaran unos cuantos árboles, la cosa mejoraría muchísimo. Pero a mí siempre me han gustado los desafíos... me encanta construir algo de la nada. Toda esta zona es la que más crecerá de toda la cuenca de Los Ángeles. Vuelva dentro de unos años y la verá llena a rebosar de gente.

—¿A pesar de la recesión?

Frunció el ceño, se tiró de la barba y contestó:

—Sí, creo que sí. La población sólo puede seguir una vía —añadió con una sonrisa—. O eso dicen por lo menos mis amigos demógrafos.

Se volvió hacia los alumnos que nos estaban mirando y levantó una mano.

—¿Sabe usted cómo llegar a mi casa desde aquí?

—Más o menos.

—Yo se lo voy a decir exactamente. Vuelva a la autopista por la Unodieciocho y salga al llegar a la séptima rampa. Una vez allí, ya no tiene pérdida.

—Estupendo. No quiero entretenerle más.

Me miró, pero me dio la impresión de que sus pensamientos estaban en otra parte.

—Gracias —me dijo, mirando otra vez hacia atrás—. Eso es lo que me permite conservar la cordura... y me ofrece una ilusión de libertad. Estoy seguro de que usted sabe lo que quiero decir.

—Sin ninguna duda.

—Bueno pues, será mejor que vuelva a lo mío —añadió—. Saludos a mis señoras.

27

El trayecto hasta la casa no me llevaría más de quince minutos, lo cual significaba que me quedarían tres cuartos de hora para mi cita con Cassie.

Recordando la extraña resistencia de Cindy al manifestarle yo mi deseo de ir más temprano, decidí dirigirme inmediatamente hacia allí y hacer las cosas a mi manera, para variar.

Cada salida de la 118 me acercaba más al aislamiento de las pardas montañas devastadas por cinco años de sequía. La séptima salida decía Westview y me dejó en una curvada carretera de arcilla roja oscurecida por la mole de la montaña. Minutos más tarde la arcilla se convirtió en dos carriles de asfalto reciente y pronto vi aparecer unas banderas rojas en lo alto de unos postes metálicos situados a intervalos de quince metros. En un desvío había una excavadora amarilla. No se veía ningún otro vehículo. Las laderas de la montaña y el cielo azul me llenaban los ojos. Los postes de las banderas pasaban fulgurando por mi lado como barrotes de una prisión. El asfalto terminaba en una superficie de treinta metros cuadrados de ladrillo a la sombra de unos olivos. Una alta puerta metálica estaba abierta de par en par y un letrero de madera a la izquierda decía en grandes letras de imprenta de color rojo URBANIZACIÓN WESTVIEW. Debajo había un artístico dibujo de una urbanización en tonos pastel en medio de un paisaje alpino excesivamente verde.

Me acerqué un poco más al letrero para poder leerlo. Debajo del dibujo se especificaban las características de las seis fases de la construcción, cada una de las cuales tendría «entre veinte y cien viviendas con jardín sobre unas parcelas de doscientos a quinientos metros cuadrados de superficie». Según las fechas que se indicaban, tres de las fases ya debían de estar terminadas. Miré a través de la entrada y vi unos cuantos tejados y mucha tierra. Los comentarios de Chip a propósito del incremento de la población me parecieron más un deseo que una realidad.

Pasé por delante de una caseta de vigilancia sin vigilante cuyos cristales todavía ostentaban la cinta adhesiva que les habían aplicado para protegerlos de la pintura y entré en un aparcamiento completamente vacío bordeado de gazanias amarillas. La salida del aparcamiento conducía a una ancha calle desierta llamada Sequoia Lane. Las aceras eran tan nuevas que parecían encaladas.

La parte izquierda de la calle estaba formada por un terraplén cubierto de hiedra. A la derecha se levantaban las primeras casas, un cuarteto de agradables y luminosas estructuras, inequívocamente quiero y no puedo a pesar de su apariencia.

Falso estilo Tudor, falso estilo casa de campo, falso Regencia y falso Rancho Ponderosa, todas ellas dotadas de unos patios frontales con parterres de plantas suculentas y gazanias. La parte de atrás de la casa Tudor lindaba con una pista de tenis mientras que, detrás de las parcelas sin cercar de las demás brillaban las azules aguas de una piscina. Unos letreros en las puertas de las cuatro casas decían VIVIENDA PILOTO. Un pequeño letrero plantado en el césped de la casa Regencia indicaba el horario de visita junto con el número de teléfono de la empresa inmobiliaria de Agoura. Más banderas rojas. Las cuatro puertas estaban cerradas y las ventanas a oscuras.

Seguí adelante, buscando Dunbar Court. Todas las calles laterales eran *courts*..., anchos callejones sin salida que arrancaban de Sequoia en dirección este. Había muy pocos automóviles aparcados en las aceras y las calzadas. Vi una bicicleta volcada en el centro de un césped medio marchito y una manguera de regar desenrollada como una soñolienta serpiente, pero ni una sola persona. Una brisa momentánea provocó un susurro de hojas, pero no alivió para nada el calor.

Dunbar era la sexta calle. La casa de los Jones se encontraba a la entrada y era un espacioso rancho de planta baja con los muros estucados de blanco y perfilados con ladrillo. En el centro del patio frontal, había una rueda de carro apoyada contra el tronco de un joven abedul, pero era demasiado liviana para poder sostenerlo. Unos floridos parterres bordeaban la fachada. Las ventanas resplandecían bajo el sol. Las montañas que se elevaban detrás del edificio le conferían el aspecto de una casa de juguete. En el aire se aspiraba el perfume del polen de las hierbas.

Una furgoneta Plymouth Voyager gris azulada estaba aparcada en la calzada. En la calzada de la casa de al lado había una camioneta de reparto llena de mangueras, redes y botellas de plástico cuya portezuela decía SERVICIO DE MANTENIMIENTO DE PISCINAS VALLEYBRITE. En el momento en que yo me acercaba al bordillo de la acera, la camioneta salió disparada. El conductor me vio y se detuvo en seco. Le indiqué por señas que siguiera. Un joven sin camisa y con el cabello recogido hacia atrás en una coleta asomó la cabeza por la ventanilla y me miró. Después esbozó una súbita sonrisa y me agradeció el amable detalle con una inclinación de la cabeza. Apoyando el bronceado brazo en el borde inferior de la ventanilla, terminó de salir y se alejó.

Me acerqué a la entrada de la casa. Cindy me abrió la puerta antes de que yo tuviera ocasión de llamar. Se apartó el cabello del rostro y consultó su Swatch.

—Hola —me dijo con voz entrecortada, como si le faltara la respiración.

—Hola —contesté sonriendo—. El tráfico estaba mucho mejor de lo que yo pensaba.

—Ah, claro. Pase.

Llevaba el cabello suelto, pero todavía ondulado por la trenza con que habitualmente se lo solía peinar. Vestía una camiseta negra y unos pantalones blancos muy cortos. Sus piernas eran suaves y pálidas, un poco delgadas, pero bien torneadas por encima de los delicados pies descalzos. Las mangas de la camiseta eran muy cortas y estaban cortadas al bies, por lo que dejaban al descubierto los finos brazos y una parte de los hombros. El borde inferior de la camiseta apenas le llegaba a la cintura. Se rodeó el tronco con los brazos y pareció turbarse. Porque me estaba enseñando más carne de la que hubiera querido, pensé.

Entré y ella cerró la puerta a mi espalda, cuidando de no hacerlo de golpe. El sencillo vestíbulo empapelado con un minidibujo azul cerceta tenía unos tres metros de longitud y en sus paredes colgaban por lo menos doce fotografías enmarcadas. Cindy, Chip y Cassie y un par en las que se veía a un precioso niño moreno, vestido con prendas de color azul.

Un niño sonriente. Aparté los ojos de él y los posé en una fotografía ampliada de Cindy y otra mujer. Cindy aparentaba unos dieciocho años. Vestía un *top* blanco y unos pantalones vaqueros ajustados remetidos en una botas blancas y llevaba el cabello suelto. La mujer tenía un aspecto apergaminado, era delgada, pero de anchas caderas, vestía un jersey a rayas blancas y rojas sin mangas, unos pantalones blancos de punto y calzaba zapatos blancos. Se veían algunas hebras grises en su cabello oscuro y sus labios eran tan finos que apenas se distinguían. Tanto ella como Cindy llevaban gafas ahumadas y ambas sonreían. La sonrisa de la otra mujer era la propia de una persona muy poco aficionada a las bromas. El fondo de la fotografía lo formaban unos mástiles de embarcaciones y unas aguas verdigrises.

—Es mi tía Harriet —me explicó Cindy.

Recordando que se había criado en Ventura, le pregunté:

—¿Qué es eso, Oxnard Harbor?

—Pues sí. Las Channel Islands. Solíamos ir a almorzar allí los días que ella tenía libres... —Otra mirada al reloj—. Cassie todavía está durmiendo. Suele hacer la siesta a esta hora.

—Ha recuperado enseguida sus costumbres normales —dije sonriendo—. Eso está bien.

—Es una niña muy buena..., creo que pronto se despertará.

Me di cuenta de que estaba nerviosa.

—¿Qué le apetece beber? —me preguntó, apartándose de la fotografía de la pared—. Tengo té helado en el frigorífico.

—Muy bien, gracias.

Crucé con ella un salón de vastas proporciones flanqueado en tres de sus paredes por unas estanterías de nogal del suelo hasta el techo y amueblado con unos sofás de cuero color sangre de toro y unas cómodas butacas tapizadas en tela. En las estanterías abundaban los libros de tapa dura. Una manta afgana de estambre de color marrón cubría una de las butacas. La cuarta pared tenía dos ventanas protegidas por unos visillos y estaba empapelada con un dibujo a cuadros verdes y negros que oscurecían todavía más la estancia y le daban un inconfundible aire de club masculino.

¿Dominio de Chip? ¿O indiferencia por la decoración por parte de ella? La seguí, observando cómo sus pies desnudos se hundían en la mullida alfombra marrón. Una mancha de hierba le había ensuciado la parte posterior de los pantalones. Caminaba con paso rígido y mantenía los brazos pegados al cuerpo. Un comedor empapelado con un pequeño dibujo marrón conducía a una cocina de madera de roble y azulejos blancos, lo bastante amplia como para dar cabida a una mesa de pino y cuatro sillas. Los electrodomésticos tenían las puertas de metal cromado y estaban impecablemente limpios. Unas alacenas con puertas de cristal permitían ver los cacharros de cocina cuidadosamente apilados y las cristalerías ordenadas según los tamaños. El escurreplatos estaba vacío y en los mostradores no había nada.

La ventana de encima del fregadero era una especie de invernadero lleno a rebosar de macetas de barro pintadas en las que crecían flores y hierbas estivales. La ventana más grande de la izquierda daba al patio de atrás. Un patio embaldosado con una piscina rectangular cubierta con un plástico azul y protegida por una cerca de hierro forjado. Después, una larga y perfecta franja de césped, interrumpida tan sólo por un equipo de juegos infantiles en madera. La franja terminaba en un seto de naranjos pegados a un muro de ladrillo. Más allá del muro, las omnipresentes montañas parecían un cortinaje. Quizás estuvieran a muchos kilómetros de distancia o quizá tan sólo a unos metros. Traté de ver la perspectiva, pero no pude. La hierba me estaba empezando a parecer un camino de huida hacia la eternidad.

—Siéntese, por favor —me dijo Cindy.

Colocando un mantel individual delante de mí, depositó en él un vaso alto de té helado.

—Es una mezcla muy sencilla..., espero que le guste.

Antes de que yo pudiera contestar, regresó junto al frigorífico y tocó la puerta.

Lo probé, y dije:

—Está muy bien.

Tomó un trapo y lo pasó por los azulejos limpios del mostrador, evitando mirarme a los ojos.

Ingerí otro sorbo, esperé hasta que finalmente establecimos contacto y esbocé una sonrisa.

Me respondió con una rápida y tensa sonrisa y me pareció ver un ligero arrebol en sus mejillas. Se remetió la camiseta en los pantalones y mantuvo las piernas muy juntas mientras limpiaba un poco más el mostrador, colocaba el trapo bajo el agua del grifo, lo escurría y lo doblaba. Después, lo sostuvo con ambas manos como si no supiera qué hacer con él.

—Bueno, pues... —dijo.

—Bonito día —comenté, contemplando las montañas.

Asintió con la cabeza, volvió el rostro, miró hacia abajo y dejó el trapo sobre el grifo. Arrancó un trozo de papel de cocina de un portarrollos de madera y empezó a frotar el grifo. Tenía las manos mojadas. ¿Una cosa tipo lady Macbeth o simplemente su manera de hacer frente a la tensión?

La vi limpiar un poco más. Volvió a mirar hacia abajo y seguí la dirección de su mirada. Hacia su busto. Los pechos se distinguían con toda claridad a través de la fina camiseta negra de algodón, pequeños y erguidos.

Cuando levantó la vista, mis ojos estaban mirando hacia otro lado.

—Creo que pronto se va a despertar —dijo—. Normalmente duerme desde la una hasta las dos.

—Siento haber venido tan temprano.

—No se preocupe. De todos modos, no tenía nada que hacer.

Secó el grifo y arrojó el trozo de papel de cocina a un cubo de la basura que había debajo del fregadero.

—Mientras esperamos —dije—, ¿tiene usted alguna pregunta que hacerme sobre el desarrollo de Cassie o sobre alguna otra cosa?

—Pues... en realidad, no. —Se mordió el labio y siguió frotando el grifo—. Yo lo que quisiera es... que alguien me pudiera decir qué es lo que pasa... pero tampoco espero que me lo diga usted.

Asentí con la cabeza, pero ella no se dio cuenta porque estaba contemplando las plantas de la ventana.

De pronto, se inclinó sobre el fregadero y se puso de puntillas para modificar la colocación de una de las macetas. Estaba de espaldas a mí y, al hacerlo, la camiseta se le levantó, dejando al descubierto unos seis centímetros de cintura y de columna vertebral. Mientras arreglaba la maceta, su cabello se movía de un lado para otro, cual si fuera una cola de caballo. El hecho de estirarse hacia arriba la obligó a contraer los músculos de las pantorrillas y los muslos. Enderezó la maceta, hizo lo mismo con otra, se estiró un poco más y entonces una de las macetas se cayó y, golpeando el borde del fregadero, se rompió y fue a parar al suelo con toda la tierra.

Inmediatamente se agachó y empezó a recoger los trozos. La tierra le manchó las manos y los pantalones. Me levanté, pero, antes de que pudiera ayudarla, se puso en pie de un salto, corrió a un armario y sacó una escoba. Empezó a barrer con furia. En cuanto hubo guardado la escoba, arranqué un cuadrado de papel de cocina y se lo ofrecí.

Se había puesto muy colorada y tenía los ojos húmedos. Tomó el papel sin mirarme.

—Lo siento mucho —dijo, limpiándose las manos—..., tengo que ir a cambiarme.

Abandonó la cocina a través de una puerta lateral. Yo aproveché para pasear un poco por allí, abriendo y cerrando cajones y puertas y sintiéndome un imbécil. En los armarios no había nada sospechoso. Sólo artículos de limpieza y de cocina. Salí por la puerta que ella había utilizado para retirarse y encontré un pequeño cuarto de baño y un porche de servicio. Los registré minuciosamente. Una lavadora y una secadora, armarios llenos de detergentes, suavizantes y abrillantadores... todo un tesoro de productos que prometían hacer la vida más resplandeciente y perfumada. Casi todos ellos tóxicos, pero, ¿qué se hubiera podido demostrar con ello?

Oí unas pisadas y regresé rápidamente a la cocina. Entró vestida con un blusón amarillo y unos pantalones vaqueros holgados..., el uniforme que usaba en el hospital. Llevaba el cabello trenzado y me pareció que se había lavado la cara.

—Perdone. Menudo desastre —dijo. Se acercó al frigorífico. No vi en su región pectoral ningún movimiento independiente de los pechos.

—¿Le apetece un poco más de té helado?

—No, gracias.

Sacó una lata de Pepsi, la abrió y se sentó de cara a mí.

—¿Ha sido agradable el viaje hasta aquí?

—Muy agradable.

—Cuando no hay tráfico, es estupendo.

—Pues sí.

—Olvidé decirle que habían cerrado el paso porque están ensanchando la carretera...

Siguió hablando de mil cosas. Del tiempo y de la jardinería.

Frunciendo el entrecejo y haciendo todo lo posible por comportarse con naturalidad.

Pero parecía una extraña en su propia casa. Hablaba de forma sincopada, como si hubiera ensayado las frases, pero no se fiara demasiado de su memoria.

Al otro lado de la ventana más grande, la vista resultaba tan fría y estática como la muerte.

¿Por qué vivían allí? ¿Por qué razón el único hijo de Chuck Jones había elegido la vulgar urbanización que él mismo estaba construyendo en el quinto pino, pudiendo permitirse el lujo de vivir donde quisiera?

No era posible que lo hubiera hecho por su cercanía al centro universitario. El extremo occidental del Valle estaba lleno de fabulosos ranchos y de comunidades de propietarios con sus clubes de campo particulares. Y Topanga Canyon seguía siendo una zona privilegiada.

¿Por una especie de rebelión tal vez? ¿Por razones ideológicas... porque Chip quería formar parte de la comunidad que pretendía construir? Era justo lo que un rebelde hubiera podido hacer para librarse del remordimiento que sin duda le provocarían los elevados beneficios de la operación. Si bien, a juzgar por el aspecto que ofrecía la urbanización, los beneficios quedaban todavía muy lejos.

Cabía otra posibilidad: los padres que maltrataban a sus hijos solían ocultar a sus familias de la curiosidad de los potenciales salvadores.

Oí la voz de Cindy, hablando de su lavadora y soltando un nervioso torrente de palabras. Raras veces la usaba, decía, prefería ponerse unos guantes y utilizar agua muy caliente para que los platos se secaran enseguida. Charlando por los codos, como si llevara mucho tiempo sin hablar con nadie.

Puede que así fuera. No me imaginaba a Chip escuchándola hablar de las tareas domésticas.

Me pregunté cuántos de los libros del salón serían suyos y qué tendrían ambos en común.

Cuando se detuvo para recuperar el resuello, le comenté sin que viniera demasiado a cuento:

—Tiene una casa muy bonita.

Al oír mis palabras se animó y esbozó una ancha sonrisa, mirándome con sus brillantes ojos oscuros. Me di cuenta de lo guapa que estaba cuando era feliz.

—¿Quiere que le enseñe el resto? —me preguntó.

—Me encantaría.

Regresamos al comedor donde sacó de una vitrina la vajilla de plata que le habían regalado al casarse y me fue mostrando las piezas una a una. Después pasamos al salón atestado de libros, donde me comentó lo difícil que había sido encontrar a unos expertos carpinteros capaces de hacer unas sólidas estanterías que no fueran de madera contrachapada.

—La madera contrachapada se estropea y astilla... y nosotros queremos que la casa esté lo más limpia posible.

Fingí escucharla mientras inspeccionaba los lomos de los libros.

Textos académicos: sociología, psicología, ciencias políticas. Un poco de narrativa, pero ninguna obra posterior a Hemingway.

Intercalados entre los libros vi varios certificados y trofeos. En una placa de cobre figuraba la siguiente inscripción: NUESTRA MÁS SINCERA GRATITUD AL SEÑOR C.L. JONES III, CLUB DE ASESORAMIENTO PROFESIONAL DEL INSTITUTO DE LOURDES. USTED NOS HIZO COMPRENDER QUE LA ENSEÑANZA Y EL APRENDIZAJE FORMAN PARTE DE LA AMISTAD. Fechado diez años atrás. Debajo había un pergamino del Proyecto de Promoción de Yale a CHARLES *CHIP* JONES POR SU GENEROSA ENTREGA A LOS NIÑOS DE LA CLÍNICA DE BENEFICENCIA DE NEW HAVEN.

En un estante de más arriba había otro premio de una asociación estudiantil de Yale en reconocimiento de sus altruistas servicios. Dos placas plastificadas otorgadas por el Colegio de Artes y Ciencias de la Universidad de Connecticut en Storrs confirmaban las aptitudes de Chip para la enseñanza. Papá Chuck no había mentido.

Varios testimonios más recientes del Colegio Universitario de West Valley: una mención honorífica del departamento de Sociología, una placa del Consejo Estudiantil del Colegio Universitario de West Valley en agradecimiento al PROFESOR JONES POR SUS SERVICIOS COMO ASESOR, una fotografía de grupo de Chip con unas cincuenta muchachas sonrientes de una asociación estudiantil femenina en una pista de atletismo, en la que tanto él como las chicas lucían unas camisetas rojas con unas letras griegas bordadas. La fotografía estaba autografiada: «Con mis mejores deseos, Wendy». «Gracias, profesor Jones... Debra». «Con cariño, Kristie». Chip aparecía agachado en el suelo con cara de mascota del equipo, rodeando con sus brazos a dos de las chicas.

«La que lo tiene peor es Cindy. Yo puedo evadirme.»

Me pregunté en qué se debía de entretener Cindy, me di cuenta de que había dejado de hablar y, al volverme, vi que me estaba mirando.

—Es un profesor estupendo —me dijo—. ¿Quiere ver su estudio?

Muebles cómodos, estantes atestados de libros, trofeos de Chip en cobre, madera y plástico, un enorme televisor, un equipo de alta fidelidad, un soporte alfabetizado de discos compactos clásicos y de jazz.

La misma atmósfera de club masculino. La única franja de pared que no estaba cubierta de estantes permitía ver un papel a cuadros rojos y azules y dos diplomas de Chip. Debajo de ellos y colgadas tan bajo que tuve que arrodillarme para poder verlas bien, dos acuarelas.

Nieve, árboles sin hojas y graneros de madera. El marco de la primera decía INVIERNO EN NUEVA INGLATERRA. La que estaba justo por encima del zócalo llevaba por título LA ÉPOCA DE LA SANGRÍA. Sin firma. Tipo recuerdo turístico, pintadas por alguien que admiraba a la familia de pintores Wyeth, pero carecía de talento para imitar sus obras.

—Las pintó la señora Jones..., la mamá de Chip —me explicó Cindy.

—¿Vivía en el este?

Cindy asintió con la cabeza.

—Hace años, cuando Chip era pequeño. Ay, me parece que oigo a Cassie.

Levantó un dedo índice como si estuviera comprobando la fuerza del viento.

De una de las estanterías estaba surgiendo un distante y mecánico lloriqueo. Me volví y localicé el sonido en una pequeña caja marrón colocada en una de las estanterías superiores. Un aparato portátil de comunicación.

—Lo pongo cuando duerme —dijo Cindy.

La caja volvió a llorar.

Abandonamos la estancia y recorrimos un pasillo alfombrado de azul, pasando por delante de un dormitorio que había sido transformado en un despacho para Chip. La puerta estaba abierta y un letrero de madera clavado en ella decía EL MAESTRO ESTÁ TRABAJANDO. Otro espacio con sofás de cuero y estanterías de libros.

Después vi el dormitorio principal en tonos azul oscuro y una puerta cerrada que debía de ser el cuarto de baño que comunicaba con la habitación de la niña y del que Cindy me había hablado en otra ocasión. La habitación de Cassie estaba al final del pasillo; era una amplia estancia decorada con papel de pared multicolor y cortinas blancas de algodón ribeteadas de rosa. Cassie estaba sentada en una cuna con dosel y llevaba un camisón de color de rosa, mantenía las manos cerradas en un puño y lloraba con cierta desgana. La habitación olía a dulzona colonia infantil.

Cindy tomó a la niña en brazos y la estrechó contra su pecho. Cassie apoyó la cabeza en su hombro y me miró, cerró los ojos e inclinó la cabeza.

Cindy pronunció unas palabras de consuelo. El rostro de Cassie se relajó y sus labios se entreabrieron. Después, la niña empezó a respirar rítmicamente mientras Cindy la acunaba.

Miré a mi alrededor. Dos puertas en la pared sur. Dos ventanas. Calcomanías de conejitos y patos en los muebles. Una mecedora de mimbre al lado de la cuna. Cajas de juegos, juguetes y libros de cuentos suficientes para un año de lectura a la hora de dormir.

En el centro, tres sillitas rodeaban una mesa de juegos redonda. Sobre la mesa había un montón de hojas de papel, una caja nueva de lápices de colores, tres lápices de punta muy afilada, una goma de borrar y un trozo de cartulina de camisa en la cual alguien había escrito a mano en letras de imprenta BIENVENIDO, DOCTOR DELAWARE. Los Conejitos Amorosos —más de una docena— estaban sentados en el suelo o apoyados contra la pared con tanta precisión como unos cadetes antes de la revista.

Cindy se acomodó en la mecedora, sosteniendo a la niña en sus brazos. Cassie se amoldó a ella como la mantequilla untada sobre el pan. No se observaba la menor señal de tensión en su cuerpecito.

Cindy cerró los ojos y acarició la espalda de Cassie, alisándole los mechones de cabello húmedos de sudor. La niña respiró hondo, espiró, colocó la cabeza bajo la barbilla de Cindy y empezó a emitir unos estridentes chillidos de alegría. Me senté en el suelo con las piernas cruzadas y adopté la clásica posición analítica del loto que suelen utilizar los psiquiatras..., observando, pensando, sospechando e imaginando las peores posibilidades que se me pudieron ocurrir.

Al cabo de dos minutos, me empezaron a doler las articulaciones, me levanté y me estiré. Los ojos de Cindy me siguieron. Nos intercambiamos una sonrisa y después ella comprimió la mejilla contra la cabeza de Cassie y se encogió de hombros.

—Tómeselo con calma —le dije en voz baja mientras empezaba a pasear por la estancia, deslizando las manos por las superficies impecablemente limpias de los muebles, e inspeccionaba el contenido de la caja de juegos, procurando no parecer excesivamente fisgón.

Todo de la mejor calidad y muy apropiado para la niña. Los juegos y los juguetes no presentaban el menor peligro, eran de tipo educativo y resultaban adecuados para la edad de Cassie. Vi una cosa blanca por el rabillo del ojo. Los grandes dientes de uno de los Conejitos Amorosos. Bajo la tamizada luz de la estancia la sonrisa del bicho y las de sus congéneres se me antojaron perversas... y burlonas.

Recordé haber visto aquellas sonrisas en la habitación de hospital de Cassie y se me ocurrió una idea descabellada.

Juguetes tóxicos. Envenenamiento accidental.

Había leído los detalles de un caso en una publicación de pediatría...: unos animales de felpa de Corea que habían sido rellenados con las fibras de desecho de una planta química.

Delaware resuelve el problema y todo el mundo vuelve a casa contento.

Tomando el conejito que tenía más cerca —uno de color amarillo—, le apreté el vientre y noté la flexibilidad de la gomaespuma. Me acerqué el juguete a la nariz y no percibí ningún olor extraño. La etiqueta decía FABRICADO EN TAIWÁN CON MATERIALES NATURALES INCOMBUSTIBLES. Debajo había el sello de aprobación de una de las revistas de la familia.

Vi algo en una costura..., dos cierres. Tiré para abrirlos. El sonido indujo a Cindy a volver la cabeza y a mirarme con las cejas enarcadas.

Lo examiné todo detenidamente, no encontré nada, volví a cerrar la costura y dejé el juguete en su sitio.

—Alergias, ¿verdad? —dijo Cindy, hablando en voz baja—. El material de relleno... yo también lo pensé. Pero la doctora Eves lo hizo analizar y la niña no es alérgica a nada. Aun así, me pasé algún tiempo lavando diariamente los conejitos, todos los demás juguetes de tela y la ropa de la cama con Ivory Liquid. Es el detergente más suave que existe.

Asentí con la cabeza.

—Retiramos la moqueta por si hubiera moho debajo o por si algún componente de la cola le podía provocar alergia. Chip había oído decir que algunas personas se ponían enfermas en los edificios comerciales... «edificios enfermos» los llaman. Vino una empresa a limpiar las tuberías de la instalación de aire acondicionado y Chip mandó analizar la pintura por si hubiera plomo o alguna sustancia química. —Había vuelto a levantar la voz y parecía nerviosa. Cassie se agitó y ella la acunó para tranquilizarla—. Siempre estoy buscando —añadió—. Constantemente..., desde... el principio.

Se cubrió la boca con la mano. Retiró la mano y se comprimió con tal fuerza la rodilla que provocó el enrojecimiento de la pálida piel.

Cassie abrió los ojos.

Cindy la acunó cada vez más rápido, tratando desesperadamente de conservar la compostura.

—Primero uno y después otra —añadió en un sibilante susurro—. ¡A lo mejor, es que no merezco ser madre!

Me acerqué a ella y apoyé la mano en su hombro. Se apartó, se levantó bruscamente de la mecedora y me ofreció a Cassie. Las lágrimas rodaron por sus mejillas y las manos le temblaron.

—¡Tenga! Ya no sé ni lo que hago. ¡No merezco ser madre!

Cassie empezó a gimotear y a tragar aire.

Cindy me la volvió a ofrecer y, en cuanto yo la tomé en mis brazos, cruzó corriendo la habitación. Rodeé con las manos la cintura de la niña, la cual arqueó la espalda, llorando y tratando de huir de mí.

Intenté consolarla, pero no pude.

Cindy abrió una puerta y vi unos azulejos azules. Entró en el cuarto de baño y cerró ruidosamente la puerta. La oí vomitar y accionar el dispositivo del agua del excusado.

Cassie se agitó en mis brazos, gritando a pleno pulmón. La sujeté con fuerza por la cintura y le di unas palmaditas en la espalda.

—Calma, cariño. Mamá sale enseguida. Calma.

Se agitó con más violencia, propinándome puñetazos en la cara sin dejar de maullar como un gato. Traté de sujetarle los brazos y de consolarla. Se puso intensamente colorada, echó la cabecita hacia atrás y empezó a aullar, agitándose con tal fuerza que a punto estuvo de librarse de mi presa.

—Mamá vuelve enseguida, Cass...

Se abrió la puerta del cuarto de baño y salió Cindy, enjugándose los ojos. Pensaba que iba a tomar a Cassie en brazos, pero se limitó a extender las manos y a decir «Por favor», como si esperara que yo me quedara con la niña.

Le devolví a Cassie.

Abrazó a la niña y empezó a dar rápidas vueltas por la estancia, caminando a grandes zancadas con tanta energía que sus delicados muslos vibraron mientras le musitaba a Cassie unas palabras que yo no pude escuchar.

Al cabo de veinticuatro vueltas, Cassie empezó a calmarse y, al cabo de otras doce, se tranquilizó del todo.

Cindy siguió dando vueltas, pero, al pasar por mi lado, me dijo:

—Lo siento... créame que lo siento.

Tenía los ojos húmedos y las mejillas mojadas por las lágrimas. Le dije que no se preocupara. El sonido de mi voz volvió a alterar a Cassie.

Cindy siguió dando rápidas vueltas mientras decía:

—Nena, nena, nena.

Me acerqué a la mesa de juegos y me senté como pude en una de las sillitas. El cartel de bienvenida me miró cual si fuera una broma pesada.

Poco después, los gritos de Cassie fueron sustituidos por unos leves jadeos y sollozos. Al final, la niña se calló y yo vi que tenía los ojos cerrados.

Cindy regresó a la mecedora y dijo en voz baja:

—Lo siento muchísimo, de veras que lo siento. Soy una... Ha sido... ¡Dios mío, soy una madre horrible!

Hablaba en un susurro, pero la angustia de su voz hizo que Cassie abriera los ojos y emitiera un gemido.

—No, no, nena, tranquila. Perdona... no pasa nada. Soy horrible —añadió, mirándome.

Cassie rompió nuevamente a llorar.

—No, no, cariño, no pasa nada. Yo soy buena. Si quieres que sea buena, lo seré. Soy una mamá muy buena, sí, muy buena... sí, cariño, todo va bien. ¿De acuerdo?

Miró a Cassie con una sonrisa y la niña levantó una mano y le acarició la mejilla.

—Eres una niñita muy buena —añadió Cindy con un hilillo de voz—. Eres muy buena con tu mamá. ¡Eres muy buena, muy buena!

—Ma ma.

—Mamá te quiere.

—Ma ma.

—Tú eres muy buena con tu mamá. Cassie Brooks Jones es la mejor de las niñas, un encanto de niña.

—Ma ma. Mamama.

—Mamá te quiere mucho. Mamá te quiere muchísimo. —Cindy me miró y contempló la mesa de juegos—. Mamá te quiere mucho —añadió, hablando contra el oído de Cassie—. Y el doctor Delaware es un buen amigo nuestro, cariño. ¿Lo ves? —dijo, volviendo la cabeza de Cassie hacia mí.

Traté de sonreír, confiando en que mi sonrisa resultara tranquilizadora.

Cassie sacudió violentamente la cabeza y gritó:

—¡Nu!

—¿No recuerdas que es nuestro amigo, cariño? El que te hizo todos aquellos dibujos tan bonitos en el hospi...

—¡Nu!

—Los animalitos...

—¡Nu nu!

—Vamos, cariño, no tienes por qué asustarte...

—¡Nuuu!

—Bueno, bueno. Calma, Cass.

Me levanté.

—¿Se va usted? —preguntó Cindy en tono alarmado.

Señalé el cuarto de baño.

—¿Puedo?

—Faltaría más. Hay otro junto al vestíbulo de la entrada.

—Ése está bien.

—Claro... entre tanto, intentaré calmarla... Créame que lo siento.

Cerré la puerta y la que comunicaba con el dormitorio principal, eché el agua del excusado y respiré hondo. El agua era del mismo color que los azulejos. Contemplé ensimismado el pequeño remolino azul. Abrí el grifo, me lavé y sequé la cara y me miré al espejo. Mi expresión era de intenso recelo. Ensayé unas cuantas sonrisas y, al final, elegí una que no se pareciera demasiado a la empalagosa sonrisa de un vendedor de coches de segunda mano. El espejo era la puerta de un botiquín de medicamentos.

A prueba de niños. Lo abrí.

Cuatro estantes. Abrí al máximo el grifo y examiné rápidamente el contenido, empezando por el estante superior.

—Aspirina, Tylenol, cuchillas de afeitar, espuma de afeitar. Colonia de hombre, desodorante, una piedra pómez, un frasco de líquido antiácido. Una cajita amarilla de cápsulas de gel espermicida. Agua oxigenada, un tubo de ungüento para disolver la cera de las orejas, loción bronceadora...

Cerré el botiquín. En cuanto cerré el grifo, oí la voz de Cindy a través de la puerta, pronunciando maternales palabras de consuelo.

Hasta el momento en que ella me había ofrecido a Cassie, la niña había aceptado mi presencia.

«A lo mejor, no merezco ser madre... Soy una madre horrible.»

Había forzado la situación más allá del punto de ruptura. ¿O acaso quería sabotear mi visita?

Me froté los ojos. Otro armario debajo de la pila. También con cierre a prueba de niños. Unos padres muy responsables que habían mandado levantar la moqueta y lavaban constantemente los juguetes...

Cindy estaba arrullando a Cassie.

Debajo del desagüe había varias cajas de pañuelos de celulosa y de rollos de papel higiénico envueltos en plástico. Detrás de ellas vi dos frascos de colutorio de menta y un envase de aerosol. Lo examiné. Desinfectante con aroma de pino. Al ir a colocarlo de nuevo en su sitio, se me escapó de la mano y extendí rápidamente el brazo para tomarlo y amortiguar el ruido. Lo conseguí, pero me golpeé el dorso de la mano con un objeto de cantos afilados.

Aparté las cajas y lo saqué.

Una caja blanca de cartón de unos quince centímetros cuadrados con un logotipo de una flecha roja por encima de una estilizada escritura que decía LABORATORIOS HOLLOWAY. Por encima de ésta, una etiqueta dorada adhesiva en forma de flecha decía: MUESTRA DE REGALO PARA: *Doctor Ralph Benedict*.

Retiré el cordel que cerraba la caja, abrí las solapas y vi en el interior una hoja de papel marrón acanalado. Debajo había unos cilindros blancos de plástico del tamaño de unos bolígrafos, alojados en un soporte de poliestireno. Cada cilindro llevaba una hojita impresa sujeta con una cinta elástica.

Saqué un cilindro. Tan ligero como una pluma. Un anillo numerado rodeaba la parte inferior. En la punta había un orificio rodeado por una rosca; en el otro extremo había un tapón que giraba, pero no se podía sacar.

Unas letras negras en el cilindro decían INSUJECT. Retiré la hojita impresa. Era un folleto cuyos derechos de propiedad se remontaban a cinco años atrás. La sede central de los Laboratorios Holloway estaba en San Francisco.

El primer párrafo decía:

> INSUJECT es un sistema ultraligero para la administración subcutánea de dosis variables de insulina humana o de insulina purificada de cerdo desde 1 a 3 dosis. INSUJECT debe utilizarse en combinación con otros componentes del sistema INSU-EASE, como las agujas desechables INSUJECT y los cartuchos INSUFILL.

El segundo párrafo explicaba las ventajas del sistema: fácil manejo, aguja ultrafina que reducía el dolor y el riesgo de abscesos subcutáneos, «facilidad de administración y precisión en el cálculo de la dosis». Una serie de dibujos ilustraban la forma de insertar la aguja, colocar el cartucho en el cilindro e inyectar la insulina por vía subcutánea.

«Facilidad de administración.»

Una aguja ultrafina dejaba una huella minúscula, tal como la que había descrito Al Macauley. Si la inyección se hubiera practicado en un lugar oculto, la señal hubiera podido pasar inadvertida.

Rebusqué en la caja para ver si había alguna aguja.

Ninguna, sólo los cilindros. Busqué en el interior del armario, pero no encontré nada más.

Aquel lugar debía de ser lo bastante fresco como para almacenar la insulina, pero, a lo mejor, alguien tenía manías. ¿Y si los cartuchos Insufill estuvieran en el interior del frigorífico de puertas cromadas que había en la cocina?

Deposité la caja sobre el mostrador y me guardé el folleto en el bolsillo. El agua del excusado ya había dejado de caer. Carraspeé, tosí, volví a accionar el dispositivo del agua y miré a mi alrededor, buscando algún otro escondrijo. La única posibilidad que se me ocurría era el depósito del excusado. Levanté la tapa y mire. Simplemente unas cañerías y el envase del líquido que coloreaba el agua.

Aguja ultrafina... El cuarto de baño era un escondrijo ideal..., una vía de acceso perfecta desde el dormitorio principal a la habitación de la niña.

Un lugar ideal para preparar una inyección en mitad de la noche.

Cerrando la puerta de la *suite* principal para sacar el equipo de debajo de la pila del lavabo, ensamblar las piezas y entrar de puntillas en el dormitorio de Cassie.

El pinchazo de la aguja despertaría sin duda a la niña y la haría llorar, pero ésta no sabría lo que había ocurrido.

Nadie más lo podría saber. Era normal que los niños de su edad se despertaran llorando. Y especialmente una niña que tan a menudo solía ponerse enferma.

¿El rostro del que sostenía la aguja habría permanecido oculto entre las sombras?

Al otro lado de la puerta, Cindy estaba hablando con dulzura.

Puede que hubiera otra explicación. Los cilindros estaban destinados a Cindy. O a Chip.

No... Stephanie les había hecho análisis por si sufrieran algún trastorno metabólico y ambos estaban sanos.

Contemplé la puerta del dormitorio principal y consulté mi reloj. Me había pasado tres minutos en aquella mazmorra de azulejos azules, pero se me antojaban un fin de semana. Abrí la puerta, crucé el umbral y pisé una mullida alfombra que amortiguó el rumor de mis pasos.

La habitación tenía las persianas cerradas y estaba amueblada con una cama de matrimonio muy grande y unos pesados muebles de estilo victoriano. Encima de una de las mesitas de noche había varios libros amontonados, sobre los cuales descansaba el teléfono. Al lado de la mesita vi unos pantalones vaqueros colgados en un galán de noche de madera y latón. En la otra mesita había una reproducción de una lámpara Tiffany y una taza de café. La colcha estaba doblada cuidadosamente hacia atrás. La estancia olía al mismo desinfectante de pino que yo había visto en el cuarto de baño.

Mucho desinfectante. ¿Por qué?

Una cómoda cubría la pared que miraba a la cama. Abrí el primer cajón. Sujetadores, bragas, medias y un saquito de flores perfumadas. Rebusqué un poco, cerré el cajón, abrí el de abajo y me pregunté qué emoción le habrían deparado a Dawn Herbert los pequeños hurtos que ésta solía cometer en la vivienda de sus caseros.

Nueve cajones. Ropa, un par de cámaras fotográficas, película y unos prismáticos. Más ropa, raquetas de tenis y cartuchos de pelotas, un aparato plegable de gimnasia, bolsas y maletas, más libros... todos de sociología. Una guía telefónica, varias bombillas, mapas de viaje y una rodillera. Otra caja de gel espermicida. Vacía.

Busqué en los bolsillos de las prendas, pero no encontré más que pelusilla. A lo mejor, los rincones más oscuros del armario ocultaban algo, pero ya llevaba demasiado tiempo allí dentro. Cerré la puerta y regresé al cuarto de baño. El agua ya no gorgoteaba y Cindy había dejado de hablar.

¿Le habría extrañado mi prolongada ausencia? Volví a carraspear, abrí el grifo y oí la voz de Cassie, protestando por algo, y nuevamente los maternales consuelos de Cindy.

Acercándome al portarrollos del papel higiénico, retiré el rollo y lo arrojé al interior del armario. Retiré la envoltura de plástico de un nuevo rollo y lo inserté en el portarrollos. El texto de la envoltura me pareció muy divertido.

Tomando la caja blanca, abrí la puerta de la habitación de Cassie, esbozando una sonrisa que me provocó dolor en los dientes.

28

Se encontraban sentadas junto a la mesa de juegos con unos lápices de colores. Algunas hojas de papel estaban cubiertas de garabatos.

En cuanto me vio, Cassie agarró el brazo de su madre y empezó a gimotear.

—Tranquila, cariño. El doctor Delaware es nuestro amigo.

Al ver la caja que yo sostenía en la mano, Cindy entornó los ojos.

Me acerqué y se la mostré. Ella la miró y se levantó. Yo la miré a mi vez, buscando alguna señal de autoinculpación.

Pero sólo vi desconcierto.

—Estaba buscando un rollo de papel higiénico —le dije—, y he encontrado esto.

Se inclinó hacia adelante y leyó la etiqueta dorada. Cassie miró a su madre, tomó uno de los lápices de colores y lo arrojó al suelo. Al ver que no conseguía atraer la atención de Cindy, empezó a lloriquear.

—Sss, calla, nena.

Cindy volvió a entornar los ojos y me miró, perpleja.

—Qué raro.

Cassie levantó los brazos diciendo:

—¡Uh uh uh!

—Llevo mucho tiempo sin verlos —dijo Cindy, alargando el brazo hacia la niña.

—No quería fisgonear —expliqué—, pero sabía que los Laboratorios Holloway fabricaban instrumental para diabéticos y, al ver la etiqueta, me llamó la atención... recordando que a Cassie le habían encontrado azúcar en la sangre. ¿Acaso usted o Chip son diabéticos?

—No —contestó—. Eso era de tía Harriet. ¿Dónde lo ha encontrado usted?

—Debajo del lavabo.

—Qué extraño. No, Cass, eso es para dibujar, no para tirarlo al suelo.

Cindy recogió el lápiz de color rojo y trazó con él una mellada línea sobre la hoja de papel.

—Hacía tiempo que no los veía. Limpié su casa y pensé que había tirado todos los medicamentos a la basura.

—¿El doctor Benedict era su médico?

—Y su jefe.

Acunó suavemente a Cassie. La niña miró a hurtadillas por debajo de su brazo y después empezó a tocarle el mentón.

—Me estás haciendo cosquillas —dijo Cindy, riéndose—... Tiene gracia que haya estado todo este tiempo debajo del lavabo. —Esbozó una turbada sonrisa—. Eso quiere decir que no soy muy buena ama de casa. Siento que haya tenido que buscar el papel..., por regla general, me acuerdo de cambiarlo cuando se está acabando.

—No se preocupe —dije, observando que no había polvo en la caja.

Sacando uno de los cilindros, lo hice girar entre mis dedos.

—La-pi —dijo Cassie.

—No, esto no es un lápiz, cariño. —Sin la menor sombra de inquietud—. Es sólo... una cosa.

Cassie alargó la mano hacia él. Yo se lo di y Cindy abrió enormemente los ojos. Cassie se puso el cilindro en la boca, hizo una nueca, lo acercó al papel y trató de dibujar.

—¿Lo ves?, ya te lo he dicho, Cass. Si quieres dibujar, usa esto.

Cassie no prestó la menor atención al lápiz de color y siguió estudiando el cilindro. Al final, lo arrojó sobre la mesa y empezó a manosearlo.

—Anda, cielito, vamos a dibujar un poco con el doctor Delaware.

Mi nombre provocó un gimoteo.

—Cassie Brooks, el doctor Delaware ha venido de muy lejos para jugar contigo y dibujar animales... hipopótamos y canguros. ¿Recuerdas los canguros?

Cassie gimoteó con más fuerza.

—Calla, cariño —dijo Cindy sin demasiada convicción—. No, no rompas los lápices, cariño. Eso no se hace... vamos, Cass.

—Uh uh uh —dijo Cassie, tratando de bajar del regazo de Cindy.

Cindy me miró y yo no supe qué decirle.

—¿Le parece que la suelte?

—Sí —contesté—. No quiero que me asocie con ningún tipo de represión.

Cindy la soltó y Cassie bajó al suelo y empezó a gatear bajo la mesa.

—Hemos dibujado un poco mientras le esperábamos —dijo Cindy—. Creo que ya se ha cansado.

Se inclinó y miró bajo la mesa.

—¿Te has cansado de dibujar, Cass? ¿Quieres hacer otra cosa?

La niña no le hizo ningún caso y empezó a juguetear con las fibras de la alfombra.

Cindy lanzó un suspiro.

—Siento muchísimo... lo de antes. Yo... no sé... Lo he estropeado todo, ¿verdad? Sí, lo he estropeado..., no sé qué me ha ocurrido.

—A veces, las cosas se acumulan —dije, pasándome la caja de Insuject de una mano a la otra mientras miraba a Cindy en busca de alguna señal de inquietud.

—Sí, pero yo he estropeado su sesión con Cassie.

—A lo mejor es más importante que hablemos usted y yo.

—Claro —dijo, tocándose la trenza y mirando bajo la mesa—. No me vendría mal un poco de ayuda, ¿verdad? ¿Quieres salir de aquí debajo, señorita Cassie?

La niña no contestó.

—¿Sería mucha molestia si le pidiera otro vaso de té? —pregunté.

—No es molestia en absoluto. Cass, el doctor Delaware y yo nos vamos a la cocina.

Ambos nos encaminamos hacia la puerta de la habitación. Cuando llegamos a ella, Cassie salió a gatas de debajo de la mesa, se puso de pie y corrió torpemente hacia su madre con los brazos extendidos. Cindy la levantó en brazos y se la apoyó sobre una cadera. Yo la seguí con la caja blanca.

Una vez en la cocina, Cindy abrió la puerta del frigorífico con una mano e hizo ademán de sacar la jarra. Sin embargo, antes de que pudiera hacerlo, Cassie se le resbaló y tuvo que utilizar ambas manos para sujetarla.

—Usted concéntrese en ella —le dije, depositando la caja sobre la mesa de la cocina y tomando la jarra.

—Permita, por lo menos, que le saque un vaso —dijo, acercándose a los armarios del otro lado de la estancia.

En cuanto se volvió de espaldas, llevé a cabo un rápido examen visual del interior del frigorífico. Lo que más se parecía a un medicamento era una margarina sin colesterol. La mantequilla estaba en su correspondiente compartimiento y, en el que decía QUESO, había un envase de lonchas de queso tipo Cheddar.

Saqué la jarra y cerré la puerta del frigorífico. Cindy estaba colocando un vaso sobre el mantel individual. Me llené el vaso hasta la mitad y bebí. Notaba la garganta irritada. El té me supo más dulce que antes..., casi empalagoso. O, a lo mejor, eran simples figuraciones mías porque la verdad es que no podía quitarme de la cabeza la idea del azúcar.

Cassie me miró con el perspicaz recelo propio de los niños. Mi sonrisa la indujo a fruncir el ceño. Dudando de que alguna vez pudiera volver a ganarme su confianza, posé el vaso.

—¿Le apetece alguna otra cosa? —me preguntó Cindy.

—No, gracias. Será mejor que me vaya. Tenga —dije, tendiéndole la caja.

—No, gracias, no los necesito —contestó—. A lo mejor, alguien del hospital los podrá aprovechar. Son muy caros..., por eso el doctor Ralph nos solía dar muestras.

Nos.

—Es usted muy amable —dije, tomando la caja.

—La verdad es que a nosotros no nos sirven para nada. —Sacudió la cabeza—. Qué curioso que usted los haya encontrado..., me traen muchos recuerdos.

Hizo una mueca.

Cassie se agitó al ver la expresión de su rostro.

—Uh —dijo.

Cindy sustituyó la mueca por una repentina y radiante sonrisa.

—Hola, cariño.

Cassie le rozó los labios con los dedos y ella se los besó.

—Sí, mamá te quiere. Ahora vamos a despedir al doctor Delaware.

Al llegar al vestíbulo, me detuve para echar un vistazo a las fotografías y me di cuenta de que no había ninguna de los padres de Chip. Mis ojos volvieron a posarse en la fotografía de Cindy y su tía.

—Aquel día estuvimos paseando por el muelle —dijo Cindy en voz baja—. Mi tía daba largos paseos por eso de la diabetes..., el ejercicio la ayudaba a controlarla.

—¿Y conseguía controlarla?

—Sí, desde luego... no fue por eso... por lo que murió. Murió de un ataque cerebral. La tenía muy controlada porque vigilaba mucho las comidas. Cuando yo vivía con ella, no me permitía tomar dulces ni caramelos. Por eso nunca me han gustado y aquí en casa casi nunca tenemos. —Besó a Cassie en la mejilla—. Creo que, si ella no se aficiona ahora, puede que más adelante tampoco le gusten.

Aparté la vista de la fotografía.

—Hacemos todo lo posible para que crezca sana —añadió—. Porque, cuando no hay salud, no hay... nada, ¿verdad? Eso es lo que te suelen decir cuando eres joven, pero sólo más tarde lo empiezas a comprender.

Sus ojos me miraron angustiados.

Cassie se puso nerviosa y empezó a emitir sonidos inconexos.

—Muy cierto —dije—. ¿Que le parece si usted y yo volvemos a reunirnos mañana aquí mismo?

—Me parece muy bien.

—¿A qué hora?

—¿Con o sin... E-L-L-A?

—Sin, a ser posible.

—Pues entonces tendrá que ser cuando esté durmiendo. Suele

hacer la siesta de una a dos o dos y media y después la acuesto a las siete o las ocho. ¿Qué tal sobre las ocho para estar más seguros? Si no es demasiado tarde para usted.

—Las ocho me parece muy bien.

—Seguramente Chip estará en casa... Será mejor, ¿no cree?

—Desde luego —contesté—. Hasta mañana entonces.

Me rozó el brazo.

—Gracias por todo, y le pido nuevamente perdón. Sé que usted nos ayudará a superar este trance.

En Topanga me detuve en la primera gasolinera que vi y llamé a Milo al trabajo desde una cabina.

—Has adivinado el momento —me contestó—. Acabo de hablar con Port Jackson. Parece que la pequeña Cindy estuvo realmente enferma. En el 83, tal como dijo ella. Pero no de neumonía o meningitis sino de gonorrea. La expulsaron por este motivo, utilizando su SNE... situación de nivel de entrada. Eso significa que sirvió en el Ejército menos de ciento ochenta días y querían librarse de ella antes de que tuvieran que pagarle una indemnización.

—¿Por una simple infección?

—Una infección y todo lo que ésta llevaba aparejado. Por lo visto, durante los cuatro meses que estuvo allí, batió un récord de promiscuidad sexual. Por consiguiente, si ahora le pone los cuernos a su marido, quiere decir que sigue siendo coherente con sus principios.

—Promiscuidad —dije—. Justo ahora salgo de visitarla y ha sido la primera vez que he presentido su sexualidad. Llegué deliberadamente temprano..., tenía curiosidad por saber por qué motivo no deseaba que yo llegara antes de las dos y media. Llevaba el cabello suelto y vestía unos pantalones cortos y una camiseta, sin sujetador.

—¿Se te ha insinuado?

—No. Al contrario, me ha parecido que se sentía cohibida. Minutos después, se ha manchado de tierra, ha corrido a cambiarse y ha regresado más arreglada.

—A lo mejor no te has tropezado de milagro con su amiguito.

—Puede ser. Me dijo que Cassie hace la siesta entre una y dos y media y ese día Chip tiene una clase de doce a dos. ¿Qué mejor momento para una relación extramatrimonial? El dormitorio olía a desinfectante.

—Para enmascarar el olor del amor —dijo Milo—. ¿No has visto a nadie? ¿No te has cruzado con ningún automóvil alejándose a toda prisa?

—Sólo he visto a un hombre de un servicio de mantenimiento de piscinas en la calzada de la casa de al lado... Mierda, ¿no pensarás que... ?

—Desde luego que pienso —contestó Milo riéndose—. Yo busco lo peor en todo el mundo. —Más risas—. El hombre de la piscina. ¿Dónde está tu celebrada intuición?

—Estaba en la casa de al lado, no en la suya.

—¿Y qué? No tiene nada de extraño que esos tíos se encarguen del mantenimiento de todas las piscinas de una misma manzana... En un lugar tan alejado de la ciudad, puede que se encargue de todas las piscinas de la urbanización. Y que mate varios pájaros de un tiro. ¿Tienen piscina los Jones?

—Sí, pero estaba cubierta.

—¿Has visto que pinta tenía el señor Cloro?

—Joven, bronceado, cabello recogido en una coleta. En la portezuela de la furgoneta decía «Servicio de Mantenimiento de Piscinas ValleyBrite».

—¿Te vio acercarte?

—Sí. Se detuvo en seco, se asomó por la ventanilla, esbozó una ancha sonrisa y me saludó con una inclinación de cabeza.

—Dándoselas de amable, ¿no? Aunque la acabara de follar justo en aquel momento, puede que no sea el único. En el Ejército no era precisamente una monja.

—¿Y cómo te has enterado?

—No ha sido fácil. El Ejército oculta los datos por principio. Charlie se pasó mucho rato tratando de encontrar su archivo, y no pudo. Al final, me tragué el orgullo y llamé al coronel..., lo hice sólo por ti, que conste.

—Te lo agradezco.

—Bueno pues..., en honor a la verdad te diré que no se complació en humillarme. Me puso inmediatamente en contacto con un número militar secreto del distrito de Columbia. Una especie de archivo. Allí no disponían de ningún detalle..., simplemente el nombre, la graduación, el número de serie y la SNE, pero tuve la suerte de hablar con un oficial que había hecho el servicio en el Sudeste asiático el mismo año que yo y le convencí de que llamara a Carolina del Sur y me buscara a alguien con quien yo pudiera hablar. Encontró a una capitán que era cabo cuando Cindy era soldado raso. Se acordaba muy bien de ella. Por lo visto, la chica era famosa en todo el cuartel.

—Es una base exclusivamente femenina —dije—. ¿Acaso se trataba de una promiscuidad de tipo lesbiano?

—No. Ligaba en la ciudad... Salía de permiso y participaba en las juergas de los bares de la zona. Según la capitán, la cosa terminó cuando Cindy se mezcló con un grupo de adolescentes, uno de los cuales era casualmente el hijo de un pez gordo de la localidad al que contagió la gonorrea. El alcalde visitó al comandante de la base y adiós. Una historia un poco sórdida, ¿verdad? ¿Tiene eso algo que ver con el síndrome de Münchhausen?

—La promiscuidad no suele ser frecuente, pero, si se la considera otra forma de llamar la atención, tal vez sí. Además, los Münchhausen han pasado a menudo por episodios de incesto en su infancia y la promiscuidad puede ser una consecuencia. Lo que sí coincide con el perfil es el temprano contacto con una grave enfermedad, y la gonorrea no fue la primera. La tía que la educó era diabética.

—Un trastorno del metabolismo del azúcar. Qué curioso.

—Espera, aún hay más. —Le dije que había encontrado los cilindros Insuject y se los había mostrado a Cindy—. Pensé que, a lo mejor, se iba a producir el enfrentamiento que esperábamos, pero ella no dio la menor muestra de ansiedad o desazón. Simplemente se extrañó de que estuvieran debajo del lavabo. Dijo que eran de su tía y que creía haberlo tirado todo a la basura cuando limpió la casa de su tía a la muerte de ésta. Pero la caja no tenía polvo, por lo que es posible que me haya mentido.

—¿Cuánto tiempo hace que murió la tía?

—Cuatro años. El médico a quien iban destinadas atendía a la tía y era al mismo tiempo su jefe.

—¿Cómo se llamaba?

—Ralph Benedict. Puede que sea su amante misterioso. ¿Quién mejor que un médico para simular una enfermedad? Sabemos que la atraen los hombres mayores..., se casó con uno que le lleva unos cuantos años.

—También la atraen los jóvenes.

—Sí, pero tiene cierta lógica que el amante sea médico, ¿no te parece? Benedict le puede haber facilitado los medicamentos y el instrumental y haberle enseñado a provocarle a la niña una falsa enfermedad.

—¿Por qué motivo?

—Por amor. Los niños constituyen un obstáculo y quiere librarse de ellos para poder tener a Cindy para él solo. Y disfrutar de paso de una parte del dinero de Chip. En su calidad de médico, tiene los conocimientos necesarios para hacerlo. Porque eso de que dos niños de una misma familia se mueran uno detrás de otro podría resultar un poco sospechoso mientras que, si las muertes obedecieran a causas distintas y ambas parecieran explicables desde un punto de vista médico, le sería más fácil conseguir su propósito.

—Ralph Benedict —dijo Milo—. Investigaré en el Colegio de Médicos.

—Cindy creció en Ventura. Puede que él todavía esté allí.

—¿Cómo se llama la empresa que le envió los cilindros?

—Laboratorios Holloway. De San Francisco.
—Averiguaremos qué otras cosas le enviaron y cuándo. ¿Los cilindros son como unos tubos huecos?
—Forman parte de un equipo.
Le describí a Milo el sistema Insuject.
—¿No había agujas ni sustancias médicas debajo del lavabo?
—No, las agujas y la insulina se suministran por separado. —Expliqué el registro que había llevado a cabo en el dormitorio y el frigorífico—. Pero podrían estar en cualquier otro lugar de la casa. ¿Existe alguna posibilidad de obtener una orden judicial de registro?
—¿Simplemente sobre la base de esos tubos? Lo dudo. Si tuvieran insertadas las agujas y contuvieran insulina, tal vez. Serían una prueba de premeditación aunque ella podría afirmar que el medicamento era de su tía.
—No en caso de que la insulina no hubiera superado la fecha de caducidad. No sé exactamente el período de duración de la insulina, pero no son cuatro años.
—Bueno pues, búscame un poco de insulina que no haya superado la fecha de caducidad e iré a ver a un juez. Tal y como están ahora las cosas, no existe ninguna cadena de pruebas.
—¿A pesar del bajo índice de azúcar de Cassie?
—A pesar de eso. Lo siento. Pero me extraña que lo guardara debajo del lavabo.
—Debió de pensar que nadie miraría allí dentro. La caja estaba en un rincón..., había que buscar para encontrarla.
—¿Y no le extrañó que estuvieras fisgoneando en su cuarto de baño?
—Si le extrañó, no me lo dio a entender. Me inventé la excusa de que se había terminado el rollo de papel higiénico y tuve que buscar otro en el armario de debajo del lavabo. Me pidió disculpas por ser tan mala ama de casa.
—Siempre deseando complacer a la gente, ¿verdad? Desde luego, los chicos de Virginia lo supieron aprovechar muy bien.
—O, a lo mejor, consigue que la gente haga lo que ella quiere, haciéndose pasar por tonta y sumisa. Salí de aquella casa sabiendo que no había logrado dominar la situación.
—El detective del cuarto de baño. Creo que ya podrías ingresar en la patrulla de represión del vicio.
—Que te crees tú eso. Todo fue un poco surrealista. En mi calidad de terapeuta, las cosas tampoco me fueron demasiado bien.
Le describí a Milo el terror de Cassie cuando su madre me la había ofrecido.
—Hasta aquel momento, mis relaciones con la niña iban bastante bien. Ahora se han ido al carajo, Milo. Por consiguiente, no tengo más

remedio que preguntarme si Cindy trató deliberadamente de sabotearme.

—Crees que es ella la que dirige el vals, ¿verdad?

—Algo de lo que dijo me induce a pensar que la cuestión del dominio es muy importante para ella. Cuando era pequeña, su tía no le permitía comer ningún tipo de dulce, a pesar de que su páncreas estaba en perfectas condiciones. Eso no tiene nada que ver con el síndrome de Münchhausen, pero el hecho de no permitir que una niña sana se coma de vez en cuando un helado resulta ligeramente patológico.

—¿Crees que la tía proyectaba en ella su diabetes?

—Exactamente. Y quién sabe si la tía proyectaba en ella otros aspectos de su enfermedad... por ejemplo, las inyecciones. No de insulina, pero sí, a lo mejor, de vitaminas. Pero eso no son más que conjeturas. Cindy también me comentó que ella le limita los dulces a Cassie. A primera vista, eso puede parecer un buen criterio materno. Una razonable conciencia sanitaria en una persona que ya ha perdido a un hijo. Pero también cabe la posibilidad de que tenga algún problema con el azúcar.

—Los pecados de las madres —dijo Milo.

—La tía actuaba de hecho como si fuera la madre de Cindy. Y fíjate en el modelo que le ofrecía: una profesional de la salud que padecía una enfermedad crónica y la controlaba... Cindy me lo comentó con orgullo. A lo mejor, creció con la idea de que una mujer maternal tenía que estar enferma y ser una persona muy rígida desde el punto de vista emocional: una persona controlada y capaz de controlar a los demás. No tiene nada de extraño que eligiera la carrera militar al terminar sus estudios secundarios..., quiso pasar de un ambiente estructurado a otro de características similares. Al fracasar en su intento, el siguiente paso fue la escuela de técnicas respiratorias. Porque tía Harriet le había dicho que era una buena profesión. Control y enfermedad... el esquema se vuelve a repetir.

—¿Ha comentado alguna vez por qué razón no terminó sus estudios de terapia respiratoria?

—No. ¿En qué estás pensando... en la promiscuidad?

—Yo creo mucho en las pautas de conducta. ¿Qué hizo después?

—Se matriculó en un centro de enseñanza universitaria de nivel medio. Allí conoció a Chip, dejó los estudios y se casó. Quedó embarazada enseguida... y puede que el cambio la hiciera sentirse impotente. El matrimonio fue para ella un progreso desde el punto de vista social, pero ha acabado yéndose a vivir a una zona muy solitaria.

Le describí a Milo el aspecto de Dunbar Court y alrededores.

—Eso equivale a una muerte lenta para alguien que ansía llamar la atención, Milo. Cuando Chip regresa a casa, apuesto a que la situación no debe de cambiar demasiado. Él está muy metido en la vida académica..., es un pez grande en un estanque muy pequeño. Antes de ir a la casa, pasé por el colegio donde él enseña y le vi un momento dando clase. Un guru sentado sobre la hierba con todos los discípulos a sus pies. Todo un mundo del que ella no forma parte. Y la casa es un reflejo de esta situación: todas las habitaciones están llenas de libros y trofeos de Chip y todo el mobiliario es de tipo masculino. Cindy no ha conseguido imprimir su huella en su propio hogar.

—Y entonces trata de imprimirla en la hija.

—Utilizando los instrumentos que ella recuerda de su infancia. La insulina, las agujas. Otros venenos..., manipulando lo que entra en la boca de Cassie tal como hacía su tía con ella.

—¿Y qué me dices de Chad?

—Puede que muriera efectivamente del síndrome, un nuevo episodio traumático que llevó a Cindy al límite de su resistencia. O puede que ella lo asfixiara.

—¿Crees que el hecho de que tu hayas descubierto los cilindros la habrá asustado?

—Sería lo más lógico, pero, con este juego de poder que se llevan entre manos los Münchhausen, podría ocurrir justamente lo contrario: que aceptara el desafío y tratara de derrotarme. Por consiguiente, es muy posible que la situación de Casssie se haya agravado, aunque tampoco lo sé.

—No te eches la culpa. ¿Dónde están ahora los cilindros?

—Aquí mismo. En el coche. ¿Puedes mandar que examinen las huellas digitales?

—Por supuesto que sí, pero el hecho de que se encontraran las huellas de Cindy o de Chip no significaría gran cosa..., significaría tan sólo que uno de ellos los guardó hace años en el armario y allí los dejó olvidados.

—¿Y el hecho de que la caja no estuviera cubierta de polvo?

—O el armario está muy limpio, o tú eliminaste el polvo que cubría la caja al tomarla en tus manos. Ahora estoy hablando como un abogado de la defensa, a pesar de que no creo que alguien lo necesite de momento. Si este Benedict hubiera tocado la caja, tampoco significaría nada, pues los cilindros se los habían enviado a él.

—Muerta la tía, no había ninguna razón para que se los entregara a Cindy.

—Muy cierto. Si pudiéramos averiguar que los cilindros le fueron enviados después de la muerte de la tía, sería estupendo. ¿Llevan alguna numeración? ¿O alguna factura?

—Deja que lo mire..., no hay ninguna factura. Pero si hay unos números. Y los derechos de propiedad del folleto del fabricante son de hace cinco años.

—Muy bien, dame los números y me pondré a trabajar. Entre tanto, creo que lo mejor sería que siguieras jugando con la cabeza de Cindy. Para que pruebe el sabor de su propia medicina.

—¿Cómo?

—Concierta una cita con ella sin la niña...

—Ya la tengo programada para mañana por la tarde. Chip también estará presente.

—Mejor todavía. Enfréntate directamente con ella. Dile que piensas que alguien le está provocando la enfermedad a Cassie y que ya sabes cómo. Muéstrale un cilindro y dile que no te crees la historia de la tía. Tienes que correr riesgos y echarte un farol: dile que has hablado con el fiscal del distrito y que éste quiere presentar una acusación por intento de asesinato. Y reza para que ella se venga abajo.

—¿Y si no se viene abajo?

—Serás apartado del caso, pero, por lo menos, ella sabrá que alguien le ha visto el plumero. No sé qué puedes ganar esperando, Alex.

—¿Qué me dices de Stephanie? ¿Te parece que le diga algo? ¿La descartamos como sospechosa?

—Tal como ya hemos comentado, podría ser la amante secreta de Cindy, pero no tenemos ninguna prueba. Y, si ella está metida en el embrollo, ¿por qué iba Cindy a necesitar la colaboración de Benedict? Stephanie también es médico..., podría conseguir los mismos medicamentos que él. Cualquier cosa es posible, pero a juzgar por lo que está ocurriendo, la mamá era una buena sospechosa desde un principio y ahora lo es todavía más.

—Si Stephanie no es sospechosa —dije—, convendría informarla... ella es la que atiende a la niña. Emprender una ación de esta envergadura sin que ella lo sepa no me parece muy ético.

—¿Por qué no la tanteas un poco para ver cómo reacciona? Cuéntale lo de los cilindros a ver qué pasa. Si te parece que ella no tiene nada que ver con el asunto, pídele que te acompañe cuando vayas a jugar con la cabeza de Cindy. Cuantos más seáis, más fuerza tendréis.

—¿Jugar con su cabeza? Suena divertido.

—Pues raras veces lo es —dijo Milo—. Si yo pudiera hacerlo lo haría.

—Gracias por todo.

—¿Alguna otra cosa?

El hallazgo de los Insujects había apartado de mis pensamientos la visita al despacho de la doctora Janos.

—Muchas cosas —contesté, explicándole que Huenengarth se me había adelantado y había robado los disquetes de ordenador de Dawn Herbert. Después le hablé de mis llamadas al Ferris Dixon y al despacho del profesor W.W. Zimberg y de mis más recientes teorías sobre los chantajes ejercidos por Herbert y Ashmore.

—Todo esto es muy sospechoso, Alex... y puede que, en parte, sea incluso verdad. Pero no te apartes de Cassie. Yo sigo investigando a Huenengarth. Todavía no he descubierto nada, pero estoy en ello. ¿Dónde te podré localizar en caso de que surja algo?

—Llamaré a Stephanie en cuanto colguemos. Si está en su despacho iré inmediatamente al hospital. En caso contrario, me encontrarás en casa.

—Muy bien pues. ¿Qué te parece si nos reunimos más tarde para intercambiar nuestras respectivas desdichas? ¿A las ocho te iría bien?

—A las ocho me irá estupendamente. Y gracias de nuevo por todo.

—No me des las gracias. Estamos todavía muy lejos de poder cantar victoria.

29

—La doctora Eves ha salido, pero, de todas maneras, voy a llamarla por si acaso —me dijo la recepcionista del Western Pediatric.

Esperé, contemplando el tráfico y el polvo a través de las empañadas paredes de la cabina telefónica. Vi otra vez a las amazonas, subiendo por una calle lateral tras haber dado su paseo. Las bien torneadas piernas envueltas en los pantalones de montar apretaban las relucientes grupas de los animales. Sonrisas por doquier.

Seguramente regresaban al club a tomarse unas copas y charlar un rato. Pensé en la cantidad de cosas que Cindy hubiera podido hacer para distraerse.

Mientras los caballos se perdían de vista, oí de nuevo la voz de la recepcionista.

—No contesta, doctor. ¿Quiere usted dejarle algún mensaje?

—¿Sabe cuándo regresará?

—Sé que tiene que volver para una reunión que se celebrará a las cinco... Puede usted probar a llamarla un poco antes.

Faltaban casi dos horas para las cinco. Bajé por Topanga, pensando en todo el daño que se le podía hacer a un niño durante aquel tiempo, y entré en una rampa para dirigirme al sur. Se había producido un embotellamiento. Me desvié hacia el carril de vehículos lentos y circulé a paso de tortuga en dirección este. El trayecto hasta Hollywood sería muy largo. Pero, por la noche, una ambulancia podría circular con bastante rapidez.

Entré en el aparcamiento de los médicos poco antes de las cuatro, me prendí la tarjeta en la solapa, me dirigí al vestíbulo y desde allí pedí que llamaran a Stephanie. La inquietud que experimentaba la semana anterior había sido sustituida por una profunda sensación de cólera.

Cuántos cambios se podían producir en siete días...

No hubo respuesta. Llamé de nuevo a su despacho y se puso la misma recepcionista, la cual me contestó lo mismo que antes en tono ligeramente irritado. Subí al consultorio de Pediatría General y entré en la sección de exploraciones, cruzándome con pacientes, médicos y enfermeras sin que nadie se fijara en mí.

La puerta del despacho de Stephanie estaba cerrada. Le escribí una nota rogándole que me llamara y, cuando me estaba agachando para deslizarla bajo la puerta, una ronca voz femenina me preguntó:

—¿Le puedo ayudar en algo?

Enderecé la espalda. Una mujer que rondaba los setenta años me estaba mirando. Llevaba, sobre un vestido negro, la bata más blanca que yo jamás hubiera visto en mi vida. Tenía un rostro intensamente bronceado, arrugado y contraído bajo un casco de cabello liso blanco y su erguido porte hubiera dejado en ridículo a un oficial de la Marina en posición de firmes.

Al ver mi tarjeta de identificación, añadió:

—Oh, perdóneme, doctor.

Su acento era tipo Marlene Dietrich con una pizca de Londres, y sus pequeños ojos verde azulados parecieron traspasarme de parte a parte. Llevaba una pluma de oro sujeta al bolsillo de la pechera y una fina cadena también de oro alrededor del cuello con una perla engarzada en un nido de oro como si fuera un huevo de nácar.

—Doctora Kohler —dije—, soy Alex Delaware.

Nos estrechamos la mano y ella leyó mi tarjeta. El desconcierto no le sentaba muy bien.

—Yo antes trabajaba aquí —añadí—. Colaboramos en algunos casos. Enfermedad de Crohn. Adaptación a la osteotomía.

—Ah, sí. —Su cálida sonrisa hizo que la mentira resultara inofensiva. Siempre sonreía de la misma manera, incluso cuando hacía picadillo el diagnóstico erróneo de algún residente. Su encanto procedía de una infancia de la clase alta de Praga, destrozada por Hitler y fertilizada posteriormente por una boda con el «célebre director de orquesta». Recordé cómo se había ofrecido a utilizar sus amistades para conseguir fondos con destino al hospital. Y cómo el consejo de administración había rechazado el ofrecimiento, calificando el método de «burdo»—. ¿Busca a Stephanie? —me preguntó.

—Tengo que hablar con ella sobre un paciente.

La sonrisa no cambió, pero la mirada se enfrió visiblemente.

—Casualmente, yo también la estoy buscando. Ya tendría que estar aquí. Pero supongo que la futura jefa de nuestra división debe de estar muy ocupada.

Fingí sorprenderme.

—Pues sí —dijo—. Los que lo saben todo dicen que su ascenso es inminente. —La sonrisa se ensanchó y adquirió una expresión un tanto voraz—. En fin, que le vaya bien..., aunque espero que aprenda a anticiparse un poco mejor a los acontecimientos. Se acaba de presentar uno de sus jóvenes pacientes sin previa cita y está armando un alboroto en la sala de espera. Y Stephanie se ha ido sin echar ni siquiera un vistazo.

—Eso no es muy propio de ella —dije.

—¿De veras? Últimamente sí. A lo mejor, es que ya se cree la jefa.

Pasó una enfermera.

—¿Juanita? —la llamó Kohler.

—Dígame, doctora Kohler.

—¿Ha visto usted a Stephanie?

—Creo que ha salido.

—¿Fuera del hospital?

—Creo que sí, doctora, llevaba el bolso.

—Gracias, Juanita.

En cuanto la enfermera se retiró, Kohler se sacó un llavero del bolsillo.

—Aquí tiene —dijo, insertando una de las llaves en la cerradura de la puerta de Stephanie y haciéndola girar. En el momento en que yo empujaba la puerta para entrar, ella retiró bruscamente la llave y se alejó.

La cafetera exprés estaba apagada, pero había una tacita sobre el escritorio, al lado del estetoscopio de Stephanie. El aroma de unas tostadas recién hechas se superponía al olor de alcohol que se filtraba hasta allí desde las salas de exploración. Sobre el escritorio había también un montón de historias clínicas y un cuaderno de apuntes con el membrete de un laboratorio. Mientras deslizaba mi nota debajo de él, vi sin querer las anotaciones de la primera hoja.

Dosificaciones, referencias de publicaciones, números de extensiones del hospital. Debajo, una solitaria anotación casi ilegible.

B, Brwsrs, 4

Browsers, la librería donde Stephanie había comprado el libro de Byron encuadernado en cuero. Vi el libro en un estante.

¿La B se refería a Byron? ¿Quería comprar otro libro?

¿O se iba a reunir con alguien en la librería? Si la cita era para aquel día, debía de estar allí en aquellos momentos.

Parecía un poco raro que lo hubiera hecho en mitad de una tarde tan ocupada.

No era propio de ella.

Aunque últimamente sí, según Kohler.

Una relación romántica que no quería que fuera la comidilla del hospital..., o un momento de sosiego entre el moho y los versos.

Bien sabía Dios que Stephanie tenía derecho a disfrutar de su intimidad.

Lástima que yo tuviera que profanarla.

Había menos de un kilómetro entre el hospital y Los Feliz y Hollywood, pero el tráfico era de locura y tardé diez minutos en llegar allí.

La librería se encontraba en el lado oeste de la calle y su fachada estaba igual que hacía diez años: un rótulo color crema con unas letras góticas de color negro que decían COMPRAVENTA DE LIBROS ANTIGUOS por encima de unos polvorientos escaparates. Pasé por delante de ella, buscando un sitio donde aparcar. Al pasar por segunda vez, vi un viejo Pontiac con las luces posteriores encendidas y esperé mientras una menuda anciana se apartaba del bordillo. Justo cuando había terminado de aparcar, vi a alguien, saliendo de la librería.

Presley Huenengarth.

A pesar de la escasa distancia, su bigote resultaba prácticamente invisible.

Me agaché en el interior del vehículo. Jugueteó con su corbata, se sacó del bolsillo unas gafas ahumadas, se las puso y miró rápidamente arriba y abajo de la calle. Me agaché un poco más en la absoluta certeza de que él no me había visto. Volvió a tocarse la corbata y echó a andar calle abajo hasta llegar a la esquina. La dobló a la derecha y desapareció.

Me incorporé en mi asiento.

¿Pura coincidencia? No llevaba ningún libro en la mano.

Pero costaba creer que se hubiera reunido con Stephanie. ¿Por qué iba ésta a llamarle «B»?

Era un tipo que no le gustaba e incluso había comentado que resultaba siniestro.

Ella misma me había inducido a considerarle un sujeto misterioso.

Y, sin embargo, los jefes de Huenengarth eran precisamente los que la iban a ascender a ella.

¿Habría estado fingiendo ser una rebelde mientras confraternizaba con el enemigo?

¿Y todo para favorecer su carrera?

«¿Tú me ves como jefa de división, Alex?»

Todos los demás médicos con quienes yo había hablado me habían manifestado su deseo de marcharse mientras que ella pensaba en el ascenso.

La hostilidad de Rita Kohler me había dado a entender que la transición no sería incruenta. ¿Iban a recompensar a Stephanie por su buena conducta..., por atender a la nieta del presidente sin poner dificultades?

Recordé su ausencia en la sesión conmemorativa en honor de Ashmore. Y su llegada con retraso, afirmando que había estado ocupada.

Puede que fuera cierto, pero, en otros tiempos, habría encontrado la manera de asistir al acto. Y hubiera tomado la palabra.

Reflexioné mientras permanecía sentado en el interior de mi automóvil, pensando que ojalá pudiera ver las cosas de otra manera. Entonces vi salir a Stephanie de la tienda y comprendí que no podría.

Con una sonrisa de satisfacción en los labios.

Y también sin ningún libro en la mano. Miró arriba y abajo de la calle tal como había hecho Huenengarth.

La doctora Eves tenía grandes proyectos.

¿Una rata saltando a un barco que se estaba hundiendo?

Yo me había dirigido al hospital con el propósito de mostrarle los cartuchos de Insuject para observar su reacción, declararla inocente y pedirle que participara en mi enfrentamiento del día siguiente con Cindy Jones.

Ahora no sabía qué papel interpretaba Stephanie. Las primeras sospechas de Milo estaban empezando a tomar cuerpo.

Algo había fallado..., algo estaban tramando.

Volví a agachar la cabeza.

Stephanie echó a andar. En la misma dirección en que lo había hecho él.

Llegó a la esquina y miró hacia la derecha por donde él había desaparecido.

Permaneció parada un momento en la esquina sin dejar de sonreír. Y, al final, cruzó la calle y se alejó.

Esperé hasta que la perdí de vista y entonces puse en marcha mi vehículo. En el mismo momento en que dejé el espacio libre, alguien lo ocupó.

La primera vez que me sentía útil en todo el día.

Al llegar a casa poco antes de las cinco, encontré una nota de Robin, en la que me decía que se quedaría a trabajar hasta muy tarde a menos que yo tuviera algún plan. Tenía muchos, pero ninguno de ellos resultaba demasiado divertido. La llamé, estaba conectado el contestador y le dije que la quería y que yo también estaría trabajando. Mientras lo decía, me di cuenta de que no sabía en qué.

Llamé a Parker Center. Me contestó una chirriante y nasal voz masculina.

—Archivos.

—El investigador Sturgis, por favor.
—No está.
—¿Cuándo volverá?
—¿Con quién hablo?
—Alex Delaware. Un amigo suyo.
Pronunció mi nombre como si fuera una enfermedad y después me contestó:
—No tengo ni la menor idea, señor Delaware.
—¿Sabe si ya no piensa volver por hoy?
—Tampoco le sabría decir.
—¿Es usted Charlie?
Pausa, carraspeo.
—Soy Charles Flannery. ¿Le conozco de algo?
—No, pero Milo me ha comentado lo mucho que ha aprendido de usted.
Pausa más prolongada y más carraspeos.
—Qué amable de su parte. Si le interesa conocer el horario de su amigo, le aconsejo que llame al despacho del jefe adjunto.
—¿Y ellos cómo lo van a saber?
—Porque él está allí, señor Delaware. Desde hace cosa de media hora. A mí nadie me dice nada.

El jefe adjunto. Milo volvía a tener problemas. Confiaba en que no fuera por culpa de algo que hubiera hecho para ayudarme a mí. Mientras lo pensaba, Robin me devolvió la llamada.
—Hola, ¿cómo está la niña?
—Puede que haya descubierto lo que le ocurre, pero temo haber agravado su situación.
—¿Y eso por qué?
Se lo dije.
—¿Ya se lo has comentado a Milo?
—Acabo de llamarle, pero está en el despacho del jefe adjunto. Ha estado utilizando el ordenador del departamento para ayudarme. Espero no haberle metido en un lío.
—Vaya por Dios —dijo Robin—. Bueno, ya veras cómo se las arregla para salir del apuro..., ha demostrado que sabe hacerlo.
—Qué desastre —dije—. Este caso me está trayendo a la memoria demasiados recuerdos, Robin. Tantos años en el hospital..., ochenta horas semanales, soportando todo el sufrimiento que podía. Viendo unos horrores que yo no podía remediar. Los demás médicos no siempre podían resolver los problemas, pero, por lo menos, podían echar mano de las pastillas y los bisturíes. Yo, en cambio, sólo tenía las palabras, los movimientos de la cabeza, las pausas significativas y

algunas tecnologías conductistas que raras veces podía utilizar. La mitad de las veces paseaba por las salas sintiéndome un carpintero con unas herramientas defectuosas.

Robin no dijo nada.

—Sí, ya lo sé —añadí—. La autocompasión es muy aburrida.

—Tú podrías amamantar al mundo, Alex.

—Esta imagen te vendría mejor a ti.

—Lo digo en serio. Eres lo más viril que puede haber, pero a veces me pareces una madre fallida... que está deseando dar de mamar a todo el mundo. Lo cual puede ser muy bueno... Piensa en la cantidad de gente a la que has ayudado. Incluido Milo, pero...

—¿Milo?

—Pues claro. Fíjate en su situación. Un policía gay en un departamento que reniega de ello. Oficialmente, él no existe. Piensa en la alienación que experimenta día tras día. Por supuesto que tiene a Rick, pero ése es su otro mundo. Tu amistad es para él una conexión..., un vínculo con el resto del mundo.

—No soy su amigo por caridad, Robin. No es por ninguna cuestión de tipo político. Simplemente le aprecio como ser humano.

—Exactamente. Él sabe la clase de amigo que tú eres... Una vez me dijo que le costó seis meses acostumbrarse a la idea de tener un amigo heterosexual. Alguien que le valoraba por lo que era. Me comentó que llevaba desde el bachillerato sin tener un amigo así. Además, te agradece que no intentes jugar al terapeuta con él. Por eso se toma tantas molestias por ti. Y, si ahora se ha metido en algún lío por este motivo, lo podrá resolver. Bien sabe Dios que ha tenido que enfrentarse con cosas mucho peores... Perdona, tengo que apagar la sierra. Ya ves, hoy me ha dado por las reflexiones profundas.

—¿Cuando aprendiste a ser tan sabia?

—Yo siempre he sido así, Ricitos. Hay que mantener los ojos abiertos para ver las cosas.

En cuanto volví a quedarme solo, sentí que los nervios estaban a punto de estallarme.

Llamé a mi centralita. Cuatro mensajes: un abogado me pedía consulta sobre un caso de custodia de un niño, alguien con un máster en Dirección de Empresas prometía ayudarme a desarrollar mi negocio, la asociación de psicólogos del condado quería saber si asistiría a la siguiente reunión mensual y, en caso afirmativo, si quería pollo o pescado. El último era Lou Cestare, informándome de que no había averiguado nada nuevo sobre los antiguos patronos de George Plumb, pero que lo seguía intentando.

Probé a llamar de nuevo a Milo por si ya hubiera regresado del

despacho del jefe adjunto. Oí la voz de Charles Flannery y colgué.
¿Qué se llevaba Stephanie entre manos con Huenengarth?

¿Simple afán de progresar en su carrera o acaso alguien la estaba sometiendo también a chantaje... por su antigua detención por conducir en estado de embriaguez?

A lo mejor, la bebida aún no era agua pasada. ¿Y si no hubiera conseguido dominar el vicio y ellos la estuvieran explotando?

¿Explotándola y, al mismo tiempo, ayudándola a acceder al puesto de jefa de la división?

No tenía sentido... pero, a lo mejor, sí.

Si fuera cierto que Chuck Jones quería liquidar el hospital, la elección de una jefa de división inadecuada le iría de maravilla.

Una rata saltando a bordo de un barco que se hundía...

Recordé a alguien que había huido del barco.

¿Qué razón había inducido a Meléndez-Lynch a marcharse?

No sabía si accedería a hablar conmigo. Nuestro último contacto años atrás había estado empañado por una humillación... Un caso que había acabado muy mal debido a una falta de ética por su parte y del que yo me había enterado involuntariamente.

¿Qué perdería con probarlo?

En Información de Miami conseguí localizarle. Trabajaba en el Our Lady of Mercy Hospital. En Florida eran las ocho y media y su secretaria ya se habría ido, pero, a menos que se hubiera sometido a un trasplante de personalidad, Raoul aún estaría trabajando.

Marqué. Una culta voz femenina grabada me informó de que el despacho del médico jefe estaba cerrado y me facilitó toda una serie de códigos de contacto para poder ponerme en comunicación con el doctor Meléndez-Lynch.

Pulsé el código de Llamada Instantánea y esperé la respuesta, preguntándome cuándo empezarían las máquinas a llamarse directamente unas a otras, eliminando con ello el engorro del factor humano.

Una voz todavía conocida dijo:

—Doctor Meléndez-Lynch.

—¿Raoul? Soy Alex Delaware.

—¿Alex? No me digas. ¿Qué tal estás?

—Muy bien, Raoul. ¿Y tú?

—Demasiado gordo y demasiado atareado, pero, por lo demás, estupendamente bien... Menuda sorpresa. ¿Estás aquí, en Miami?

—No, todavía en Los Ángeles.

—Ah... Cuéntame, ¿cómo has pasado estos últimos años?

—Como siempre.

—¿Has vuelto al hospital?

—Sólo para consultas a breve plazo.

—A breve plazo... todavía retirado, ¿eh?

—No exactamente. ¿Y tú?

—Más o menos lo mismo, Alex. Estamos haciendo algunas cosas muy interesantes..., estudios avanzados sobre la permeabilidad de la pared celular en el laboratorio de carcinogénesis, varias becas piloto sobre medicamentos en fase experimental. Bueno pues, ¿cuéntame a qué debo el honor de tu llamada?

—Quiero hacerte una pregunta —contesté—, pero no es de tipo profesional sino personal, por consiguiente, si no quieres responder, me lo dices y ya está.

—¿De tipo personal?

—Sobre los motivos de tu marcha del hospital.

—¿Qué quieres saber?

—Por qué lo hiciste.

—¿Y por qué sientes tú de repente esta curiosidad sobre mis motivos, si no te importa que te lo pregunte?

—Porque he vuelto al Western Pediatric para una consulta y aquel lugar me ha parecido un auténtico desastre, Raoul. La moral de todo el mundo está por los suelos, la gente se va..., incluso personas que yo jamás pensé que lo hicieran. Y, como tú eres el que yo conozco mejor, te llamo.

—Efectivamente, es una pregunta personal —dijo Raoul, soltando una carcajada—, pero no me importa contestar. La respuesta es muy sencilla, Alex. Me fui porque no me querían.

—¿Los nuevos administradores?

—Sí. Los visigodos. Las alternativas que me ofrecían estaban muy claras. Marcharme o morir profesionalmente. Era una cuestión de supervivencia. En contra de lo que te hayan podido decir, el dinero no tuvo nada que ver. Nadie trabajó jamás en el Western Pediatric por dinero... tú lo sabes. Aunque la cuestión económica también se agravó cuando los visigodos asumieron el mando. Congelación de salarios y de nuevas contrataciones, apropiación de nuestro personal administrativo, actitud absolutamente arrogante hacia los médicos..., como si fuéramos unos criados. Incluso nos sacaron a la calle y nos instalaron en caravanas como si fuéramos unos indigentes. Yo lo aguanté por el trabajo y por las investigaciones que estábamos llevando a cabo. Pero, cuando eso terminó, ya no hubo ninguna razón para que me quedara.

—¿Cortaron las investigaciones?

—No de una forma directa, pero, a comienzos del último año académico, el consejo de administración anunció su nueva política: el hospital ya no optaría a becas externas de investigación. Tú ya sabes cómo funcionan las cosas del Estado... El dinero de muchas becas depende de la participación en los gastos que esté dispuesta a asumir la institución a la que van destinadas. Algunas organizaciones privadas también insisten en ello. Todos mis fondos procedían del National

Cancer Institute. La norma de no participación en los gastos anulaba prácticamente todos mis proyectos. Intenté discutir, pegué unos cuantos gritos, les mostré las cifras y los datos..., todo lo que estábamos intentando hacer con nuestras investigaciones; estábamos investigando nada menos que el cáncer infantil. Todo fue inútil. Volé a Washington y hablé con los visigodos del Gobierno, tratando de que dejaran en suspenso las normas. También fue inútil a pesar de su amabilidad y comprensión. Ninguno de ellos funciona a nivel humano. ¿Qué alternativas se me ofrecían, Alex? ¿Quedarme convertido en un técnico altamente cualificado y arrojar por la borda quince años de trabajo?

—Quince años —dije yo—. Debió de ser muy duro.

—No fue fácil, pero no me arrepiento de la decisión. Aquí en el Mercy formo parte del consejo de administración con derecho a voto. También abundan los idiotas, por supuesto, pero no les hago caso. Por si fuera poco, Amelia, mi segunda hija, está en la facultad de Medicina de Miami y vive conmigo. Desde mi apartamento veo el mar y, en las raras ocasiones en que visito la zona de Little Havana, disfruto como un niño. Fue como una intervención quirúrgica, Alex. El procedimiento me dolió mucho, pero los resultados merecieron la pena.

—Fueron unos estúpidos permitiendo que te fueras.

—Desde luego. Quince años con ellos y ni siquiera un reloj de oro —dijo Raoul, riéndose—. Esa gente no respeta a los médicos. Lo único que les importa es el dinero.

—¿Te refieres a Jones y Plumb?

—Y a los dos perros que les siguen... Novak y el otro. Puede que sean contables, pero a mí me recuerdan a unos esbirros de Fidel. Sigue mi consejo, Alex: procura no tener tratos con ellos. ¿Por qué no te vienes a Miami y utilizas tus conocimientos en un lugar donde los sepan valorar debidamente? Podríamos escribir un trabajo en colaboración. Ahora el tema del sida es lo más importante... y es una pena. Dos tercios de nuestros hemofílicos han recibido sangre infectada. Aquí tú podrías ser muy útil, Alex.

—Gracias por la invitación, Raoul.

—Es totalmente sincera. Recuerdo la cantidad de cosas buenas que hicimos juntos.

—Yo también.

—Piénsalo, Alex.

—Lo haré.

—Apuesto a que no.

Ambos nos echamos a reír.

—¿Te puedo preguntar otra cosa? —dije.

—¿También de tipo personal?

—No. ¿Qué sabes del Ferris Dixon Institute for Chemical Research?

—Jamás he oído hablar de él. ¿Por qué?

—Concedió una beca a un médico del Western Pediatric. Y el hospital participó en los gastos.

—No me digas. ¿Y quién es ése?

—Un toxicólogo llamado Laurence Ashmore. Hizo algunos trabajos epidemiológicos sobre el cáncer infantil.

—Ashmore... tampoco he oído hablar jamás de él. ¿Qué tipo de epidemiología estudia?

—Pesticidas e incidencia de tumores malignos. Cosas de tipo teórico sobre todo, jugando con los números.

Raoul soltó un bufido.

—¿Y cuánto dinero le dio esa institución?

—Casi un millón de dólares.

Silencio.

—¿Cómo?

—Lo que oyes —dije.

—¿Y encima el hospital participó en los gastos?

—Es mucho, ¿verdad?

—Absurdo. ¿Cómo dices que se llama el instituto?

—Ferris Dixon. Sólo han financiado otro estudio mucho más pequeño. De un ecomomista llamado Zimberg.

—Con participación en los gastos... Mmm, tendré que investigarlo. Gracias por la información, Alex. Y piensa en mi ofrecimiento. Aquí también sale el sol.

30

Milo no me había llamado y yo dudaba de que pudiera acudir a nuestra cita de las ocho. Al ver que no aparecía a las ocho y veinte, pensé que la circunstancia que lo había retenido en Parker Center se habría interpuesto en su camino. Pero, a las ocho y treinta y siete minutos, sonó el timbre y era él. Acompañado de otra persona.

Presley Huenengarth. Su rostro flotaba por encima del hombro de Milo cual una luna perversa. Su boca era tan pequeña como la de un niño.

Milo vio la expresión de mis ojos, me hizo un guiño tranquilizador, apoyó una mano en mi hombro y entró. Huenengarth vaciló un instante antes de seguirle. Mantenía los brazos pegados al cuerpo y no llevaba armas. No se veía ningún bulto en la chaqueta y ninguna señal de coacción.

Ambos hubieran podido ser un par de policías.

—Enseguida vuelvo —dijo Milo, dirigiéndose hacia la cocina.

Huenengarth se quedó donde estaba. Tenía unas manos grandes y llenas de manchas y sus ojos miraban de un lado para otro. La puerta todavía estaba abierta. Cuando yo la cerré, no se movió.

Me encaminé hacia el salón y, aunque no le oí, adiviné que me estaba siguiendo.

Esperó a que yo me sentara en el sofá de cuero y entonces se desabrochó la chaqueta y se acomodó en un sillón. El vientre le sobresalía por encima del cinturón y le tensaba la tela de la camisa blanca abrochada. Todo lo demás era amplio y compacto. El cuello rosado como las flores del cerezo se le hinchaba por encima de la camisa y en él se distinguía con toda claridad el rápido y regular pulso de la carótida.

Oí a Milo trajinando en la cocina.

—Bonita casa —dijo Huenengarth—. ¿Tiene buena vista?

Era la primera vez que oía su voz. Inflexiones del Medio Oeste, ligeramente estridente y chirriante. Por teléfono hubiera parecido la de un hombre mucho más bajito y enclenque.

No contesté.

Apoyó una mano en cada rodilla y miró a su alrededor.

Más ruidos en la cocina. Mirando en aquella dirección añadió:

—Por mí, lo que haga la gente en su vida privada es cosa suya. Mientras lo que haga no interfiera en su trabajo, me importa un comino. Es más, yo puedo ayudarle.

—Muy bien. ¿Le importa decirme quién es?

—Sturgis dice que usted sabe guardar secretos. Pocas personas saben hacerlo.

—Sobre todo en Washington, ¿verdad?

Mirada perpleja.

—¿O acaso es en Norfolk, Virginia?

Frunció los labios y su boca se convirtió en un minúsculo capullo. El bigotito no era más que una mancha de color ratón. Tenía unas orejas sin lóbulos pegadas al cráneo y caídas hacia el cuello de toro. A pesar de la estación en que nos encontrábamos, llevaba un traje gris de lana peinada con vueltas en los pantalones, unos zapatos deportivos con cordones a los que le habían puesto medias suelas y una pluma azul en el bolsillo superior de la chaqueta. Sudaba justo por debajo del nacimiento del cabello.

—Usted ha estado intentando seguirme —dijo—, pero es que no tiene ni la menor idea de lo que está pasando.

—Qué curioso, yo era el que me sentía vigilado.

Sacudió la cabeza y me miró con severidad. Como si fuera un maestro y yo me hubiera equivocado.

—Instrúyame, por favor —le dije.

—Necesito una promesa de total discreción.

—¿Sobre qué?

—Sobre cualquier cosa que yo le diga.

—Eso es muy vago.

—Justo lo que me hace falta.

—¿Tiene algo que ver con Cassie Jones?

Los dedos empezaron a tamborilear sobre las rodillas.

—No directamente.

—Pero sí indirectamente.

No contestó.

—Usted quiere un compromiso por mi parte, pero no suelta prenda. Debe de trabajar para el Gobierno.

Silencio. Examiné el dibujo de mi alfombra persa.

—Si es algo que pone en peligro la vida de Cassie, no puedo prometerle nada —dije.

—Se equivoca —dijo, sacudiendo nuevamente la cabeza—. Si de veras se preocupara por ella, no me pondría impedimentos.

—¿Por qué?

—Porque yo también la puedo ayudar.

—Es usted muy servicial, ¿verdad? —Se encogió de hombros.

—Si realmente puede impedir los malos tratos, ¿por qué no lo ha hecho ya?

Dejó de tamborilear con los dedos y juntó la yema de un dedo índice con la del otro.

—Yo no he dicho que fuera omnisciente, pero puedo ser útil. Usted no ha hecho demasiados progresos hasta ahora, ¿verdad?

Antes de que yo pudiera responder, se levantó y se dirigió a la cocina. Regresó con Milo, el cual llevaba tres tazas de café.

Tomando una para sí, Milo depositó las otras dos sobre la mesita y se acomodó en el otro extremo del sofá. Cuando nuestras miradas se cruzaron, inclinó levemente la cabeza como si me pidiera disculpas.

Huenengarth tomó asiento en otro sillón. Ni él ni yo tocamos nuestras tazas de café.

—Salud —dijo Milo, tomando un sorbo.

—¿Y eso a qué viene? —pregunté.

—Sí —comentó Milo—. El caballero no tiene mucho encanto que digamos, pero, a lo mejor, puede hacer lo que dice.

Huenengarth le miró, enfurecido. Milo tomó otro sorbo de café y cruzó las piernas.

—Está usted aquí por su libre voluntad, ¿verdad?

—Bueno, todo es relativo —dijo Milo. Y dirigiéndose a Huenengarth, añadió—: Deje de comportarse como un agente de la policía secreta y facilítele a este hombre algunos datos.

Huenengarth volvió a mirarle con rabia. Después me miró a mí, contempló su café y se acarició el bigote.

—Esta teoría suya —me dijo— sobre la intención que tienen Charles Jones y George Plumb de destruir el hospital... ¿con quién la ha comentado hasta ahora?

—La teoría no es mía. Todo el personal cree que la administración se lo está cargando todo.

—Pero nadie del personal la ha llevado tan lejos como usted. ¿Con quién ha hablado usted, aparte de Lou Cestare?

Disimulé mi sorpresa y mi temor.

—Lou no tiene nada que ver con eso.

Huenengarth esbozó una leve sonrisa.

—Por desgracia, sí, doctor. Un hombre de su posición y con tantos vínculos con el mundo financiero... me hubiera podido crear un grave problema. Por suerte, ha accedido a colaborar. Y justo en estos momentos está hablando con uno de mis colegas en Oregón. Mi colega dice que la finca del señor Cestare es preciosa. —Amplia sonrisa—. No se preocupe, doctor, nosotros sólo apretamos las tuercas como último recurso.

Milo posó la taza de café.

—Oiga, tío, ¿por qué no corta el rollo y va al grano de una vez?

La sonrisa de Huenengarth se esfumó. Se incorporó en su asiento y miró fijamente a Milo.

Mirada silenciosa.

Milo puso cara de asco y tomó otro sorbo de café.

Huenengarth esperó un poco más antes de dirigirse a mí.

—¿Hay alguien más con quien usted haya hablado, aparte del señor Cestare? Sin contar a su amiga, la señorita... mmm... Castagna. No se preocupe, doctor. Por lo que yo sé de ella, no es probable que les cuente la historia a los del *Wall Street Journal*.

—¿Qué demonios quiere usted? —pregunté.

—Los nombres de las personas que ha incluido en su fantasía. Y, más concretamente, de las personas relacionadas con el mundo de los negocios o que tengan algún motivo para guardarle rencor a Jones o a Plumb.

Miré a Milo y éste asintió con la cabeza, aunque no parecía muy contento.

—Sólo una persona —dije—. Un médico que trabajaba en el Western Pediatric. Ahora vive en Florida. Pero no le dije nada que él no supiera y no entramos en detalles...

—El doctor Lynch —dijo Huenengarth.

Solté una maldición.

—Pero, ¿qué ha hecho usted, pincharme el teléfono?

—No, no fue necesario. El doctor Lynch y yo hablamos de vez en cuando. Llevamos algún tiempo hablando.

—¿Él se ha chivado a usted?

—No nos desviemos de nuestro camino, doctor Delaware. Lo principal es que usted me ha dicho que habló con él. Eso es bueno. Admirablemente sincero. También me gusta la forma en que ha abordado las cuestiones. Los conflictos morales significan algo para usted... y eso no suele ser frecuente. Lo cual quiere decir que ahora confío más en usted que cuando he entrado en esta habitación y eso es bueno para ambos.

—Estoy conmovido —dije—. ¿Cuál será mi recompensa? ¿Me dirá su verdadero nombre?

—La colaboración. Puede que los dos nos podamos ser mutuamente útiles. Para Cassie Jones.

—¿Y cómo la podrá ayudar usted?

Cruzó los brazos sobre el abombado tórax.

—Su teoría, esa teoría que incluye a todo el personal, es muy sugestiva. Iría bien para un episodio de televisión de una hora. Unos voraces capitalistas chupan la sangre de una respetada institución sanitaria; intervienen los buenos y lo arreglan todo; corte publicitario.

—¿Quiénes son los buenos aquí?

Se acercó una mano al pecho.

—Usted me ofende, doctor.

—¿De dónde es usted, del FBI?

—La posición de las letras es un poco distinta... no significaría nada para usted. Volvamos a su teoría: sugestiva, pero falsa. ¿Recuerda usted la inicial reacción de Cestare cuando usted se la expuso?

—Dijo que no era probable.

—¿Por qué?

—Porque Chuck Jones era un constructor, no un destructor.

—Ya.

—Pero después echó un vistazo a los antecedentes de Plumb y descubrió que las empresas en las que éste había trabajado no solían durar mucho. Lo cual significaba que, a lo mejor, Jones había cambiado de estilo y ahora le interesaba dedicarse al saqueo y el pillaje.

—Plumb es un saqueador —dijo Huenengarth—. Tiene un largo historial de destructor de empresas que después entrega a los buitres, cobrando la correspondiente comisión por la venta. Pero aquellas empresas tenían unos activos que las hacían apetecibles. ¿Qué interés tendría destruir una empresa como el Western Pediatric, que no es rentable y pierde dinero? ¿Dónde están aquí los activos, doctor?

—El solar en el que se asienta el hospital, para empezar.

—El solar.

Otra sacudida de la cabeza, acompañada del meneo de un dedo. Estaba claro que aquel tipo tenía vocación pedagógica.

—En realidad, el solar es propiedad municipal y está arrendado al hospital mediante un contrato de noventa y nueve años de duración, renovable por otros noventa y nueve a petición del hospital, y el alquiler que se cobra es de un dólar anual. Consta en contrato público..., puede echar un vistazo en la oficina del registro, tal como hice yo.

—Usted no ha venido aquí porque Jones y su banda son inocentes —dije—. ¿Qué es lo que pretenden?

Se inclinó hacia adelante en su asiento.

—Piense en activos convertibles, doctor. Una inmensa cantidad de títulos y obligaciones de alta calidad a entera disposición de Chuck Jones.

—La cartera de inversiones del hospital... la gestiona Jones. ¿Qué es lo que hace... sisar?

Otra sacudida de la cabeza.

—Se va acercando, pero no del todo, doctor. Aunque es una suposición razonable. Resulta que la cartera del hospital es algo de risa. Después de treinta años de echar mano de ella para equilibrar el presupuesto operativo, se ha quedado en los puros huesos. De hecho, Chuck Jones la ha mejorado un poco..., porque es un buen inversor. Pero el aumento de los gastos se la está comiendo. Allí nunca habrá dinero suficiente para poder mangonear... por lo menos, al nivel en que se mueve Jones.

—¿Qué nivel es el suyo?

—Un nivel de ocho cifras. Chanchullos financieros de primera división. Muchos genios de los negocios se hubieran contado los dedos tras estrechar la mano a Chuck Jones. Su imagen pública es la de un mago de las finanzas que incluso ha salvado a varias empresas de la ruina. Pero todo eso lo alimenta con sus saqueos. Este hombre ha destruido más empresas que los bolcheviques.

—Por consiguiente, también se dedica al pillaje cuando el precio es lo bastante elevado.

Huenengarth miró hacia el techo.

—¿Y cómo es posible que nadie lo sepa?

Huenengarth se inclinó un poco más hacia adelante. Sus posaderas apenas rozaban el asiento del sillón.

—Pronto lo sabrán —dijo en voz baja—. Llevo cuatro años y medio siguiéndole los pasos y el final ya está muy cerca. No quiero que nadie me lo estropee... por eso necesito una discreción total. Y no me desviaré de mi camino, ¿comprende?

El sonrosado color de su cuello había adquirido un tono de aspic de tomate. Se manoseó el cuello de la camisa, se aflojó la corbata y se desabrochó el primer botón.

—Él actúa con mucha discreción —añadió—. Se cubre muy bien las espaldas, pero yo le derrotaré en su propio terreno.

—¿Cómo se las cubre?

—Con muchas empresas y holdings fantasmas, sociedades falsas y cuentas bancarias extranjeras. Hay literalmente cientos de cuentas de compraventa simultáneamente en marcha. Amén de varios batallones de lacayos como Plumb y Roberts y Novak que sólo conocen una pequeña parte de cada operación. La pantalla es tan eficaz que incluso personas tan expertas como el señor Cestare no pueden ver lo que hay detrás de ella. Pero, cuando caiga, caerá con todo el equipo, doctor, se lo prometo. Ha cometido errores y lo tengo en mi punto de mira.

—¿Qué es lo que pretende saquear en el Western Pediatric?

—No es necesario que usted conozca los detalles.

Tomó su taza de café y bebió un sorbo.

Recordé mi conversación con Lou.

«—¿Cómo es posible que unos inversores los compraran y los cerraran?

»—Pudo ser por varios motivos... A lo mejor, les interesaban los activos de la empresa, más que la empresa en sí.

»—¿Qué clase de activos?

»—Equipos informáticos, inversiones, fondos de pensiones...

—Los fondos de pensiones de los médicos —dije—. Jones también los administra, ¿verdad?

Huenengarth posó la taza.

—El directorio del hospital dice que él es el responsable de este apartado.

—¿Y qué ha hecho con ellos? ¿Los ha convertido en una hucha?

Huenengarth guardó silencio.

—Mierda —dijo Milo.

—Algo así —contestó Huenengarth, frunciendo el ceño.

—¿Son los fondos de pensiones los que alcanzan una suma de ocho cifras? —pregunté.

—Ocho cifras largas.

—No me diga, ¿cómo es posible?

—Un poco de suerte y un poco de habilidad, pero, sobre todo, el paso del tiempo, doctor. ¿Ha calculado usted alguna vez lo que podrían valer mil dólares depositados en una cuenta de ahorro al cinco por ciento durante setenta años? Intente hacerlo cuando disponga de un poco de tiempo. Los fondos de pensiones de los médicos son setenta años de acciones de primera clase y obligaciones de empresas que han aumentado su valor diez, veinte, cincuenta y cientos de veces, se han fraccionado y vuelto a fraccionar docenas de veces y han pagado dividendos que se han reinvertido en los fondos. Desde la Segunda Guerra Mundial, el mercado bursátil ha experimentado un alza constante. Los fondos están llenos de joyas como IBM adquiridas a dos dólares la participación o Xerox, a un dólar. Y, a diferencia de un fondo de inversión comercial, de aquí no sale casi nada. Las normas de los fondos establecen que no se pueden utilizar para los gastos hospitalarios, por lo que la única salida son los pagos que se hacen a los médicos que se retiran. Y esos salen con cuentagotas porque las normas también minimizan los pagos a cualquiera que se vaya antes de haber cumplido veinticinco años de antigüedad.

—Una estructura actuarial —dije, recordando lo que Al Macauley me había dicho a propósito de las pensiones que no se pagaban: «Cualquiera que se vaya antes de un cierto período de tiempo, no cobra nada».

Asintió con entusiasmo. El alumno estaba empezando finalmente a comprender las cosas.

—Eso se llama norma parcial, doctor. Casi todos los fondos de pensiones están estructurados de la misma manera..., con ello se pretende recompensar la lealtad. Cuando la facultad de Medicina accedió a hacer aportaciones al fondo hace setenta años, se estipuló que un médico que abandonara el hospital antes de los veinticinco años, no recibiría ni un céntimo. Lo mismo ocurre con uno que se vaya al cabo de un determinado período de tiempo y siga ejerciendo como médico con unos ingresos similares. Los médicos tienen muchas posibilidades de empleo y, por consiguiente, esos dos grupos constituyen el ochenta y nueve por ciento de los casos. Del once por ciento restante, muy pocos médicos cumplen los veinticinco años de antigüedad y tienen derecho a la pensión completa. Sin embargo, el dinero que se ha ingresado en el fondo por cada uno de los médicos que han trabajado en el hospital, ahí se queda, generando intereses.

—¿Quién hace aportaciones, aparte de la facultad de Medicina?

—Usted pertenecía a la plantilla. ¿Nunca leyó el paquete de beneficios?

—Los psicólogos no estaban incluidos en el fondo.

—Sí, tiene usted razón. Dice «doctores en medicina»... Bueno, pues, alégrese de tener un doctorado en otra disciplina.

—¿Quién hace aportaciones? —repetí.

—El hospital aporta el resto.

—¿Y los médicos no pagan nada?

—Ni un céntimo. Por eso aceptaron una reglamentación tan dura. Pero no tuvieron mucha vista, pues a la mayoría de ellos la pensión no le sirve para nada.

—Una baraja con cartas amarradas —dije—. Eso le da a Jones una suma de ocho cifras..., por eso le está haciendo la vida imposible al personal. Él no quiere destruir el hospital, sino que éste siga funcionando con deficiencias para que ningún médico se quede mucho tiempo y se produzcan cambios frecuentes, de manera que los médicos se vayan antes de que transcurran cinco años o cuando sean lo bastante jóvenes como para conseguir otros empleos comparables.

Huenengarth asintió con vehemencia.

—Una auténtica estafa, doctor. Ocurre en todo el país. Hay más de novecientos mil fondos de pensiones empresariales en los Estados Unidos. Dos billones de dólares en fondos para ochenta millones de trabajadores. Cuando el último mercado alcista creó miles de millones de dólares de superávit, las empresas consiguieron que el Congreso suavizara las normas relativas al uso de los superávits. Ahora el dinero se considera un activo de la empresa, más que una propiedad de los trabajadores. Sólo el año pasado, las sesenta empresas más grandes de los Estados Unidos disponían de sesenta mil millones de dólares para invertirlos en lo que les diera la gana. Algunas empresas han empezado a adquirir fondos de pensiones para poder echar mano del capital. A eso se debe en parte la manía de las opas... La situación de los fondos de pensiones es una de las primeras cosas que examinan los rapiñadores cuando eligen sus objetivos. Disuelven la empresa, utilizan el superávit en la compra de otra y también la disuelven. Y así sucesivamente. Y lo más triste es que la gente se queda sin empleo.

—O sea que se hacen ricos con el dinero de los demás.

—Y sin necesidad de crear ni bienes ni servicios. Además, en cuanto uno empieza a pensar que es propietario de algo, le es más fácil quebrantar las normas. Se han multiplicado las manipulaciones ilegales de los fondos de pensiones... Malversaciones, utilizaciones de los fondos para préstamos personales, concesión de contratos de gerencia a amiguetes y cobro de comisiones de los amiguetes que perciben unos sueldos exorbitantes..., una auténtica situación de crimen organizado. En Alaska se dio el caso de una empresa en la que los muy ladrones se apropiaron de los fondos y los trabajadores se quedaron sin un céntimo. Algunas empresas han cambiado las normas y han pasado a planes de aportación definida. En lugar de pagos mensuales, el jubilado recibe de golpe una suma según el cálculo de su esperanza de vida y la empresa apuesta sobre el futuro. De momento, el procedimiento es legal, pero constituye una burla de todo el propósito de las pensiones: la seguridad de la vejez para los trabajadores. La mayoría de los obreros no tiene idea de cómo invertir. Sólo un cinco por ciento de ellos lo hace. Casi todas las sumas recibidas se desperdician en una serie de gastos dispersos y, al final, el obrero se queda sin un céntimo.

—Superávits —dije yo—. Mercado alcista. ¿Qué ocurre en tiempos de recesión como los actuales?

—Si la empresa quiebra y los fondos han sido saqueados, los obreros cobran lo que les corresponda del seguro que haya suscrito la empresa con alguna compañía de seguros. Existe, además, un fondo estatal de garantía de los beneficios de las pensiones, la llamada Pension Benefits Guarantee Corporation o PBGC, pero, al igual que suele ocurrir con La Federal Deposit Insurance Corporation o FDIC, el organismo público que garantiza las demandas de depósitos a la vista de los bancos asociados, su capacidad es muy limitada. Si empezaran a quebrar muchas compañías cuyos fondos de pensiones hubieran sido saqueados, se produciría una crisis de proporciones gigantescas. Y, aunque funcionara la PBGC, los trabajadores podrían tardar años en cobrar. Los empleados que más tienen que perder son los más antiguos y los más enfermos... es decir, los leales que han entregado su vida a la empresa. La gente espera y pasa a engrosar las listas de los apuntados a la beneficencia. Y muere.

Huenengarth tenía la cara congestionada y mantenía las manos cerradas en puño. Le pregunté si el fondo de pensiones corría peligro.

—Todavía no. Tal como le dijo el señor Cestare, Jones vio venir el Lunes Negro y obtuvo unos cuantiosos beneficios. El consejo de administración del hospital le quiere muchísimo.

—¿Está creando una hucha para un futuro saqueo?

—No, el saqueo ya ha empezado. A medida que va ingresando dólares por una parte, los va sacando por otra.

—¿Y cómo es posible que lo haga sin que nadie se dé cuenta?

—Él es el único que controla todas las transacciones..., lo tiene todo en sus manos. Además, utiliza los fondos como garantía de sus compras personales. Coloca acciones suyas en los fondos, mezcla las cuentas de los fondos con las suyas propias... y se pasa el día moviendo el dinero de un lado para otro. Juega con él. Compra y vende bajo un sinfín de nombres que cambian a diario. Realiza cientos de transacciones diarias.

—¿Y cobra las correspondientes comisiones?

—Por supuesto que sí. Y, además, resulta increíblemente difícil seguirle la pista.

—Pero usted se la ha seguido.

Asintió con el rostro todavía arrebolado..., la emoción del cazador.

—He tardado cuatro años y medio, pero, finalmente, he logrado acceder a su banco de datos y, hasta ahora, él no se ha enterado. No hay razón para que sospeche que lo vigilan, pues normalmente el Gobierno no presta la menor atención a los fondos de pensiones que no generan beneficios. Si no hubiera cometido ciertos errores en algunas de las empresas que destruyó, estaría tranquilamente en su casa, disfrutando del paraíso sin ningún temor.

—¿Qué clase de errores?

—Eso no tiene importancia —ladró Huenengarth.

Le miré fijamente sin decir nada.

Trató de sonreír mientras levantaba una mano.

—Lo importante es que, al final, se ha agrietado el cascarón y yo lo voy a abrir... Y estoy a punto de machacarlo. Es un momento crucial, doctor Delaware. Por eso me pongo un poco nervioso cuando la gente empieza a seguirme, ¿comprende? ¿Ahora ya está usted satisfecho?

—No del todo.

Contrajo los músculos del rostro.

—¿Qué le pasa?

—Un par de asesinatos, para empezar. ¿Por qué murieron Laurence Ashmore y Dawn Herbert?

—Ashmore —dijo Huenengarth, sacudiendo la cabeza—. Ashmore era un tipo muy raro. Un médico que entendía de economía y estaba en posesión de las habilidades técnicas necesarias para poner en práctica sus conocimientos. Se hizo rico y, como les ocurre a casi todos los ricos, empezó a pensar que era más listo que los demás. Tan listo que no tenía que pagar impuestos. Durante algún tiempo, lo consiguió, pero, al final, el fisco se enteró. Puede que hubiera tenido que pasarse un largo período de tiempo en la cárcel. Entonces yo le eché una mano.

—Vete al oeste, timador —dije yo—. Él fue quien se introdujo en el banco de datos de Jones por indicación suya, ¿no es cierto? Un infiltrado perfecto... un médico que no atiende pacientes. ¿Era auténtico su título?

—Al ciento por ciento.

—Usted le compró un empleo con una beca de un millón de dólares más una subvención al hospital. En el fondo, el hospital cobró por contratarle.

Huenengarth esbozó una sonrisa de satisfacción.

—La codicia. Siempre da resultado.

—¿Actúa usted por cuenta del fisco? —pregunté.

Sacudió la cabeza sin dejar de sonreír.

—Muy de tarde en tarde, un tentáculo roza el otro.

—¿Qué hizo usted? ¿Cursó una petición al fisco? ¿Les dijo, dadme un médico que tenga cuentas pendientes con Hacienda y que, al mismo tiempo, tenga conocimientos de informática... y ellos se lo dieron sin más?

—No fue tan sencillo. Encontrar a alguien como Ashmore me llevó mucho tiempo. El hecho de haberle encontrado fue uno de los factores que contribuyeron a convencer a... mis superiores para que financiaran mi proyecto.

—Sus superiores —repetí yo—. El Ferris Dixon Institute for Chemical Research, o sea, la Federal Deposit Insurance Corporation o FDIC. ¿Qué significaba realmente la «R»?

—Reventar. Era la idea que tenía Ashmore de una broma..., con él todo era un juego. En realidad, él hubiera querido algo que coincidiera con las siglas de la PBGC... «Paul Bowles Grupos Concertados» era lo que más le gustaba. Se enorgullecía de sus aficiones literarias. Pero yo le convencí de que fuera un poco más sutil.

—¿Quién es el profesor Walter William Zimberg? ¿Su jefe? ¿Otro experto en informática?

—Nadie —contestó Huenengarth—. Tal como suena.

—¿No existe?

—No en sentido real.

—Un Münchhausen —musitó Milo por lo bajo.

Huenengarth lo fulminó con la mirada.

—Tiene un despacho en la Universidad de Maryland —añadí yo—. Hablé con su secretaria.

Huenengarth tomó la taza y tardó un buen rato en apurarla.

—¿Por qué era tan importante que Ashmore trabajara fuera del hospital?

—Porque allí se encuentra la principal terminal de Jones. Yo quería que tuviera acceso directo al *hardware* y al *software* de Jones.

—¿Acaso Jones utiliza el hospital como centro de negocios? Me dijo que ni siquiera tiene despacho allí.

—Técnicamente, es cierto. No verá usted su nombre en ninguna puerta. Pero su aparato se halla escondido dentro del espacio que les ha arrebatado a los médicos.

—¿En el segundo sótano?

—Digamos simplemente que está muy bien escondido. En un lugar difícil de encontrar. En mi calidad de jefe del servicio de Seguridad, yo me encargué de que así fuera.

—Infiltrarse allí dentro debió de ser todo un reto para usted.

Huenengarth no dijo nada.

—Todavía no ha contestado a mi pregunta —dije—. ¿Por qué murió Ashmore?

—No lo sé. Todavía.

—¿Qué hizo? —pregunté—. ¿Le quiso meter un gol a usted? ¿Quiso explotar lo que había averiguado trabajando para usted y así chantajear a Chuck Jones?

Huenengarth se humedeció los labios con la lengua.

—Es posible. Todavía están analizando los datos que él recogió.

—¿Quiénes los están analizando?

—Unas personas.

—¿Y qué me dice de Dawn Herbert? ¿También estaba metida en el ajillo?

—No sé qué juego se llevaba entre manos —contestó—. Ni siquiera sé si jugaba a algo.

Su desconcierto parecía auténtico.

—Pues entonces, ¿por qué buscaba usted sus disquetes de ordenador?

—Porque Ashmore estaba interesado en ellos. En cuanto empezamos a descifrar sus archivos, apareció el nombre de la chica.

—¿En qué contexto?

—Ashmore había hecho una anotación cifrada en la que decía que había que tomarla en serio. La llamaba «entero negativo»..., el término que él utilizaba para referirse a alguna persona sospechosa. Pero ella ya estaba muerta.

—¿Qué otra cosa decía de ella?

—Es lo único que hemos encontrado hasta ahora. Lo ponía todo en clave, unas claves muy complicadas. Se necesita mucho tiempo para descifrarlas.

—Él trabajaba para usted —dije—. ¿Cómo es posible que no le facilitara las claves?

—Sólo algunas —contestó Huenengarth, entornando los redondos ojos con expresión irritada.

—O sea que usted robó los disquetes.

—No los robé, me apropié de ellos. Eran míos. Los grabó mientras trabajaba para Ashmore y Ashmore trabajaba para mí, lo cual significa que legalmente me pertenecen.

Pronunció las dos últimas palabras como si las escupiera. El afán de posesión de un niño con un juguete nuevo.

—Eso no es un simple trabajo para usted, ¿verdad? —le pregunté.

Su mirada recorrió la estancia y después se volvió a posar en mí.

—Es ni más ni menos que eso. Lo que ocurre es que a mí me encanta mi trabajo.

—O sea que usted no tiene ni idea de por qué asesinaron a Herbert.

Se encogió de hombros.

—La policía dice que fue un asesinato de tipo sexual.

—¿Y usted lo cree?

—Yo no soy policía.

—Ah, ¿no? —dije yo. La expresión de sus ojos me indujo a añadir—: Pues yo apuesto a que era usted una especie de policía antes de regresar a la escuela. Antes de que aprendiera a hablar como un profesor de escuela de dirección empresarial.

Volvió a mirarme con una expresión tan cortante como la hoja de un cuchillo.

—¿Qué es eso, me está sometiendo a psicoanálisis?

—Dirección Empresarial. O tal vez Ciencias Económicas.

—Soy un humilde funcionario del Estado, doctor. Sus impuestos me pagan el sueldo.

—Un humilde funcionario del Estado con identidad falsa y más de un millón de dólares para una falsa beca —dije—. Usted es Zimberg, ¿verdad? Aunque probablemente ése no es tampoco su verdadero nombre. ¿Qué significa la «B» del cuaderno de notas de Stephanie?

Me miró fijamente, se levantó y empezó a pasear por la estancia. Tocó el marco de un cuadro. Mostraba una ligera calvicie en la coronilla.

—Cuatro años y medio —dije—. Ha renunciado usted a muchas cosas para poder atraparle.

No contestó, pero vi que contraía los músculos del cuello.

—¿Qué papel desempeña Stephanie en todo este asunto? —pregunté—. Dejando aparte el verdadero amor.

Huenengarth se volvió a mirarme con el rostro nuevamente arrebolado. Esta vez no a causa de la cólera sino de la turbación. Como un adolescente al que alguien hubiera sorprendido besuqueándose con una chica.

—¿Por qué no se lo pregunta usted a ella? —replicó en un susurro.

Estaba sentada en el interior de un automóvil aparcado a la entrada de mi calzada particular. Un Buick Regal de color oscuro, justo detrás de los setos e invisible desde la terraza. Un punto de luz se movía en el interior cual una luciérnaga atrapada.

Una linterna en forma de lápiz. Sentada delante en el asiento del pasajero, Stephanie la estaba utilizando para leer. Tenía la ventanilla abierta. Lucía una gargantilla de oro que captaba los reflejos de las estrellas y se había puesto perfume.

—Buenas noches —le dije.

Levantó la vista, cerró el libro y abrió la portezuela. En cuanto apagó la linterna, se encendió la luz del techo, iluminándola cual si fuera una actriz en un escenario. Llevaba un vestido más corto de lo acostumbrado. Debía de tener una cita muy importante, pensé para mis adentros. Su buscapersonas descansaba sobre el tablero de instrumentos.

Se desplazó hacia el asiento del conductor y yo me senté en el que ella acaba de desocupar. El vinilo aún estaba caliente.

Cuando el interior del vehículo volvió a quedarse a oscuras, me dijo:

—Perdona que no te lo dijera, pero él necesita actuar en secreto.

—¿Cómo le llamas, Pres o Wally?

Se mordió el labio.

—Bill.

—De Walter William.

Frunció el entrecejo.

—Es su diminutivo..., sus amigos lo llaman así.

—No me lo dijo. Seguro que no me considera su amigo.

Miró a través del parabrisas y asió el volante.

—Mira, ya sé que te engañé un poco, pero es algo de tipo personal. Lo que yo haga en mi vida privada a ti no te concierne, ¿verdad?

—¿Que me has engañado un poco? El señor Siniestro es el que te está sometiendo a chantaje, ¿verdad? ¿Qué otra cosa no me has dicho?

—Nada..., nada que tenga que ver con el caso.

—¿De veras? Él dice que puede ayudar a Cassie; por consiguiente, ¿por qué no le pediste que interviniera antes?

—Mierda —dijo con las manos todavía apoyadas en el volante—. Es demasiado complicado —añadió tras una pausa.

—Ya me lo imagino.

—Mira —dijo casi gritando—, te dije que era siniestro porque esa es la imagen que él quiere transmitir, ¿comprendes? Para poder hacer bien su trabajo, es importante que le consideren un mal chico. Lo que está haciendo, Alex, es muy importante. Tan importante como la medicina. Lleva mucho tiempo trabajando en ello.

—Cuatro años y medio —dije yo—. Me ha contado los pormenores de su noble empeño. ¿Tu ascenso al puesto de jefa de la división forma parte de su plan magistral?

Se volvió a mirarme.

—No tengo por qué responder a esta pregunta. Me merezco el ascenso. Rita es un fósil, hombre de Dios. Lleva muchos años viviendo de las rentas de su fama. Te voy a contar una historia. Hace un par de meses estábamos pasando visita en la Cinco Este. Alguien se había comido una hamburguesa de McDonald's en la sala de las enfermeras y había dejado la caja en el mostrador..., una de esas cajas plastificadas que te dan para llevarte la comida a casa, ¿sabes?, con los arcos de la «M» grabados en relieve. Rita la toma y pregunta qué es eso. Todo el mundo pensó que lo decía en broma, pero después nos dimos cuenta de que no. Una caja de McDonald's, Alex. Está totalmente fuera del mundo. ¿Qué relación puede establecer con los pacientes?

—¿Y eso qué tiene que ver con Cassie?

Stephanie tomó el libro que tenía al lado y lo estrechó contra su pecho cual si fuera una coraza. Mis ojos ya se habían acostumbrado a la oscuridad y pudieron leer el título. *Urgencias Pediátricas*.

—¿Lectura de entretenimiento? —pregunté—. ¿O lo lees para mejorar tus posibilidades de ascenso?

—¡Maldita sea! —Tomó la manilla de la portezuela, pero enseguida la soltó y se reclinó contra el respaldo—. A él le iría muy bien que yo fuera nombrada jefa de la división... cuantos más amigos tenga cerca de ellos, tantas más posibilidades tendrá de obtener la información que necesita para atraparlos. ¿Qué tiene eso de malo? Como no los atrape, el hospital no tardará en desaparecer.

—¿Amigos? —dije—. ¿Estás segura de que él sabe lo que eso significa? Laurence Ashmore también trabajaba para él y no le tiene en muy buen concepto que digamos.

—Ashmore era un imbécil..., un pequeño pelmazo insoportable.

—Creía que no le conocías muy bien.

—No le conocía... y no tenía por qué. Ya te dije cómo me trató... lo displicente que estuvo conmigo cuando le pedí ayuda.

—¿A quién se le ocurrió la idea de que examinara el informe de Chad? ¿A ti? ¿O a Bill? ¿Se pretendía con ello arrojar un poco más de basura sobre los Jones?

—¿Y eso qué más da?

—Sería bonito saber si aquí estamos ejerciendo la medicina o haciendo política.

—¿Y eso qué más da, Alex? ¿Qué coño importa? Lo importante es el resultado. Sí, él es mi amigo. Es cierto que me ha ayudado mucho y, por consiguiente, es lógico que ahora yo le quiera devolver el favor. ¿Qué tiene eso de malo? ¡Nuestros objetivos son los mismos!

—Pues, en tal caso, ¿por qué no habéis ayudado a Cassie? —pregunté también a gritos—. ¡Estoy seguro de que los dos habréis comentado el asunto! ¿Por qué permitir que la niña sufra un solo segundo más si el señor Servicial puede acabar con sus sufrimientos?

Stephanie se estremeció con la espalda apoyada contra la portezuela.

—¿Qué demonios esperas de mí? ¿La perfección? Pues lo siento, pero no puedo cumplir este requisito. Lo intenté... y descubrí que es el camino más corto hacia la infelicidad. Por consiguiente, déjame en paz si no te importa.

Rompió a llorar.

—Olvidemos todo eso —dije— y concentrémonos en Cassie.

—Es lo que estoy haciendo —dijo con un hilillo de voz—. Créeme, Alex, me estoy concentrando en ella..., lo he hecho desde un principio. No podíamos hacer nada porque no lo sabíamos..., teníamos que estar seguros. Por eso te llamé. Bill no quería que lo hiciera, pero yo insistí. Y no quise dar mi brazo a torcer.

La miré sin decir nada.

—Necesitaba tu ayuda para descubrirlo —añadió—. Para estar segura de que era Cindy quien le estaba haciendo daño a la niña. Entonces Bill hubiera podido ayudar. En aquel momento, no podíamos enfrentarnos a ellos.

—¿En aquel momento? —dije—. ¿Acaso estabas esperando a que Bill te hiciera una señal tan pronto como pusiera en marcha su plan y pudiera atrapar a toda la familia?

—¡No! Él... Lo que ocurre es que queríamos hacerlo de una manera... eficaz. El hecho de formular sin más una acusación contra ellos no hubiera sido...

—¿Estratégico?

—¡Eficaz! Ni ético... No hubiera sido lo más indicado. ¿Y si ella no hubiera sido culpable?

—¿Algo de tipo orgánico? ¿Algún trastorno metabólico?

—¿Y por qué no? Soy una médica, maldita sea, no soy Dios. ¿Cómo demonios podía saberlo? ¡El hecho de que Chuck fuera un miserable no significaba que Cindy también tuviera que serlo! ¡No estaba segura, maldita sea! Tu misión era llegar hasta el fondo de la cuestión... por eso te llamé.

—Te agradezco que lo hicieras.

—Alex —dijo en tono quejumbroso—, ¿por qué me lo haces todo tan doloroso? Tú sabes la clase de médica que yo soy —añadió, resollando y frotándose los ojos.

—Desde que me llamaste, tengo la sensación de encontrarme en un laberinto —dije.

—Y yo también. ¿Crees que me resulta fácil reunirme con esos sinvergüenzas y fingir que estoy a su servicio? Plumb cree que su mano fue creada para descansar sobre mi rodilla. —Stephanie hizo una mueca—. ¿Tú crees que es fácil formar parte de un grupo de médicos, cruzarme con Bill en un pasillo y oír los comentarios que hacen mis compañeros sobre él? Mira, ya sé que no coincide con la idea que tú tienes de un buen chico, pero es que, en realidad, no le conoces. Es bueno y me ha ayudado. Yo tenía un problema —añadió, mirando a través de la ventanilla—. No hace falta que conozcas los detalles. Pero bueno, ¿por qué no? Tenía un problema con la bebida, ¿comprendes?

—Comprendo.

—¿No te extraña? —preguntó, volviendo bruscamente la cabeza para mirarme—. ¿Acaso se me notaba... me comportaba de una manera anormal?

—No, pero eso también les ocurre a personas excelentes.

—¿Nunca notaste nada?

—No eres una borracha babosa.

—No —dijo riéndose—. Más bien una borracha comatosa... igualita que mi mamá... es una cosa de tipo genético. —Volvió a reírse mientras apretaba con fuerza el volante—. En cambio, mi papá era un borracho de esos que se enfadan. Y mi hermano Tom, un borracho muy dulce. Ingenioso y encantador... muy a lo Noel Coward. Cuando tomaba unas copas de más, estaba simpatiquísimo. Era diseñador industrial y mucho más inteligente que yo. Un auténtico artista creador. Murió de cirrosis hace un par de años, tenía treinta y ocho. Demoré algún tiempo mi afición al alcohol..., siempre les llevé la contraria a todos. Pero, durante mi período de interna, decidí finalmente incorporarme a la tradición familiar. Me emborrachaba en mis días libres y lo hacía muy bien, Alex. Sabía recuperarme a tiempo y, durante las visitas a las salas, me comportaba como una chica de lo más seria y sensata. Pero después empecé a rodar cuesta abajo y ya no supe elegir el momento. La elección del momento siempre es complicada cuando eres una borracha clandestina... Hace unos cuantos años, me detuvieron por conducir en estado de embriaguez. Provoqué un accidente. Qué escena tan bonita, ¿verdad? Imagínate si hubiera matado a alguien, Alex. Si hubiera matado a un niño. Una pediatra convierte a un niño en una pizza callejera... menudo titular. —Rompió nuevamente en sollozos y se secó los ojos con tal fuerza que cualquiera hubiera dicho que se estaba propinando golpes en la cara—. Mierda, ya basta de compadecerme de mí misma... mis amigos de Alcohólicos Anónimos siempre me regañaban por eso. Estuve un año con Alcohólicos Anónimos y después lo dejé..., no tenía tiempo y ya me había recuperado. Pero el año pasado tuve una recaída por culpa de unos asuntos personales que no me salieron bien. Empecé con aquellos botellines que te dan en los aviones. Recogí unos cuantos en el vuelo de regreso de una convención de la Asociación Americana de Médicos. Un sorbito antes de irme a dormir. Después otros..., hasta que empecé a llevarme los botellines al despacho. Para los momentos de cansancio al término de la jornada. Pero cuidaba siempre de guardarme los botellines vacíos en el bolso y de no dejar ninguna huella. Porque yo sé disimular muy bien. Tú no supiste nada hasta ahora, Pero algo te llamaba la atención, ¿no es cierto? ¡Mierda! —exclamó, descargando un puñetazo sobre el volante antes de apoyar la cabeza en él.

—No te preocupes —dije—. Procura olvidarlo.

—Claro, todo está muy bien, es estupendo y maravilloso... Una noche especialmente difícil en que tuve que atender a varios niños gravemente enfermos... me bebí varios botellines y perdí el conocimiento sobre mi escritorio. Bill estaba efectuando un recorrido de seguridad y me encontró a las tres de la madrugada. Había vomitado sobre todas las historias clínicas. Cuando le vi de pie a mi lado, creí morir. Pero él me sostuvo, me limpió y me acompañó a casa... y cuidó de mí, Alex. Eso no lo había hecho nadie. Era yo la que cuidaba de mi madre porque ella siempre estaba... —se golpeó la frente contra el volante—. Por él estoy tratando de superarlo. ¿No te has fijado en lo mucho que he adelgazado y en el peinado que llevo?

—Estás guapísima.

—Aprendí a vestirme, Alex, y me di cuenta de que eso era importante. Bill me regaló la cafetera. Él me comprendía porque en su familia también... Su padre era un borracho como la copa de un pino. Se emborrachaba como una cuba los fines de semana, pero consiguió conservar su empleo en la misma fábrica durante veinticinco años. Después la empresa cambió de propietario, se disolvió y su padre perdió el empleo, y entonces descubrieron que los fondos de pensiones no existían. Habían desaparecido por completo. Su padre no pudo encontrar otro trabajo y murió a causa de las borracheras. Se desangró en la cama por culpa de una úlcera. Bill estaba en el Instituto. Al volver a casa de jugar un partido de fútbol, se lo encontró muerto. ¿Comprendes ahora por qué necesita hacer lo que hace?

—Sí —contesté, preguntándome hasta qué punto la historia sería cierta, sin poder quitarme de la cabeza el rostro del Identikit del hombre que se había alejado en la oscuridad en compañía de Dawn Herbert.

—Cuidó también de su madre —añadió Stephanie—. Le gusta resolver problemas. Por eso ingresó en el cuerpo de policía y por eso se tomó la molestia de estudiar Ciencias Económicas. Tiene un doctorado, Alex, y tardó diez años en conseguirlo porque tuvo que compaginarlo con el trabajo. —Levantó la cabeza mientras una sonrisa le iluminaba el perfil—. Pero no se te ocurra llamarle «doctor».

—¿Quién es Presley Huenengarth?

Vaciló.

—¿Otro secreto de Estado? —pregunté.

—Es... bueno, te lo voy a decir porque quiero que confíes en mí.

No tiene nada de especial. Presley era un amigo suyo de la infancia, un niñito que murió de un tumor cerebral a los ocho años. Bill decidió utilizar su identidad porque era lo más seguro... En los archivos no había más que un certificado de nacimiento y ambos tenían la misma edad, por consiguiente, la elección era ideal.

Estaba emocionada y hablaba casi sin resuello, por lo que yo comprendí que «Bill» y su mundo habían sido para ella algo más que una simple ayuda.

—Por favor, Alex —me dijo—, ¿no podríamos olvidar todo esto y trabajar juntos? Sé lo de las inyecciones de insulina... tu amigo se lo dijo a Bill, lo cual significa que confía en él. Vamos a colaborar para atraparla. Bill nos ayudara.

—¿Cómo?

—No lo sé, pero lo hará. Ya lo verás.

Se prendió el buscapersonas en el cinturón y ambos subimos hacia la casa. Milo se encontraba todavía sentado en el sofá. Huenengarth/Zimberg/Bill estaba de pie en un rincón de la estancia, hojeando una revista.

—Hola, chicos —dijo Stephanie con una voz excesivamente cantarina.

Huenengarth cerró la revista, la tomó por el codo y la acompañó a una silla. Acercando otra para sí, se sentó sin que ella le quitara los ojos de encima. Movió el brazo como si fuera a tocarla, pero, en su lugar, se desabrochó la chaqueta.

—¿Dónde están los disquetes de Dawn Herbert? —pregunté—. Y no me diga que eso no es importante porque apuesto a que lo es. No sé si Herbert descubrió lo que Ashmore estaba haciendo para usted, pero no me cabe duda de que tenía sospechas acerca de los hijos de los Jones. Por cierto, ¿ya ha encontrado usted el informe de Chad?

—Todavía no.

—¿Y los disquetes?

—Los acabo de enviar para que los analicen.

—¿Saben lo que buscan los que los van a analizar? ¿La tabla numérica aleatoria?

Huenengarth asintió con la cabeza.

—Probablemente será una clave de sustitución..., no creo que sea muy difícil.

—Aún no han conseguido descifrar todos los números de Ashmore. ¿Qué le induce a pensar que los de Herbert serán más fáciles?

Miró a Stephanie, esbozando una leve sonrisa.

—Me gusta este tío —le dijo.

Ella le devolvió nerviosamente la sonrisa.

—El hombre ha hecho una pregunta muy acertada —terció Milo.
—Ashmore era un caso especial —contestó Huenengart—. Un auténtico experto en acertijos con un elevado cociente intelectual.
—¿Y Herbert no?
—No, por lo que yo he averiguado sobre ella.
—¿Qué ha averiguado?
—Lo que usted ya sabe —contestó—. Se le daban muy bien las matemáticas, pero era una cleptómana y llevaba muy mala vida..., drogadicta y perdedora.
Stephanie hizo una mueca mientras él escupía las palabras. Huenengarth se dio cuenta y se volvió para rozarle levemente una mano con la suya, pero enseguida la apartó.
—Si en los disquetes saliera algo que pudiera interesarle —me dijo—, tenga la seguridad de que le informaré.
—Tenemos que saberlo ahora. La información de Herbert podría facilitarnos alguna indicación. —Miré a Milo y le pregunté—: ¿Le has contado lo de nuestro amigo, el barman?
Milo asintió con la cabeza.
—¿Todo?
—No se moleste en ser tan sutil —dijo Huenengarth—. He visto la obra maestra que surgió de la mano del barman yonqui y ése no soy yo. Yo no destripo a las mujeres.
—¿De qué estáis hablando? —preguntó Stephanie.
—Una estupidez —contestó Huenengarth—. Tienen una descripción del sospechoso de un asesinato... alguien que no se sabe si asesinó o no a esta tal Herbert... y creen que guarda cierta similitud conmigo.
Stephanie se cubrió la boca con la mano.
—Pero no se me parece ni de lejos, Steph —añadió Huenengarth riéndose—. Yo sólo he estado así de delgado cuando estudiaba en el Instituto. —Y dirigiéndose a mí, preguntó—: ¿Ahora ya podemos trabajar?
—Yo nunca he dejado de hacerlo —contesté—. ¿Tiene usted alguna información sobre Vicki Bottomley?
Huenengarth hizo un gesto con la mano en dirección a Milo.
—Dígaselo.
—Hemos intervenido su teléfono en busca de llamadas desde su domicilio al de los Jones y al despacho de Chip.
—¿Hemos? —inquirí.
—Me refiero a él —explicó Milo, mirándole—. Orden federal de detención. La semana que viene le saldrán un par de alas.
—¿Y habéis descubierto algo? —pregunté.
Milo sacudió la cabeza.
—No ha habido llamadas. Y ningún vecino de Vicky ha visto por

allí a Cindy o a Chip, lo cual quiere decir que, si hay algún nexo, debe de estar muy escondido. Tengo la corazonada de que ella no tiene nada que ver con eso. Y no cabe duda de que no es la principal envenenadora. En cuanto se desprenda alguna astilla, veremos si ella encaja en algún sitio.

—¿Y ahora qué hacemos?

Milo miró a Huenengarth. Huenengarth me miró a mí, señalándome el sofá.

—Me he pasado todo el día sentado —dije.

Frunció el ceño y se tocó la corbata, mirando a los demás.

—Como empecemos otra vez con el doble lenguaje federal, yo me largo de aquí —dijo Milo.

—De acuerdo —añadió Huenengarth—. Primero, quiero reiterar mi exigencia de discreción y colaboración total por parte de ustedes dos. No podemos dejar nada al azar. Hablo en serio.

—¿A cambio de qué?

—Probablemente del apoyo técnico necesario para atrapar a Cindy. Tengo órdenes federales para Chuck Jones y, con una llamada telefónica de dos minutos, puedo incluir en el paquete al hijo y todo lo que éste tiene. Me refiero a los aparatos audiovisuales, la casa, el lugar de trabajo... todo se iría a la mierda. Puedo colocar a alguien que los vigile. Me bastan un par de horas en la casa para instalar unos juguetes de vigilancia que ustedes ni se imaginan. Puedo instalar una cámara en el televisor para que, cuando lo miren, el aparato los mire a ellos. Puedo revolver la casa de arriba abajo en busca de insulina o de cualquier otra mierda que ustedes sospechen sin que ellos tengan que enterarse. Lo único que les pido es que mantengan siempre la boca cerrada.

—Donde más nos interesa que instalen dispositivos es en la habitación de Cassie —dije—. Y en el cuarto de baño que comunica con el dormitorio principal.

—¿El cuarto de baño tiene paredes de azulejos?

—Paredes de azulejos y una ventana.

—No habrá problema..., si no tengo a mano los juguetes que necesito, puedo hacer que me los envíen en veinticuatro horas.

—Los dólares de nuestros impuestos trabajan que da gusto —dijo Milo.

Huenengarth frunció el ceño.

—Algunas veces, sí.

Me pregunté si el tipo sabría lo que era una broma. A juzgar por la extasiada expresión de sus ojos, a Stephanie le daba igual.

—Mañana a última hora de la tarde tengo una cita con ellos en su casa —dije—. Intentaré convencerles de que se reúnan conmigo en el hospital. ¿Podría tener el equipo a punto para entonces?

—Probablemente, sí. En caso contrario, no tardaría mucho..., uno o dos días todo lo más. Pero, ¿me puede usted asegurar que la casa estará totalmente vacía? Estoy a punto de echarme encima del papá y no puedo permitirme el lujo de cometer ningún error. ¿Por qué no llamas a Chip y a Cindy para que se reúnan contigo? —le dijo a Stephanie—. Diles que se ha descubierto algo en los análisis del laboratorio y que necesitas examinar a Cassie y hablar con ellos. En cuanto lleguen al hospital, procura entretenerles todo lo que puedas.

—Muy bien —dijo Stephanie—. Les haré esperar, les diré que los análisis se han perdido o algo por el estilo.

—¡Acción, cámara! —dijo Huenengarth.

—¿Cómo podrá usted incluir a Chip en la orden de detención? —le pregunté—. ¿Acaso está implicado en los chanchullos financieros de su padre?

No hubo respuesta.

—Pensé que íbamos a ser sinceros —dije.

—Él también es un pájaro de mucho cuidado —contestó Huenengarth, visiblemente molesto.

—¿Las cincuenta parcelas que posee? ¿Son uno de los negocios de Chuck?

Sacudió la cabeza.

—Los negocios de los terrenos son una mierda... y Chuck es demasiado listo como para eso. El hijo, en cambio, es un perdedor y no sabe ahorrar. Ya se ha gastado un montón de dólares de su papá.

—¿En qué se los gasta, aparte de los terrenos? —pregunté—. Lleva un tren de vida muy sencillo.

—A simple vista, sí. Pero no es más que una parte de la imagen: el señor que se ha hecho a sí mismo. Y una mierda. El centro de mala muerte donde enseña le paga veinticuatro mil dólares anuales... ¿usted cree que con eso se podría comprar una casa y no digamos todos aquellos terrenos? Aunque, en realidad, ya no son suyos.

—¿De quién son?

—Del banco que financió la operación.

—¿Por impago de la hipoteca?

—Podría ocurrir de un momento a otro. —Sonrisa de satisfacción—. El papá compró los terrenos a precio de saldo años atrás y se los regaló al hijo, confiando en que éste los vendiera en el momento oportuno y se hiciera rico por su cuenta. Incluso le indicó cuál sería el momento, pero el hijo no le hizo caso. —La sonrisa se convirtió en la sonrisa de un ganador de la lotería—. Y no era la primera vez. Cuando estudiaba en Yale, el hijo puso en marcha un negocio, pensando que le iría muy bien. El papá lo inundó de dólares, algo así como cien mil. Todos perdidos porque, aparte de ser un proyecto descabellado, el hijo perdió el interés. Siempre le ocurre lo mismo. No termina nada de lo que empieza. Unos años más tarde, cuando cursaba estudios de grado, quiso dedicarse al negocio de las publicaciones y editar una revista de sociología dirigida al gran público. Otro cuarto de millón de dólares de papá. Y ha habido otros negocios por el estilo. Según mis cálculos, alrededor de un millón de dólares perdidos sin contar los terrenos. No es mucho para la fortuna que tiene su padre, pero cualquiera con dos dedos de frente hubiera podido hacer algo un poco más provechoso con toda esa pasta, ¿no cree? El hijo, no. Él es demasiado original.

—¿Qué pasó con los terrenos?

—Nada, pero estamos en un período de recesión y los precios han bajado. En lugar de vender y cortar las pérdidas, el hijo decidió lanzarse al negocio de la construcción. El papá comprendió que era una estupidez y le negó los dólares que necesitaba y entonces él pidió un préstamo al banco, utilizando al papá como aval. Pero, como de costumbre, perdió el interés, los contratistas vieron que tenían un pollo en sus manos y empezaron a desplumarlo. Esas casas son una basura.

—Seis fases —dije, recordando la artística arquitectura de los edificios—. No se ha hecho gran cosa.

—Puede que la mitad de una fase. El plan preveía una auténtica ciudad. Su ciudad personal —explicó Huenengarth, riéndose—. Hubieran tenido que ver ustedes la proposición que le envió a su papá. Parecía una redacción escolar..., delirios de grandeza. No cabe duda de que el banco acudirá primero al papá, antes de quedarse con las escrituras. Y puede que el papá acabe pagando porque quiere mucho a su hijo y no se cansa de contarle a quien quiera escucharle lo listo que es su niño..., otra mentira. El niño cambió varias veces de especialidad durante la carrera. Ni siquiera terminó el doctorado... se cansó, como de costumbre.

—Pero nunca se ha cansado de la enseñanza —dije yo—. Y, por lo visto, lo hace muy bien... incluso ha ganado premios.

Huenengarth sacó la punta de la lengua a través de sus finos labios y sacudió la cabeza.

—Sí. Organizaciones Formales, Técnicas de Gestión de la Nueva Era. Teoría marxista y rock and roll. Es un artista de variedades. Tengo cintas de sus clases y lo que hace en el fondo es dar gusto a sus alumnos. Mucha retórica anticapitalista y diatribas contra los males de la corrupción empresarial. No hace falta ser Freud para comprender de qué va la cosa, ¿verdad? Le gusta restregárselo al viejo por la cara... Su mujer también debe de formar parte del programa.

—¿En qué sentido?

—Vamos, doctor. Aquí Milo me ha contado que usted descubrió lo de la carrera militar de la señora. Esa chica es una pelandusca. Una perdedora de mierda. Aparte de lo que le está haciendo a la niña. No es posible que sea lo que el viejo tenía pensado para su hijo.

Sonrió y volvió a ponerse colorado y a sudar profusamente, casi levitando de rabia y deleite sobre su asiento. Su ponzoñoso odio resultaba casi tangible. Stephanie lo notó y le miró con embeleso.

—¿Y que me dice de la madre de Chip? —pregunté—. ¿Cómo murió?

Huenengarth se encogió de hombros.

—Suicidio. Pastillas tranquilizantes. Toda la familia es una basura. No le reprocho lo que hizo. Supongo que vivir con Chuck Jones no debió de ser precisamente una delicia. Tiene fama de mujeriego..., le gustan en grupos de tres o cuatro, jóvenes, pechugonas, rubias y tontas de remate.

—Usted querría atraparlos a todos juntos, ¿verdad?

—Son un hato de sinvergüenzas —contestó. Se levantó, dio unos pasos, se volvió de espaldas a nosotros y se desperezó—. Bueno pues, vamos a organizar lo de mañana. Ustedes los sacan de allí y nosotros entramos y empezamos a jugar.

—Muy bien, Bill —dijo Stephanie. De pronto, su buscapersonas empezó a sonar. Se lo quitó del cinturón y estudió la lectura digital—. ¿Dónde está tu teléfono, Alex?

La acompañé a la cocina y esperé a su lado mientras marcaba los números.

—Aquí la doctora Eves. Acabo de... ¿Cómo?... ¿Cuándo?... Muy bien, páseme al residente que está de guardia... ¿Jim? Soy Stephanie. ¿Qué ocurre?... Sí, sí, todo eso ya figura en la historia... Totalmente, ponle enseguida el gota a gota. Lo estás haciendo todo muy bien, pero hazme urgentemente un análisis toxicológico completo. Comprueba los metabolitos hipoglucémicos. Busca en todo el cuerpo la posible huella de pinchazos y vigílalo todo, ¿de acuerdo? Es muy importante, Jim. Por favor... Gracias. Y mantenla totalmente aislada. No tiene que entrar nadie... y ellos menos que nadie. ¿Cómo?... En el pasillo. Deja las cortinas descorridas para que puedan verla, pero que no entren. ... Me importa un bledo... ya lo sé. Échame la culpa a mí, Jim... ¿Qué dices?... No. Tenla en la UCI. Aunque mejore... No me importa, Jim. Busca una cama donde sea. Es importantísimo... ¿Cómo?... Pronto. En cuanto pueda... dentro de una hora tal vez. ¿Cómo dices?... Sí, lo haré. ... De acuerdo, gracias. Estoy en deuda contigo.

Colgó el aparato. Estaba muy pálida y respiraba afanosamente.

—Otra vez —dije yo.

Irguió la cabeza y su mirada se perdió en la distancia.

—Otra vez —dijo—. Y esta vez ha perdido el conocimiento.

31

La noche estaba muy tranquila en la Sala Chappy. Había muchas habitaciones vacías.

Ésta se encontraba dos puertas más abajo de la 505, la de Cassie.

El gélido y pulcro olor de hospital.

Las imágenes de la televisión eran en blanco y negro, una borrosa, pequeña y miniaturizada realidad encerrada en una cápsula.

Frialdad, pulcritud y olor de medicamentos a pesar de que nadie había ocupado aquella habitación desde hacía mucho tiempo.

Yo llevaba allí casi toda la mañana y la tarde.

Y ahora ya había llegado la noche...

La puerta estaba cerrada bajo llave. La habitación se encontraba a oscuras, exceptuando la amarilla parábola de una lámpara de pie que había en un rincón. Unos gruesos cortinajes impedían ver el panorama de Hollywood. Sentado en un sillón de color anaranjado, me sentía tan confinado como un paciente. Apenas podía escuchar el hilo musical que se filtraba desde el pasillo.

El hombre que se hacía llamar Huenengarth se encontraba junto a la lámpara del otro extremo de la habitación, sentado en un sillón idéntico al mío al lado de la cama vacía. Una pequeña radio portátil de color negro descansaba sobre sus rodillas.

La cama estaba deshecha y no había más que el colchón. Sobre la tela se veía una inclinada rampa de papel. Documentos del Gobierno.

Huenengarth llevaba más de una hora ocupado en la lectura de uno de ellos. Al fondo había una línea de números y asteriscos y una palabra que me pareció que era ACTUALIZADO, aunque no podía estar muy seguro, pues me hallaba demasiado lejos y ninguno de los dos tenía interés en acercarse al otro.

Yo también tenía cosas que leer: los últimos informes de laboratorio sobre Cassie y un artículo recién redactado que Huenengarth me había pasado. Cinco páginas mecanografiadas sobre el tema del fraude de los fondos de pensiones, escritas por el profesor W.W. Zimberg en unas hojas tamaño folio, en las cuales se habían tachado varias palabras con un grueso marcador negro.

Mis ojos se desplazaron de nuevo hacia la pantalla del televisor. No se veía más movimiento que el del lento goteo del agua azucarada a través de un tubo de plástico. Inspeccioné minuciosamente el pequeño mundo incoloro. Por milésima vez...

Cobertores y barandillas, un borroso cabello oscuro y una mofletuda mejilla. El dispositivo dosificador con sus entradas, salidas y cierres...

Intuí un movimiento al otro lado de la estancia. Huenengarth sacó una pluma y tachó algo.

Según los documentos que le había mostrado a Milo en el despacho del jefe adjunto, él estaba en Washington la noche en que Dawn Herbert había sido asesinada en el interior de su pequeño automóvil. Mientras ambos nos dirigíamos al hospital poco antes del amanecer, Milo me dijo que Huenengarth lo había confirmado.

«—¿Para quién trabaja exactamente? —le pregunté.

»—No conozco los detalles, pero se trata de una especie de fuerza de choque encubierta, probablemente en connivencia con el departamento del Tesoro.

»—¿Un hombre del servicio secreto? ¿Tú crees que conoce a nuestro amigo el coronel?

»—Yo también me lo he preguntado. Enseguida descubrió que yo estaba jugando con los ordenadores. Al salir del despacho del jefe adjunto, le solté como el que no quiere la cosa el nombre del coronel y me miró como si no le conociera, pero no me extrañaría que ambos hubieran coincidido en unas cuantas fiestas. Te diré una cosa, Alex..., este tío es algo más que un simple agente y tiene detrás a unos peces muy gordos.

»—Unos peces muy gordos y un motivo —dije yo—. Se ha tirado cuatro años y medio para vengar a su padre. ¿Como crees que pudo conseguir el presupuesto de un millón de dólares?

»—¿Quién sabe? Probablemente le lamió el culo a alguien o le dio a alguien una puñalada trapera. O, a lo mejor, fue simplemente cuestión de cornear a alguien. Sea lo que fuere, no cabe duda de que el tío es muy listo.

»—Y un buen actor, además..., consiguió ganarse la confianza nada menos que de Jones y Plumb.

»—Eso quiere decir que un día se presentará candidato a la presidencia de Estados Unidos. ¿Sabes que has rebasado en treinta y cinco kilómetros el límite máximo de velocidad?

»—Bueno, si me ponen una multa, ya me sacarás tú del apuro, ahora que vuelves a ser un policía de verdad.

»—Ya.

»—¿Cómo te las has arreglado?

»—No he hecho nada. Cuando llegue al despacho del jefe adjunto.

Huenengarth ya estaba allí. Va directamente al grano y me pregunta por qué le he estado investigando. Lo pienso un poco y le digo la verdad porque no tenía más remedio. ¿Qué podía hacer, adoptar una actitud negativa y conseguir con ello que el Departamento me sancionara por uso indebido del tiempo y las instalaciones? Después va y me empieza a hacer preguntas sobre la familia Jones. Mientras dura el intercambio, el jefe adjunto permanece sentado detrás de su escritorio sin decir ni una sola palabra y yo pienso que estoy perdido, que ya puedo empezar a buscarme trabajo en la empresa privada. Pero, en cuanto termino, Huenengarth me da las gracias por mi colaboración y dice que es una pena que, habiendo unos índices de criminalidad tan elevados, un tío con la experiencia que yo tengo esté sentado delante de la pantalla de un ordenador en lugar de trabajar en los casos. El jefe adjunto pone cara de haberse tragado mierda de cerdo a través de una caña. Pero no dice nada. Huenengarth pregunta si me pueden asignar a su investigación..., como enlace entre el Departamento de Policía de Los Ángeles y los federales. El jefe adjunto se remueve un poco en su asiento y contesta que no faltaría más, pues los planes del Departamento ya eran desde un principio devolverme al servicio activo. Huenengarth y yo abandonamos el despacho juntos y, nada más salir, me dice que yo le importo personalmente una mierda, pero que está a punto de culminar su trabajo sobre Jones y no quiere que yo me interponga en su camino cuando él se abalance para matar a la presa.

»—Conque quiere matar a la presa, ¿eh?

»—Es un buenazo, seguramente ama a los animales y ni siguiera lleva prendas de piel... Después va y me dice: "A lo mejor, podríamos concertar un trato. No me joda y yo le echaré una mano". Acto seguido me dijo que sabía lo de Cassie a través de Stephanie, pero no había intervenido porque no tenía pruebas suficientes, aunque ahora puede que ya las tenga.

»—¿Y por qué todo tan de repente?

»—Seguramente porque ya está a punto de atrapar al abuelo y le encantaría poder destruir a toda la familia. No me extrañaría nada que, en cierta medida, disfrutara viendo sufrir a Cassie..., la maldición de la familia Jones. Los odia a muerte, Alex... Por otra parte, ¿qué hubiéramos hecho sin él? Por consiguiente, saquémosle todo el provecho que podamos, a ver qué ocurre. ¿Qué tal me sienta eso?

»—Como un modelo de alta costura, colección Ben Casey.

»—Vale pues, hazme una foto cuando todo termine.

Movimiento en la pantalla.

Pero después, nada.

Me notaba el cuello rígido. Cambié de posición sin apartar los ojos de la pantalla.

Huenengarth seguía con sus deberes escolares. Habían transcurrido varias horas sin que nada de lo que yo hiciera le llamara la atención.

El tiempo pasaba con indolente crueldad.

Más movimiento.

Una sombra en una esquina. Ángulo superior derecho.

Después nada durante un buen rato.

De pronto...

—¡Mire! —dije.

Huenengarth levantó la vista por encima de su libelo. Con aire aburrido.

La sombra aumentó de tamaño y se iluminó.

Adquirió forma. Blanca y vellosa.

Una estrella de mar..., una mano humana.

Un índice y un pulgar sujetando algo.

Huenengarth se incorporó en su asiento.

—¡Adelante! —le dije—. ¡Ya está!

Esbozó una sonrisa.

La mano de la pantalla avanzó y aumento de tamaño. Grande, blanca...

—¡Vamos!, ¿a qué espera? —dije.

Huenengarth apartó a un lado el artículo.

La mano se movió... manipulando algo.

Huenengarth contemplaba la imagen con deleite.

Me miró como si hubiera interrumpido un sueño maravilloso.

La cosa que había entre los dedos pareció buscar algo a tientas.

La sonrisa de Huenengarth se ensanchó bajo el bigotito.

—Maldita sea —exclamé.

Huenengarth tomó la pequeña radio negra y se la acercó a la boca.

—Blanco a la vista —dijo.

La mano se había acercado al dispositivo de dosificación del suero intravenoso y estaba utilizando la cosa que sostenía entre los dedos para acoplar un objeto con punta de goma.

Punta afilada.

Un cilindro de color blanco parecido a un bolígrafo. Aguja ultrafina.

Se lanzó como un pájaro que picoteara un agujero de gusano en un fruto.

Y se elevó.

—Adelante —le dijo Huenengarth a la radio.

Sólo más tarde me di cuenta de que se había saltado la fase de «Preparados».

32

Se encaminó hacia la puerta, pero yo me adelanté, descorrí el pestillo y salí primero. Al final, todos mis años de *jogging* y de paseos a pie me iban a servir para algo.

La puerta de la 505 ya estaba abierta de par en par.

Tendida en la cama, Cassie respiraba por la boca.

Medio inconsciente tras haber sufrido un ataque.

Estaba tapada hasta el cuello y el tubo del suero asomaba enroscado por debajo de las mantas.

Cindy dormía boca abajo y tenía un brazo colgando.

Milo se encontraba al lado del soporte del suero, envuelto en un holgado mono quirúrgico. Llevaba una tarjeta de identificación hospitalaria prendida a la camisa con el nombre de Doctor M.B. STURGIS y una fotografía de su enfurruñada cara de oso.

La cara de verdad mostraba una estoica expresión policial. Una de sus manazas asía una muñeca de Chip Jones. La otra mantenía el brazo de Chip doblado a la espalda. Chip lanzó un grito de dolor.

Milo no le hizo caso y le enumeró sus derechos.

Chip lucía un atuendo de *jogging* color camello y unos zapatos de correr de ante marrón con unas franjas diagonales de cuero. Mantenía la espalda encorvada bajo la presa de Milo y miraba a su alrededor con ojos aterrorizados.

Su temor despertaba mis ansias asesinas.

Me acerqué corriendo a la cama y examiné el dispositivo de dosificación del suero intravenoso. Cerrado. Sellado con pegamento. La idea se le había ocurrido a Stephanie. El contenido del cilindro no podía penetrar en la corriente sanguínea de Cassie. Una medida inteligente, pero peligrosa: a los pocos segundos, Chip hubiera notado que la presión se intensificaba en el interior de la aguja. Y lo hubiera comprendido.

Milo ya lo había esposado. Chip rompió a llorar, pero enseguida se contuvo.

Huenengarth se humedeció los labios con la lengua y le dijo:

—Está usted jodido, Junior.

Yo no le había visto entrar.

Chip le miró fijamente con la boca todavía abierta. La barba le temblaba. Le cayó algo al suelo. Un cilindro de color blanco con una minúscula y afilada punta. El objeto rodó un poco por la alfombra antes de detenerse. Chip levantó un pie y trató de pisarlo.

Milo lo apartó de un empujón. Huenengarth se puso un guante quirúrgico y se agachó para recoger el cilindro.

Después lo agitó delante del rostro de Chip.

Este empezó a gimotear mientras Huenengarth respondía con un movimiento masturbatorio del brazo.

Me acerqué a Cindy y la toqué ligeramente. Se volvió de lado, pero no se despertó. La sacudí por el hombro y tampoco. La sacudí con más fuerza y la llamé por su nombre. Nada.

En el suelo, al lado de su mano colgante, vi una taza medio llena de café.

—¿Con qué la ha drogado usted? —le pregunté a Chip.

No contestó. Repetí la pregunta y él miró al suelo. El pendiente que llevaba aquella noche era una esmeralda.

—¿Qué le ha administrado? —dije, tomando el teléfono para marcar un número.

Él hizo unos pucheros.

Contestó la operadora de avisos y le pedí el envío urgente de un equipo de reanimación.

Chip me miró con los ojos muy abiertos.

Huenengarth se acercó nuevamente a él, pero Milo le contuvo con una mirada.

—Si corre peligro y usted no nos lo dice —le dijo Milo a Chip—, sólo conseguirá agravar su situación.

Chip carraspeó como si se dispusiera a hacer una importante declaración, pero no dijo nada.

Me acerqué a la cama de Cassie.

—Muy bien pues —dijo Milo, empujando a Chip hacia la puerta—, vamos a la cárcel. Ya lo descubrirán los del laboratorio.

—Probablemente Diazepam... Valium —dijo Chip—. Pero yo no se lo he administrado.

—¿Cuánto? —pregunté.

—Suele tomar cuarenta miligramos.

Milo me miró.

—Seguramente no es letal —le expliqué—. Pero es una dosis muy fuerte para una persona de su talla.

—No creo —dijo Chip—. Está acostumbrada.

—No me cabe ninguna duda —dije yo, entrelazando los dedos de las manos para que no me temblaran.

—No sea estúpido —dijo Chip—. Regístreme si quiere..., a ver si me encuentra encima algún medicamento.

—No tiene nada porque se lo ha dado todo a ella —terció Huenengarth.

Chip consiguió soltar una carcajada a pesar del terror de sus ojos.

—Adelante, regístreme.

Huenengarth le cacheó, le volvió los bolsillos del revés y sólo encontró el billetero y las llaves.

Chip le miró, sacudió la cabeza para apartarse un mechón de cabello de los ojos y sonrió.

—¿De qué se ríe, Junior?

—Está usted cometiendo un grave error —contestó Chip—. Si yo no fuera la víctima, me daría usted mucha pena.

Huenengarth sonrió.

—¿De veras?

—Pues sí.

—Aquí el pequeño Jones cree que todo esto tiene mucha gracia, caballeros. —Volviéndose hacia Chip, añadió—: ¿Qué coño cree usted que está pasando? ¿Cree que uno de los abogados de su papi lo va a sacar de este aprieto? Le tenemos en vídeo, tratando de matar a su propia hija..., lo tenemos todo, desde la carga de la aguja hasta el momento en que la clava. ¿Quiere saber dónde está la cámara?

Chip sonrió, pero el miedo le asomaba por los ojos, los cuales parpadearon, se abrieron como platos y recorrieron rápidamente la habitación. De pronto, los cerró, inclinó la cabeza y murmuró algo para sus adentros.

—¿Cómo? —dijo Huenengarth—. ¿Qué ha dicho?

—La discusión ha terminado.

Huenengarth se le acercó un poco más.

—Un intento de asesinato no es como para tomárselo a broma. ¿Qué clase de escoria puede ser capaz de hacerle eso a alguien que es carne de su carne?

Chip mantuvo la cabeza inclinada.

—Bueno —añadió Huenengarth—, siempre le quedará la posibilidad de iniciar un nuevo proyecto..., manuales para abogados de prisiones. A los tiparracos de la prisión de máxima seguridad les va a encantar su elegante trasero.

Chip no se movió. Su cuerpo se había aflojado como si estuviera meditando y Milo tuvo que sostenerle para evitar que se doblara.

Se oyó un sonido desde la cama. Cassie estaba cambiando de posición. Chip la miró.

La niña se volvió a mover, pero no se despertó.

Una terrible expresión se dibujó en el rostro de Chip..., decepción por no haber conseguido cumplir su tarea.

Su odio hubiera sido suficiente para desencadenar una guerra.

Los tres nos dimos cuenta. La habitación resultó de pronto muy pequeña.

Huenengarth enrojeció y empezó a resoplar como una rana toro.

—Que tenga usted un buen descanso el resto de su vida, hijo de puta —murmuró por lo bajo antes de abandonar precipitadamente la habitación.

En cuanto la puerta se cerró, Chip esbozó una sonrisita forzada.

Milo lo empujó hacia la puerta. Ambos salieron momentos antes de que llegara Stephanie con el equipo de reanimación.

33

Contemplé a Cassie dormida. Stephanie se retiró con los miembros del equipo de reanimación, pero regresó media hora más tarde.

—¿Cómo está Cindy?

—Le dolerá terriblemente la cabeza, pero se salvará.

—A lo mejor, necesitará una cura de desintoxicación —dije, bajando la voz—. Él ha dicho que estaba acostumbrada, aunque ha negado haberle administrado la dosis... Tuvo especial empeño en subrayar que no llevaba ningún medicamento encima. Pero yo estoy seguro de que se lo echó en el café y de que debía de haberlo hecho en otras muchas ocasiones anteriores. Siempre que yo venía aquí, le veía con una taza de café en la mano.

Stephanie sacudió la cabeza, se sentó en la cama y tomó el estetoscopio que llevaba alrededor del cuello. Calentando el disco con su aliento, lo colocó sobre el pecho de Cassie y la auscultó.

Cuando terminó, le pregunté:

—¿Han encontrado alguna sustancia en la sangre de Cassie?

—No, simplemente un nivel muy bajo de azúcar —contestó en un susurro. Después levantó el brazo libre de la niña y le tomó el pulso—. Fuerte y regular —dijo, soltando el brazo.

Permaneció sentada un instante en la cama y después arropó a la niña con las mantas y acarició su aterciopelada mejilla. Las cortinas estaban descorridas y yo la vi mirar hacia la noche con ojos cansados.

—Es absurdo —dijo—. ¿Por qué utilizó la insulina inmediatamente después de que tú descubrieras los cilindros? A menos que Cindy no le dijera que los habías encontrado. ¿Tan mala crees tú que era la relación entre ellos?

—Estoy seguro de que ella se lo debió de decir y precisamente por eso las utilizó. Las colocó allí para que yo las encontrara. Hizo una llamada especial para cerciorarse de que yo iría y se aseguró de no estar presente. Interpretó el papel del papá preocupado, pero, en realidad, fijó con toda precisión el momento porque sabía que, para entonces, nosotros ya sospechábamos la existencia de un síndrome de Münchhausen y confiaba en que yo fisgoneara, descubriera los cilindros y le echara la culpa a Cindy, tal como efectivamente ocurrió. Era lo más lógico. Las muestras pertenecían a su tía, Cindy era la que se encargaba de las tareas domésticas y, por consiguiente, lo más probable era que ella las hubiera escondido allí. Y, además, era la madre... lo cual la convertía en sospechosa ya de entrada. La primera vez que le conocí, Chip tuvo especial empeño en subrayar que su matrimonio era muy tradicional... y que la principal misión de Cindy era el cuidado de los hijos.

—La señaló con el dedo desde un principio —dijo Stephanie, sacudiendo la cabeza en gesto de incredulidad—. O sea que él lo orquestó todo.

—Hasta el último detalle. Si yo no hubiera descubierto los cilindros durante mi visita de ayer, hubiera buscado otras ocasiones para inculparla.

—Menudo monstruo —dijo Stephanie.

—El demonio viste prendas deportivas.

Stephanie se rodeó el tronco con los brazos.

—¿Qué dosis contenía el Insuject? —pregunté.

Stephanie miró a Cassie y contestó en un susurro:

—Más que suficiente.

—O sea que esta noche hubiera sido el capítulo final —dije—. Cassie hubiera sufrido un ataque mortal mientras Cindy dormía y todos hubiéramos sospechado de la madre. Si no le hubiéramos pillado, probablemente hubiera colocado la aguja en el bolso de su mujer o en algún otro lugar comprometedor. El Valium que ella había tomado sin saberlo hubiera contribuido a completar la imagen de la culpa: intento de suicido. Remordimiento por haber matado a su hija o simple consecuencia de una mente desequilibrada.

Stephanie se frotó los ojos y se sostuvo la cabeza con una mano.

—Qué cerdo tan increíble... ¿Y cómo ha entrado sin pasar por el control de los servicios de Seguridad?

—Tu amigo Bill dijo que no entraba en el hospital por la puerta principal, lo cual quiere decir que, a lo mejor, utilizaba las llaves de su padre y entraba por la parte de atrás. Puede que utilizara una de las entradas de servicios. A esa hora no debía de haber nadie. Sabemos por la cámara instalada en el pasillo que utilizó la escalera para subir y esperó a que la enfermera de la Quinta Este entrara en la sala de las enfermeras antes de entrar a su vez en la Chappy. Probablemente hizo lo mismo cuando Cassie sufrió su primer ataque aquí en el hospital. Ensayo general. Entró a altas horas de la noche, le inyectó la cantidad de insulina suficiente como para producir un efecto retardado y regresó a su casa del Valle donde esperó la llamada de Cindy antes de regresar para consolarla en la sala de Urgencias. El hecho de que la Chappy esté casi siempre vacía le facilitó la tarea de entrar sin que nadie le viera.

—Y, durante todo este tiempo, yo estuve sospechando de Cindy. Brillante actuación, Eves.

—Yo también sospechaba de ella. Todos sospechábamos. Era una sospechosa ideal de Münchhausen. Menosprecio de sí misma, amabilidad y simpatía, tempranas experiencias con graves enfermedades, estudios sanitarios. En sus lecturas, él debió de descubrir el síndrome de Münchhausen, le debió de parecer adecuado y vio en él una oportunidad de comprometerla. Por eso no quiso que trasladaran a Cassie a otro hospital. Nos quería dar tiempo para que se consolidaran nuestras sospechas. Nos trabajó como si fuéramos su público..., como trabaja a sus alumnos. Le gusta exhibirse, Steph. Pero no nos dimos cuenta porque los textos dicen que eso siempre lo hace una mujer.

Silencio.

—Él mató a Chad, ¿verdad? —pregunto Stephanie.

—Es muy posible.

—¿Por qué, Alex? ¿Por qué utilizar a sus propios hijos para causarle daño a Cindy?

—No lo sé, pero te voy a decir una cosa. Odia a Cassie. Antes de que se lo llevaran, miró a la niña con una expresión de puro desprecio. Si el vídeo la ha captado y el tribunal acepta su validez, la acusación no necesitará nada más.

Sacudiendo la cabeza, Stephanie se acercó de nuevo a la cama y acarició el cabello de Cassie.

—Pobre niña. Pobre niñita inocente.

Permanecí sentado sin querer pensar, ni hacer, ni hablar ni sentir. Un trío de Conejitos Amorosos descansaba en el suelo cerca de mis pies.

Recogí uno de ellos y me lo pasé de una mano a la otra. Tenía una cosa dura en la tripa.

Levanté la solapa de la costura y palpé el relleno de gomaespuma tal como había hecho en el dormitorio de Cassie. Esta vez encontré algo oculto en un pliegue, cerca de la ingle.

Lo saqué. Un paquete de aproximadamente tres centímetros de diámetro. Papel de seda sujeto con cinta adhesiva de celofán.

Lo desenvolví. Cuatro pastillas de color azul claro en forma de corazón.

—Valium —dijo Stephanie.

—Aquí está el escondrijo. —Envolví de nuevo el paquetito y lo aparté a un lado para entregárselo a Milo—. Insistió mucho en puntualizar que no llevaba ningún medicamento encima. Para él todo es un juego.

—Vicki compró los conejitos —dijo Stephanie—. Fue Vicki la que hizo que Cassie se encariñara con ellos.

—Ya hablaremos después con Vicki —dije.

—Qué extraño es todo —comentó Stephanie—. Eso no te lo enseñan en la fac...

Se oyó un chillido desde la cama. Los ojos de Casssie parpadearon espasmódicamente y se abrieron. Su boquita hizo una mueca y sus ojos volvieron a parpadear.

—No pasa nada, nena —le dijo Stephanie.

Cassie movió la boca y, al final, consiguió emitir un sonido:

—Eh eh eh.

—Tranquila, nena. Todo irá bien. Ahora te vas a poner buena.

—Eh eh eh.

Más parpadeos. Un estremecimiento. Cassie intentó moverse y, al no conseguirlo, gimoteó de impotencia, cerró fuertemente los ojos y arrugó la barbilla.

Stephanie la tomó en brazos y la acunó. Cassie trató de apartarse de sus caricias.

Recordé cómo había intentado apartarse de mí en su dormitorio.

¿Por reacción al nerviosismo de su madre? ¿O porque recordaba a otro hombre que entraba en la oscuridad de la noche y le hacía daño?

Pero, en tal caso, ¿por qué no se asustaba cada vez que veía a Chip? ¿Por qué se había arrojado voluntariamente en sus brazos la primera vez que yo les había visto juntos?

—Eh eh eh...

—Ssss, nena.

—Eh... eh... eh... eh.

—Duerme, cariño. Duerme.

—Eh...

Con una vocecita muy fina.

—Ssss.

—Eh...

Cassie cerró los ojos. Y empezó a roncar suavemente.

Stephanie la sostuvo un momento y después la soltó.

—Debo de tener un toque mágico —dijo con tristeza.

Colocándose de nuevo el estetoscopio alrededor del cuello, abandonó la habitación.

34

Poco después entraron una enfermera y una agente de policía.

Le entregué a la policía el paquete de las pastillas y me encaminé como un sonámbulo hacia la puerta de madera de teca.

En la Quinta Este la gente hablaba y se movía, pero yo no le presté la menor atención. Bajé en el ascensor hasta el sótano. La cafetería estaba cerrada. Me pregunté si Chip también tendría una llave para abrirla, me compré una taza de café en una máquina automática, busqué una cabina telefónica y tomé un sorbo mientras pedía a Información el número de una tal Jennifer Leavitt. Nada.

Antes de que el operador cortara la comunicación, le pedí que buscara algún Leavitt en el distrito de Fairfax. Había dos. Uno de los números coincidía vagamente con el recuerdo que yo tenía del número particular de los padres de Jennifer.

En mi reloj eran las nueve y media. Sabía que el señor Leavitt se acostaba muy temprano para poder estar en la panadería a las cinco de la madrugada. Confiando en que no fuera demasiado tarde, marqué el número.

—¿Diga?

—¿Señora Leavitt? Soy el doctor Delaware.

—Hola, doctor. ¿Qué tal está?

—Muy bien. ¿Y usted?

—También, gracias.

—¿Llamo demasiado tarde?

—No, qué va. Estábamos mirando la televisión. Pero Jenny no está en casa. Ahora vive en su propio apartamento... Mi hija, la doctora, es muy independiente.

—Ya veo que está usted muy orgullosa de ella.

—¿Y por qué no iba a estarlo? Siempre ha hecho que yo me sintiera orgullosa. ¿Quiere su nuevo número?

—Sí, por favor.

—No se retire... Está en Westwood Village, muy cerca de la universidad. Vive con otra chica muy simpática... Aquí lo tengo. Si no la encuentra allí, probablemente estará en su despacho..., tiene un despacho para ella sola.

Risita de complacencia.

—Qué bien —dije, anotando los números.

—Un despacho para ella sola —repitió—. Eso de educar a una hija como ella es un privilegio... La echo mucho de menos. Tengo la sensación de que la casa se ha quedado muy vacía.

—No me extraña.

—Usted la ayudó mucho, doctor Delaware. Los estudios universitarios a su edad no fueron muy fáciles... Tiene usted que estar orgulloso.

Nadie contesto en el apartamento de Jennifer, pero, en cambio, la llamada a su despacho fue atendida al primer timbrazo:

—Al habla Leavitt.

—Jennifer, soy Alex Delaware.

—Hola, Alex. ¿Ya resolviste tu Münchhausen por sustitución?

—El enigma —dije yo—. Pero el enigma todavía no se ha aclarado. Resulta que era el padre.

—No me digas. O sea que no siempre es la madre.

—Él contaba con que nosotros lo creyéramos así. Le tendió una trampa a su mujer.

—Qué maquiavélico.

—Se cree un intelectual. Es profesor.

—¿Aquí?

—No, en un centro de enseñanza semisuperior. Pero las investigaciones en serio las hace en la universidad y por eso precisamente te llamo. Deduzco que leyó todos los textos imaginables sobre el síndrome para poder crear un caso de manual. Su primer hijo murió de síndrome de muerte súbita. Otro caso de manual que quizá también fue obra suya.

—Oh, no... sería demasiado.

—Se me ha ocurrido pensar que podría tener alguna relación con el claustro de profesores de este centro. ¿Habría algún medio de averiguarlo?

—La biblioteca tiene un registro de todos los usuarios.

—¿Figuran en el registro los artículos que se retiran?

—Por supuesto que sí. ¿Qué hora es? Las nueve y cuarenta y siete minutos. La biblioteca está abierta hasta las diez. Podría llamar allí abajo y comprobar si está trabajando algún conocido mío. Dame el nombre de ese malnacido.

—Jones, Charles L. De Sociología. Colegio Comunitario de West Valley.

—Ya lo tengo anotado. Te retendré la llamada y te llamaré por la otra línea. Dame tu número por si se cortara la comunicación.

Cinco minutos después, se puso de nuevo al aparato.

—Misión cumplida, Alex. El muy idiota dejó un reguero de artículos que no veas. Sacó todo lo que hay sobre tres temas... Münchhausen, síndrome de muerte súbita infantil y estructura sociológica hospitalaria. Más unos cuantos artículos dispersos sobre otros dos temas: toxicidad del Diazepam y... ¡agárrate!... fantasías femeninas sobre el tamaño del pene. Está todo aquí: nombres, fechas, hora exacta. Mañana te haré una impresión.

—Estupendo. Te lo agradezco mucho, Jennifer.

—Otra cosa —dijo—. Él no es el único que utilizó la tarjeta de lector. Hay otra firma en alguna de las investigaciones..., una tal Kristie Kirkash. ¿Conoces a alguien que se llame así?

—No —contesté—, pero no me extrañaría que fuera una de sus jóvenes alumnas. A lo mejor, hasta pertenece a un equipo femenino de béisbol.

—Lo tiene mal el profe, ¿verdad? ¿A ti qué te parece?

—Me parece que es una criatura de costumbres muy rutinarias.

35

La mañana era muy calurosa y el valle se estaba achicharrando. Un camión de gran tonelaje había volcado en la autopista, inundando de huevos todos los carriles. Hasta el área de descanso estaba bloqueada y Milo soltó maldiciones hasta que el guardia de tráfico nos permitió pasar.

Llegamos al colegio universitario con diez minutos de retraso y alcanzamos el aula justo en el momento en que estaban entrando los últimos alumnos.

—Maldita sea —exclamó Milo—. Tenemos que darnos prisa.

Subimos los peldaños de la caravana y yo me quedé en la puerta mientras Milo se acercaba a la pizarra.

La pequeña estancia ocupaba la mitad de la caravana, tenía un tabique de separación y disponía de una mesa de conferencias y una docena de sillas plegables.

Diez de las sillas estaban ocupadas. Ocho mujeres y dos hombres. Una de las mujeres debía de tener sesenta y tantos años; las demás eran más jóvenes. Los hombres tenían cuarenta y tantos años. Uno era blanco y tenía una abundante melena de cabello castaño claro; el otro era hispano y llevaba barba. El blanco levantó brevemente los ojos y después volvió a enfrascarse en la lectura de un libro.

Milo tomó un puntero y dio unos golpecitos a la pizarra.

—Hoy el señor Jones no podrá venir. Yo soy el señor Sturgis, su sustituto.

Todos los ojos se clavaron en él, excepto los del lector.

Una de las chicas preguntó con voz afectada:

—¿Le ha ocurrido algo?

Tenía una larga melena de ondulado cabello negro y lucía unos pendientes hechos con esferas de plástico de color blanco y azul espliego, ensartadas en hilo de nailon. Su *top* de color blanco mostraba un busto exuberante y unos hombros bronceados. Lucía una sombra de ojos demasiado azul y una barra de labios demasiado pálida, ambas cosas en cantidad excesiva.

Aun así, estaba mejor que en la fotografía del grupo estudiantil.

—Pues más bien no, Kristie —contestó Milo.

La chica abrió la boca y los demás alumnos la miraron.

—Pero bueno, ¿qué es lo que pasa? —dijo, tomando su bolso.

Milo se metió la mano en el bolsillo y sacó la placa de policía.

—Eso lo tienes que decir tú, Kristie.

Se quedó paralizada en su sitio. Los demás alumnos no salían de su asombro. Los ojos del lector flotaron sobre las páginas del libro. Moviéndose muy despacio.

Vi que Milo le miraba y desviaba los ojos hacia el suelo.

Los zapatos.

Unos toscos zapatos negros con cordones y puntera redonda. No encajaban muy bien con su camisa de seda y sus pantalones de marca.

Milo entornó los ojos. El lector clavó los ojos en los míos y después se cubrió la cara con el libro.

Teorías de las organizaciones.

Kristie rompió a llorar.

Los demás alumnos se habían quedado petrificados como estatuas.

—¡Hola, Joe! ¡Cara cacarañada!

El lector levantó la vista con expresión pensativa. Sólo un segundo, pero fue suficiente.

Rostro anodino. Como el del padre de Dick y Jane, los de la casa de al lado. De cerca, los detalles destruían la imagen paternal: sombras en la frente, señales de viruela en las mejillas, una cicatriz en la sien. Un tatuaje en una mano.

Y el sudor..., una capa de sudor tan lustrosa como laca recién aplicada.

Se levantó. Fríos ojos entornados; manos grandes y antebrazos poderosos. Más tatuajes, verdeazulados, vulgares. Como de piel de reptil.

Recogió sus libros y se apartó de la mesa sin levantar la cabeza.

—Quieto ahí —le dijo Milo—. Soy de muy buena pasta.

El hombre se detuvo, dobló el tronco, arrojó los libros contra Milo y corrió hacia la puerta.

Yo, rápido, le cerré el paso, formando una barrera con los brazos cruzados.

Me empujó con fuerza. El impacto me arrojó contra la puerta y ésta se abrió.

Caí hacia atrás y aterricé violentamente sobre el suelo de cemento, golpeándome la rabadilla. Extendí las manos y agarré dos puñados de seda. Estaba encima de mí, golpeándome con rabia y empapándome de sudor.

Milo lo apartó, le golpeó en el rostro y el vientre y lo empujó contra el bungalow. El hombre forcejeó, Milo le propinó un fuerte golpe en los riñones y lo esposó antes de que se desplomara, soltando un gruñido de dolor.

Milo lo empujó hacia abajo y apoyo un pie sobre su espalda.

—Vaya, vaya, vaya, pero, ¿quién tenemos aquí? Sobran, coma Karl, con K, Sebring, coma Carl, con C... Ramsey, coma Clark Edward. ¿Cuál es tu verdadero nombre, capullo, o acaso padeces un síndrome de múltiple personalidad?

El hombre no dijo nada.

Milo rozó uno de los zapatos negros con la puntera del suyo.

—Buenos zapatones de prisión. ¿Del condado o del estado?

No hubo respuesta.

—Necesitas tacones nuevos, tío.

Los músculos de la espalda del hombre se contrajeron bajo la camisa.

Milo se volvió a mirarme.

—Busca un teléfono y llama a la subcomisaría de Devonshire. Diles que tenemos a un sospechoso buscado por la Brigada de Homicidios de Jefatura Superior y facilítales el nombre completo de Dawn Herbert.

—Mierda —dijo el hombre con voz ronca y pastosa.

Una de las jóvenes alumnas salió a la puerta de la caravana. Veinte o veintiún años, melenita rubia corta, vestido blanco sin mangas, cara de Mary Pickford.

—Kristie está muy disgustada —dijo con una voz muy tímida.

—Dile que enseguida estoy con ella —le contestó Milo.

—Vale. ¿Qué es lo que ha hecho Karl?

—Unos deberes desastrosos —contestó Milo.

El hombre emitió un gruñido y la chica se sobresaltó.

Con la rodilla sobre la espalda del hombre, Milo añadió:

—Tranquila... no pasa nada. Vuelve dentro y espera.

—Es una especie de experimento, ¿verdad?

—¿Un experimento?

—Uno de esos juegos de rol. El profesor Jones los utiliza muy a menudo para fortalecer nuestro nivel de conciencia.

—No me extraña. Pues no, esto es de verdad. Sociología en acción. Fíjate bien porque entrará en el examen final.

36

El sobre llegó a las siete de la tarde a través de un mensajero, poco antes de que Robin regresara a casa. Lo aparté a un lado y procuré pasar una velada normal con ella. Cuando Robin se fue a dormir, tomé el sobre y me dirigí a la biblioteca. Encendí todas las luces y me puse a leer.

TRANSCRIPCIÓN DEL INTERROGATORIO

DR # 12 - 789 793
DR # 64 - 458 990
DR # 135 - 935 827

LUGAR: PRISIÓN DEL C. DE LOS ÁNGELES, BLOQUE:
MÁXIMA SEGURIDAD
HORA/FECHA: 6/1/89, 7.30 TARDE.
SOSPECHOSO: JONES, CHARLES LYMAN III, V. RAZA BLANCA,
1 M 86 CM, CASTAÑO, AZULES
EDAD: 38 AÑOS
ABOGADO DEF.: SEÑOR TOKARIK, ANTHONY M.
DEPARTAMENTO DE
POLICÍA DE L.A.: MILO B. STURGIS # 15994 L.A. OESTE
(ASIGNACIÓN ESPECIAL)

STEPHEN MARTÍNEZ, # 26782, DEVONSHIRE

INV. STURGIS: Sesión de vídeo número dos con el sospechoso Charles Lyman Jones Tercero. El sospechoso fue informado de sus derechos en el momento de su detención por asesinato en grado de tentativa. La advertencia Miranda le fue repetida y grabada en una sesión anterior a las once de la mañana del día 1 de junio de 1989 y transcrita aquel mismo día a las dos de la tarde. La sesión se suspendió a requerimiento del abogado defensor del sospechoso, el señor Anthony Tokarik. Esta sesión constituye la reanudación del anterior interrogatorio, a petición del señor Tokarik. ¿Quiere que le repita la advertencia Miranda, abogado, o vale la anterior?

SR. TOKARIK: Vale a menos que el profesor Jones solicite su repetición. ¿Quiere usted que le repitan la advertencia, Chip?

SR. JONES: No, vale la anterior.
SR. TOKARIK: Adelante.
INV. STURGIS: Buenas tardes, Chip.
SR. TOKARIK: Prefiero que se dirija con más respeto a mi cliente.
INV. STURGIS: ¿Le parece bien «profesor»?
SR. TOKARIK: Sí. Pero, si le resulta demasiado difícil, «señor Jones» será suficiente.
INV. STURGIS: Usted acaba de llamarle «Chip».
SR. TOKARIK: Yo soy su abogado.
INV. STURGIS: Ya... bueno pues... muy bien. Si quiere, podría llamarle «doctor», a pesar de que nunca terminó el doctorado, ¿no es cierto, Chip... digo señor Jones? ¿Cómo? No le oigo.
SR. JONES: (murmullos ininteligibles)
INV. STURGIS: Tiene que hablar más alto, señor Jones. Los susurros no nos sirven de nada.
SR. TOKARIK: Un momento, señor investigador. A no ser que cambie usted el tono de la entrevista, me veré obligado a pedir una suspensión inmediata.
INV. STURGIS: Como guste..., peor para usted. Pensé que les interesaría conocer las pruebas que hemos reunido contra Chip. Perdone..., contra el señor Jones.
SR. TOKARIK: Puedo obtener todas las pruebas que usted tiene a través de la oficina del fiscal de distrito, amparándome en las normas de recuperación, señor investigador.
INV. STURGIS: Muy bien pues. Entonces espere a que comience el juicio. Vamos, Steve.
INV. MARTÍNEZ: De acuerdo.
SR. JONES: Un momento (palabras incomprensibles.)
SR. TOKARIK: Espere, Chip. (Sonidos ininteligibles.) Quisiera hablar con mi cliente en privado, si no les importa.
INV. STURGIS: Siempre y cuando no tarden mucho.

Suspensión: 7,39 de la tarde
Reanudación: 7,51 de la tarde

SR. TOKARIK: Adelante, enséñenos lo que tiene.
INV. STURGIS: En seguida, pero, ¿contestará el señor Jones a las preguntas o acaso los que hablaremos y mostraremos cosas seremos sólo nosotros?
SR. TOKARIK: Me reservo el derecho de mi cliente a negarse a responder a las preguntas. Prosiga, si lo desea, señor investigador.
INV. STURGIS: ¿Qué te parece, Steve?
INV. MARTÍNEZ: Pues no sé.
SR. TOKARIK: ¿Ya lo han decidido, caballeros?
INV. STURGIS: Sí, de acuerdo. Bueno, Chip... señor Jones... me alegro de que haya contratado los servicios de un abogado de tantas campanillas como el señor Tokarik, pues le aseguro que...
SR. TOKARIK: Estamos empezando con muy mal pie. Mis honorarios no tienen nada que ver con...

INV. STURGIS: ¿Qué estamos haciendo aquí, señor abogado, interrogar a un sospechoso o criticar mi estilo?
SR. TOKARIK: Me opongo enérgicamente a su...
INV. STURGIS: Puede oponerse a todo lo que quiera. Esto no es un juicio.
SR. TOKARIK: Solicito otra suspensión para hablar con mi cliente.
INV. STURGIS: No es posible. Vamos, Steve.
INV. MARTÍNEZ: Será lo mejor.
SR. JONES: Un momento. Siéntense.
INV. STURGIS: ¿Me está usted dando órdenes, Junior?
SR. TOKARIK: Protesto...
INV. STURGIS: Vamos, Steve, será mejor que lo dejemos.
SR. JONES: ¡Esperen!
SR. TOKARIK: Chip, eso es...
SR. JONES: ¡Calle la boca!
INV. STURGIS: Uy, uy, uy, no pienso seguir adelante mientras haya estos roces entre ustedes dos. ¿Y si después el acusado se quejara de que no fue debidamente representado por el abogado que eligió? Así no habrá manera.
SR. TOKARIK: No se las dé de abogado conmigo, señor investigador.
SR. JONES: ¡Le he dicho que calle la boca, Tony! ¡Todo eso es absurdo!
INV. STURGIS: ¿Que ocurre, profesor Jones?
SR. JONES: Dígame cuál es la presunta acusación.
INV. STURGIS: ¿No trató usted de inyectarle insulina a su hija Cassandra Brooks?
SR. JONES: Por supuesto que no. Encontré la aguja en el bolso de Cindy, me disgusté porque ello confirmaba las sospechas que yo tenía sobre ella y quería comprobar si...
SR. TOKARIK: Chip...
SR. JONES: ... ya la había inyectado en el suero intravenoso de Cassie. Deje de mirarme de esta manera, Tony..., aquí está en juego mi futuro. Quiero ver qué es esa tontería que tienen, para aclarar las cosas de una vez por todas.
INV. STURGIS: ¿Tontería?
SR. TOKARIK: Chip...
INV. STURGIS: Como sigamos así, no quiero...
SR. JONES: Él es el abogado libremente elegido por mí, ¿no es cierto? Pues entonces, sigamos.
INV. STURGIS: ¿Está usted seguro?
SR. JONES: (sonidos ininteligibles)
INV. STURGIS: Hable directamente contra el micro.
SR. JONES: Vamos allá. Quiero salir de aquí cuanto antes.
INV. STURGIS: Sí, señor, sí, mi amo.
SR. TOKARIK: Señor inves...
SR. JONES: Cállese, Tony.
INV. STURGIS: ¿Todos preparados? Muy bien pues. En primer lugar, le tenemos a usted en vídeo, intentando inyectar la insulina en...

Sr. Jones: Falso. Ya le he dicho lo que ocurrió. Quería simplemente averiguar qué se proponía Cindy.

Inv. Sturgis: Tal como ya le he dicho, le tenemos en vídeo, intentando inyectar insulina en el suero intravenoso de su hija. Tenemos grabada su entrada en el Western Pediatric, pero no por la puerta principal. Una de las llaves de su llavero ha sido identificada como una llave maestra del hospital. Probablemente la utilizaba usted para entrar en secreto a través de...

Sr. Tokarik: Protesto...

Sr. Jones: Tony.

Sr. Tokarik: Solicito hablar con mi...

Sr. Jones: Corte el rollo, Tony. Yo no soy uno de sus imbéciles sociópatas. Siga con su cuento de hadas, señor investigador. Tiene usted razón, utilicé una de las llaves de papá. ¿Y qué? Siempre que acudo al hospital, evito la puerta principal. Procuro pasar inadvertido. ¿Acaso la discreción es un delito?

Inv. Sturgis: Vamos, hombre. Compró usted dos tazas de café en la máquina automática, subió por la escalera hasta el quinto piso. También le tenemos en vídeo hasta allí. En el pasillo donde termina la Quinta Este y empieza la Sala Chappy, se detiene con las tazas en las manos para mirar a través de una rendija de la puerta. Da la impresión de que espera a que la enfermera de guardia se retire a la sala del interior. Después, entra en la habitación 505 donde permanece por espacio de treinta y cinco minutos hasta que entro yo y le sorprendo clavando la aguja en el tubo del suero de su hija. Ahora mismo le vamos a mostrar los vídeos; ¿de acuerdo?

Sr. Jones: Todo eso me parece absolutamente innecesario, pero haga lo que guste.

Inv. Sturgis: Acción, cámara.

Suspensión. 8,33 de la tarde
Reanudación: 9,10 de la noche.

Inv. Sturgis: Muy bien. ¿Algún comentario?

Sr. Jones: Godard no es, desde luego.

Inv. Sturgis: Ah, ¿no? Pues yo creía que contenía mucha *vérité*.

Sr. Jones: ¿Es usted aficionado al *cinéma vérité*, señor investigador?

Inv. Sturgis: No mucho, señor Jones. Se parece demasiado a mi trabajo habitual.

Sr. Jones: Vaya, me gusta la respuesta.

Sr. Tokarik: ¿Eso es todo? ¿A eso se reducen en total las pruebas que usted tiene?

Inv. Sturgis: ¿En total? Ni lo sueñe. Bueno pues, ahora le tenemos clavando la aguja...

Sr. Jones: Ya le he dicho lo que ocurrió..., quería efectuar una comprobación. Quería examinar el dispositivo de entrada del tubo para ver si Cindy ya le había administrado la inyección a Cassie.

Inv. Sturgis: ¿Por qué?

Sr. Jones: ¿Por qué? ¡Pues para proteger a mi hija!

Inv. Sturgis: ¿Por qué sospechaba que su esposa le estaba haciendo daño a Cassie?

Sr. Jones: Por ciertas circunstancias. Por los datos que obraban en mi poder.

Inv. Sturgis: Los datos.

Sr. Jones: Exactamente.

Inv. Sturgis: ¿Me quiere usted contar algo más sobre esos datos?

Sr. Jones: Su personalidad..., cosas que yo observaba. Se comportaba de una manera muy rara... escurridiza. Y Cassie siempre se ponía mala tras haber permanecido algún tiempo con su madre.

Inv. Sturgis: Muy bien... Hemos descubierto la señal de un pinchazo en la parte más carnosa de la axila de Cassie.

Sr. Jones: No me cabe ninguna duda, pero yo no se la hice.

Inv. Sturgis: Ya... ¿y qué me dice del Valium que echó usted en el café de su mujer?

Sr. Jones: Ya se lo expliqué en la habitación, señor investigador. Yo no se lo eché. ¿No recuerda lo que le dije? Lo tomaba para los nervios. Estaba muy mal de los nervios... y llevaba algún tiempo tomándolo. Si lo niega, miente.

Inv. Sturgis: Lo niega, en efecto. Y dice que jamás se dio cuenta de que usted la estaba drogando.

Sr. Jones: Miente habitualmente... ahí está lo malo. Acusarme a mi exclusivamente sobre la base de lo que ella dice es como construir un silogismo sobre premisas totalmente falsas. ¿Entiende usted lo que quiero decir?

Inv. Sturgis: Por supuesto, profesor. Las pastillas de Valium se encontraron en el interior de uno de los juguetes de Cassie..., un conejito de felpa.

Sr. Jones: ¿Ve usted? ¿Cómo lo hubiera podido yo saber?

Inv. Sturgis: Su mujer dice que le compró varios a Cassie.

Sr. Jones: Yo le compraba a Cassie toda clase de juguetes. Otras personas también le compraban Conejitos Amorosos. Una enfermera apellidada Bottomley..., una personalidad un poco extraña, por cierto. ¿Por qué no la interrogan a ella, por si estuviera implicada en el asunto?

Inv. Sturgis; ¿Por qué iba a estarlo?

Sr. Jones: Ella y Cindy parece que están muy unidas..., siempre pensé que demasiado. Quise que la cambiaran, pero Cindy se negó. Investíguenla, porque tiene una personalidad muy rara, se lo aseguro.

Inv. Sturgis: Ya lo hemos hecho. Superó la prueba del polígrafo y todas las demás a que la sometimos.

Sr. Jones: Las pruebas del polígrafo no se admiten en un tribunal de justicia.

Inv. Sturgis: ¿Accedería usted a someterse a dicha prueba?

Sr. Tokarik: Chip, no...

Sr. Jones: No veo por qué razón. Todo eso es absurdo.

Inv. Sturgis: Sigamos. ¿Tenía usted receta para el Valium que encontramos en su despacho del campus?

SR. JONES: (risas) No. ¿Acaso es un crimen?
INV. STURGIS: Pues, en realidad, sí. ¿De dónde lo sacó?
SR. JONES: De algún sitio... no recuerdo.
INV. STURGIS: ¿De alguno de sus alumnos?
SR. JONES: Por supuesto que no.
INV. STURGIS: ¿De una alumna llamada Kristie Marie Kirkash?
SR. JONES: Rotundamente... no. Puede que ya lo tuviera de antes.
INV. STURGIS: ¿Para su uso personal?
SR. JONES: Claro. Años atrás... pasé por un período de mucho estrés. Ahora que lo pienso, creo que lo tengo desde entonces. Alguien me lo facilitó... un colega del claustro de profesores.
INV. STURGIS: ¿Cómo se llamaba su colega?
SR. JONES: No lo recuerdo. No tenía importancia. El Valium es como un caramelo hoy en día. Me declaro culpable de haberlo obtenido sin receta, ¿vale?
INV. STURGIS. Vale.
SR. TOKARIK: ¿Qué acaba usted de sacar de su cartera, señor investigador?
INV. STURGIS: Algo para que conste en acta. Lo voy a leer en voz alta...
SR. TOKARIK: Primero, quiero una copia. Dos copias, mejor dicho..., una para mí y otra para el profesor Jones.
INV. STURGIS: Tomo debida nota. Se la fotocopiaremos en cuanto terminemos.
SR. TOKARIK: No, la quiero simultáneamente...
SR. JONES: Deje de poner impedimentos, Tony. Déjele leer lo que sea. Quiero salir hoy mismo de aquí.
SR. TOKARIK: Chip, nada es más importante para mí que su inmediata puesta en libertad, pero yo...
SR. JONES: Tranquilo, Tony. Lea, señor investigador.
SR. TOKARIK: Ni hablar. Lamento mucho esta...
SR. JONES: Muy bien. Lea, señor investigador.
INV. STURGIS: ¿Se acabó la discusión entre ustedes? ¿Seguro? De acuerdo pues. Esto es una transcripción de un disquete de ordenador en clave, marca 3M. DS, DD, RH, *double-sided, double-density*, Identificación Q. También designada con la denominación de Prueba de Investigación del FBI número 13355678345 guión 452948. El disquete fue descifrado por la división de criptografía del Laboratorio Penal Nacional del FBI en Washington, D.C. y se ha recibido a las 6,45 de esta mañana en el Departamento de Policía de Los Ángeles a través de valija gubernamental. En cuanto empiece, leeré hasta el final, aunque usted opte por abandonar la estancia en compañía de su cliente, señor abogado. Para dejar bien claro que se le ofreció esta prueba y usted rehusó escucharla. ¿Comprendido?
SR. TOKARIK: Ejercemos todos nuestros derechos sin ningún prejuicio.
SR. JONES: Lea, señor investigador. Estoy intrigado.
INV. STURGIS: Allá va:

Escribo en clave para protegerme, pero no es una clave complicada sino una simple sustitución básica, números en lugar de letras con un par de inversiones, por cuyo motivo creo que lo podrá usted resolver, Ashmore. Y, si algo me ocurriera, que se divierta.

Charles Lyman Jones Tercero, llamado Chip, es un monstruo.

Se presentó en mi Instituto como tutor voluntario y me sedujo no sólo sexual, sino también emocionalmente. Eso fue hace diez años, cuando yo tenía diecisiete y era una destacada estudiante de matemáticas, pero necesitaba ayuda en inglés y ciencias sociales, pues ambas asignaturas me resultaban aburridas. Él tenía veintiocho años y era estudiante de grado. Me sedujo y mantuvimos relaciones sexuales a lo largo de un período de seis meses en su apartamento y en la escuela, incluyendo actividades que a mí me resultaban repulsivas. Padecía a menudo de impotencia y me hacía cosas repugnantes para excitarse. Al final, me quedé embarazada y dijo que se iba a casar conmigo. Jamás nos casamos. Nos limitamos a vivir juntos en un pequeño apartamento cerca de la Universidad de Connecticut, en Storrs. A partir de aquel momento, la situación se agravó.

1. No le habló a su familia de mi existencia. Tenía otro apartamento en la ciudad al que acudía siempre que su padre le visitaba.

2. Empezó a comportarse de una manera muy rara. Se hacía cosas extrañas en el cuerpo... me echaba drogas en las bebidas y me pinchaba con agujas mientras dormía. Al principio, yo no sabía muy bien lo que ocurría y me despertaba dolorida y con señales por todas partes. Me dijo que estaba anémica y que aquello eran petequias, roturas de vasos capilares debidas al embarazo. Me había dicho que había estudiado preparatorio de medicina en Yale y yo le creí. Una vez me desperté y le sorprendí tratando de inyectarme una sustancia marrón de aspecto desagradable..., ahora estoy segura de que eran heces. Por lo visto, no me había administrado suficiente sedante o, a lo mejor, yo me había habituado y necesitaba una dosis más fuerte. Me explicó que lo hacía por mi bien, que aquello era un tónico vitamínico.

Yo era muy joven y me tragaba todos sus embustes, pero, al final, la situación empeoró y yo intenté vivir con mi madre, pero estaba constantemente bebida y no me quiso aceptar. Además, creo que él le daba dinero porque, de pronto, empezó a comprarse un montón de ropa. Regrese junto a él y, a medida que avanzaba el embarazo, se fue poniendo cada vez más nervioso. Una vez se puso histérico y me dijo que el niño iba a estropear nuestra relación y que tenía que abortar. Después dijo que ni siquiera era suyo, lo cual era ridículo, pues yo era virgen cuando le conocí y jamás había tonteado con nadie. Al final, la tensión a que me sometió me provocó el aborto, pero eso tampoco lo hizo feliz. Me seguía martirizando mientras dormía, diciéndome cosas al oído y, algunas veces, pinchándome. Yo tenía fiebre, me dolía la cabeza, oía voces y estaba aturdida. Durante algún tiempo, pensé que me estaba volviendo loca.

Al final, abandoné Storrs y regresé a Poughkeepsie. Me siguió hasta allí y tuvimos una pelea espantosa en el Victor Waryas Park. Después me entregó un cheque de diez mil dólares y me dijo que me largara de su vida y me quedara allí. Aquello era un montón de dinero para mí y lo acepté. Estaba muy deprimida y trastornada y no podía trabajar, por lo que me eché a la calle, me engañaron y acabé casándome con Willie Kent, un negro que de vez en cuando se ganaba la vida como rufián. La cosa duró unos seis meses. Después me sometí a una cura de desintoxicación, terminé los estudios y me matriculé en un centro universitario.

Elegí las especialidades de matemáticas e informática y me fue muy bien hasta que me sedujo otro profesor llamado Ross M. Herbert; estuve dos años casada con él. No era un monstruo como Chip Jones, pero sí un tipo muy aburrido y desastrado, por lo que me divorcié de él y dejé los estudios a los tres años.

Conseguí un trabajo como experta en informática, pero era algo que no tenía demasiado futuro, por lo que lo dejé y regresé a la universidad, donde me matriculé en preparatorio de medicina. Tenía que trabajar por las noches y estudiar cuando podía. Por eso mis notas y calificaciones no eran todo lo buenas que hubieran tenido que ser, aunque siempre sacaba sobresalientes en matemáticas. Al final, terminé y cursé instancias a varias facultades de medicina, pero no conseguí que me aceptaran en ninguna. Entonces me pasé un año trabajando como auxiliar de laboratorio, repetí el preparatorio y lo hice mejor. Volví a cursar instancias y me incluyeron en varias listas de espera. También presenté instancias a algunos programas de Sanidad Pública para obtener una especialización. El mejor de todos los que me aceptaron estaba en Los Ángeles y entonces me vine aquí.

Pasé cuatro años difíciles y seguí presentando instancias a las facultades de medicina. Un día leí en el periódico un artículo sobre Charles Lyman Jones y comprendí que era su padre. Fue entonces cuando me enteré de lo ricos que eran y de lo mucho que me habían tomado el pelo y decidí cobrar lo que por derecho me correspondía. Intenté llamar a su padre, pero no lo conseguí, incluso le escribí unas cartas a las que no se dignó contestar. Entonces traté de localizar a Chip, descubrí que vivía en el Valle y fui a ver qué pinta tenía su casa. Fui de noche para que no me vieran. Lo hice varias veces y vi a su mujer. Me sorprendió que ésta se pareciera tanto a mí, antes de que yo empezara a engordar. La niña era un encanto y juro que me compadecí de las dos.

Yo no quería hacer daño ni a la mujer ni a la niña, pero me sentía en la obligación de advertir a la mujer del peligro que corría. Él estaba en deuda conmigo.

Fui allí varias veces sin saber muy bien lo que iba a hacer hasta que una noche vi detenerse una ambulancia delante de la casa. Chip salió inmediatamente después y yo le seguí desde cierta distancia hasta el Western Pediatric. Le seguí de lejos hasta la sala de Urgencias y le oí preguntar por su hija Cassie.

A la mañana siguiente, me presenté en la sección de Fichas Médicas, enfundada en mi bata blanca de laboratorio, alegando ser la doctora Herbert. Fue muy fácil porque no había ninguna medida de seguridad. Más adelante, las medidas se endurecieron. Vi que la historia clínica de la hija no estaba, pero en una ficha figuraban los datos de todos sus anteriores ingresos; y entonces comprendí que Chip estaba volviendo a hacer de las suyas. Pobre niña.

Eso fue lo que me indignó..., no fue un simple afán de dinero. Tanto si usted me cree como si no, Ashmore, es la pura verdad. Cuando vi la ficha de la niña, comprendí que tenía que hacer algo. Me presenté en la sección de personal y pedí trabajo. Tres semanas después me llamaron y me ofrecieron un empleo a tiempo parcial. Con usted, Ashmore. Una mierda de trabajo que, sin embargo, me permitiría vigilar a Chip sin que él se diera cuenta. Al final, conseguí ver la historia clínica de Cassie y comprendí todo lo que él le estaba haciendo. Leí también que su primer hijo había muerto. Busqué la ficha y descubrí que había muerto de muerte súbita infantil. O sea que, al final, Chip había conseguido asesinar a alguien. La siguiente vez que vi el nombre de Cassie en los registros de alta y de baja, monté guardia, vi finalmente a Chip, le seguí hasta el aparcamiento y le dije: «Sorpresa».

Se pegó un susto de muerte y fingió no conocerme. Después, trató de humillarme, diciéndome que estaba muy gorda. Le dije que sabía lo que estaba haciendo y sería mejor que lo dejara y, además, que si no me daba un millón de dólares, lo denunciaría a la policía. Se echó a llorar y dijo que él nunca le había querido hacer daño a nadie..., tal como solía decirme cuando vivíamos juntos. Pero esta vez yo no tragué.

Me dijo que me entregaría un anticipo de diez mil dólares y que después intentaría reunir algo más, pero que le tenía que dar tiempo y que, de todos modos, no me podría pagar un millón de dólares porque no disponía de tal cantidad. Le dije que, de momento, cincuenta mil y, al final, acordamos una entrega de veintisiete mil quinientos. Al día siguiente, se reunió conmigo en el Barnsdale Park de Hollywood y me entregó el dinero en efectivo. Le dije que más le valía entregarme por lo menos doscientos mil más a finales de mes. Se echó nuevamente a llorar y dijo que lo intentaría. Después me pidió que lo perdonara. Me fui y utilicé el dinero en la compra de un nuevo automóvil porque el mío estaba hecho un asco y en Los Ángeles no eres nada si no tienes un buen coche. Guardé el informe de Chad Jones en la consigna del aeropuerto —LAX, United Airlines, Numero 5632— y, al día siguiente, abandoné el hospital.

Ahora estoy esperando que llegue el final de mes y escribo esto como garantía. Quiero ser rica y quiero ser médica porque me lo merezco. Pero, en caso de que él intentara echarse atrás, dejo cada noche este disquete en un cajón cerrado y después lo recojo por la mañana. Guardo también una copia en mi cajón de la facultad. Si usted lo lee, significará que probablemente me ha ocurrido una desgracia, pero, qué le vamos a hacer. No tengo ninguna otra alternativa.

7 de marzo de 1989

Dawn Rose Rockwell Kent Herbert

INV. STURGIS: Ahí tienen.

SR. TOKARIK: ¿Nos quiere impresionar con esto? ¿Una estupidez descifrada? Usted sabe que eso es totalmente inadmisible.

INV. STURGIS: Si usted lo dice.

SR. TOKARIK: Vamos, Chip, salgamos de aquí... ¿Chip?

SR. JONES: ¿Qué?

INV. STURGIS: ¿Seguro que se quieren ir? Todavía hay más.

SR. TOKARIK: Ya hemos oído suficiente.

INV. STURGIS: Como usted quiera, señor letrado. Pero no pierda el tiempo pidiendo la libertad bajo fianza. En estos momentos, el fiscal de distrito está cursando una denuncia por asesinato.

SR. TOKARIK: ¿Por asesinato? Eso es indignante. ¿Quién es la víctima?

INV. STURGIS: Dawn Herbert.

SR. TOKARIK: ¿Asesinato dice usted? ¿Sobre la base de qué fantasía?

INV. STURGIS: Sobre la base de la declaración de un testigo presencial, señor abogado. La declaración de un cómplice. Un ejemplar ciudadano llamado Karl Sobran. Siente usted una atracción especial hacia sus alumnos, ¿no es cierto, profesor?

SR. TOKARIK: ¿Quién?

INV. STURGIS: Pregúnteselo al profesor.

SR. TOKARIK: Se lo pregunto a usted, señor investigador.

INV. STURGIS: Karl Edward Sobran. Tenemos una cazadora con manchas de sangre y una declaración que compromete a su cliente. Las cartas credenciales de Sobran son impecables. Licenciatura en violencia interpersonal en Soledad, especialización en otras varias instituciones. Su cliente lo contrató para que matara a la señora Herbert de forma que pareciera un delito sexual. No fue demasiado difícil porque a Sobran le encanta ser violento con las mujeres..., cumplió condena por atraco y violación. Sus últimas vacaciones pagadas lo fueron por robo en la prisión del condado de Ventura. Allí fue donde le conoció el profesor Chip aquí presente. En un programa de voluntariado pedagógico que estaban haciendo sus alumnos de Sociología. Sobran consiguió sobresaliente. El bueno de Chip envió una carta, recomendando su libertad condicional y comprometiéndose a tenerlo bajo su tutela. Sobran salió y se matriculó en Sociología en el Colegio Comunitario de West Valley. Lo que le hizo a Dawn... ¿Qué fue, profesor? ¿Un trabajo de campo?

SR. TOKARIK: Eso es lo más ridículo que he oído en mi vida.

INV. STURGIS: El fiscal de distrito no lo cree así.

SR. TOKARIK: El fiscal de distrito actúa por motivaciones completamente políticas. Si mi cliente fuera un Jones cualquiera, ni siquiera estaríamos sentados aquí.

INV. STURGIS: De acuerdo... que lo pasen ustedes bien. ¿Steve?

INV. MARTÍNEZ: Hasta luego.

SR. TOKARIK: Disquetes en clave, la presunta declaración de un delincuente... absurdo.

INV. STURGIS: Pregúntele a su cliente si es absurdo.

SR. TOKARIK: No pienso hacer tal cosa. Vamos, Chip. Salgamos.

SR. JONES: ¿Me podrá usted conseguir la libertad bajo fianza, Tony?
SR. TOKARIK: No me parece el lugar más apropiado para...
SR. JONES: Quiero salir de aquí, Tony. Se me está acumulando el trabajo. Tengo que corregir un montón de exámenes.
SR. TOKARIK: Por supuesto que sí, Chip, pero podría tardar...
INV. STURGIS: No podrá salir de aquí y usted lo sabe muy bien, señor abogado. Sea sincero con él.
SR. JONES: Quiero salir de aquí. Este lugar es deprimente. No me puedo concentrar.
SR. TOKARIK: Lo comprendo, Chip, pero...
SR. JONES: Nada de peros, Tony. Quiero salir, *a l'extérieur*, a la calle.
SR. TOKARIK: Por supuesto que sí, Chip. Usted sabe que yo haré todo lo posible...
SR. JONES: Quiero salir, Tony. Soy una buena persona. Todo eso es absolutamente kafkiano.
INV. STURGIS. Conque una buena persona, ¿eh? Embustero, torturador, asesino... Sí, supongo que, dejando aparte estos tecnicismos sin importancia, es usted candidato a la santidad, Junior.
SR. JONES: Soy una buena persona.
INV. STURGIS: Dígaselo a su hija.
SR. JONES: No es mi hija.
SR. TOKARIK: Chip...
INV. STURGIS: ¿Que Cassie no es su hija?
SR. JONES: Estrictamente hablando, no, señor investigador. Aunque eso no tiene ninguna importancia..., yo sería incapaz de causar el menor daño a un niño.
INV. STURGIS: ¿La niña no es suya?
SR. JONES: No. A pesar de lo cual, la he criado como si lo fuera. He asumido la responsabilidad, pero no es mía.
INV. MARTÍNEZ: ¿Y de quién es entonces?
SR. JONES: Vaya usted a saber. Su madre es una furcia y se abalanza sobre cualquier cosa que tenga..., que lleve pantalones. Sólo Dios sabe quién es el padre. Yo, desde luego, no.
INV. STURGIS: Al decir «su madre», ¿se refiere usted a su propia esposa?
SR. JONES: Esposa sólo de nombre.
SR. TOKARIK: Chip...
SR. JONES: Es un auténtico tiburón, señor investigador. No se deje engañar por su aparente inocencia. Una auténtica depredadora. En cuanto me pescó, volvió a las andadas.
INV. STURGIS: ¿Y qué andadas son esas?
SR. TOKARIK: Solicito la inmediata suspensión de la sesión. Cualquier otra pregunta que usted formule, la hará usted por su cuenta y riesgo, señor investigador.
INV. STURGIS: Lo siento, Chip, su asesor legal dice que tenemos que ponernos una cremallera en la boca.
SR. JONES: Yo hablo con quien quiero y cuando quiero, Tony.
SR. TOKARIK: Por el amor de Dios, Chip...

SR. JONES: Cállese, Tony. Me está empezando a aburrir.

INV. STURGIS: Será mejor que le haga caso, profesor. Él es el experto.

SR. TOKARIK: Exactamente. Se suspende la sesión.

INV. STURGIS: Como usted diga.

SR. JONES: Dejen de tratarme como a un niño... todos ustedes. El que esta metido en este agujero infernal soy yo. Los derechos que se están recortando son los míos. ¿Qué tengo que hacer para salir de aquí, señor investigador?

SR. TOKARIK: Chip, en estos momentos no se puede hacer nada...

SR. JONES: Pues entonces, ¿para qué le necesito? Está despedido.

SR. TOKARIK: Chip...

SR. JONES: Cállese y déjeme pensar, ¿de acuerdo?

SR. TOKARIK: Chip, yo no puedo en conciencia...

SR. JONES: Usted no tiene conciencia, Tony. Usted es un abogado. «Matemos a todos los abogados», como dijo el poeta. ¿De acuerdo? Haga el favor de callarse... eso es... Miren, ustedes son policías..., conocen a los tíos de la calle y saben que mienten como bellacos. Así es Cindy. Miente sin poderlo remediar..., es una costumbre muy arraigada en ella. Me engañó durante mucho tiempo porque la amaba... «Cuando mi amor me jura que esta hecha de verdad, yo la creo, aunque sepa que me miente», Shakespeare..., en Shakespeare está todo. ¿Por dónde iba...?

SR. TOKARIK: Chip, por lo que más quiera...

SR. JONES: Es algo increíble, señor investigador. Sería capaz de seducir el tronco de un árbol. Me sirve la cena sonriendo y me pregunta qué tal día he tenido... y una hora antes estaba en nuestro lecho matrimonial follando con el tío de las piscinas. Nada menos que el tío de las piscinas. Es la leyenda urbana. Pero ella la vivía realmente.

INV. STURGIS: Al decir «el tío de las piscinas», ¿se refiere usted a Greg Worley, del Servicio de Mantenimiento de Piscinas ValleyBrite?

SR. JONES: A él y a otros... ¿Qué más da? Carpinteros, fontaneros, cualquier cosa que lleve unos vaqueros y una caja de herramientas. No era difícil conseguir que los operarios acudieran a nuestra casa. Nuestra casa era Disneylandia para todos los operarios de la ciudad. Es una enfermedad, señor investigador. No puede evitarlo. Racionalmente, lo comprendo. Son impulsos irrefrenables, pero ella me destruyó por completo. Yo fui la víctima.

SR. TOKARIK: (murmullos ininteligibles)

INV. STURGIS: ¿Qué ocurre, señor abogado?

SR. TOKARIK: Quiero que conste mi protesta por toda esta sesión.

SR. JONES: Tráguese el orgullo, Tony. Yo soy la víctima..., no me explote en su propio beneficio. Ése es mi problema en general..., la gente suele aprovecharse de mí porque sabe que soy bastante ingenuo.

INV. STURGIS: ¿Dawn Herbert también lo hizo?

SR. JONES: Por supuesto que sí. Estas idioteces que usted ha leído son una pura invención. Era una drogadicta cuando la conocí. Traté de ayudarla y ella me lo pagó con sus ataques de paranoia.

INV. STURGIS: ¿Y qué me dice de Kristie Kirkash?

SR. JONES: (murmullos ininteligibles)
INV. STURGIS. ¿Qué ha dicho, profesor?
SR. JONES: Kristie es una de mis alumnas. ¿Por qué? ¿Acaso ha dicho ella otra cosa?
INV. STURGIS: Más bien sí.
SR. JONES: Una depredadora. Puede creerme, tiene una madurez impropia de su edad. Será que las atraigo. Lo que ocurrió con Kristie fue que la sorprendí mintiendo en una de las pruebas y quería ayudarla a adquirir el sentido de la ética. Siga mi consejo y no se crea nada de lo que ella le diga.
INV. STURGIS: Dice que alquiló un apartado de correos para usted en Agoura Hills. ¿Tienes el número a mano, Steve?
INV. MARTÍNEZ: Apartados de Correos Plus, Agoura, número 1498.
SR. JONES: Eso fue para una investigación.
INV. STURGIS: ¿Qué clase de investigación?
SR. JONES: Se me había ocurrido un proyecto: una investigación sobre la pornografía: las imágenes recurrentes en una sociedad altamente organizada como forma de ritual. Como usted comprenderá, no quería que me enviaran el material a mi casa ni a mi despacho del campus... Te incluyen en las listas de pervertidos y yo no quería que me empezaran a enviar basura. Por eso Kristie me alquiló el apartado de correos.
INV. STURGIS: ¿Hay alguna razón para que no lo alquilara usted mismo?
SR. JONES: Yo estoy muy ocupado; Kristie vivía a dos pasos de allí y me pareció lo más cómodo.
INV. STURGIS: ¿Tuvo algún motivo para alquilarla a nombre del doctor Ralph Benedict, un médico que murió hace dos años y medio y que casualmente había tratado de diabetes a la tía de su esposa?
SR. TOKARIK: No responda a esta pregunta.
INV. STURGIS: ¿Tuvo usted algún motivo para solicitar que le enviaran material médico a aquel apartado de correos, utilizando el nombre de Ralph Benedict y su número de colegiado?
SR. TOKARIK: No responda a la pregunta.
INV. STURGIS: ¿Tuvo algún motivo para solicitar que le enviaran a aquel apartado de correos y a nombre de Ralph Benedict insulina y equipos Insuject de administración de insulina como el que encontramos en sus manos en la habitación de hospital de su hija?
SR. TOKARIK: No conteste a la pregunta.
SR. JONES: Eso es completamente ridículo. Cindy conocía la existencia del apartado de correos. Yo le di un duplicado de la llave. Debió de utilizarlo para este fin.
INV. STURGIS: Ella dice que no.
SR. JONES: Pues miente.
INV. STURGIS: Muy bien, pero, aun así, ¿por qué utilizó usted el nombre de Benedict para alquilar el apartado de correos? Es el nombre que figura en el impreso.
SR. TOKARIK: No conteste a la pregunta.

SR. JONES: Quiero contestar... quiero limpiar mi nombre, Tony. Con toda sinceridad, señor investigador, no puedo responder a la pregunta. Debió de ser algo de tipo subconsciente. Cindy debió de mencionar el nombre de Benedict... sí, estoy seguro de que sí. Tal como usted ha dicho, era el médico de su tía y, como ella solía hablar mucho de él, se me quedó grabado en la cabeza... y, a la hora de elegir un nombre para el apartado de correos, me vino espontáneamente a la memoria.

INV. STURGIS: ¿Y por qué necesitaba usted ocultar su nombre?

SR. JONES: Ya se lo he dicho. Por la pornografía..., recibía ciertas cosas francamente repugnantes.

INV. STURGIS: Su mujer dice que no conocía la existencia de ese apartado de correos.

SR. JONES: No me extraña. Miente. Mire, señor investigador, todo es una cuestión de contexto..., de ver las cosas bajo una luz distinta y de usar otro tipo de lente.

INV. STURGIS: Ya.

SR. TOKARIK: Y ahora, ¿qué es lo que está usted sacando?

INV. STURGIS: Creo que está clarísimo. Es una máscara.

SR. TOKARIK: No veo qué...

SR. JONES: No tiene nada de particular. Es del carnaval... del carnaval Delta Psi. Me disfrazaron de bruja y yo conservé la máscara como recuerdo.

INV. STURGIS: Es Kristie Kirkash quien la guardó. Usted se la dio la semana pasada y le dijo que la guardara.

SR. JONES: ¿Y qué?

INV. STURGIS: Creo que usted se la ponía cuando le inyectaba la insulina a Cassie. Para parecer una mujer..., la malvada bruja.

SR. TOKARIK: Ridículo.

SR. JONES: En eso estoy de acuerdo con usted, Tony.

INV. STURGIS: Conque un recuerdo, ¿eh? ¿Y por qué se lo dio a Kristie?

SR. JONES: Porque es miembro de la Delta Psi. Pensé que a esta asociación estudiantil le haría gracia conservarla.

INV. STURGIS: Muy amable de su parte.

SR. JONES: Soy su asesor. ¿Que tiene de... ?

INV. STURGIS: Se siente usted muy atraído por sus alumnas, ¿verdad? Así conoció a su mujer, ¿no es cierto? Ella era alumna suya.

SR. JONES: No tiene nada de extraño... La relación profesor-alumna...

INV. STURGIS: ¿Que ocurre?

SR. JONES: Pues que... algunas veces conduce a la intimidad.

INV. STURGIS: También le daba clases particulares a su mujer, ¿verdad?

SR. JONES: Pues, en realidad, sí. Pero era un caso perdido..., le faltaba inteligencia.

INV. STURGIS: A pesar de todo, se casó usted con ella. ¿Cómo es posible? Un hombre tan brillante como usted.

SR. JONES: Estaba enamorado..., «la primavera del amor».

Inv. Sturgis: ¿La conoció en primavera?

Sr. Jones: Es una cita...

Inv. Sturgis: ¿De Shakespeare?

Sr. Jones: Pues sí. Estaba profundamente enamorado y ella se aprovechó de mí. Tengo un temperamento romántico. Es mi *bête noire*.

Inv. Sturgis: ¿Y qué me puede decir de Karl Sobran? ¿Él también se aprovechó de usted?

Sr. Jones: Lo de Karl fue otra cosa... Curiosamente, con él pequé de ingenuo. Supe inmediatamente lo que era, pero pensé que podría ayudarle a canalizar sus impulsos.

Inv. Sturgis: ¿Y qué sabía usted de él?

Sr. Jones: Que era un clásico sociópata antisocial. Pero, en contra de la creencia popular, esos tipos no carecen de conciencia. Simplemente la dejan en suspenso cuando les conviene... Lea usted a Samenow. En su calidad de oficial de policía, debería hacerlo. ¿Por dónde iba? Karl. Karl es un tipo muy inteligente. Yo esperaba encauzar su inteligencia de manera constructiva.

Inv. Sturgis: ¿Con un contrato de asesinato, por ejemplo?

Sr. Tokarik: No conteste.

Sr. Jones: Deje de lanzar suspiros, Tony. Eso es ridículo. Por supuesto que no. ¿Acaso Karl ha dicho tal cosa?

Inv. Sturgis: ¿De qué otro modo le hubiera podido yo conocer, profesor?

Sr. Jones: Ridículo. Es un sociópata... no lo olvide. Embustero por naturaleza. Todo lo más, puedo ser culpable de haberle subestimado... y de no haberme percatado de lo peligroso que era. A pesar de que no respetaba a Dawn como ser humano, me horroricé al enterarme de que la habían asesinado. De haberlo sabido, jamás hubiera escrito la carta de recomendación en favor de la libertad condicional de Karl. Jamás hubiera... Oh, Dios mío.

Inv. Sturgis: ¿Jamás hubiera qué?

Sr. Jones: Jamás le hubiera hecho comentarios imprudentes a Karl.

Inv. Sturgis: ¿Sobre Dawn?

Sr. Tokarik: No responda a la pregunta.

Sr. Jones: Ya estamos otra vez con los suspiros... me aburre, Tony. Sí, sobre Dawn y sobre otras cosas. Me temo que debí de hacerle unos comentarios intrascendentes sobre Dawn y que él los interpretó erróneamente.

Inv. Sturgis: ¿Qué clase de comentarios?

Sr. Jones: Oh, no, no puedo creer que Karl llegara a... Le comenté que me estaba acosando. Y interpretó erróneamente mis palabras. ¡Dios mío, qué terrible malentendido!

Inv. Sturgis: ¿Me está usted diciendo que él interpretó erróneamente sus comentarios y la mató por su cuenta y riesgo?

Sr. Jones: Puede creerme, señor investigador, la sola idea me pone enfermo. Pero no tengo más remedio que llegar a esta conclusión.

Inv. Sturgis: ¿Qué le dijo usted exactamente a Sobran sobre Dawn?

Sr. Jones: Que era una persona de mi pasado y que me estaba molestando.

Inv. Sturgis: ¿Eso es todo?

Sr. Jones: Eso es todo.

Inv. Sturgis: ¿No le pidió que la matara o le causara algún daño?

Sr. Jones: Rotundamente, no.

Inv. Sturgis: Pero se efectuó un pago, profesor. Dos mil dólares que Sobran depositó en su cuenta al día siguiente del asesinato de la chica. Guardaba una parte del dinero en el bolsillo cuando yo le detuve. Y dice que lo recibió de usted.

Sr. Jones: Eso no tiene importancia. Llevo mucho tiempo ayudando a Karl..., para que pueda reinsertarse y no vuelva a caer en el delito.

Inv. Sturgis: ¿Dos mil dólares?

Sr. Jones: A veces se me va un poco la mano. Gajes del oficio.

Inv. Sturgis: ¿De su oficio de profesor de Sociología?

Sr. Jones: De mi oficio de niño rico... puede ser una auténtica maldición, ¿sabe usted? Por eso siempre he intentado vivir mi vida como si el dinero no existiese. He llevado siempre un tren de vida sencillo... y me he mantenido al margen de todas las cosas que me pudieran corromper.

Inv. Sturgis: ¿Como los negocios inmobiliarios, por ejemplo?

Sr. Jones: Mis inversiones eran para ellos..., para Cindy y los niños. Quería que gozaran de cierta estabilidad económica porque mi sueldo de profesor no da para mucho. Eso fue antes de que yo me diera cuenta de lo que ella estaba haciendo.

Inv. Sturgis: Al decir «haciendo» ¿se refiere usted a su comportamiento sexual?

Sr. Jones: Exactamente. Con cualquier cosa que entrara por la puerta. Los niños ni siquiera eran míos, pero yo me hice cargo de ellos de todos modos. Soy demasiado blando..., tengo que procurar corregirme.

Inv. Sturgis: Ya... ¿Chad era hijo suyo?

Sr. Jones: Qué va.

Inv. Sturgis: ¿Cómo lo sabe?

Sr. Jones: No había más que verlo. Era el vivo retrato de un operario que nos estuvo arreglando los tejados en la urbanización. El vivo retrato..., un auténtico clon.

Inv. Sturgis: ¿Y por eso lo mató usted?

Sr. Jones: No me aburra, señor investigador. Chad murió a causa del síndrome de muerte súbita infantil.

Inv. Sturgis: ¿Cómo puede estar tan seguro?

Sr. Jones: Un caso de manual. Tras la muerte del chiquillo, leí un montón de cosas sobre el síndrome. Quería comprenderlo... y asimilarlo. Fueron unos momentos muy difíciles para mí. No era carne de mi carne, pero, a pesar de todo, yo le quería.

Inv. Sturgis: Muy bien pues, sigamos. Su madre. ¿Por qué la mató usted?

Sr. Tokarik: ¡Protesto!

SR. JONES: Será hijo de p...

INV. STURGIS: Verá, es que yo también he estudiado un poco...

SR. JONES: Maldito gordinflón de m...

SR. TOKARIK: ¡Protesto! Quiero protestar enérgicamente contra este...

INV. STURGIS: ... para intentar comprenderle a usted, profesor. He hablado con varias personas acerca de su mamá. Se sorprendería de ver lo mucho que habla la gente cuando alguien ha caído...

SR. JONES: Es usted un estúpido, un psicópata y... y un imbécil ignorante. No hubiera tenido que desnudar mi alma ante un...

SR. TOKARIK: Chip...

INV. STURGIS: En lo que todo el mundo está de acuerdo es en el hecho de que su mamá era una hipocondríaca. A pesar de su salud de hierro, estaba convencida de padecer una enfermedad en fase terminal. Una de las personas con quienes he hablado dice que su dormitorio parecía una habitación de hospital... y que incluso había mandado colocar una cama de hospital. Tenía una mesita con toda clase de pastillas y jarabes. Y también jeringas. Muchas jeringas. ¿Se pinchaba ella misma o lo hacía usted?

SR. JONES: Oh, Dios mío...

SR. TOKARIK: Tome mi pañuelo, Chip. Señor investigador, exijo que desista de seguir por este canino.

INV. STURGIS: De acuerdo.

SR. JONES: ¡Era ella la que se pinchaba! Se pinchaba ella misma y me pinchaba a mí... ¡me hacía daño! Inyecciones de vitamina B_{12} dos veces al día. Inyecciones de proteínas. ¡E incluso inyecciones de antihistamínicos, a pesar de que yo no era alérgico a nada! ¡Tenía un trasero que parecía un maldito acerico! Antibióticos en cuanto tosía un poco. Inyecciones contra el tétanos si me hacía un rasguño. Yo era una especie de chivo expiatorio... Aceite de hígado de bacalao y aceite de ricino y, si vomitaba, tenía que limpiarlo yo mismo y tomar una doble dosis. Estaba acostumbrada a manejar medicamentos porque había sido enfermera... Así conoció a mi padre. En un hospital de campaña; él resultó herido en Anzio... y se convirtió en un gran héroe. Ella le cuidó, pero conmigo era una sádica... ¡No tiene usted idea de cómo era!

INV. STURGIS: Por lo visto, no tenía usted a nadie que le protegiera.

SR. JONES: ¡A nadie! Era un infierno espantoso. Cada día me deparaba una nueva sorpresa. Por eso aborrezco las sorpresas. No las soporto. Las detesto.

INV. STURGIS: Prefiere tenerlo todo muy bien organizado, ¿verdad?

SR. JONES: La organización. Me gusta la organización.

INV. STURGIS: Parece que su papá lo decepcionó un poco.

SR. JONES: (risas) Es su *hobby*.

INV. STURGIS: Y entonces usted decidió seguir su propio camino.

SR. JONES: La madre es... La experiencia es la madre de la ciencia. (risas). Gracias, *Herr* Freud.

INV. STURGIS: Volvamos un momento a su mamá...

SR. JONES: Mejor que no.

INV. STURGIS: La forma en que murió... sobredosis de Valium, bolsa de plástico en la cabeza... creo que nunca conseguiremos demostrar que no fue un suicidio.

SR. JONES: Porque lo fue. Es todo lo que puedo decir al respecto.

INV. STURGIS: ¿Quiere explicar por qué colgó en su casa dos cuadros que ella pintó, pero casi a ras de suelo? ¿Lo hizo tal vez para humillarla simbólicamente?

SR. JONES: No tengo nada que decir.

INV. STURGIS: Ya... muy bien... Pretende decirme que la víctima es usted y que todo ha sido un malentendido, ¿verdad?

SR. JONES: (sonidos ininteligibles)

INV. STURGIS: ¿Cómo dice?

SR. JONES: El contexto, señor investigador. El contexto.

INV. STURGIS: Otro tipo de lente.

SR. JONES: Exacto.

INV, STURGIS: ¿Su interés por el síndrome de muerte súbita infantil se debió a que quería comprender la muerte de su... de Chad?

SR. JONES: Exactamente.

INV. STURGIS: ¿Y leyó cosas sobre el síndrome de Münchausen por sustitución porque quería comprender la enfermedad de Cassie?

SR. JONES: Pues sí. A mí me enseñaron a investigar. Todos los expertos estaban desconcertados ante los síntomas de Cassie, señor investigador. Y yo quise averiguar algo por mi cuenta.

INV. STURGIS: Dawn Herbert dijo que usted había estudiado preparatorio de medicina.

SR. JONES: Durante muy poco tiempo. Enseguida me cansé.

INV. STURGIS: ¿Por qué?

SR. JONES: Todo era demasiado concreto, no quedaba espacio para la imaginación. En realidad, los médicos no son más que unos fontaneros glorificados.

INV. STURGIS: O sea que... usted estudió el síndrome de Münchausen... por pura curiosidad de profesor.

SR. JONES: (risas) ¿Qué quiere que le diga? Al final, todos volvemos a lo nuestro. Fue una auténtica revelación, se lo aseguro. Aunque nunca imaginé al principio que Cindy le pudiera estar haciendo daño a la niña... Tal vez tardé demasiado en sospechar, pero mi propia infancia... fue demasiado dolorosa. Probablemente, me reprimía. Pero después... cuando leí...

INV. STURGIS: ¿Que ocurre? ¿Por qué sacude la cabeza?

SR. JONES: Es difícil hablar de eso... demasiado cruel... Crees conocer a una persona y, de pronto... Todo empezó a encajar. Los antecedentes de Cindy. Su obsesión por la salud. Las técnicas que seguramente utilizó... repugnante.

INV. STURGIS: ¿Como cuáles?

SR. JONES: Sofocarla para simular una asfixia. Cindy era siempre la primera en levantarse cuando Cassie lloraba... y sólo me llamaba cuando la situación empeoraba. Aquellos terribles problemas gastrointestinales y aquellas fiebres. Una vez vi una cosa marrón en el biberón de Cassie. Cindy me dijo que era zumo de manzana de cultivo orgánico y yo la creí. Ahora comprendo que debía de ser alguna especie de materia fecal. Envenenaba a Cassie con su propia porquería para provocarle una infección que pareciera endógena de tal manera que en los análisis de sangre no se detectara ningún organismo extraño. Repugnante, ¿verdad?

INV. STURGIS: En efecto, profesor. ¿Cuál es su teoría a propósito de los ataques?

SR. JONES: Bajo nivel de azúcar en la sangre, por supuesto. Sobredosis de insulina. Cindy lo sabía todo sobre la insulina debido a la enfermedad de su tía. Hubiera tenido que comprenderlo..., hablaba constantemente de la diabetes de su tía y no quería que Cassie comiera golosinas ni caramelos... pero no caí en la cuenta. Me negaba a creerlo, pero... las pruebas. Al final, uno no tiene más remedio que reconocerlo, ¿verdad? Pero, aun así... Cindy tenía, mejor dicho, tiene, sus flaquezas, desde luego, y yo estaba furioso con ella por sus excesos sexuales. Pero eso de hacer daño a su propia hija...

INV. STURGIS: Exclusivamente suya.

SR. JONES: Sí, pero no se trata de eso. Nadie quiere hacer sufrir a un niño.

INV. STURGIS. Y entonces se fue a la universidad y sacó artículos médicos del banco de datos de la biblioteca.

SR. JONES: (sonidos ininteligibles)

INV. STURGIS: ¿Cómo ha dicho?

SR. JONES: Se acabaron las preguntas, ¿vale? Me estoy empezando a cansar.

INV. STURGIS. ¿Acaso le he ofendido en algo?

SR. JONES: Tony, dile que se calle.

SR. TOKARIK: Se ha terminado la sesión.

INV. STURGIS: Muy bien. Faltaría más. Pero hay algo que no tengo muy claro. Estábamos manteniendo una cordial conversación y, de repente, yo digo algo sobre el banco de datos de la universidad... ese enorme sistema informático que tienen allí y del que uno puede sacar y fotocopiar todos los artículos que quiera. ¿Le suena eso de algo, profesor? ¿No es cierto que los profesores pueden abrir una cuenta de consulta y recibir cada mes un informe pormenorizado?

SR. TOKARIK: Mi cliente y yo no tenemos ni idea de lo que está usted diciendo...

INV. STURGIS: ¿Steve?

INV. MARTÍNEZ: Aquí tienen.

SR. TOKARIK: Ah, otro truquito de la policía.

INV. STURGIS: Mire, échele un vistazo, señor letrado. Los artículos marcados con una estrella roja son los que se refieren a la muerte súbita infantil. Compruebe las fechas en que su cliente y la señorita Kirkash los sacaron del ordenador. Seis meses antes de la muerte de Chad. Los marcados en azul son los que se refieren al síndrome de Münchausen. Compruebe las fechas y verá que los sacó dos meses antes de que naciera Cassie..., mucho antes de que empezaran los síntomas. Eso a mí me suena a premeditación, ¿a usted no, señor abogado? Aunque confieso que me ha gustado la pequeña comedia que nos acaba de montar su cliente... A lo mejor, a sus compañeros de prisión también les divertirá. Quizá le podrá usted sacar de la máxima seguridad y colocarlo entre la población reclusa normal, señor abogado. Para que les enseñe un poco de sociología a los sociópatas... ¿qué le parece? ¿Que pasa?

SR. JONES: (murmullos ininteligibles)

SR. TOKARIK: Chip...

INV. STURGIS: ¿Son lágrimas eso que veo, Chip? Pobre niñito. Levante un poco más la voz... no le oigo.

SR. JONES: Hagamos un trato.

INV. STURGIS: ¿Un trato? ¿Para qué?

SR. JONES: Reducción de las acusaciones: agresión... agresión con arma mortal. De todos modos, ésas son las únicas pruebas que tienen.

INV. STURGIS: Su cliente quiere negociar, señor abogado. Le aconsejo que lo asesore.

SR. TOKARIK: No diga nada, Chip. Déjemelo a mí.

SR. JONES: ¡Quiero hacer un trato, maldita sea! ¡Quiero salir de aquí!

INV. STURGIS: ¿Qué trato quiere usted hacer, Chip?

SR. JONES: Información... sobre ciertos hechos muy graves. Las cosas que ha estado haciendo mi padre. Un auténtico asesinato. En el hospital había un médico apellidado Ashmore..., debió de hacer algo que molestó a mi papá porque oí que éste hablaba con uno de sus lacayos —un gusano apellidado Novak— una vez que fui a visitarle en su casa. Estaban en la biblioteca y no sabían que yo me encontraba justo al otro lado de la puerta..., nunca me habían prestado demasiada atención. Decían que a ese tío, el médico, habría que liquidarlo y que, con todos los problemas de seguridad que había en el hospital, la cosa no sería difícil. No me interesó demasiado, pero, un mes después, Ashmore fue asesinado en el aparcamiento del hospital. O sea que tenía que haber una conexión, ¿no cree? Estoy seguro de que mi padre lo mandó matar. Échele un buen vistazo... y verá que, en comparación con eso, todas las idioteces que me ha dicho no tienen la menor importancia.

INV. STURGIS: Todas esas tonterías, ¿verdad?

SR. JONES: Créame e investigue.

INV. STURGIS: Está vendiendo al viejo, ¿eh?

SR. JONES: Él nunca hizo nada por mí. Jamás me protegió... ¡ni una sola vez, ni una cochina vez!

INV. STURGIS: ¿Lo oye usted, señor letrado? Aquí tiene el argumento de su defensa: infancia desgraciada. Hasta luego, Chip. Vamos, Steve.

INV. MARTÍNEZ: Nos veremos en el juicio.

SR. JONES: Esperen...

SR. TOKARIK: Chip, no es necesario que...

FIN DE LA CINTA

37

La noticia apareció en la tercera plana de un periódico del sábado en el que, curiosamente, no abundaban demasiado las noticias. Bajo un titular que decía PROFESOR ACUSADO DE ASESINATO Y MALOS TRATOS INFANTILES, se publicaba una fotografía de la época estudiantil de Chip en la que éste aparecía con cara de hippie feliz. El artículo le describía como un «investigador de sociología, galardonado con varios premios de enseñanza». E incluía la consabida serie de opiniones de incrédulos colegas.

Los reportajes de la semana siguiente fueron un poco más sustanciosos: detención de Chuck Jones y de George Plumb por complicidad en el asesinato de Laurence Ashmore.

Otro cómplice llamado Warren Novak —uno de los contables— había llegado a un acuerdo con la policía y lo confesaba todo, incluido el hecho de que Plumb le hubiera ordenado sacar dinero de una cuenta del hospital para pagar a un asesino a sueldo. El hombre que le había fracturado el cráneo a Ashmore era un antiguo guardaespaldas de Charles Jones, llamado Henry Lee Kudey. En una fotografía, se le veía en el momento de ser conducido a la cárcel por un anónimo agente del FBI. Kudey era alto y corpulento, vestía con desaliño y tenía una cara adormilada. Su acompañante era rubio, llevaba gafas de montura negra y tenía un rostro casi en forma de triángulo equilátero. En su papel de guardia de seguridad del Western Pediatric, su nombre era A. D. Sylvester.

Me pregunté por qué razón un agente federal habría practicado una detención por homicidio hasta que llegué al último párrafo; Chuck Jones y sus compinches estaban a punto de ser acusados de «presuntas irregularidades económicas basadas en unas exhaustivas investigaciones llevadas a cabo por organismos oficiales». En el reportaje se mencionaba a unos «anónimos funcionarios». Los nombres de Huenengarth y Zimberg no aparecían por ninguna parte.

A las cuatro de la tarde del martes intenté por cuarta vez ponerme en contacto con Anna Ashmore. Las primeras tres veces, nadie había contestado en la casa de Whittier Drive. Esta vez, contestó un hombre.

—¿De parte de quien? —preguntó.

—Alex Delaware. Pertenezco a la plantilla del Western Pediatric. Visité a la señora la semana pasada para darle el pésame y quería saber cómo estaba.

—Ah, comprendo. Yo soy su abogado, Nathan Best. Está todo lo bien que se puede esperar. Anoche se fue a Nueva York para reunirse con unos amigos.

—¿Tiene usted alguna idea de cuándo regresará?

—No estoy muy seguro de que regrese.

—Ya —dije—. Si habla usted con ella, déle recuerdos de mi parte.

—Descuide. ¿Cómo me ha dicho que se llamaba?

—Delaware.

—¿Es usted médico?

—Psicólogo.

—¿A usted no le interesaría, por casualidad, comprar a muy buen precio unas propiedades inmobiliarias, doctor? La dueña piensa desprenderse de algunas casas.

—No, gracias.

—Bueno pues, si conoce a alguien que pueda estar interesado, dígamelo. Adiós.

A las cinco en punto, siguiendo una costumbre recién adquirida, me dirigí en mi automóvil a una casita blanca situada en una umbrosa calle sin salida de la zona Oeste de Los Ángeles, al este de Santa Mónica.

Esta vez me acompañaba Robin. Aparqué y bajé.

—No creo que tarde mucho —le dije.

—No te preocupes.

Robin empujó el asiento hacia atrás, apoyó los pies en el salpicadero y empezó a hacer unos dibujos de incrustaciones de nácar en una cartulina.

Como de costumbre, las cortinas de la casa estaban corridas. Subí por la calzada de traviesas de ferrocarril que dividía el césped. Unas petunias blancas y rojas crecían en los bordes. En la calzada había un Plymouth Voyager aparcado y, detrás de él, una abollada moto Honda de color cobre. Hacía mucho calor y el aire resultaba sofocante. No soplaba la menor brisa, pero algo hacía sonar las cañas de bambú que colgaban por encima de la puerta a modo de aldaba.

Llamé con los nudillos. Se abrió la mirilla y vi un precioso ojo azul. La puerta se abrió hacia adentro y Vicki Bottomley se apartó a un lado para franquearme la entrada. Llevaba una bata verde lima de enfermera por encima de unas mallas de color blanco y se había recogido el cabello hacia atrás. Sostenía en la mano una taza de color calabaza.

—¿Le apetece un café? —me preguntó—. Todavía queda un poco.

—No, gracias. ¿Que tal están hoy?

—Parece que mejor.

—¿Las dos?

—Más que nada, la chiquitina..., es como si hubiera salido del cascarón. Corretea todo el día sin parar.

—Estupendo.

—Habla sola... pero eso no tiene nada de malo, ¿verdad?

—Por supuesto que no.

—Sí, yo también lo pensaba.

—¿Qué es lo que dice, Vicki?

—No se la entiende muy bien... más que nada, balbuceos. Pero se la ve muy contenta.

—Es una niña muy fuerte —dije, entrando en la casa.

—Casi todos los niños lo son... Está deseando verle.

—¿De veras?

—Pues sí. Le mencioné su nombre y sonrió. Ya era hora, ¿verdad?

—Desde luego. Me debo de haber ganado su favor.

—Sin ninguna duda, es lo que ocurre siempre con los niños.

—¿Qué tal duerme?

—Muy bien. En cambio, Cindy no duerme demasiado bien. La oigo levantarse y encender el televisor por la noche. Será el síndrome de abstinencia del Valium, ¿no cree? Aunque no he notado ningún otro síntoma.

—Puede que sea eso o simple ansiedad.

—Sí. Anoche se quedó dormida mirando la televisión, la desperté y la envié a su dormitorio. Pero se recuperará. No tiene más remedio, ¿no le parece?

—¿Y eso por qué?

—Porque es madre.

Ambos nos dirigimos al salón. Paredes blancas, alfombra beige, muebles nuevos recién salidos del almacén. La cocina estaba a la izquierda. Al fondo había una puerta vidriera corredera. Estaba abierta y mostraba un patio con césped, seguido de una franja de hierba auténtica cuyo color resultaba muy desvaido en comparación con el del césped. Un naranjo repleto de flores de azahar ocupaba el centro del patio. La valla de madera de secoya del otro extremo permitía ver unos hilos telefónicos y el tejado del garaje de la casa de al lado.

Sentada sobre la hierba, Cassie se estaba chupando los dedos mientras examinaba detenidamente una muñeca de plástico. Las prendas de la muñeca se hallaban diseminadas sobre la hierba. Cindy estaba sentada a su lado con las piernas cruzadas.

—Me parece que sí —dijo Vicki.
—¿A qué se refiere?
—Creo que se ha ganado su favor.
—Nos lo hemos ganado los dos.
—Pues sí... No me hizo ninguna gracia tener que pasar por aquel detector de mentiras, ¿sabe?
—Ya me lo imagino.
—Y contestar a todas aquellas preguntas... y pensar que pudieron llegar a considerarme sospechosa... —Vicki sacudió la cabeza—. Eso me dolió muchísimo.
—Todo fue muy doloroso —dije—. Él lo organizó así.
—Ya... nos hizo volver a todos tarumbas... y se sirvió de mis conejitos. Tendría que haber pena de muerte para las personas así. Me encantará subir al estrado de los testigos y contarle al mundo todo lo que sé sobre él. ¿Cuándo cree usted que se celebrará el juicio?
—Probablemente dentro de unos meses.
—Probablemente... Bueno, que se divierta. Ya hablaré con usted más adelante.
—Cuando usted quiera, Vicki.
—¿Cuando yo quiera qué?
—Cuando usted quiera hablar.
—Será un acontecimiento —dijo con una sonrisa en los labios—. Un auténtico acontecimiento. Usted y yo hablando... imagínese.
Me dio una ligera palmada en la espalda y se retiró mientras yo salía al patio.
Cassie levantó la vista y volvió a dirigir su atención a la muñeca desnuda. Iba descalza; llevaba unos calzones cortos de color rojo y una camiseta estampada con corazones plateados. Le habían recogido el cabello hacia arriba y tenía la cara llena de tiznaduras. Me pareció que había engordado un poco.
Cindy descruzó las piernas y se levantó sin esfuerzo. Vestía también calzones cortos. Los mismos calzones cortos de color blanco y la camiseta blanca que llevaba cuando yo la había visitado en su casa. Llevaba el cabello suelto peinado hacia atrás y se había hecho en las mejillas y la barbilla unos rasguños que intentaba disimular con maquillaje.
—Hola —me dijo.
—Hola.
Me senté en el suelo al lado de Cassie y la miré con una sonrisa. Cindy permaneció de pie un instante y después se dirigió al interior de la casa. Cassie se volvió a mirarla, levantó la barbilla y abrió la boca.
—Mamá vuelve enseguida —le dije, sentándola sobre mis rodillas.
Forcejeó un poco y yo la solté. Al ver que no intentaba bajar, le rodeé la suave cintura con una mano. Permaneció un momento sin moverse y después me dijo:

—Ballito.
—¿Quieres montar a caballo?
—Ballito.
—¿En el caballito grande o en el caballito pequeño?
—Ballito.
—Muy bien pues, allá vamos, en el caballito pequeño —dije, moviendo muy despacio las rodillas—. ¡Arre!
—A-e.
Se puso a brincar con más fuerza y yo moví la rodilla un poco más rápido mientras ella se reía y levantaba los brazos. Cada vez que subía, me cosquilleaba la nariz con el moñito.
—¡Arre! ¡Arreee!
En cuanto nos detuvimos, bajó entre risas de mis rodillas y se dirigió con paso vacilante hacia la casa y yo la seguí hasta la cocina. La estancia era la mitad de grande que la de Dunbar Drive y el mobiliario estaba un poco deslucido. Vicki se encontraba de pie junto al fregadero, con una mano metida en una cafetera cromada.
—Mira quién ha venido —dijo, mientras su mano seguía limpiando la cafetera.
Cassie corrió al frigorífico e intentó abrirlo. No lo consiguió y empezó a forcejear.
Vicki dejó la cafetera y el trapo y puso los brazos en jarras.
—¿Qué es lo que quieres, señorita?
Cassie la miró y le señaló el frigorífico.
—Si quieres algo, tendrás que hablar, señorita Jones.
Cassie volvió a señalarle el frigorífico.
—Lo siento, pero no entiendo el lenguaje de los dedos.
—¡Eh!
—¿Qué «eh» quieres tú? ¿De patatas o de tomate?
Cassie sacudió la cabeza.
—¿De cordero o de jamón? —preguntó Vicki—. ¿Una tostada o pollo asado, zumo de fruta o bistec?
Risitas.
—Bueno a ver si me lo dices. ¿Un helado o un trozo de pastel?
—E-o.
—¿Qué es eso? No te entiendo.
—E-o.
—Ah, ya me parecía a mí.
Vicki abrió el frigorífico y sacó un recipiente.
—Sorbete de menta —me explicó, frunciendo el ceño—. Parece dentífrico congelado, si quiere que le diga la verdad, pero a ella le encanta... como a todos los críos. ¿Le apetece un poco?
—No, gracias.
Cassie empezó a brincar, anticipándose al placer.

—Vamos a sentarnos a la mesa y a comer como Dios manda, señorita.

Cassie se acercó con paso vacilante a la mesa. Vicki la sentó en una silla, cogió una cuchara de sopa de un cajón y empezó a sacar el helado del recipiente.

—¿Seguro que no le apetece un poco?

—Seguro, gracias.

Cindy entró, secándose las manos con una toalla de papel.

—Es hora de tomar algo, mamá —le dijo Vicki—. Probablemente le quitará el apetito para la cena, pero ha comido mucho a la hora del almuerzo. ¿Te parece bien?

—Pues claro —contestó Cindy.

Después miró con una sonrisa a Cassie y la besó en el cabello.

—Ya he limpiado la cafetera —añadió Vicki—. ¿Quieres un poco más de café?

—No, gracias.

—Seguramente más tarde me acercaré a Von's. ¿Necesitas algo?

—No, gracias, Vicki.

Vicki colocó un cuenco de helado delante de Cassie y clavó la parte redondeada de la cuchara en el tarro que contenía la moteada masa de color verde.

—Espera un momento y enseguida te lo podrás comer.

Cassie volvió a pasarse la lengua por los labios y empezó a brincar en la silla.

—¡E-o!

—Que aproveche, cariño —le dijo Cindy—. Estoy aquí afuera, si me necesitas para algo.

Cassie la saludó con la mano y se volvió hacia Vicki.

—Come y saboréalo bien —le dijo Vicki.

Regresé al jardín. Cindy estaba apoyada contra la valla. En cuanto me vio, empezó a golpear con el pie las tablas de madera manchadas de barro.

—Qué calor hace hoy —dijo, apartándose un mechón de cabello de los ojos.

—Desde luego. ¿Hoy tiene alguna pregunta que hacerme?

—Pues no. Parece que está muy bien y creo que lo superará... Me temo que lo más duro va a ser el juicio, ¿verdad? Cuando se convierta en el centro de la atención.

—Será más duro para usted que para ella —dije—. Procuraremos mantenerla apartada de las candilejas.

—Sí... así lo espero.

—La prensa tratará por todos los medios de obtener fotografías de ustedes dos, lo cual significa que, a lo mejor, tendrán que mudarse de casa, pero creo que podremos proteger a la niña.

—Es lo único que me importa..., las molestias no me preocupan. ¿Cómo está la doctora Eves?

—Hablé anoche con ella. Dijo que vendría esta tarde.

—¿Cuándo se va a Washington?

—Dentro de un par de semanas.

—¿Ya tenía previsto el traslado o acaso...?

—Eso se lo tendrá que preguntar a ella —contesté—. Pero me consta que no ha tenido directamente nada que ver con lo ocurrido.

—Directamente —repitió—. ¿Qué quiere decir?

—Su traslado obedece a motivos personales, Cindy. No tiene nada que ver con usted ni con Cassie.

—Es una chica muy simpática... y muy... apasionada. Me gustaba mucho. Supongo que regresará cuando se celebre el juicio.

—Sí, eso por descontado.

El naranjo nos envió una vaharada de perfume de azahar. Los blancos capullos que nunca llegarían a ser frutos alfombraban la hierba alrededor del tronco del árbol. Cindy abrió la boca para decir algo, pero inmediatamente se la cubrió con la mano.

—Usted sospechaba de él, ¿verdad? —le pregunté.

—¿Yo? Pues... ¿Por qué me lo pregunta?

—Las dos últimas veces que hablé con usted, me pareció que deseaba decirme algo, pero no se atrevía. Ahora le he visto la misma expresión.

—Yo... En realidad, no era una sospecha. Me extrañaba... y empecé a tener dudas, eso es todo.

Estudió el barro adherido a la valla de madera y lo volvió a rozar con el pie.

—¿Cuando empezó a tener dudas?

—No sé..., es difícil recordarlo. Crees conocer a una persona y, de pronto, empiezan a ocurrir cosas... no sé.

—Más adelante, lo va a tener que contar todo —le dije—. A los abogados y a la policía.

—Lo sé, lo sé y créame que estoy muy asustada.

Le di una palmada en los hombros. Se apartó y apoyó la espalda en la valla, haciendo vibrar las tablas.

—Perdone —dijo—. No quiero pensar en ello. Es demasiado...

Volvió a contemplar el barro. No me di cuenta de que estaba llorando hasta que vi las lágrimas rodando por su rostro y mojando la tierra.

—Crees conocer a una persona —repitió entre sollozos—. Crees que... Crees que esta persona te quiere... y después... todo tu mundo se desmorona. Todo lo que tú creías auténtico resulta que... era falso. No queda nada... Todo se ha esfumado. Yo... yo...

Vi que estaba temblando.

—Yo... —repitió, deteniéndose para recuperar el resuello.
—¿Qué ocurre, Cindy?
—Yo... Es...
Sacudió la cabeza y su cabello me rozó el rostro.
—Tranquila, Cindy. Dígame lo que sea.
—No hubiera tenido que... ¡Era absurdo!
—¿Qué es lo que era absurdo?
—La vez que... Él fue..., él fue quien encontró a Chad. Siempre era yo la que me levantaba cuando Chad lloraba o se encontraba mal. Yo era la madre... era mi deber. Él nunca se levantaba. Pero aquella noche se levantó. Yo no oí nada. Y me pareció muy raro. ¿Por qué no oí nada? ¿Por qué? Yo siempre lo oía cuando mi niño lloraba. Yo me levantaba constantemente y me quedaba con él hasta que se dormía, pero aquella vez no lo oí. ¡Hubiera tenido que comprenderlo!
Me golpeó el pecho con el puño, soltó un gemido y restregó la cabeza contra mi camisa como si quisiera borrar su dolor.
—Hubiera tenido que comprender que ocurría algo raro cuando me despertó y me dijo que Chad tenía mala cara. ¡Mala cara! ¡Tenía la piel azulada! Estaba... Fui y le encontré tendido en la cama... sin moverse. Estaba todo... de color... ¡No era normal! ¡Él nunca se levantaba cuando el niño lloraba! No era normal. No era normal y yo hubiera tenido que... ¡Hubiera tenido que comprenderlo desde el principio! Hubiera podido... yo...
—No hubiera podido hacer nada —dije—. Nadie podía saberlo.
—¡Pero yo soy la madre! ¡Hubiera tenido que comprenderlo!
Apartándose de mí, propinó un fuerte puntapié a la valla.
Después le propinó otro todavía más fuerte y empezó a golpear las tablas con las palmas de las manos.
—¡Oh! ¡Oh, Dios mío, Dios mío! —exclamó sin dejar de aporrear la valla.
El polvo le empezó a caer encima a modo de lluvia. Lanzó un gemido que traspasó la sofocante atmósfera y empujó la valla como si quisiera atravesarla.
Permanecí inmóvil, aspirando la fragancia del naranjo. Planificando mis palabras, mis pausas y mis silencios.

Cuando regresé al automóvil, Robin había llenado la cartulina de dibujos y los estaba estudiando. Me senté al volante y ella guardó la cartulina en la carpeta.
—Estás empapado —me dijo, secándome el sudor del rostro—. ¿Te ocurre algo?
—No es nada. Es el calor —contesté, poniendo en marcha el vehículo.

—¿No ha habido ningún progreso?

—Alguno. Eso va a ser un maratón.

—Pero llegarás a la meta.

—Gracias —dije.

Di la vuelta y me alejé.

A media manzana, me acerqué al bordillo, me detuve, me incliné hacia el asiento de al lado y besé a Robin con pasión. Ella me rodeó con sus brazos y ambos permanecimos enlazados un buen rato.

Un sonoro «Ejem» nos indujo a separarnos.

Levantamos la vista y vimos a un anciano, regando el césped de su casa con una chorreante manguera. Regando, mirándonos con expresión enfurruñada y murmurando por lo bajo. Llevaba un viejo sombrero de paja de ala ancha, pantalones cortos y unas sandalias de goma. Iba desnudo de cintura para arriba... y tenía el pecho hundido como el de una mujer destrozada por la hambruna. Tenía unos brazos huesudos, requemados por el sol. El sombrero protegía un rostro de fláccidas facciones y expresión avinagrada, pero no podía disimular su irritación.

Robin le dirigió una sonrisa.

El hombre sacudió la cabeza y el chorro de la manguera se desvió y mojó la acera.

Una de sus manos nos hizo señas de que nos marcháramos. Robin asomó la cabeza por la ventanilla y le preguntó:

—¿Qué le pasa? ¿No le gusta el verdadero amor?

—Malditos muchachos del demonio —contestó, volviéndose de espaldas a nosotros.

Nos alejamos sin darle las gracias.

Esta obra, publicada por
GRIJALBO,
se terminó de imprimir en los talleres
de Novagrafik, S. L., de Barcelona,
el día 6 de febrero
de 1995